P9-EEK-189

Literaturwissenschaft und Sozialwissenschaften 7

Literaturwissenschaft und Sozialwissenschaften 7

Der liberale Roman und der preußische Verfassungskonflikt
Analyseskizzen und Materialien

Unter Mitarbeit von
Elke Neumann

herausgegeben von
Bernd Peschken und
Claus-Dieter Krohn

J. B. Metzler Stuttgart

CIP-Kurztitelaufnahme der Deutschen Bibliothek

Literaturwissenschaft und Sozialwissenschaften.
– Stuttgart : Metzler.
7. Der liberale Roman und der preussische Verfassungskonflikt : Analyseskizzen u. Materialien / unter Mitarb. von Elke Neumann hrsg. von Bernd Peschken u. Claus-Dieter Krohn.
– 1. Aufl. – 1976.
ISBN 3-476-00327-2
NE: Peschken, Bernd [Hrsg.]

ISBN 3 476 00327 2

Satz: Bauer & Bökeler oHG, Denkendorf
Druck: Gulde-Druck, Tübingen
Printed in Germany

Inhalt

Vorwort

Diese Analysen und die Zusammenstellung der Materialien sind aus Seminaren hervorgegangen, die sich mit der Frage befaßten, wie der angehende Germanist Literatur im Zusammenhang der Sozialgeschichte interpretieren könne. Dabei wurde zweierlei offenkundig. Es war dem Umstand abzuhelfen, daß der »liberale Roman« als Zusammenhang von der deutschen literaturwissenschaftlichen Forschung bislang nicht deutlich gesehen worden war. Ferner mußte die Kenntnis der sozialgeschichtlichen Voraussetzungen zunächst geschaffen werden. Damit Sozialgeschichte empirisch zureichend erfaßt werden könnte, war die Arbeit interdisziplinär anzulegen; Dr. Claus-Dieter Krohn als Historiker und Prof. Dr. Dieter Hertz-Eichenrode vom Zentral-Institut für Sozialwissenschaftliche Forschung der Freien Universität beteiligten sich befruchtend an den literaturwissenschaftlichen Seminaren. Ihnen wie den Mitgliedern der Seminare sei hier ausdrücklich gedankt.

Wenn sich dann Herr Dr. Krohn und ich daran machten, diese Veröffentlichung vorzubereiten, so geschah es, um dem Germanisten das Material an die Hand zu geben, sich aufgrund von Quellenstudien ein Bild von der breiten Anlage der emanzipatorischen, allerdings weitgehend zum Scheitern verurteilten Ansätze zu machen, die das preußische Bürgertum während des Verfassungskonflikts von 1861–66 noch einmal im 19. Jahrhundert zu realisieren unternahm. Die gesamtgesellschaftliche Bedeutung der Vorgänge während des Verfassungskonflikts sucht diese Arbeit in den Vordergrund zu stellen. Ihre Interpretation ist unterschiedlich, wie die Aufsätze zeigen. Dies wird die Diskussion hoffentlich fördern.

Dank eines mit Unterstützung des Fachbereichs Germanistik der Freien Universität zustandegekommenen Forschungsaufenthalts von Herrn Dr. Krohn und mir in Merseburg und von Studien Herrn Krohns im Dahlemer Archiv enthalten die Materialien einen nicht unbeträchtlichen Teil bisher unveröffentlichter Quellen aus dem Zentralen Staatsarchiv Merseburg und dem Geheimen Staatsarchiv Dahlem, Stiftung Preußischer Kulturbesitz, Berlin.

Die Vermittlung von Literatur und Sozialgeschichte ist über die emanzipatorischen Absichten der im Verfassungskampf tätigen Generation möglich, wenn man berücksichtigt, daß in ästhetischer Umsetzung eben diese Absichten den bürgerlich-fortschrittlichen Literaten im 19. Jahrhundert mit den Führern der bürgerlichen Fronde im Konflikt gemeinsam gewesen sein dürften. Dies war umso eher anzunehmen, als die Grenze der literarisch-literaturgeschichtlichen Arbeit einerseits, der parlamentarisch-juristischen andererseits bei den Bürgern des 19. Jahrhunderts keineswegs fest gezogen war.

Fräulein Elke Neumann danke ich für ihre mühevolle und verständnisvolle Überarbeitung des Quellenteils.

Besonderen Dank schulde ich Herrn Dr. Lutz vom Metzler-Verlag für seine großzügige und verständnisvolle Förderung dieses Projekts.

Berlin, 13.3.1976 *Bernd Peschken*

1

Bernd Peschken

Der liberale Roman und die Sozialgeschichte des preußischen Verfassungskonflikts als Vermittlungsaufgabe

1.1 *Zur Methode*

Seit Beginn der studentischen Bewegung von 1967 hat die westdeutsche Literaturwissenschaft versucht, ihren Gegenstand, in der Regel das literarische Kunstwerk, mit dem gesellschaftspolitischen Zusammenhang, aus dem es erwuchs, wieder in Beziehung zu sehen. Dies zu rechtfertigen, ist eine umfangreiche theoretische Diskussion im Gange. Sie bringt von den verschiedenen politischen Ansätzen her verschiedene Begründungen, nicht ohne den eigenen Ansatz absolut zu setzen. Freilich kann dies nicht gelingen. So zeigt der Versuch, daß man dem verpflichtet ist, was man leugnen möchte: der Pluralität der Auffassungen. Es ist dazu beizutragen, sie auszubauen. Um Fragen der Interpretation zu nützen, ist es sinnvoll, unterhalb der beliebten Theoriediskussion zu wirken, in einem Modell; dies die Absicht dieser einleitenden Bemerkungen.

Welche Forderungen sind zu beachten, wenn man einerseits der Literatur gerecht werden will und andererseits ihre Interpretation dem eigenen gesellschaftspolitischen Verständnis nutzbar machen möchte? Denn dies ist das A und O der literarischen Auslegung: wir stehen, konfrontiert mit historischen Texten, vor der Aufgabe, den Forderungen des Verstehenden wie denen des Gegenstandes gerecht zu werden.

Lassen wir zur Klärung des eigenen Standortes einige aus der großen Zahl von Versuchen, Literatur und Sozialgeschichte in Beziehung zu setzen, vor unserem Auge revue passieren:

Die marxistisch-leninistische Widerspiegelungstheorie geht davon aus, daß »die Bildung der fünf Sinne eine Arbeit der ganzen bisherigen Weltgeschichte« (Karl Marx) sei. Erst am Ende der geschichtlichen Entwicklung, der erreichten Herrschaft des »Proletariats«, werden alle fünf Sinne vollständig zu »gebrauchen« sein. Denn: »Der Kapitalismus und alle ihm vorangehenden Gesellschaftformationen sind durch die Tatsache gekennzeichnet, daß die Menschen ihre eigene Geschichte noch nicht mit Bewußtsein produzieren können und auch nicht ihre eigenen gesellschaftlichen Beziehungen ...« Daraus folgt, daß der reale Prozeß der Aufhebung der Naturwüchsigkeit des gesellschaftlichen Seins, die Herrschaft der Produzenten über die Produktion [1], erst mit dem Kampf der Arbeiterklasse und der proletarischen Revolution beginnen kann [2]. Der Widerspiegelungsprozeß erfolgt als »aktive ideelle Aneignung der objektiven Realität auf der Grundlage praktischer Tätigkeit« und der Teilnahme an den politischen Formen des Klassenkampfes. Widerspiegelungen in frühen Stufen menschlicher Entwicklung werden daher als dämonisierende und totemistische Formen sich niederschlagen, entsprechend der geringen Beherrschbarkeit von Natur in diesem Entwicklungsstadium [3]. Entsprechend werden gesellschaftliche Verhältnisse in der Literatur der bürgerlichen Epoche nur zu Mystifikationen gelangen. Denn die angemessene Widerspiegelung setzt entwickeltes proletarisches Bewußtsein voraus.

Eine solche erkenntnistheoretische Kahlschlagposition der sogenannten Materialistischen Wissenschaft bestimmt zwar eindeutig, wie Werke als Widerspiegelungen zu analysieren sind; sie produziert jedoch kaum mehr als eine generell liquidatorische Kritik, schließt also die Rezeption von Literatur weitgehend aus, indem sie gesellschaftsgeschichtliche Begründungen dogmatischen Charakters zuläßt.

Der rezeptionslosen Kritik der vulgärmaterialistischen Wissenschaft steht die kritiklose Rezeption der immanenten Interpretation wie ihr Zwilling gegenüber. Sie konnte der Geschichtlichkeit des literarischen Kunstwerks nicht gerecht werden, soweit sie lediglich literarische bzw. philosophische Konstitutionsbedingungen von Literatur in ihre Interpretationen einbezog. Hier blieb der gesellschaftsgeschichtliche Bezug als fachwissenschaftlich zu wenig greifbar außerhalb der Betrachtung.

Die Verfahrensweise Adornos bezog etwa gesellschaftskritische Möglichkeiten ein, verfolgte sie aber nicht weit genug in den Textbereich, der Nachprüfung erlaubt, d. h. nicht ins geschichtlich Besondere hinein. Hier kam die Literatur in einen gesellschaftlichen Zusammenhang, indem sie als Beleg von Bewußtseinsvorgängen gesehen wurde, die im Rahmen kulturindustrieller Allgemeinbedingungen als verdinglichte dargelegt wurden [4]. Diese Vorgehensweise wird jedoch der Geschichte nicht gerecht. Sie ist über Feststellungen von Allgemeinbedingungen hinaus epochal, d. h. sozial, ökonomisch und literarhistorisch stärker zu differenzieren.

Eine dritte Spielart des Versuchs, Literatur und Geschichte in Beziehung zu sehen, sucht die Soziogenese bürgerlicher Klassenpraxis sowie deren ideologische Ausprägungen auf. Dies soll geschehen in der Form eines »anamnetischen« Reflexionsprozesses im Medium der Literaturgeschichte, der zu dem Ergebnis führen kann, daß der Weg »an der Seite der Arbeiterklasse« das bürgerliche Bewußtsein tendenziell aufhebt [5]. Folgt man dieser Methode, setzt man als ausgemacht voraus, was schon als politische Implikation dem vulgärmaterialistischen Modell zugrunde lag: namentlich zwei Annahmen: Erstens, daß die Humanisierung der menschlichen Gesellschaft in der hochindustrialisierten westlichen Welt erst möglich sein wird, wenn die sogenannte bürgerliche Herrschaft durch die des sogenannten Proletariats abgelöst sei. Die zweite Annahme besteht darin, daß die geschichtliche Bewegung mit Notwendigkeit auf das Stadium der Herrschaft des Proletariats zulaufe und nach dessen Erreichen in einem Zustand ewigen Friedens und ewigen Glücks ausschwinge. Steht man diesem voraufklärerisch-geschichtsschematischen Dogma auch fern, so taugt das Konzept der Anamnese im Medium der Literaturgeschichte doch so viel, die Rezeption von Literatur als Vorbedingung anzuerkennen für Urteile über Literatur. Freilich zeigen sich die Auswirkungen der gemachten Voraussetzungen bald in diesem Konzept als geschichtliche, ökonomische und soziale Behauptungen, die den Charakter von Meinungen nicht verlieren, da sie auf die fachwissenschaftliche Einzelbegründung verzichten. So wird die Reaktion der fünfziger Jahre des 19. Jahrhunderts als eine »bürgerliche«

bezeichnet[6], ohne zu fragen, ob sie nicht wesentlicher von Umständen feudalaristokratischen Zuschnitts bestimmt war. Ist man sich über die Obrigkeitsstruktur des Staates und das feudalaristokratisch verwurzelte Herrschaftssystem sowie über einzelgeschichtliche Vorgänge um 1848 nicht klar, kann ein solche Kennzeichnung in so fragloser Form wohl aufgestellt werden. – Die Behauptung, die »bürgerlich-humanistische Emanzipation« sei in der Zeit von 1848–1870 »in die Apologie der ökonomischen Herrschaft der bürgerlichen Klasse umgeschlagen« [7], impliziert, der Gewinn ökonomischer Macht sei keines der klassischen Mittel für das europäische Bürgertum gewesen, seine Emanzipation und politische Gleichberechtigung zu erfechten. In der Tat errang durch dieses Mittel der erfolgreichste Teil des europäischen Bürgertums außer dem holländischen, nämlich das englische, seine epochalen Erfolge. Christopher Hill hat das umständlich analysiert[8]. Auch des »Umschlagens« bedarf es nicht. Der Passus zeigt, wie spekulative Denkvorgänge mit politischen Meinungen versetzt als wissenschaftliche Behauptungen zu passieren suchen – wenn geschichtliche Einzelforschung unterlassen wird.

Will man die Aufgabe, Sozialgeschichte und Literatur aufeinander zu beziehen, lösen, werden die Sozialgeschichte und die Literaturwissenschaft ihre fachwissenschaftlichen Chrakteristika behalten müssen. Das bedeutet für die Sozialgeschichte: 1. Sie wird ihre Erkenntnisse aus eigenständiger, bis in die Quellenforschung, selbstverständlich aber bis in die Quellenanalyse vordringender Einzelarbeit gewinnen müssen. 2. Sie wird epochenspezifisch und so differenziert sein müssen, daß sie Ökonomie wie soziologisch-empirische und verfassungsgeschichtliche Forschung einbezieht. 3. Sie wird Vorstellungen über den Verlauf von Geschichte überhaupt nicht ohne weiteres akzeptieren, sondern sie allenfalls als heuristische Fragen stellen. 4. Geschichtliche Erkenntnis wird nicht nur die Gegebenheiten der Epoche aus der Epoche herausarbeiten, sondern auch ihre Theorie.

Das führt dann nicht zu einer relativistischen, bloß affirmativen Geschichtsbetrachtung, wie sie der historischen Methode gern vorgeworfen wird, wenn die Ergebnisse der aus der Epoche entwickelten, wir nennen sie historischen Fragen nach der Funktion von geschichtlichen Umständen und Hervorbringungen in der Theorie ihrer eigenen Epoche auf die heuristisch genannte Frage bezogen und die jeweiligen Ergebnisse gegeneinander abgewogen werden. Die heuristische Frage wäre geprägt vom Erkenntnisinteresse. Dieses wird von der Beförderung des Glücks aller, oder doch der meisten, ausgehen. Es stellt den Faktor geschichtlicher Erkenntnisbildung dar, in den das unmittelbare gesellschaftspolitische Interesse eingeht. Die Antworten auf diese Frage werden aber erst wissenschaftliche Begründung beanspruchen können, wenn sie durch die Prüfung der Sachverhalte aus der eigenen Epoche heraus hindurchgegangen sind. Manifestiert sich in der vom Erkenntnisinteresse geprägten Frage der Verstehende, so in der Arbeit aus der Epoche heraus der Gegenstand. Beide Bewegungen zusammen ermöglichen geschichtliche Erkenntnis. Ihre Ergebnisse sind gegeneinander abzuwägen.

5. Die Abwägung kann zur Ideologiekritik führen, d. h. falsches Bewußtsein aufdecken. Sie ergibt sich aus dem Erkenntnisinteresse des Verstehenden, das auf Herstellung von menschlichen und glücklichen Lebensbedingungen für sich und die meisten abzielt, und der Antwort auf die Frage, was der unter diesem Gesichtspunkt analysierte geschichtliche Gegenstand für die Beförderung des Ziels der Humanität leisten konnte gemäß der eigenen Theorie und der Möglichkeiten der eigenen Epoche, sowie was er geleistet hat im Fortgang der geschichtlichen Entwicklung und ihrer Ergebnisse.

Das heißt, sie ergibt sich aus der Bestimmung von Fortschrittlichkeit. Sie ist insbesondere dann problematisch, wenn sie von einer das Ende des geschichtlichen Prozesses bestimmenden Voreinstellung ausgeht, ein partikulares Interesse im Geschichtsablauf von vornherein als berechtigt annimmt und in der petitio principii bestimmt, was fortschrittlich sei. Derartiges Vorgehen läßt die Möglichkeiten geschichtlicher Erkenntnis zugunsten der Prophetie unbeachtet.

Wenn man die Gegebenheiten wie ihre Theorie aus der Epoche herausarbeitet, kann dagegen ein Maßstab für falsches Bewußtsein gefunden werden, der sowohl vom Erkenntnisinteresse wie vom Gegenstand geprägt ist. Seine Bestimmung gibt auf zu untersuchen, welche realen Möglichkeiten für emanzipatorische, das Glück der meisten und ihre Selbständigkeit und Freiheit befördernde Unternehmungen bestanden.

Die reale politische Analyse auf Fortschrittlichkeit wird also nach der relativ fortschrittlichsten Richtung der Epoche fragen und beachten, ob diese auch die von der Epoche ermöglichten politischen Mittel in der Hand hat, ihre Ziele eventuell zu erreichen. Falsches Bewußtsein läge somit sowohl da vor, wo in der Epoche offensichtlich den eigenen politischen Mitteln unangemessene Forderungen vorgebracht werden wie da, wo Gruppen ohne Verwirklichung humanitärer Absichten, obwohl sie die politischen Mittel zur Durchsetzung fortschrittlicher Ziele nach dem auf die Epoche eingehenden Kalkül gehabt hätten, auf solche Ziele oder ihre Verwirklichung verzichtet haben.

Nach dieser Klärung der Forderungen der geschichtswissenschaftlichen Methode für die Aufgabe, Literatur mit Sozialgeschichte in Beziehung zu setzen, obliegt es, die Forderungen der Literaturwissenschaft kurz zu skizzieren, die zu berücksichtigen sind.

Der Unterschied beider Disziplinen besteht u. a. in den verschiedenen Möglichkeiten der Verifikation. Die Geschichtswissenschaft verifiziert ihre Ergebnisse durch Rückgang auf die Quellen. Daher stellt dies Verfahren für den, der Literatur und Geschichte in Beziehung setzen will, eine Hauptforderung dar. Anders die Literaturwissenschaft. Sie hat es, soweit sie sich mit der Analyse von Kunstwerken beschäftigt, mit intentionalen Ganzheiten zu tun, deren Verifikationsmöglichkeit nicht primär darin liegt, auf Quellengrundlagen oder Material außerhalb des Kunstwerks zurückzugehen. Vielmehr sind die Verweisungszusammenhänge im Werk selbst diejenigen Bestandteile, die als intentional zur Ganzheit zusammengeflochtene Wahrheit oder Unwahrheit des Werkes ausmachen. Die Verifikation der literaturwissenschaftlichen Methode besteht also gerade nicht in der Prüfung, ob ein Werk geschichtliche Zustände angemessen abbildet, sondern zunächst allein im Rückgang auf die künstlerischen Zusammenhänge des Werkes selbst.

Bei der Auswertung eines Kunstwerkes und ihrer Verifikation sind daher folgende Hauptfragen zu beachten: Habe ich die wesentlichen Züge des ganzen Werkes mit meinen Beobachtungen erfaßt, oder nur marginale Erscheinungen? Dies ist nicht leicht festzustellen und erfordert ebenfalls den Überblick über das ganze Werk und die Fähigkeit, die durch Übung entwickelt werden kann, das einzelne im Zusammenhang des ganzen zu sehen. Die zweite Frage wäre: Was sagt der durch Interpretation herausgehobene Einzelzug des Werkes, in den Zusammenhang zurückgestellt, über das Werk aus? Drittens: Welchen Aufschluß gibt das herausgehobene Detail über die Auffassungen des Autors soweit sie sich im Werk und soweit sie sich außerhalb des Werkes manifestieren? Erweitert man derartige Einzelfragen auf angewendete Kunstmittel und deren Aussagefähigkeit, wird man mit ihrer Hilfe die Struktur des Werkes näher kennzeichnen können.

Schon diese sparsamen Andeutungen zeigen die Hauptschwierigkeiten in dem Geschäft, Literatur und Sozialgeschichte in Beziehung zu sehen. Denn nach diesen Vorstellungen kann die bloß auf Inhalte bezogene »Analyse« von Kunstwerken nur als unzureichend gelten. Sie könnte allenfalls an Werken einige Einsichten ermöglichen, die nur in geringem Grad fiktionale sind, also Kunstwerke geringer Ausprägung darstellen. In der Tat haben deshalb sozialgeschichtlich orientierte Lehrer das Problem kurzerhand dadurch lösen wollen, daß sie die Fiktionalität von Literaturwerken entweder als ontologische Annahmen rigoros bestritten oder ihre Relevanz für sozialgeschichtliche Arbeitsweisen laut leugneten. Nur wird damit die Frage nicht gelöst, sondern umgangen. Noch die Propagandaschrift oder die politische Rede trägt Züge der Fiktionalität. Sie können sicher am vollständigsten verstanden werden, wenn man anhand eines literarisch-fiktionalen Werkes erfahren hat, welche Zugangsmöglichkeiten derartige Texte, auch zur schlichten Inhaltserkenntnis, einerseits anbieten und andererseits fürs Verständnis voraussetzen. So bleibt zu bezweifeln, ob die bloße Inhaltserkenntnis schon eine erhebliche Art der Literaturrezeption darstellt. Denn aus dem Charakter des literarischen Werkes als Ganzheit ergibt sich eine so komplizierte Rückbezüglichkeit und solche Vielfalt von Verweisungen in intentionaler Bindung, daß ohne Beachtung der formalen Fragen des fiktionalen Werkes seine Erkenntnis, auch nur die des sogenannten Inhalts, völlig unzureichend ausfällt. Deswegen kann auch die Auswertung der Literatur als Quelle keine angemessene Weise sein, Literatur und Sozialgeschichte miteinander in Beziehung zu setzen, d. h., das Literaturverständnis kommt nicht ohne Formalanalyse aus, die selbstverständlich den Sinnbereich des ganzen Werkes als einer Ganzheit treffen muß. Die Formalanalyse wird also zur Formalsynthese zurückzuführen sein. Auf diesem Weg wird erzielt, was man die Strukturerkenntnis des literarischen Werkes nennen könnte.

Sie stellt die notwendige Bedingung für die Bewältigung der Aufgabe dar, Literatur mit Sozialgeschichte in Beziehung zu setzen. Die beiden Fachwissenschaften müssen sich also durch Herauspräparierung von Strukturen mittels jeweils eigener Methoden einander vermitteln.

Betrachtet man »Liteatur als Sozialgeschichte«, so entstünde die Gefahr, der Literatur nicht gerecht zu werden, weil dabei Sozialgeschichte die Literatur bestimmt. Umgekehrt wird dabei – wie die Erfahrung lehrt – auch geschichtliche Erkenntnis zu kurz kommen: weil man geschichtliche Fragen leicht wie literarische behandelt, nämlich ohne ausreichende Quellenkritik, ohne epochenspezifische Maßstäbe, von ungeschichtlichen Voraussetzungen aus, denen absoluter Geltungsanspurch eingeräumt wird, oder durch Konstruktion eines Interpretationsmodells ohne Rückgang auf die vielfachen geschichtlichen Kräfte einer Epoche. Während Literatur mit Mitteln, die sie nur teilweise erfassen können, nämlich mit »geschichtlichen«, befragt wird, würden geschichtliche Fragen bloß mit literaturwissenschaftlichen Mitteln zu lösen gesucht – beides vergeblich.

Wendet man dagegen die fachwissenschaftlichen Methoden vollständig an und verfährt gemäß den Erfordernissen der jeweiligen Wissenschaft, können zwei Fachdisziplinen gemeinsam zu Ergebnissen gelangen; das Vorgehen würde interdisziplinär sein.

Sonach sind zunächst Fragen zu erörtern, welche geschichtlichen Strukturen für die Epoche, der diese Quellensammlung gilt, ausfindig zu machen sind. Dabei wird die Anlage dieser Quellensammlung erläutert werden. Danach wird der liberale Roman auf seine Struktur untersucht und die Vermittlung versuchsweise geleistet.

1.2. *Zur Sozialgeschichte in der Epoche des preußischen Verfassungskonflikts*

1.2.1 *Die Geschichte des Bildes vom Verfassungskonflikt*

Die Mängel in unserem Wissen über die Sozialgeschichte des Verfassungskonflikts begründen die Anlage der Dokumentation. Um sie zu erkennen, ist ein Blick auf die Forschungsgeschichte erforderlich.

Zieht man Gustav Freytags Äußerungen heran, so erweist sich, daß seine Vorstellungen für das Jahr 1866 eine entscheidende Wende greifbar werden lassen. War bis zum Juni 1866 sein politisches, der kritischen Linken, linken Mitte, zuzurechnendes Bewußtsein von bürgerlichen Emanzipationsvorstellungen geprägt, die auf die Forderung einer entsprechend ihrer Bildungs- und Kapitalmacht herzustellenden politischen Machtbeteiligung des Bürgertums hinausliefen, sowie auf die Forderung nach der Herstellung der nationalen Einheit Deutschlands auf bürgerlich progressiver Grundlage, innerhalb des Rahmens einer konstitutionellen Monarchie, so änderte sich seine politische Einstellung mit den Ereignissen des deutschen Krieges zwischen Österreich und Preußen durch Änderung der Formel »Freiheit vor Macht« in »Macht vor Freiheit«. Eine ähnliche Wende kann für viele Liberale nachgezeichnet und als repräsentativ für das deutsche liberale Bürgertum angesehen werden[9]. An Hermann Baumgartens berühmt gewordenem Aufsatz über die Mängel des Liberalismus sieht man, daß weite Kreise des fortschrittlichen Liberalismus in Deutschland von der Mitte des Jahres 1866 an, unter dem Eindruck des Blitzsieges Preußens gegen Österreich bei Königgrätz, sogar an der politischen Befähigung des deutschen Bürgertums in Machtfragen im ganzen zu zweifeln begannen. Dies stellte die Voraussetzung dafür dar, daß die große Sammlungspartei der Epoche, die die Opposition gegen Krone, Feudalität und aristokratisches Übergewicht im Staatsleben zu tragen hatte, die Deutsche Fortschrittspartei, die erste konzise Parteigründung der deutschen Geschichte, zerfiel und nur noch eine kleine Gruppe übrigließ, die die verfassungspolitischen und damit emanzipatorischen Grundforderungen des Bürgertums weiter trug.

Von Baumgartens Aufsatz aus ist am ehesten verständlich, wieso es zu einem Geschichtsbild von der Epoche des Konflikts kommen konnte, das wesentliche Bestandteile bürgerlicher Forderungen wenn nicht vergaß, doch verdrängte bzw. bis zur Verstümmelung unkenntlich machte. Das außenpolitische Umfassungsmanöver, mit dem es Bismarck gelang, die liberale Opposition zur Zustimmung zum Indemnitätsgesetz zu bewegen, hat dies bewirkt. Bismarck konnte nun die Forderung nach der Reichseinigung erfüllen, ohne die Grundforderungen der Liberalen zu befriedigen; damit wurde dem deutschen liberalen Bürgertum, soweit es zum Kampf für diese Rechte angetreten war, das Rückgrat bis zur Zerstörung des Selbstbewußtseins gebrochen. Dies macht Baumgartens Aufsatz deutlich[10]. Aber auch die Geschichtsschreibung Sybels, obwohl er einer der im Oppositionsparlament stark engagierten Liberalen war. In der Folgezeit werden die Entwicklungen hauptsächlich unter dem Gesichtswinkel der Einigung gesehen. Dadurch ergibt sich eine Akzentuierung, die die bürgerlich-emanzipatorischen Forderungen überall in die zweite oder dritte Linie zurückordnet – ja, die Tendenz geht dahin, die liberalen Oppositionellen gegen Krone und Feudalismus als Gegner der Reichseinheit mißzuverstehen. Denn sie verwehrten ja dem König, ein schlagkräftiges Heer als Mittel der Entscheidung zugunsten der deutschen Reichseinheit einzusetzen. Die Liberalen erschienen nicht nur, vom Endergebnis 1866 und 1870 her betrachtet, als Gegner der autoritär orientierten Heeresreform, sondern auch einer Präservierung autoritärer Rechte der Krone in Preußen, die doch Garant der raschen und entscheidenden Durchschlagung des gordischen Knotens in der verzwickten deutschen Frage gewesen waren. So ordnet Sybel in seinem Werk »Die Begründung des Deutschen Reiches durch Wilhelm I.« die sozialgeschichtlich-emanzipatorischen Fragen völlig den außenpolitisch-kriegsgeschichtlichen unter, so daß kaum noch mehr als Hinweise auf die liberale Bewegung in seinem

Geschichtsbild stehengeblieben sind[11]. Die meisterhafte Darstellung der deutschen und preußischen Geschichte von Otto Hintze, dem sozialgeschichtliches Interesse nicht abzusprechen ist, kennzeichnete die Entwicklung des Geschichtsbildes im Sinne des ausgehenden Kaiserreiches deutlich. Er schnitt die Ereignisse des Verfassungskonflikts als retardierendes Moment der Reichseinigung auseinander und verstand etwa den Gesetzentwurf über die Verantwortlichkeit der Minister, eines der wichtigsten Instrumente liberaler Verfassungspolitik, als taktisches Moment in den »gegenseitig sich überreizenden Forderungen« von Regierung einerseits, oppositionellem Abgeordnetenhaus andererseits[12]. Eine förderliche Politik schien ihm nur bei »Unterordnung liberaler Wünsche« unter die Forderungen nationaler Machtpolitik möglich[13]. So verschwindet denn nach einer Fülle von meist biographisch orientierten Arbeiten der sterbenden Generation liberaler Vorkämpfer in den achtziger und neunziger Jahren[14] zu Anfang des neuen Jahrhunderts das Gedächtnis der 1866 besiegten fortschrittlichen Liberalen – Benedikt Waldecks, Carl Twestens, Rudolf Virchows, Johannes Jacobys – aus dem öffentlichen Bewußtsein Deutschlands.

Mit dem Untergang des Kaiserreiches und der Revolution, die nun die bürgerlich-liberalen Vorstellungen als die Konzeption der Mitte verwirklicht, tritt das Interesse am Verfassungskonflikt und dem emanzipatorischen Gehalt der Epoche in den Arbeiten, die z. Tl. Quellen vorlegen, von Julius Heyderhoff, Johannes Schultze und Ludwig Dehio[15], wieder stark hervor. Eine der umfassendsten und eigenwilligsten Persönlichkeiten der linken Mitte im Konflikt, Carl Twesten, ist dadurch aus dem geschichtlichen Dunkel wieder hervorgetreten. Doch zeigt der grundlegende Aufsatz von Dehio[16], der das demokratischsoziale Bewußtsein der oppositionellen Liberalen des Konflikts im Gegensatz zu den Geschichtsschreibern des Kaiserreiches verstehend berücksichtigt, daß auch in der Weimarer Republik die Würdigung der breiten emanzipatorischen Absichten der Oppositionellen von der Vorstellung behindert wurde, ihre radikale Opposition gegen die Krone sei der Einheit nicht förderlich gewesen und müsse daher als übertrieben eingeschätzt werden.

Auch die marxistisch inspirierte Forschung sah keinen Anlaß, die Ernsthaftigkeit des sozialen Widerstandes der bürgerlichen Opposition deutlich herauszuarbeiten. Sie verwickelte sich entweder in Widersprüche, wie Engelberg[17] dies tut, oder betrachtete den Verfassungskonflikt als sekundäres Ereignis, weil mit dem Scheitern der bürgerlichen Bewegung 1848 die Weichen für den Klassenkompromiß zwischen Bürgertum und Adel in Deutschland im fortschrittsfeindlichen Sinn bereits unwiderruflich gestellt worden seien – man kann sich dann die Mühen der Empirie, des nochmaligen Hinschauens, schenken.

Die angelsächsische Forschung dagegen hat mit wachem Blick und geschult durch die eigene Emanzipationsgeschichte, z. B. in der Arbeit von Anderson[18], kompetente und die Aspekte sozialer Wirkungen schildernde Beurteiler der Epoche hervorgebracht.

Die westdeutsche Forschung hat die gouvernementalen, kriegsgeschichtlichen Aspekte betont, so z. B. Theodor Schieder, sowie die budgetrechtlichen, militärtechnischen, verfassungsrechtlichen Fragen erörtert – gelegentlich auch parlamentsgeschichtliche[19] Untersuchungen vorgenommen. Sie hat auch Arbeiten über die Parteiorganisation bzw. -geschichte[20] hervorgebracht. So nützlich diese Forschungen sind – sie haben den Blick für die sozial-emanzipatorischen Ziele in dieser Epoche kaum verschärft.

1.2.2 Anlage der Dokumentation

Die Dokumentation versucht, so weit der Umfang dies zuläßt, den im emanzipatorischen Sinn allgemeinen Zusammenhang zwischen den einzelnen Streitfragen des Konfliktes möglichst sichtbar zu machen. Dies kommt nicht nur in den »allgemeinen Zielen«, sondern in jedem einzelnen Abschnitt erneut zum Ausdruck.

Die Quellen stellen die emanzipatorischen Absichten heraus, weil dies am ehesten die Vermittlung von Literatur und Sozialgeschichte ermöglichen kann. Dies ergibt sich aus der Tatsache, daß Literatur als künstlerische Ganzheit intentional auf einen Erwartungshorizont hin gespannt ist. Geschichte wird gemacht von handelnd beteiligten Menschen, die sich von Absichten leiten lassen; will man die Bereiche der Geschichte und der Literatur miteinander vermitteln, wird man von den Absichten in Geschichte und Literatur ausgehen. Ihnen ist das Geleistete gegenüberzustellen. Aus dem Ineinander von Absicht und Geleistetem ergibt sich die Struktur, die die Vermittlungsmöglichkeit zwischen Geschichte und Literatur gewährt.

Ein weiterer Hauptgesichtspunkt zur sozialgeschichtlichen Forschung besteht in der Absicht, schichtenspezifische Erkenntnisse zu erbringen. Sind die Schichten nach dem Gesichtspunkt der Berufszugehörigkeit bestimmt, sind ihre verschiedenen ökonomischen Bedingungen darzulegen und im Zusammenhang damit ihre Mentalität: das Ensemble von alltäglichen, gesellschaftlichen und politischen Haltungen. Darauf aufbauend können die politischen Zielsetzungen erschlossen werden und endlich die sie bestimmende Ideologie. Dieser Hauptgesichtspunkt ist in der vorliegenden Dokumentation noch nicht umfassend genug berücksichtigt. Das liegt am bisher erreichten Forschungsstand. Zu diesen differenzierenden Fragen hält die Forschung mehr Aufgaben als Geleistetes bereit. So kommt Zeugnissen, wie dem von Twesten, über die Zuweisung von politischen Rollen zu Schichten eine gesteigerte Bedeutung zu, aber auch z. B. der Briefstelle von Gustav Freytag, die eine Einschätzung der politischen Möglichkeiten für das Bürgertum gibt, bei den so beschaffenen Gegebenheiten in Deutschland. Von links, bzw. in der linken Mitte Stehenden, aus der Intellektuellen-Sektion des Mittelstandes wird somit eine schichtenspezifisch begründete Vorstellung, wie emanzipatorisch begründete Kritik betrieben werden kann, gegeben. Diese Beispiele, die aus der Quellensammlung vermehrt werden könnten, erlauben politisches Kalkül aus der historischen Situation heraus. Es ist oben als methodische Voraussetzung für die Bestimmung von Fortschrittlichkeit und ideologiekritische Urteile näher bezeichnet worden. Als Forschungsaufgabe ist hieraus abzuleiten, repräsentative Zeugnisse für weitere Schichten, ihre Mentalitäten[21] und Ideologien sowie ihre daraus sich ergebenden Einschätzungen historischer Situationen zu identifizieren.

Innerhalb der bürgerlich-oppositionellen Bewegung belegt die Dokumentation die unterschiedlichen Auffassungen über die Rolle des Beamtenstandes für die bürgerlich-oppositionelle Aktion. Hiermit wird ein wichtiges soziologisch-politisches Problem für Möglichkeiten und Grenzen bürgerlich-oppositioneller Bestrebungen in Deutschland angesprochen. Inwieweit können weithin in beamtlichen Stellungen befindliche Bürger emanzipatorischen Forderungen Nachdruck verleihen, wenn die Treuepflicht dem Staat, d. h. der Monarchie gegenüber, so eng ausgelegt wird, wie dies die Bismarcksche Reaktionspolitik 1863 tat? Das westeuropäische Bürgertum hat als Grundlage für oppositionelle Strategie seine wirtschaftliche Unabhängigkeit ansehen können. Ausgehend von wirtschaftlicher, unabhängiger Macht erringt es seine politische Herrschaft. In Deutschland dagegen hat die Obrigkeit sowohl die Intellektuellen-Sektion des Mittelstandes – als Beamte – im Griff wie die Bürger, die den Bereich wirtschaftlicher Eigenständigkeit repräsentieren; wirtschaftliche Selbsttätigkeit wird daher in Deutschland eingeschränkt, ja im Prinzip unmöglich gemacht; sie bringt folglich keine politische Unabhängigkeit mit sich. Der Kapitalmarkt ist, wie die großen Schwierigkeiten für die sogenannten Vorschußvereine zeigen, auch noch in den sechziger Jahren so obrigkeitlich gefesselt, daß seine Befreiung trotz der handelsgesetzlichen Neuregelungen der preußischen Regierung 1862 und trotz der Eröffnung der Freihandelsperiode durch den Handelsvertrag zwischen Preußen und Frankreich eine der Nahzielforderungen des deutschen Bürgertums darstellen mußte. Diese obrigkeitliche Bindung agrarstaatlich-feudalen Zuschnitts ist selbst in der Epoche des wirtschaftlichen Aufschwungs in den sechziger Jahren also offenbar noch ungebrochen stark. Möglicherweise ist es daher nicht auf den Mangel an bürgerlichem Selbstbewußtsein oder ein ungehemmtes Bedürfnis nach Anpassung, um größerer Profite willen, zurückzuführen, wenn z. B. Krupp sich eher auf die Kooperation mit dem König von Preußen einzustellen wünscht als auf Konfrontation, sondern auf die immer noch erdrückend starke Stellung des Staates gegenüber dem Wirtschaftsleben. Kaelble[22] hat das im einzelnen an der Organisation der Berliner Kaufmannschaft dargestellt. In der Zukunft ist breite Forschung erforderlich, aufgrund von Quellen darzulegen, über welche Selbständigkeit auch im eigenen wirtschaftlichen Bereich das industriell sich entwickelnde Bürgertum tatsächlich verfügt und welches Ausmaß von Eigenständigkeit es für sich erstrebt hat. Der augenblickliche Forschungsstand scheint die Frage eher so zu beantworten, daß die

Grundlagen einer wirtschaftlichen Selbständigkeit als so schwankend empfunden wurden, daß gegenüber der übermächtigen Bürokratie auch in der Höhe des 19. Jahrhunderts kaum eine andere Haltung politisch möglich erschien, als die des Stillseins oder der verschnörkelten Einflußversuche, um das Schlimmste an staatlicher Bevormundung zu verhindern. Von einer solchen, von der wirtschaftlichen Basis her erforderlichen Haltung kann man eher noch weniger Dissens bei der industriell sich entwickelnden Sektion des Bürgertums erwarten, als sie immerhin erbracht hat. Kaelble hat gezeigt, wie die Kaufleute in den Jahren des von der oppositionellen Parlamentsfraktion verdeutlichten Konfliktes zwischen Bürgern und der Feudalität sich dem neuen politischen Zentrum der bürgerlichen Bewegung, der Fortschrittsparei, zuwenden, geradezu in einer Wendung ihrer politischen Haltung[23].

Für die kleinbürgerlichen Schichten, die Handwerkervereinigungen und die mittlere und untere Beamtenschaft sowie die kleineren Bauern bleiben für die sechziger Jahre nähere Einsichten in ihre wirtschaftliche Lage, ihre Entwicklungsvorstellungen und ihre politischen Ansichten zu erarbeiten. Ein Bild davon gewinnen wir aus der Literatur selbst, insbesondere aus Raabe und Fontane, deren künstlerisch differenzierte Darstellung das tauglichste Medium ist, Wirklichkeit differenziert, ohne propagandistisch grobe Verfärbungen wie bei Freytag, aufzufangen.

Als ebenso unzureichend muß unser Bild von den wirtschaftlichen Bedingungen der Arbeiter angesehen werden, ihrer Mentalität, ihren politischen Veränderungsabsichten und ihrem Gewicht im sozialen Gesamtbild. Wir sind allzusehr geneigt, diese Frage von einigen wenigen Gewährsmännern als gelöst anzusehen. Aus den Quellen wird immerhin so viel deutlich, daß Friedrich Engels die Stunde für die gemeinsame politische Aktion von Arbeitern und dissenten Bürgern zur Erringung bürgerlicher Grundfreiheiten für alle noch keineswegs als beendet angesehen hat[24]; in seinem 1865 veröffentlichten Buch stellt er die Versuche der Arbeiter, sich aus dem Bündnis mit den oppositionellen Bürgern unter deren Leitung zu lösen, als sektiererische Politik und die Emanzipationsbewegung zum Scheitern verurteilende Kurzsichtigkeit dar. Dies zu einem Zeitpunkt, als Lassalle mit seinem Allgemeinen Arbeiterverein bereits seit Jahr und Tag in die entgegengesetzte Richtung strebt. In der Ronsdorfer Rede vom Mai 1864[25] hatte er öffentlich klar Stellung gegen die Fortschrittspartei und damit gegen das oppositionelle Bürgertum bezogen und den Bruch zwischen der von ihm vertretenen kleinen Sektion des Proletariats mit den oppositionellen Bürgern erklärt, indem er ein Bündnis von König und Arbeiterschaft gegen die Bürger konzipiert. Voraussetzung wäre die Gewährung des gleichen und direkten Wahlrechts, um der Fortschrittspartei die Kammer als Instrument zu entwinden und durch die Stimmen der Arbeiter ein loyales Parlament zu schaffen, das im Bündnis mit Krone und Staat gesetzliche Regelungen schüfe, die das Lohndrücken unmöglich machen würden. Der Kreis um Julius Faucher und die Vierteljahrsschrift für Volkswirtschaft sowie die Genossenschaftsbewegung Schulze-Delitzschs konnte hierin nur den reaktionären Versuch erblicken, die bürgerlichen Freiheiten und die Freiheiten des Wirtschaftslebens, die errungen waren, zurückzunehmen und ein bonapartistisch-cäsarisches Regime mit dessen typischer Allianz zwischen legislativ-exekutiv-monarchischer Spitze und breitesten, unwissenden und kaum besitzenden Schichten zu errichten – also das Gegenteil von Emanzipation zu erreichen.

In der Dokumentation ist ausführlich zur Geltung gebracht das Emanzipationskonzept der dissidenten Bürgerklasse, die sich von der Sektion Intellektueller des Mittelstandes, d. h. unter deutschen ökonomischen Bedingungen praktisch: von Beamten[26], vertreten läßt. Dabei tritt die Durchdringung aller einzelrechtlichen Fragen mit den ideologischen Forderungen auf Freiheit und Gleichheit überall zutage. Die Frage erhebt sich, wie repräsentativ diese Dissidentenschicht gewesen ist. Legt man einen absoluten Maßstab an, so kann man sehr spöttisch behaupten, nicht einmal das ganze Bürgertum habe hinter der oppositionellen Fraktion gestanden, wenn man z. B. vergegenwärtigt, daß auf der Höhe des Konflikts im Sommer 1863, in der Zeit der Presseknebelung durch die Ordonnanzen, die Bürger seelenruhig Berlin verlassen haben und in die Sommerfrische gefahren zu sein scheinen. Auch die von Zunkel[27] vorgelegten Ergebnisse der Feudalisierung des industriellen Bürgertums scheint diese wichtige Sektion des Bürgertums weitgehend emanzipatorischen Aufgaben entfremdet zu haben. Daher läuft die These der marxistisch orientierten Forschung zum Verfassungskonflikt darauf hinaus, die Zeit des Konfliktes als Wiederholung des Vorgangs von 1848 und von vornherein zum Scheitern verurteilt anzusehen, weil die Konfliktbewegung schon im Ansatz 1860–66 schwächer war und der Massenbasis entbehrte.

Nun trifft letzteres nur eingeschränkt zu. Die aus dem Archiv[28] gewonnenen Erkenntnisse besagen vielmehr, z. B. anhand der Petitionen an das Preußische Abgeordnetenhaus, daß »das Volk«, die Seifensieder, Portiers und das Gesinde auf dem Lande, seine Belange in der Opposition durchaus vertreten fand und sich engagiert hat. Dies ist von umso größerem Wert, als es teilweise offene Gefahren für seine ökonomische Stellung einkalkulieren mußte. Ferner ist zu bedenken, daß auch als Organisation der Allgemeine Arbeiterverein Lassalles bis zum Mai 1864 die solidarische Haltung mit der oppositionellen Fraktion des Mittelstandes beibehalten hat; weite Bereiche der Arbeiterschaft, wie August Bebel bezeugt hat, länger als Lassalle, nämlich mindestens bis 1865.

Einige Unterschiede zur Revolution von 1848 legen aber nahe zu erörtern, ob nicht der Konflikt von 1860–66 eher als der von 1848 eine Chance für die Durchsetzung erheblicher Veränderungen im bürgerlichen Sinne barg. Die Konzentration auf die Verfassungspolitik durch ein gegebenes, in der praktizierten Verfassung mit dem Staat verflochtenes Organ konnte nur eine Stärkung der politischen Aussichten auf Erfolg bedeuten. Dazu verfügte die Opposition im preußischen Verfassungskonflikt über ein Organ in einem der wichtigen deutschen Staaten. Damit ist die politische Ausgangslage ganz anders konkret, als dies 1848 der Fall war. Ein

Parlament, das auf den guten Willen von zahllosen Staaten bzw. Souveränitäten zur Durchsetzung seiner Vorstellungen angewiesen ist – das war die Nationalversammlung 1848. Das preußische Abgeordnetenhaus der 60er Jahre dagegen stellt bereits einen Faktor der auf zwei weitere Faktoren gestellten Gesetzgebungsmaschinerie dar – neben der Krone und dem Herrenhaus. Zudem ist dies Parlament das eines deutschen Staates, die Exekutive also theoretisch verfügbar. Die Konkretisierung von politischen Möglichkeiten, die sich hieraus ergibt, ist zugleich der Grund dafür, daß die Fortschrittspartei, um die Freiheit und Gleichheit durchzusetzen, konkrete Einzelziele der Verfassungsfragen aufwirft und einer Lösung mit parlamentarischen Mitteln zuzuführen sucht. Diese konkreten Probleme sind die des Budgetrechts, der Militärverfassung, der Ministerverantwortlichkeit und des Streites um diejenigen einzelnen Rechte der bürgerlichen Freiheit, die mit der Entwicklung des Parlamentarismus als unveräußerliche Rechte der Volksvertretung in der Geschichte in Einzelkämpfen ausgebildet werden mußten: wie der Redefreiheit, der Frage, ob das Herrenhaus eine Volksvertretung sei, des Wahlrechts und der Rechte des Präsidenten des Abgeordnetenhauses gegenüber der Regierung und ihren Ministern. Die Redefreiheit wurde zum Verfassungsproblem, als Twesten wegen seiner Kritik an der Justiz im Haus angeklagt und verurteilt wurde. Der Präsident des Abgeordnetenhauses bestand auf dem Ordnungsrecht des Präsidenten im Haus, als Roon und Bismarck ihm gegenüber die königlichen Minister als exemt bezeichnen wollten. Der Streit um diese Fragen wurde konkret durchgekämpft, indem sich beide Seiten darüber klar waren, was auf dem Spiel stand: die ungebrochene königliche Souveränität über das Haus und die Untertanen zu erhalten oder die formell gegebene Verfassung im konkreten Kampf um jedes Recht im Staatsleben mit Leben zu erfüllen und das Parlament als die Vertretung des Volkes in die Rechte einzusetzen, die es ihm gestatteten, mittels des Budgetrechts die wesentlichste staatliche Entscheidungsinstanz zu werden. Mit der Konkretisierung von Zielen und politischen Mitteln verliert die Auseinandersetzung um den bürgerlichen Anspruch auf Ordnung der Gesellschaft nur scheinbar an Allgemeinheit, durchaus aber an Illusionscharakter. Die Träger der Bewegung sind nicht mehr Professoren, wie in der Paulskirche, sondern überwiegend Juristen.

Um die verfassungspolitischen Ziele herum legen sich die weiteren, die gekennzeichnet sind von dem Bestreben, das staatliche Leben mit bürgerlichen Gesichtspunkten zu unterwandern bzw. es im ganzen bürgerlich zu prägen. So treten, gewissermaßen nur in veränderter Reihenfolge, bei konkretem Ausgangspunkt in der Politik, die allgemeinen Ziele wieder hervor: in der Form konkreter Bestrebungen. Die Militärverfassungsfragen sind so von Twesten klar daraufhin analysiert worden, daß es die Frage sei, ob der feudalaristokratische Anteil am Heer der überwiegende sein dürfe oder der bürgerliche. Er hat das alte Heer auf seinen Charakter als Versorgungsanstalt der nachgeborenen Söhne des Adels hin untersucht und daraus die unhaltbar vorbürgerliche, einem autoritären Staat entsprechende Struktur eines solchen Heeres abgeleitet. Alle Fraktionen der politischen Willensbildung bis auf die Konservativen sind sich über die Notwendigkeit einig gewesen, die Landwehr als ein Symbol der Gründung des Staates auf das Volk in der preußischen Reform nach 1806 beizubehalten, unter der Maßgabe, die Schlagkraft des preußischen Heeres zu heben.

Als ein Element, das die Fortführung der bürgerlichen Veränderung der Gesellschaft seit den Steinschen Reformen zu Beginn des Jahrhunderts in der Epoche des Verfassungskonflikts deutlich werden läßt, haben die Liberalen, d. h. das politische Bürgertum, die Selbstverwaltung wiederherzustellen gesucht, die in der Epoche des Absolutismus und der Stärkung des sozialen Gewichts der Feudalaristokratie, der Minderung, wenn nicht Löschung des Einflußes der Bürger, weitgehend zerstört worden war. Carl Twesten hat das in seinem scharf akzentuierten Aufsatz über den preußischen Beamtenstaat klar herausgestellt. Die Selbstverwaltung soll im Bereich der Verwaltung den bürgerlichen Bestrebungen auf Selbsttätigkeit und Selbstverantwortung gerecht werden. Durch Integration der Gutsbezirke in Gemeinden würde dabei die gesellschaftliche Sonderstellung des Adels auf dem Lande (Ausübung der örtlichen Polizeigewalt sowie der niederen richterlichen Funktionen im Gutsbezirk) aufgehoben und das Ziel, die juristische Gleichheit der Staatsbürger durchzusetzen, realisiert.

Dem Ziel, die Gleichheit durch wirtschaftliche Mittel zu fördern, dient die Absicht, die Wirtschaft neu zu ordnen, die von Selbsttätigkeit und Selbstverantwortung getragen werden kann, wenn obrigkeitliche Einflüsse eingeschränkt bzw. beseitigt werden. Inwiefern die Handelskammern gegenüber den Organen des Staates gestärkt werden können, so daß der Staat ihren Einsichten in wirtschaftliche Vorgänge gemäß verfährt, ist hier eines der Probleme. Was die Liberalen sich von der Bildung von Versicherungsgesellschaften für die Erweiterung der Kapitalbildung und damit der wirtschaftlichen Unabhängigkeit vom Staat erwarten, welche weiteren Mittel, z. B. in Gestalt der Vorschußvereine, zur Förderung bürgerlicher Investitionstätigkeit auch in kleineren, noch agrarischen Städten gefördert werden können, und wie dies auf die argwöhnische Beobachtung bzw. Behinderung durch die Organe des feudalaristokratischen Staates stößt, wird im Zusammenhang mit Fragen der Gewerbefreiheit und der Förderung von Marktprinzipien belegt.

In Zusammenhang hiermit steht die Frage der Gleichberechtigung der jüdischen Mitbürger. Sie ist bis 1918 nicht zustande gekommen und hat sich in vielfältigen Diskriminierungen niedergeschlagen. Johannes Jacoby hat schon in der Revolution von 1848 dazu Stellung bezogen und es als eine selbstverständliche demokratische Forderung aufgestellt, daß der zu schaffende bürgerliche Staat diese Aufgabe löse. Sie ergibt sich aus der Diskussion um die Gleichheit der Menschen im 18. Jahrhundert und fand hier bereits ihren maßgebenden Ausdruck in Lessings Bemühungen um dieses Problem sowohl in seinem frühen Schauspiel »Die Juden« (1749) wie in seinem letzten Werk »Nathan der Weise« (1779).

Weitere für das tägliche bürgerliche Leben einschneidende Fragen stellen die Unabhängigkeit der Beamten, die Gerichtsverfassung und die Verwaltungsgerichtsbarkeit dar. Bei dem entscheidenden Einfluß, den für die Bewußtseinsbildung und die tatsächliche politische Beweglichkeit die Disziplinargesetze für Beamte hatten, mußte ein konkreter Veränderungswille der bürgerlichen Opposition das absolutistische Regiment in seiner Beamten-Gängelung zu treffen suchen. Daher die Petitionen, von denen wir eine abdrucken, zur Ersetzung illiberaler Beamter. In welcher Grundsätzlichkeit diese Frage erfaßt worden ist, zeigt Twestens Aufsatz über den Beamtenstaat. Sein Ziel ist es, den Beamten von der willkürlichen, bis in die politische Entscheidung des einzelnen eindringenden obrigkeitlichen Einflußnahme zu befreien, d. h. dem Beamten ein gewisses Maß an beruflicher Sicherheit zu verschaffen, so daß er Eingriffe in seine persönliche Entscheidungssphäre durch den Staat nicht mehr widerspruchslos dulden muß. – Dem Einfluß des gesunden Menschenverstandes, d. h. des im offenen Erwerbsleben stehenden Durchschnittsbürgers, die Rechtsprechung zu öffnen und sie dem Beamten als dessen ausschließlicher Prärogative zu entwinden, ist die hinter dem Geschworenen-Konzept stehende Absicht.

Um die Abhängigkeit des Geschädigten von Entscheiden der Staatsanwaltschaft zu vermindern, forderte Waldeck, daß der Geschädigte Nebenkläger sein könne, damit er, wenn der Staat sich für die Verfolgung seiner Rechte nicht mehr einsetze, ihnen selbst nachgehen könne.

Die Eingriffe der Bürokratie ins tägliche Leben der Bürger waren umso einschneidender, als gegen Verwaltungsakte des Staates keine Rechtsmittel gegeben waren. Diesem wichtigen Übelstand abzuhelfen, hat Rudolf Gneist die Verwaltungsgerichtsbarkeit in Deutschland nach englischen Vorbildern begründet und ausgebaut[29].

Von Bedeutung für die Frage, wie erheblich das Emanzipationsstreben des deutschen Bürgertums sich im Verfassungskonflikt gezeigt hat, sind die Mittel des Kampfes, die man erwog. Am Anfang des Konfliktes steht die Forderung, die illiberalen Beamten zu ersetzen. Sie verhielten sich auf den unteren Ebenen nach wie vor absolutistisch, obwohl im Ministerium Liberale vertreten waren. Es sollte sich bald zeigen, wie entscheidend es war, daß die Bürokratie, deren Diener nicht ausgetauscht wurden, ein zuverlässiges Instrument in der Hand des Königs blieb.

Mittels Wahlen ist im Konflikt die Bevölkerung zur Wahrnehmung ihrer Rechte animiert worden – ein Vorgang, der vom Volk in seiner Bedeutung begriffen und dann von den Parteien sinnvoll eingesetzt werden mußte. Dies geschah durch weitgehende Polarisierung. Sie findet in demokratischen Formen zum ersten Mal in solchen Ausmaßen in der deutschen Geschichte statt. Zwar ist der Effekt der öffentlichen Dissens-Bildung durch das Dreiklassenwahlrecht gemildert worden. Dennoch hat die starke Polarisierung – eine Voraussetzung für die Verwirklichung der parlamentarischen Demokratie – zu erheblicher Unsicherheit im Volk geführt. Wie die Rede Waldecks in Herford zeigt, mußten die Parlamentarier erst ein Verständnis im Volk zu erwecken suchen für die Inanspruchnahme der verfassungsmäßigen Rechte des Parlaments. Die kleinbürgerliche Loyalität der großen

Masse gegenüber dem König war entschieden stärker als die Wahrnehmung der Möglichkeiten parlamentarisch-demokratischen Dissenses. Diese Probleme aufzuarbeiten, ist eine weitere Aufgabe für die Forschung.

Das wesentliche Mittel, das Volk zu beeinflussen, war das Druckerzeugnis. Die Konflikte haben sich denn auch auf dem Höhepunkt um die Presse mit ihrer Monopolstellung für die Herausbildung der öffentlichen Meinung konzentriert; man denke an die Preßordonnanzen vom Juni 1863. Der spektakuläre Fall des Abgeordneten Twesten, der von einem Mitglied der nächsten Umgebung des Königs zum Duell gefordert wird, – ein beliebtes Mittel, mißliebige Personen auszuschalten – hat Aufsehen erregt. Er entwickelt sich aus einem Preß-Skandal, in dem Edwin von Manteuffel die Äußerungen über ihn in der Schrift Twestens »Was uns noch retten kann, Ein Wort ohne Umschweife« (1861) zum Anlaß der Duellforderung nahm. Mit zerschossenem Handknochen, als Krüppel, hat Twesten dennoch seine Opposition im Abgeordnetenhaus weitergeführt, bis er verurteilt und aufgrund seiner Opposition aus seiner Beamtenstellung als Stadtgerichtsrat entlassen, an Tuberkulose 1870, als die Gegenpartei ihre triumphalen Siege feierte, einsam und vor der Zeit gestorben ist.

Die parlamentarische Opposition, die zur vorläufigen Bewilligung, dann zur Ablehnung des Militäretats, schließlich zur Ablehnung des Budgets geführt wurde, konnte dann nicht wirkungsvoll werden, wenn die Bürokratie weiter Geld ausgab, weil sie königstreu war, und die Minister weiterregierten, die den Willen des Königs auch gegen die Verfassung und bei ihrer Verletzung ausführten. Zu diesem Zweck wurden Gesetzentwürfe vorgelegt, die die juristische Ministerverantwortlichkeit klarstellten, d. h. dem Haus der Abgeordneten die Möglichkeit einräumten, den Minister anzuklagen und auf diese Weise funktionsunfähig zu machen, wenn durch seine Handlungen die Verfassung verletzt worden war. Versuche, das Staatsministerium anzuklagen, hat man unternommen.

Der Konflikt wurde so weit getrieben, daß König Wilhelm nahe daran war abzudanken. Liberale Minister, die seine Politik im Abgeordnetenhaus mit Aussicht auf Erfolg vertreten konnten, fand er nicht mehr; von seinen Vorstellungen in der Militärverfassung wollte er nicht lassen; die Konfrontation von Krone und Volk war so tiefgreifend, daß er, auf eine gedeihliche Art wirken zu können, zweifeln mußte. In dieser Stunde des potentiellen Erfolgs des Liberalismus von unabsehbaren Konsequenzen für die deutsche Geschichte (23. 9. 1862) – man konnte erwarten, der Kronprinz werde entschieden mehr Verständnis für die bürgerlichen Ordnungsvorstellungen entwickeln als der militärisch erzogene Wilhelm I. – hat General Roon eindringlich auf seinen Gesinnungsgenossen Otto von Bismarck hingewiesen, der sich als treuer Diener (»Vasall«) seines »Herrn« ihm und seiner Politik auf Tod und Leben verpflichtete. Die Sache des preußischen Obrigkeitsstaates war damit gerettet, wie sich in den folgenden vier Jahren eindeutig ergab.

Über diesen Punkt hinaus wirkungsvoll Opposition zu sein, wurde der Deutschen Fortschrittspartei schwer, weil sich Bismarck aller Mittel bediente, einschließlich der juristischen Radotage (Lücken-Theorie), der Bürokratie und Rechtsprechung zur Fesselung der Presse, der Bankiers zur Erhebung von Geld und Kredit für Feldzüge und Staatsaufgaben, der Verfolgung einzelner Liberaler (wie z. B. Twestens) sowie der Beamtendisziplinierung, um seine Politik gegen den Widerstand des Abgeordnetenhauses durchzusetzen.

Daher wurde die Steuerverweigerung von den Liberalen als Mittel der Opposition erwogen. Denn sie hätte bewirkt, daß weniger Geld in die öffentlichen Kassen floß, so daß der Staat u. U. in Schwierigkeiten gekommen wäre, seine Verpflichtungen zu erfüllen. Die bürgerliche Kampffront war jedoch auch in den sechziger Jahren noch so zersplittert, die Interessen in Memel, einem Fischer-Landstädtchen, und Köln, der katholischen Metropole des Rheinlandes, z. B., so verschieden, daß eine eindeutige Gemeinsamkeit irgendeiner bürgerlichen Schicht kaum erwartet werden konnte. Twesten will immerhin in dieser Situation als Richter seinen Dienst verweigern, sein Beitrag zur Opposition. Sybel bekommt in Krefeld von großen Kaufleuten Warnungen, nur ein kleiner Teil werde sich weigern, Steuern zu zahlen – und rasch nachzahlen, wenn sich herausstelle, daß eine solidarische Aktion nicht zustande gekommen sei.

Die äußerste Form des Widerstandes der liberalen Opposition besteht jedoch nicht in dem Plan der Steuerverweigerung, sondern in der Spekulation à la baisse. Der linke Flügel der Fortschrittspartei hat in sein Kalkül eingestellt, daß Preußen durch die Budget- und Kredit-Verweigerung bei der ersten erwarteten militärischen Niederlage gegen Österreich bzw. in einem europäischen Konflikt zusammenbrechen werde. Dieser Flügel hat auf diesen Zusammenbruch hin spekuliert. Er meinte, erst der Zusammenbruch des ganzen Staates könne die feudalaristokratische Herrschaft in Preußen endgültig zerstören und danach den Neubau Deutschlands in liberalem Geist und eventuell unter Aufopferung des Staates Preußen herbeiführen.

Mit dem Zusammenbruch dieser Hoffnungen durch den Blitzsieg Preußens über Österreich 1866 spaltete sich die liberale Bewegung und zerfiel, indem die Fortschrittler sich als Splittergruppe – um Johannes Jacoby unter anderem – in der Ablehnung des Indemnitätsgesetzes sammelten, mit dessen Hilfe Bismarck die Liberalen auf seine Seite ziehen wollte, ohne ein ausdrückliches Schuldbekenntnis wegen seiner verfassungsbrecherischen Tätigkeit abzugeben. Die Konstruktion des Reiches erfolgte nun im wesentlichen gemäß den Prinzipien des feudal-aristokratischen Siegers im Konflikt, bis auf einige Konzessionen, wie die eines Bundesministeriums, das dem Parlament durch Gegenzeichnung »verantwortlich« war, und erwies sich verhängnisvoll genug, insofern diese Verfassungskonstruktion – ohne Grundrechtsteil, im Gegensatz zum Verfassungsentwurf der Paulskirche – auf der Niederlage des fortschrittlichen Liberalismus in Deutschland beruhte und diesem Kampf zwei weitere Phasen der Ächtung von Gruppen bzw. Schichten im Staat folgen sollten: die versuchte Niederringung des Katholizismus in den siebziger Jahren im Kulturkampf, repräsentiert durch das Zentrum als politische Kraft, und der Arbeiterschaft in den neunziger Jahren, repräsentiert durch die Sozialdemokratische Partei Deutschlands. Beide Parteien gewannen durch eben diese Auseinandersetzung demokratische Repräsentanz in der deutschen Parteiengeschichte.

1.3. Literatur

1.3.1. Freytag

Wir zeichnen Wege der Vermittlung von Sozialgeschichte und Literatur den konkreten Gegenständen gemäß, die verschiedene Voraussetzungen haben; sie sind im Interpretationsansatz jeweils gemäß dem jeweiligen Gegenstand zu berücksichtigen.

Im Fall Gustav Freytags und seines Romans »Soll und Haben« gehen wir von sozialgeschichtlichen Einsichten aus. Denn die Quellenlage ist günstig. Die Briefwechsel Gustav Freytags sind in vielfacher Gestalt überliefert[30]; seine politische Journalistik im wesentlichen ebenfalls[31]. Selbst wenn man Archive aufsucht, ist Erhebliches, das zur bisher bestehenden Quellenlage hinzuträte, nicht auszumachen. Obendrein hat sich Freytag noch bis in sein hohes Alter mit politischen Fragen auseinandergesetzt und sich dazu in selbständigen Publikationen geäußert[32].

Diese Sachlage nützt die Interpretation, indem sie von der Einsicht in die politische Haltung Freytags ausgeht. Erschließt sie seine politischen Absichten, so wird die Vermittlung von Literatur und Sozialgeschichte über die im Roman niedergelegte Struktur, die von den Absichten des Schriftstellers geprägt ist, vollzogen werden können. Arbeitet man die Struktur des Werkes wie der politischen Situation und darin der politischen Haltung Freytags heraus, kann die ideologiekritische Frage nach den fortschrittlichen Tendenzen der Epoche und der Haltung Freytags zu ihnen gestellt werden. Das heißt, es ist die Analyse der Epoche selbst erforderlich mit historischen Mitteln.

Der Verdacht auf falsches Bewußtsein wird dagegen weder erhärtet noch abgewiesen durch die einfache Unterstellung »objektiver Klasseninteressen des Bürgertums« [33]. Hinter diesem Wort verbirgt sich die erkenntnistheoretische Naivität des »Materialisten«, der fordert, seine Feststellungen müßten intersubjektiv verbindlich sein, und doch außerstande ist, die Vielfalt möglicher erkenntnistheoretischer Positionen und folglich auch inhaltlicher Behauptungen zu beseitigen. Im Versuch, andere als die Lösungen der bloßen politischen Macht im wissenschaftlichen Bereich aufrecht zu erhalten und diesem Problem der Verbindlichkeit wissenschaftlicher Feststellungen Rechnung tragend, ist die Analyse von Tendenzen der jeweiligen Epoche als erforderlich bezeichnet worden – das heißt derjenigen, die herrscht, sowie derjenigen, die die herrschende bekämpft. Läßt sich nachweisen, daß im Sinne der Förderung des Glückes aller oder doch der meisten die Befolgung einer bestimmten Tendenz in der jeweiligen historischen Epoche gelegen haben würde und kann dies aus der historischen Weiterentwicklung begründet werden, so richtet sich nach diesen der Überprüfung fähigen, nicht auf Annahmen von dogmatischem Charakter begründeten Feststellungen, ob und inwiefern dem beurteilten Schriftsteller fortschrittliches oder falsches Bewußtsein zuzuschreiben ist.

Mit der historistischen Analyse der Fortschrittlichkeit aus der Epoche heraus wird also gerade das verhindert, was der beschriebenen Methode irrtümlich unterstellt worden ist: daß die Ideologiekritik auf bestehende Verhältnisse und Interessen reduziert wird. Solcher Behauptung liegt ein unkritischer Begriff von Realität zugrunde. Erkennt man Realität als werdende, die aus einer Fülle von Tendenzen sich aufbaut, und verhält sich als Erkennender dem Gegenstand entsprechend und rekonstruiert die gegensätzlichen Tendenzen der Epoche, so ergibt sich die Fortschrittlichkeit einer Epoche als Tendenz der Epoche; nur eine solche Feststellung verläßt nicht die Möglichkeiten historischer Verifikation[34]. Falsches Bewußtsein kann also nicht nachgewiesen werden, indem man feststellt, ob Bewußtsein und Realität, wie behauptet worden ist[35], einander entsprechen. Es ist vielmehr nachzuweisen, daß der zu beurteilende Schriftsteller bzw. das Werk Ausdruck der fortschrittlichen Tendenz der Epoche ist, die nach Anstellung politischen Kalküls Aussicht auf Erfolg haben konnte.

Gustav Freytags politische Haltung in der Epoche der Reaktion 1849/58, in der sein Roman geschrieben worden ist, erhält Licht aus der Zeit, in der das deutsche Bürgertum noch einmal versuchte, die deutsche Gesellschaft zu entfeudalisieren und nach bürgerlichen Vorstellungen zu verändern. Im Verfassungskonflikt kommt es zu einer Politik, die vom Abgeordnetenhaus getragen wird. Aussichten auf Durchsetzung gesellschaftsverändernder Ziele bestanden insofern, als ein aussichtsreiches politisches Instrument, das Abgeordnetenhaus, Zentrum der Opposition war. Sie ging so weit, daß im September 1862 die Möglichkeit bestanden hat, eine Regimeänderung herbeizuführen. Die fortschrittliche Tendenz der Epoche, die den Maßstab für die Beurteilung falschen Bewußtseins abgibt, ist somit in der Deutschen Fortschrittspartei zu sehen, da keine andere politische Gruppierung oder Institution neben ihr von gleichem oder ähnlichem politischen Gewicht bestand, um Veränderungen der Gesellschaft zu bewirken. Es stellt sich also die Frage, wie Freytag sich zu den emanzipativen Zielen der Fortschrittspartei gestellt hat.

Die Untersuchung seiner Aufsätze und brieflichen Äußerungen wird dabei u. a. von der Frage nach den Bündnismöglichkeiten ausgehen, die sich für Freytag abzeichnen. Hat man hierzu keine direkten Äußerungen aus der Epoche, darf man mit Vorsicht von denjenigen Zeugnissen her schließen, die außerhalb der begrenzten Epoche liegen. Hier wäre etwa an Freytags Aufsatz *An den Bauer Michael Mross* (1848) zu denken. Freytag hat dort die Frage aufgeworfen und erörtert, welchen Wert das Repräsentativsystem hat, wenn Mitglieder ins Abgeordnetenhaus gewählt werden können, die außerstande sind, den parlamentarischen Debatten mit Verständnis zu folgen. Einerseits dokumentiert sich hierin die Vorstellung des in der Mitte stehenden Liberalen, der zwar nicht das Privileg der Bildung als Ausgangsbasis für die Erfüllung des Sinnes gleicher Staatsbürgerschaft bei der Mittelschicht des Bürgertums beheimatet sieht, aber doch darauf Wert legt, daß die beanspruchte Selbständigkeit und Selbstverantwortung real ist und auf geistigen Fähigkeiten beruht, die gegeben sind. Von einer Abweisung der ungebildeten Schichten könnte man erst sprechen, wenn gesichert ist, daß Freytag keine Bildungsmaßnahmen im weiteren Sinne ins Auge gefaßt hat, um die Gleichheit zu verwirklichen. Sein schriftstellerisches Werk wie auch die Anlage seiner künstlerischen Arbeiten im Sinne einer Tendenz müssen dabei mit ins Bild einbezogen werden: sie speisen sich durchaus aus volksbildnerischen Absichten.

Aufschluß über die Grundsätzlichkeit seiner bürgerlichen Einstellung und des klassenmäßigen Bewußtsein gibt der Aufsatz *Adelig und bürgerlich* (1849), in dem Freytag Adeliges und Bürgerliches wie die Lebenshaltungen von Scherz und Arbeit einander gegenüberstellt. Die bürgerliche Klasse verfügt in der Gesellschaft noch nicht über Scherz, Witz, Ironie wie die adelige und erweist sich hierdurch als aufsteigende, noch nicht aufgestiegene. Die Tendenz des Romans *Soll und Haben* als Propaganda bürgerlicher Vorstellungen könnte dann als psychologische Kompensation eines gewissen Unterlegenheitsgefühls interpretiert werden.

In der Epoche des Verfassungskonflikts selbst, in der durch die konkreten politischen Möglichkeiten der parlamentarischen Opposition die Probe auf die Gesinnungen von 1848 gemacht wird, läßt sich Freytags Vorstellungskreis anhand der Aufsätze *Das preußische Abgeordnetenhaus und die Militärfrage* (1862) und *Die Pflichten eines Mitglieds der Liberalen Preußischen Partei* (1866) daraufhin analysieren, welche Haltung der Liberale einnimmt – Einlenken in der Opposition, da sie die Fortexistenz der preußischen Monarchie gefährdet, ohne daß sich die liberalen Vorstellungen verwirklichen ließen, oder Fortführung der Opposition mit entschiedenen, jedoch noch innerhalb der rechtlichen Möglichkeiten bleibenden Mitteln. Den Höhepunkt seiner mit der Oppositionsbewegung übereinstimmenden Haltung stellt der Aufsatz von den Pflichten eines Mitglieds der Liberalen Partei insofern dar, als ausgesprochen wird, daß es im Konflikt um die sittlichen Grundlagen des bürgerlichen Lebens gehe und der Freiheit vor der Macht das Primat einzuräumen sei. Dabei ist zu berücksichtigen, daß die Freiheitsfrage mit der Einheitsfrage aufs schwierigste verknüpft war und die Einheit ohne militärische Auseinandersetzung unter den deutschen Staaten und insbesondere mit Frankreich und England, die an der deutschen Vielstaatlichkeit interessiert waren, kaum durchgesetzt werden konnte; dazu kamen noch die Fragen des Dualismus der beiden Vormächte in Deutschland, Österreichs und Preußens, die ebenfalls durch Verhandlungen offenbar nicht zu lösen waren; ebensowenig aber auch durch Revolution. Beides hatte sich bis 1866 deutlich genug – seit 1815 – erwiesen.

Die Wende der Position Freytags ergibt sich aus dem Artikel *Die Stimmung in Preußen* aus den ersten Kriegstagen 1866. Nachdem Freytag die Prioritäten umgekehrt hat und Macht vor Freiheit zu realisieren wünscht, ist zu fragen, welchen Realitätsgrad seine Erwartung hat, daß die aus dem Felde heimkehrende Jugend »eine starke Entfaltung liberaler Kraft der nächsten Zukunft« garantiere.

Wie einschneidend die Wende von 1866 auch immer beurteilt werden mag, bei der Gesamteinschätzung Freytags ist ferner zu berücksichtigen, daß ihm die Gravamina der autoritär-feudalen Ordnung und ihrer Wirkungen in die Zukunft so deutlich vor Augen blieben, daß er 1873 angesichts der Siegessäule in Berlin diesen alten Zustand der »Unfreiheit« deutlich kennzeichnet und angesichts der gewonnenen »größeren Freiheit, Sicherheit und Reichlichkeit des Daseins« auf die verpflichtende »Hingabe an die hohen Aufgaben der Menschheit« verweist, die den bürgerlichen Kampfbegriff des 18. Jahrhunderts – »Menschheit« – wieder aufnimmt. Ein Festhalten an liberalen Prinzipien und der Hoffnung, sie auch in der künftigen Entwicklung des Reiches weiter zu verwirklichen, war nicht nur Freytag, sondern der besiegten liberalen Generation weit und breit eigen.

Die Untersuchung der politischen Haltung Freytags im Kontext der liberalen Bewegung im Verfassungskonflikt ermöglicht es, genauere Feststellungen zu treffen, als sie Löwenthal in seinem anregenden Buch geben konnte, wenn er die Auffassungen Freytags in der Überzeugung zusammenfaßt: »die bürgerliche Gesellschaft, wie sie ist, ist gut, und alles in der Geschichte ist nur Vorbereitung auf sie hin« [36]. Dies beachtet nicht, daß Freytag eine bürgerliche Gesellschaft, wie sie ist, keineswegs als gut bezeichnen kann, da er sich nicht nur 1848, auch 1862 und 1873 darüber klar ist, daß die bürgerliche Gesellschaft in Deutschland sich immer noch in der Vorbereitungsphase ihrer Herrschaft befindet; die bürgerliche Gesellschaftlichkeit, die bisher verwirklicht ist, hat Freytag eindeutig als ungenügend bezeichnet.

Daraus ergibt sich die Aussageweise, in der sein Roman *Soll und Haben* verstanden werden muß.

Bei der Interpretation des Werkes ist auf die Aussageweise und ihre angemessene Erfassung durch den Leser zu achten. Das Vorwort des Romans macht deutlich, in welchem Sinn der Roman verfaßt wurde. Seine Aussageweise wird von zwei Momenten bestimmt: 1. dem bürgerlichen Klassenbewußtsein, das die Ziele bürgerlicher Freiheit und nationaler Einheit nicht verwirklicht sieht und sich in einer Situation weiß, die noch auf Jahre hinaus keine Aussicht auf Veränderung bietet; 2. der Absicht, im Sinne einer praktischen Tendenz das Wahrheits- und Schönheitspostulat der Dichtung grundlegend umzuformen, um in der Epoche der »Mutlosigkeit und müden Abspannung« (nach 1848, während der Reaktion) das Selbstbewußtsein der bürgerlichen Klasse wiederherzustellen, indem Freytag dem

Bürgertum – dessen Anspruch er über seine Klassengrenze hinaus erweitert (Freytag spricht von »Volk«) – »einen Spiegel seiner Tüchtigkeit« vorhält, um ihm zur »Freude und Erhebung« zu dienen (Vorwort, *Soll und Haben*).

Prüft man den Roman, erkennt man, daß dieser Anspruch, ein Tendenzwerk zu sein, im Roman wirklich erfüllt wird. Insofern läßt sich die Aussageweise des Romans als der Blickwinkel, unter dem seine Interpretation erfolgen muß, mit dem Blickwinkel vergleichen, der für ein ähnliches Tendenzwerk, nunmehr der proletarischen Klasse, erforderlich ist – etwa für Willi Bredels *Maschinenfabrik N & K* (1931) oder Klaus Neukrantz' *Barrikaden am Wedding*, Berlin 1930[37]. Bei der Interpretation muß also im Auge behalten werden, daß die Darstellung immer ein über das Übliche hinausgehendes Absichtsbild erstellt, das als Ausgangspunkt für die Frage, inwiefern sich die soziale Wirklichkeit in allen ihren Problemen im Roman abbildet, denkbar ungünstig ist. Wir müssen vielmehr damit rechnen, die Züge des Werkes als Verschlüsselungen einer absichtsvollen Darstellung, die uns zu bestimmten Schlüssen führen soll, zu verstehen. Unter der Absichtsbetontheit wird eine umsichtige, gleichgewichtige, unparteiliche Wirklichkeitserfassung an allen Stellen leiden; das intentionale Geflecht, aus dem sich die Verweisungszusammenhänge des fiktiven Werkes herstellen, wird bis zum Schablonenhaften des Gesamteindrucks vereinfacht sein, so daß man mit Georg Lukács[38] dem Werk die Erfüllung der Totalität bestreiten kann.

Die Einfachheit der Beziehung im fiktiven Werk ergibt sich besonders aus der Analyse der Erzählhaltung. Freytag bündelt die Aussagen, die von personalen und auktorialen Perspektiven her die fiktive Realität differenziert aufbauen könnten, zu einer allein maßgebenden Perspektive. Er vermag kein genügendes Eigengewicht irgendeines der dargestellten Elemente im Roman zu begründen. Damit zerfällt die erreichbare Totalität der fiktiven Realität zu einem eindimensionalen Abklatsch der absichtsbestimmten Psyche des Autors. Sie bereichert sich nicht um die jeweils eigenwertige Darstellung von Faktoren, die erst »Realität« aufbauen. Eindimensionalität der Intention ist Tendenzwerken eigen. Ihre politische Aussage wird zwar in einem propagandistischen Sinn eindrücklicher; die künstlerische Potenz des Werkes aber verfällt. Wer also die künstlerische, mehrdimensionale Intentionalität und Totalität eines Werkes für eine wirkungsvolle, obwohl vermittelte Ausdrucksweise politischer Gehalte hält, wird über den Tendenzcharakter des Werkes nicht frohlocken. Andererseits bringt die Abwertung von Tendenzwerken freilich dem keinen Vorteil, dem an Einsichten gelegen ist, die aus der Wiederherstellung des geschichtlichen Zusammenhangs mit dem künstlerischen Werk unter möglichster Beachtung der Geschichte liegt.

Die Vereinfachung der Beziehungen im Werk kann aufgewiesen werden, wenn man die überdeutliche Aussage der Beziehung des Haupthandlungsträgers Anton Wohlfart zu adeligen Kreisen sich vergegenwärtigt. Anton, der Kleinbürger-Sohn eines beamteten Rentmeisters, wird auf seinem Weg in die Welt gleich zu Beginn des Romans mit dem adligen Lebensmilieu konfrontiert, das ihn anzieht und das offensichtlich sein Lebensziel darstellt. Er kann diesem Milieu nur mit Minderwertigkeitsgefühlen begegnen; seinen Willen, es ebenso weit zu bringen, dokumentiert er mit dem Anziehen der Handschuhe, die jedoch aus Zwirn, nicht aus Leder sind. Im Kreis Frau von Balderecks soll die Integration des Kleinbürgers in adlige Lebenskreise erschlichen werden, indem man ihn durch Finks Ränke in den Ruf bringt, der illegitime Sohn des Zaren zu sein und Grundbesitz zu haben. Beide Gründe, Anton in die adlige Gesellschaft zu integrieren, wären jedoch noch diejenigen der adelig-feudalen Welt. Daher muß dies Unternehmen scheitern, wenn es Freytags Absicht ist, Wohlfart zum Prototyp bürgerlichen Selbstbewußtseins zu machen. Dies kann nur verdeutlicht werden, wenn der Wert der Persönlichkeit auf der eigenen Leistung, dem bürgerlichen Schlüsselbegriff: der Arbeit, beruht. So übernimmt Wohlfart es, gegen den Rat des Kaufmanns Schröter, die Geschäfte des scheiternden und gescheiterten Adligen zu übernehmen. Dadurch demonstriert sich Anton jedoch nur, daß adliger Eigensinn sogar nach der Ramponierung der ökonomischen Basis der adeligen Familie nur umso hochfahrender auf seinen Standesvorteilen besteht, legitimiert durch weitere Ausübung politisch-gesellschaftlicher Macht. Anton zeigt sich dies in der Frage der gemeinsamen Tischrunde oder in der Anredeform für den ebenfalls scheiternden Junker, die er wählen soll. Umgekehrt weist Anton in seiner effektiven Arbeit und menschlichen Haltung die Nichtsnutzigkeit des Adels täglich nach; er erkennt sie sogar in dem Idol seiner Jugendzeit, Leonore; sie erweist sich zu ernsthafter Arbeit, z. B. mit Büchern, als ganz unfähig. Die Apotheose des Bürgers erfolgt dann im Roman, indem das Bürgertum dem Adel sein gesellschaftliches Ansehen, das immer hohler wird, läßt, aber dessen gesellschaftliche Stellung allmählich mit ökonomischen Mitteln zu erobern gewiß ist.

Diese Darstellung ist ohne Gegengewicht und widerspruchslos. Ihre Einfachheit erfüllt den Charakter des Tendenzwerkes.

Die Probleme der Darstellung bürgerlichen Selbstbewußtseins müssen dann freilich im Zusammenhang mit den Bestrebungen des Verfassungskonflikts in Bezug gesehen werden. Stellt diese Periode die Zeit dar, in der das Bügertum als politisch sich organisierender Faktor diejenige innenpolitische Umwandlung der Verhältnisse zu erkämpfen sucht, die Anton weder erstrebt noch erstreben kann, so wird deutlich, wohin sich das bürgerliche Selbstverwirklichungsstreben im Roman ableiten läßt. Als Möglichkeiten der Selbstverwirklichung werden mehrere Wege gezeigt: 1. die Auswanderung nach Amerika, schon in Goethes *Wilhelm Meister* (1795) eine der Möglichkeiten; 2. die Kolonisierung in Polen; 3. der Gewinn ökonomischer Macht durch Verwirklichung des bürgerlichen Kapitalismus.

Beginnen wir mit dem dritten Selbstverwirklichungsweg. Legen wir Adam Smiths [39] Programm, 1776 in Deutschland als die Summe der Emanzipationsbestrebungen des europäischen Bürgertums aufmerksam rezipiert, zugrunde, so würde die Durchsetzung der bürgerlichen ökonomischen Prinzipien bedeuten, daß die Gesetze des Marktes die noch vorhandenen Fesseln des feudalen Wirtschaftslebens sprengen müßten. Dem wird jedoch bei Freytag in zweierlei Hinsicht direkt widersprochen: Er stellt die modernen kapitalistischen Methoden und ihre Anwendung klar dar als dynamische Faktoren, die ungerechtfertigte Standesprivilegien vernichten, wie im Falle Rothsattels, bringt eben diese Mittel der Marktgesetze jedoch in den Ruf, sei es durch Freudenthal, Fink oder Pinkus, Instrumente der Skrupellosigkeit und Verruchtheit zu sein. Das Bild kapitalistischer Methoden ist so überwiegend schwarz gezeichnet und ängstigt den Leser so weitgehend, daß dagegen der Untergang der freiherrlichen Familie als bürgerliche Schadenfreude kein wirkliches Gegengewicht bilden kann. Wir haben Anlaß, anzunehmen, daß diese Haltung Freytags von kleinbürgerlichen Interessen her bestimmt ist. Sie sind – das zeigt die Literatur des liberalen Romans durchgängig – im Zeitalter der erst mühsam beginnenden Industrialisierung in Deutschland noch weitgehend geprägt von agrarisch-ständischen Vorstellungen über den Aufbau der Gesellschaft. Handwerker-Vereinigungen sind direkt daran interessiert, die allgemeine Gewerbefreiheit in Deutschland, also das Herrschendwerden der Marktgesetze, mithilfe der Obrigkeit unter allen Umständen zu behindern, wenn nicht zu vereiteln. So kommt es bei Freytag zur Diskriminierung kapitalistischer Arbeitsweise.

Die Diskriminierung zieht weitere Kreise. Sie bezieht sich auch auf den ersten Weg der bürgerlichen Selbstverwirklichung: die Hoffnung auf Amerika. Seit dem Ende des 18. Jahrhunderts stellt sie eine der im feudal strukturierten Deutschland lebendigen Hoffnungen auf bürgerliche gesellschaftliche Veränderungen dar. Bei Freytag taucht sie in der Gestalt des mehrdeutigen Fink auf. Er ist Adeliger und zugleich Erbe eines ansehnlichen, in Amerika zustande gekommenen Vermögens. Fink ist emanzipiert, insofern er auf Geburts- und ererbte feudale Eigentumsrechte pfeift. Daher benutzt er ironisch den Kreis der Frau von Baldereck für sein Ziel, auch Anton zu emanzipieren. Fink wird nun aber selbst als rücksichtslos gekennzeichnet; seine Art, Menschen zu rationalen Zwecken unbarmherzig einzusetzen, sowie sein Verhalten in Amerika, Bereitschaft zu Mord, ungesetzlichem Handeln aus ökonomischen Gründen, führt zur weitgehenden Abwertung des Amerikanismus. Damit werden auch die emanzipatorischen Möglichkeiten zerstört, die Smith dem freien Markt zuschrieb, der die feudal-aristokratisch starren Lebensformen mit Notwendigkeit unterwandert, und mit dessen Hilfe die Emanzipation des holländischen, englischen sowie des amerikanischen Bürgertums erfolgt ist. Das heißt also, mit dieser doppelten Diskriminierung der freien Wirtschaft in Gestalt der sie mißbrauchenden Intellektuellen (Pinkus), Juden und Amerikaner, wird von Freytag ein kleinbürgerliches Vorstellungspotential aktiviert, das für die Antikapitalismen einer undialektisch erstarrten KP-Ideologie der Thälmann-Zeit, der SED wie für die NSDAP und die Ressentiments gegen Plutokratie und »Zinsknechtschaft« typisch wurde und damit zu Hauptelementen der Massenbewegungen deutschen Kleinbürgertums im 20. Jahrhundert. Es ist daher zu erklären, warum der Roman Freytags eine solche Fülle von Auflagen erlebt hat[40].

Nachdem Freytag die Wege eins und drei für die Konstituierung bürgerlichen

Selbstbewußtseins vernichtet hat, bleibt der zweite übrig: der imperialistisch-kolonialistische. Die mit ihm verbundene Abwertung der polnischen Selbständigkeitsbestrebungen, die in den dreißiger und achtundvierziger Jahren vom Liberalismus, getreu seinen eigenen Prinzipien, unterstützt wurden, erweist ihn als einen gegenemanzipatorischen Weg. Er erfüllt somit das Kriterium falschen Bewußtseins. Das wird auch deutlich aus der im Gegenzug vollzogenen Hochstilisierung subalterner Tugenden des Försters, von Karls Sohn und der kleinbürgerlichen Tugenden Sauberkeit und Ordnung im Bereich der deutschen Kolonisatoren, denen das zukünftige Glück der Provinz Posen und Westpreußen anheimgegeben ist. So läßt sich argumentieren, die kolonialistische Lösung sei als eine Verdrängungsleistung anzusehen.

Die Struktur des Romans als Verdrängungsleistung fortschrittlichen Liberalismus unterstützt die These, die sich bereits aus der Analyse der politischen Haltung Freytags ergab. Hier war deutlich geworden, daß Freytags fortschrittlicher Liberalismus insofern auf schwachen Füßen steht, als er nach einer Periode durchgehaltenen Kampfes die Waffen, geschärft für das Primat von Freiheit vor Macht, sinken läßt und sie vertauscht mit denen des Primats Macht vor Freiheit. Damit wird die emanzipatorische Dimension des Liberalismus weitgehend aufgegeben – wenn auch nicht ganz, wie fälschlich behauptet worden ist[41]. Sie wird somit verdrängt. Der Rausch der Waffen, der Freytags Aufsatz aus den entscheidenden Tagen über *Die Stimmung in Preußen* kennzeichnet, ergibt sich aus der Verdrängung und dem Genuß des Verdrängthabens – Formen sadomasochistischer Bewältigung des von der Geschichte anscheinend Auferlegten.

Ohne die Untersuchung des sozialgeschichtlichen Kontextes wäre diese Strukturerkenntnis des Werkes jedoch nicht schlüssig zu machen gewesen. Andererseits sind ohne die Analyse des Werkes keine Aussagen über den Schriftsteller Freytag zu machen. Die Erkenntnis sozialgeschichtlicher Strukturen wurde für die Freytag-Interpretation auf hauptsächlich zwei Weisen konstitutiv: 1. über die emanzipatorischen Absichten einerseits seiner Klasse, andererseits Freytags persönlich, 2. durch die Unterscheidung bürgerlicher und kleinbürgerlicher Mentalität, die sich in Freytags künstlerischem Werk unverhohlener, obgleich vermittelter als in seinen journalistischen Arbeiten niederschlägt. Zugleich wurde dabei deutlich, daß die Auswertung biographischen Materials sowie von unmittelbar politischen Äußerungen, wie jouralistischen Artikeln, nicht zu Erkenntnissen führen muß, die deckungsgleich mit den Ergebnissen sind, die der Struktur des Romans abgewonnen werden. Vielmehr ergeben sich Inkongruenzen. Sie sind dennoch aufschlußreich, wenn man sie als strukturbildende Faktoren der einerseits gesellschaftspolitischen, andererseits literarischen Fragen des Erkennenden ansieht und beide strukturelle Ergebnisse aufeinander bezieht.

1.3.2. Raabe

Sieht man Raabes Briefe auf politische Äußerungen durch, so wird man feststellen, die Struktur seiner Briefwechsel sowie seiner Tagebuchäußerungen schließt politische Äußerungen in höherem Grade aus, als das bei Freytag der Fall war. Raabe versteht seine Briefe als Mittel der Kommunikation mit Freunden in einem engen Kreis; sie dienen ihm weniger als Lessing, Goethe oder Th. Mann dazu, sich um die Welt der Briefpartner zu erweitern. Von persönlichen Zeugnissen her die Einstellung Raabes zur emanzipatorischen Bewegung seiner Epoche ausreichend aufklären zu können, ist daher hier kein so angemessener Ansatz wie bei Freytag.

Vielmehr suchen wir den Zusammenhang Raabes mit der bürgerlichen Bewegung auf eine vermitteltere Weise als bei Freytag. Einen Ansatz für die Betrachtung können wir allenfalls durch die Analyse seines bekanntesten Werks, seines ersten, mitten in der Reaktionszeit (1849–58) veröffentlichten Romans *Die Chronik der Sperlingsgasse* (1857) gewinnen. In der Tat reizt dies Werk in seiner Struktur wie seinem Inhalt dazu. Inhaltlich liegt das liberale Engagement darin auf der Hand; man braucht das Büchlein nur einmal aufzuschlagen. Seine Struktur in ihren Guckkastenbildern von Kleinszenen und der Erzählperspektive des mit dem Fernrohr aus dem Gassenfenster schauenden alten Mannes als Erzähler entspricht den *Neuruppiner Bilderbögen* , – und damit in aufsehenerregender Weise einer modernen Form bürgerlicher Prosa im 19. Jahrhundert von massenliterarischem Charakter. Das bietet einen reizvollen Ansatz, den wir uns versagen, hier zu entwickeln – schon, weil der politische Inhalt so sehr auf der Hand liegt, daß es wichtiger scheint, sich den weniger bekannten Werken Raabes zuzuwenden, um sie zu entschlüsseln.

Diese Aufgabe ist umso dringender zu lösen, als die Forschung Raabe allen ihren modischen Strömungen unterworfen hat und dennoch der Schriftsteller immer noch einen der unbekannten Autoren des 19. Jahrhunderts darstellt. Er blieb auch im 19. Jahrhundert weniger bekannt, als er verdient hätte – der Advokat der bürgerlichen Bewegung, als der er sich in der *Chronik* von 1857 präsentierte, gab sich zu wenig Mühe, dem offiziellen Literaturbetrieb inkorporiert zu werden; sein Briefwechsel ist nur der eines Privatmannes, und die Öffentlichkeit hat sich daher schon zu Lebzeiten Raabes seinem so gesellschaftlich offenen Werk nicht genähert. Weder *Die Grenzboten* brachten Besprechungen von seinen Werken, noch so einflußreiche Journale wie *Westermanns Monatsheft* oder die *Gartenlaube* [42]. Hinderlich wurde mehr und mehr, daß Raabe nach der obrigkeitlich vollzogenen Reichseinigung seinen liberalen Vorstellungen treuer blieb als mancher vom fortschrittlichen Liberalismus abfallender Literat. Jedenfalls fanden seine Romane erst in den neunziger Jahren eine zweite Auflage, und eine Art Ruhm setzte erst in der zweiten Hälfte des ersten Jahrzehnts in diesem Jahrhundert ein, als es bereits zu spät war; die bürgerliche Bewegung konnte hier nur noch in der Konkurrenz mit der proletarischen und mehr und mehr von dieser in Schatten gestellt, auftreten; die proletarische Bewegung suchte sich Raabes zu bemächtigen, erfuhr aber seinen Einspruch [43]. Das Ergebnis war, daß Raabe in die literarhistorische Kategorie eingeordnet wurde, in die er, politisch entmannt, am ehesten zu passen schien: die autoritär-agrarideologische Volkstums- und Humordichtung; freilich konnte Raabe hier nur teilweise reüssieren. Die Kraft der Innerlichkeit bewahre Raabe gegen die historische Gebundenheit, wurde von der Forschung 1958 behauptet [44], oder in Fortsetzung dieser auf das Überzeitliche abstellenden Interpretationsrichtung Bild und Wirklichkeit in ihrem Verhältnis untersucht, um Raabe im Sinne eines Symbolikers zu verstehen [45]. Roy Rascal hat dagegen schon 1956 darauf aufmerksam gemacht, daß Raabes Werk in besonderer Weise mit dem Kleinbürgertum als Problem sich auseinandersetzt [46]. Lukács hat in Raabe einen der großen politisch relevanten Schriftsteller der bürgerlichen Bewegung erblickt [47], woran sich Helmut Richter [48] anlehnte.

Um die Beziehung von Raabes Werken zum preußischen Verfassungskonflikt zu erhellen, beschränken wir uns auf Bemerkungen zu den Romanen *Abu Telfan* (1867), *Der Schüdderump* (1869), *Der Dräumling* (1870–71) sowie *Horacker* (1875) und *Stopfkuchen* (1891).

Gehen wir bei *Abu Telfan* von der Kenntnis sozialgeschichtlicher Umstände der Epoche aus, so haben wir auf Anhieb zwei Möglichkeiten, die Relevanz sozialgeschichtlicher Feststellungen für die Literaturinterpretation zu erkennen. Das Entstehungsdatum des Romans führt uns ins Jahr der Niederlage des fortschrittlichen Liberalismus (1866). Die eine Möglichkeit besteht in der Thematik des Romans. Sie zeigt Leonhard Hagebucher als den Kritiker des obrigkeitlich feudalstrukturierten Systems in Mitteleuropa im Jahr 1861. Hagebucher war in Schwarz-Afrika in Sklaverei geraten. Bei seiner Rückkehr über Leipzig nach Hause erfährt er die deutsche Gesellschaft als unfreier als die Schwarz-Afrikas. Diese Kritik, durch die Heimkehr-Situation Hagebuchers zur Kritik des Romans gemacht, findet ihren Höhepunkt in einem in der Mitte des Romans angesiedelten Kapitel. Es schildert eine Rede Hagebuchers vor der Öffentlichkeit der Residenz – vor dem Polizeipräsidenten, dem Minister, den Honoratioren bis hinunter zum jungen Leutnant. Hagebucher stellt in dieser Rede die Verhältnisse in Schwarz-Afrika denen in seinem Fürstentum als Systemkritik gegenüber. Damit wird die Kritik der oppositionellen Deutschen Fortschrittspartei vorgebracht. Die Ergebnisse der Rede entsprechen denen im Verfassungskonflikt: die Rede führt zur öffentlichen Ächtung Hagebuchers. Sein Ausweg besteht in Resignation, deren verschiedene Formen von Person zu Person unterschiedlich im Roman vorgeführt werden: Hagebucher, Nikola von Einstein, Serena Reihenschlager, der Vetter Wassertreter, ja der Steuerinspektor zeigen eine je charakteristische Resignation, dem gesellschaftlichen Bereich gemäß, aus dem sie stammen. Die Interpretationsfrage, die zur Aufdeckung dieser Umstände führt, wäre eine nach dem Verhältnis von Repression und Resignation im jeweiligen persönlichen Schicksal. Die zweite Möglichkeit, sozialgeschichtliche Erkenntnis mit literarischer zu vermitteln, räumt uns ein wichtiges Strukturelement der frühen Raabeschen Romane ein. Schon in der *Chronik der Sperlingsgasse* geht einer der wichtigsten emanzipatorischen Impulse von der Vorgeschichte der Familie aus. Wie dort die Familie Ralff die Zerstörung des bürgerlich-harmonischen Familienlebens durch den Einbruch Adeliger in sie erfährt, so wird in *Abu Telfan* der Geschichte von Leonhard Hagebucher die Hintergrundshandlung der Familie Fehleysen-Leutnant Kind beigegeben, die den Konflikt Hagebuchers zu einem grundsätzlich adelig-bürgerlichen macht. Durch soziale Diskriminierung, zugleich Rangerhöhung des Leutnants Kind, erficht die korrupte Familie von Glimmern nicht nur gegenüber Kind und seinem Schwiegersohn, sondern zudem gegenüber der bürgerlichen Richterfamilie Fehleysen, die römische virtus repräsentiert, einen folgenschweren Sieg. Die Mitglieder der Familie Fehleysen werden entehrt, entrechtet, verfolgt und ausgetrieben. Klaudine, die Frau des Abgeordneten und Richters Fehleysen, zieht sich in die völlige Resignation des Abwartens, der in der Stille Heilung Suchenden, zurück. Die bis in den Tod reichende persönliche Verfolgung bürgerlicher Oppositioneller, wie sie sich anhand des Lebenslaufes von Carl Twesten im Peußischen Abgeordnetenhaus als Politik der feudalaristokratischen Obrigkeit ergab, identifiziert die Vorgeschichte der Familien Kind-Fehleysen als ein wichtiges Element des Romans.

Die Struktur des Romans, die von Barker Fairley [49] als künstlerisch nicht gelungen bezeichnet worden ist, läßt sich als ein formales Problem sozialgeschichtlich aufschließen. Gegen Ende des Romans zu, so darf man Barker Fairley zustimmen, gewinnt die Erzählung den Anschein der Breiigkeit und Gestaltlosigkeit, die sicherlich mit der hier zu beobachtenden Übergewichtigkeit der bloß noch subjektivistischer Schnörkel sich bedienenden Erzählweise, deren konkreter Stoff bereits abgespult ist, zusammenhängt. So gewinnt man den Eindruck, daß die thematisierte Resignation die Form des Romans selbst bestimmt. Der Abschluß des Romans erfolgt in der Epoche der Niederlage des fortschrittlichen Liberalismus. Die Ratlosigkeit, die sich in Zeugnissen der Liberalen um 1866 niederschlägt, angesichts des überraschend gelungenen Umfassungsmanövers, mit dem Bismarck die liberale Opposition überspielt, spaltet und in die Ecke drängt, so daß ihre Waffen ihr aus der Hand geschlagen sind, schlägt sich in der Formlosigkeit des Romans nieder.

Breiter gestreut als in der klaren Konfrontation in *Abu Telfan* ist die kritische Auseinandersetzung mit der sozialgeschichtlichen Wirklichkeit in *Schüdderump* (1869). Ist der Ausgangspunkt noch gekennzeichnet von der tiefen, todessehnsüchtigen Resignation des liberalen Bürgertums, insofern Schüdderump der Totenkarren ist, mit dem man während der Pest im Dreißigjährigen Krieg die Toten auf den Friedhof beförderte, so ist andererseits in der Konfrontation von neureichem Bürgertum mit neureichem Adel ein neues sozialgeschichtliches Element gegeben. Dadurch wird die Kritik differenzierter, als sie auf der Stufe der einfachen Konfrontation von Bürgertum und Adel in der *Chronik* und in *Abu Telfan* war.

Zunächst ist jedoch der dem Buch zugrunde liegende Konflikt innerhalb dieser für das 19. Jahrhundert und die bürgerliche Emanzipation grundlegenden Problematik, dem Verhältnis von Adel und Bürgertum, angelegt. Antonie Häusler ist als Tagelöhner-Kind mit dem jungen Erben des adeligen Hofes Krodebeck am Harz teils aus fürsorglichen, teils aus egoistischen Gründen erzogen worden; als hieraus aber eine herzliche Zuneigung sich entwickelt und die beiden, Hennig, der adlige Hoferbe, und die Häusler-Tochter Antonie, älter werden, wird die Beziehung stagnant. Antonie kann nicht mehr auf dem Hof, noch in ihrer alten sozialen Umgebung leben, der sie durch Erziehung und Lebensgewohnheiten entfremdet ist. Hennig von Lauen kann sich nicht erlauben, die mit ihm erzogene Häusler-Tochter Antonie zu heiraten. Die Erziehung auf dem adeligen Hof wird zum Gefängnis für Antonie; menschlich abgesperrt, bleibt ihr in ihrem Lebenszustand der Unselbständigkeit nur, sich von ihrem wieder auftauchenden, plötzlich mit unredlichen Mitteln reich gewordenen Vater in dessen kriegsgewinnlerisches Spekulantenmilieu nach Wien führen zu lassen. Dort geht sie in Resignation ein.

Die Kritik am Adel ist hier zweifach. Einerseits wird sie ausgedrückt gegenüber Hennig von Lauen, der zwar die Situation Antonies begreift, aber in vollständiger Tatenlosigkeit verharrt und sie sehendes Auges eingehen läßt. Tatenlosigkeit als Vorwurf gegen die Aristokratie. Ähnlich tatenlos, wenngleich etwas effektiver, ist der human und fortschrittlich gebildete Onkel, Karl von Glaubigern, ein an den Maßstäben bürgerlicher Erziehungstheorien gebildeter Mann, der die junge Häusler-Tochter mit einem Schuß Altersweisheit als seinen Schützling im Rahmen ihrer Stellung als Gesellschafterin behandelt. Er bildet den Gegenpol zu der ebenfalls auf dem Hofe von Lauen lebenden Vertreterin des ancien régime: der Adelaide von St. Trouin. Sie sieht in Antonie nur die Kammerzofe.

In dieser zweibahnig angelegten Kritik am Adel zeichnet sich eine Differenzierung in der Beurteilung ab, die Raabe dazu veranlaßt, neuren Formen gesellschaftlicher Sumpfblüten, den Neureichen in bürgerlicher und adeliger Gestalt, seine Kritik zuzuwenden.

Dies geschieht, indem zum ersten Mal in der deutschen Literatur ein lebendiges Bild eines Kriegsgewinnlers in dem inzwischen geadelten ehemaligen Häusler Dietrich Häusler von Haussenbleib gezeichnet wird. Die plötzliche Industrialisierung der 60er Jahre in Deutschland, der steigende Anteil des Handels am Nationalbudget, findet in dieser äußerst problematischen Figur ihren Ausdruck. Nach innen, im Verhältnis zur Tochter, starr und ohne freiheitliche Beweglichkeit, reproduziert Häusler die ethischen Maßstäbe gegenüber seiner Familie, die er in der adelig-autoritär strukturierten Welt vorfindet, in die er aus bescheidensten Anfängen aufgestiegen ist. Mit ihm verbündet sich der halb zynische, halb schlaue Graf Conexionsky, ein gerissener, jede Gelegenheit ohne Moralität akzeptierender Geschäftemacher. Ihnen beiden fällt Antonie zum Opfer. Der inneren Hohlheit des Reiches, der Nichtigkeit des Adels und der neureichen, sich anpassenden Bourgeoisie, wie sie das Ergebnis der Niederlage des Fortschritts wurden, setzt dieser Roman einen kritischen Denkstein.

Dem opportunistischen, seiner selbst unbewußten Bürgertum in Gestalt des Pfarrers Franz Buschmann wird ebenso ein negatives Mal gesetzt wie der die unteren Stände repräsentierenden Jane Warwolf ein positives. Jane stellt ein noch vorindustriell verkümmertes Bild der unterprivilegierten Stände in Form eines weiblichen Kobolds dar – eine Perspektive, die zur gleichen Zeit bei Fontane in Hoppenmarieken (*Vor dem Sturm*) ebenfalls zum Ausdruck kommt.

Im *Schüdderump* war der Marasmus der deutschen Gesellschaft im ganzen das Thema, in ihrer vorbürgerlich, feudal zersplitterten Enge, der Staatlosigkeit, der Aussichtslosigkeit, dem Vorsichhindämmern, so daß selbst den gängigen niedersächsischen adeligen Lebensweisen nichts als Stagnation beschieden ist, – eine Enge und Dunkelheit, in die wie ein Blitz die preußischen Kürassiere in Halberstadt als Vordeutung auf die Kräfte fahren, die die Organisation deutscher Staatlichkeit in die Hand nehmen werden [50]. Noch deutlicher ist aus nationalliberaler Sicht im *Dräumling* die deutsche Misere symbolisiert – dem Sumpfloch vorindustriellen und splitterstaatlichen Lebensbereichs, wo die Geschehnisse um die Schillerfeier ablaufen, die der Roman beschreibt. In scharfer Kennzeichnung wird dem idealistische Flausen pflegenden Lehrer, dem Rektor Fischarth, als Vertreter der intellektuellen, beamteten Schicht des Mittelstandes, die sich seit der zweiten Hälfte des 18. Jahrhunderts in Deutschland als die Fortschrittsträgerin erwiesen hatte, der pragmatischere, kritisch-skeptische Maler Rudolf Haeseler gegenübergestellt; diese beiden sind die Protagonisten der die deutsche Einheit beschwörenden Veranstaltung zu Ehren des Dichters Schiller. Damit die Schillerfeier nicht am Widerstand des Bourgeois in Gestalt des bloß auf seine Profite denkenden Wirts scheitert, muß der pragmatischere der beiden Prototypen der bürgerlichen Bewegung, Haeseler, die Dinge in die Hand nehmen; kurz vor dem Höhepunkt der Entwicklung wird Fischarth entmündigt und gefangengesetzt, obwohl er es war, der die Veranstaltung mit seiner hartnäckigen Geistseligkeit zuwege gebracht hat. Diese Ereignisse weisen deutlich auf Bismarcks Umgehungsmanöver den fortschrittlichen Liberalen gegenüber hin; Bismarck hat die Liberalen schließlich gefangen.

Interessant ist der Roman u. a. wegen seiner soziologischen Analyse. Haeseler und Fischarth repräsentieren die Führungsschicht Intellektueller im Mittelstand, der Wirt die Kleinbürger in ihrer Bewußtlosigkeit, Knackstert die großbürgerliche Schicht: der reiche Hamburger Handelsmann verhält sich den bürgerlichen Anliegen nationaler Einheit gegenüber vollkommen verständnislos – er kann in seiner knackig-kurzsichtigen Verständigkeit das alles nur für eine Spinnerei halten, so will er anscheinend sagen; ja, er besticht den kleinbürgerlichen Wirt, die Veranstaltung zu hintertreiben.

Die weitere innere Entwicklung Deutschlands beurteilen die folgenden Romane *Horacker* (1875) und *Stopfkuchen* (1891) kritisch. In *Horacker* ist der innere Zustand der deutschen Gesellschaft, wie in *Stopfkuchen* das offensichtliche Thema. Wie verhält sich gegenüber Außenseitern diese deutsche Gesellschaft des neuen

Reiches, die aus feudalen Gegebenheiten erwächst, unter agrarischen, vorindustriellen Bedingungen, wie sie durch die antibürgerliche, antifortschrittliche Reichseinigung konserviert worden sind? Eine Gesellschaft, die mit dem Konzept des Marktes auch dessen Möglichkeiten der sozialen Mobilität scheut? Sie zeigt daher die Unfähigkeit, sich mit Menschen auseinanderzusetzen, die nur das Prädikat, zur Menschheit zu gehören, für sich in Anspruch nehmen können, aber ständisch der untersten Schicht zugehören.

Dies ist die Problematik des *Horacker*. Die Häusler-Kinder Horacker und Lotte Achterhang werden in ihrer Menschlichkeit von der Generation der Alten (Rektor Eckerbusch und Pastor Winckler) entdeckt und allmählich aus der Fremdheit herausgezogen, in die sie die ständischen Vorurteile und die kleinbürgerlich-rigiden Vorstellungen der Dörfler hinabgestoßen haben, so daß Horacker vom Gerücht zum »Jungfernschänder«, zum Führer einer Bande von dreißig Unholden, zum »kühnen Räuber« gemacht wird. Die neue Generation des intellektuellen Mittelstandes, die eine »Sechsundsechzigiade« in Hexametern dichtet, und damit die Ereignisse des 1866 zustandegekommenen Klassenkompromisses feiert, d. h. den weitgehenden Verzicht auf die Durchsetzung der bürgerlichen Gleichheits-Ideologie im Sinne der »Menschheit«, ist unfähig, diesen menschlichen Kern aus dem Wust der Ereignisse herauszuschälen und findet kein helfendes Wort für den Geächteten.

In *Stopfkuchen*, einem großen Werk der deutschen Romanliteratur, das Raabe eines seiner »unverschämtesten« Bücher[51] genannt hat, ist die gesellschaftliche Ächtung gegenüber einem Außenseiter wiederum Thema. Heinrich Schaumann heiratet die in völliger Isolation aufwachsende Tochter des Bauern Quakatz, von dem die Öffentlichkeit meint, er habe den Viehhändler Kienbaum umgebracht. Auf der Roten Schanze, Schauplatz menschenmörderischer Vorgänge im Dreißigjährigen wie im Siebenjährigen Krieg, deren Relikte in Schichten erhalten geblieben sind, lebt Heinrich Schaumann mit seiner Quakatzin und sucht in fettansetzender Einsamkeit Verstehen, teilweise durch Phlegma erleichtert, zu üben; allmählich kommt er dem Graus an die Wurzel und findet den wirklichen Mörder, den kleinen Landpostboten, heraus, zerstört den Mythos, den die intolerante Gesellschaft in der Stadt gedichtet, dessen Wachsen und Herrschen sie nicht eingedämmt hat, indem sie ihre vorbürgerlichen Züge ängstlich bewahrte. Schaumann dagegen gelingt es, die Kriegsstruktur des Werdegangs dieser Gesellschaft allmählich zu pazifizieren, auch wenn gesellschaftspolitische Neuerungsversuche grundsätzlicher Art vorläufig vereitelt sind. Durch die Rahmenerzählung wird die Geschichte von Schaumann und seiner Quakatzin verallgemeinert, der gesellschaftliche Bezug hergestellt: erzählt doch der Jugendfreund von Heinrich Schaumann die ganze Geschichte. Der ist zu Schiff aus seiner südafrikanischen Neusiedlung Neuteutoburg herangereist, um seinen Freund Schaumann im deutschen Kaiserreich zu besuchen. Und als ihn seine Kinder bei der Rückkehr fragen: »Vader, wat hebt gij uns mitgebracht ut het Vaderland, aus dem Deutschland?«, da muß der Leser den Kindern antworten: Mordgeschichten. Schaumann deutet die Totengerippe-Geschichte Deutschlands jedoch um: er findet ein paläolithisches Gerippe; aufgrund dieses Fundes avanciert er zum Mitglied einer paläonthologischen Gesellschaft.

Ähnlich die Funktion des Schriftstellers, wie sie Raabe verstand, wenn er 1866 zur Einleitung in die kritische, mit allen erzähltechnischen Mitteln ausgerüstete Phase seiner vollendeten Künstlerschaft schreibt: »... Ich glaube, meine mehr lyrische Periode glücklich hinter mir zu haben. So putze ich denn meine epische Rüstung und gedenke, als deutscher Sittenschilderer noch einen guten Kampf zu kämpfen. Es ist viel Lüge in unserer Literatur, und ich werde auch für mein armes Teil nach Kräften das meinige tun, sie herauszubringen, obgleich ich recht gut weiß, daß meine Lebensbehaglichkeit dabei nicht gewinnen wird...« [52]

Bedeutung kommt dabei dem Umstand zu, daß diese Aufgabe, ein »deutscher Sittenschilderer«, Satiriker, zu sein, mit den differenzierten Mitteln einer Erzähltechnik realisiert wird, deren Modernität gerade in den vergangenen Jahren hervorgehoben worden ist. Im Unterschied zu Freytag ist hier in sich selbst scheinbar absolut setzendem Erzählen eine Gestalt von Totalität geglückt, auf Grund der Anwendung differenzierender Erzählperspektiven, in denen die Eigenheit und Besonderheit der dargestellten Verhältnisse und Menschen aufgehoben ist. Im *Stopfkuchen* erreicht der Autor den Höhepunkt seiner künstlerischen Laufbahn in beispielhafter Verdichtung, die in der Sprache – nord-mitteldeutsche Verkehrssprache geht in sie ein – und im Handlungs- wie Symbolaufbau das erste Niveau deutschsprachiger Prosa im 19. Jahrhundert repräsentiert. In der monologisch-subjektiven Erzählung Schaumanns, die sich in dem Bericht des Afrikaners objektiv bricht, finden sich die jeweils eigenen Standpunkte – durch die Toleranz des alles durchschauenden Schaumann, vermittelt in seiner Selbstironie – aufgehoben. Diese Erzählweise stellt eine reiche Frucht bürgerlicher Kunstform dar und ist – auf früherer Stufe – von Goethes Prosa maßgeblich ausgebildet worden. Sie ist bei Raabe zudem unverfälscht den Emanzipationsabsichten des 18. Jahrhunderts verpflichtet.

1.3.3 *Fontane*

Fontanes Werk mit der Struktur gesellschaftspolitischer Vorgänge im preußischen Verfassungskonflikt zu vermitteln, scheint über die Begriffe Freiheit und Gleichheit möglich – wir gehen einzelnen Romanen nach und weisen auf die Probleme hin, die künftiger Forschung zu lösen aufgegeben sind.

In *Vor dem Sturm* haben wir das erste große Werk Fontanes vor uns. Es ist teilweise während der gesellschaftspolitschen Ereignisse von 1861–66 entstanden; nach Aufzeichnungen Fontanes [53] hat er das erste Buch des Romans Mitte Juni 1866 beendet. Im Januar 1866 arbeitete er am Kapitel Hohenvietz, also zu einem

Zeitpunkt, als die Möglichkeit noch bestand, in breitem Ausmaß und unter Aufbietung der oppositionellen Fortschrittskräfte gesellschaftliche Veränderungen im bürgerlich-emanzipatorischen Sinne in Deutschland, d. h. zunächst in Preußen, zu verwirklichen. Gliedert man den Roman in Handlungskomplexe, so wird man die Berndt-von-Vitzewitz-Handlung und die um die junge Generation zentrierte, namentlich die Lewins, voneinander abgrenzen. Die Berndt-von-Vitzewitz-Handlung legt das Gewicht auf die öffentliche Seite des Lebens, insofern Berndt als Gutsherr und Initiator der Insurrektion die am stärksten öffentlich engagierte Persönlichkeit ist; er hat auch die äußeren Machtmittel in der Hand, um diesem Anspruch zu genügen – etwa im Gegensatz zu Othegraven. Die andere Handlung stellt die familiäre Seite des Lebens dar – nicht minder bürgerlich, insofern der Familie seit den moralischen Wochenschriften vom Anfang des 18. Jahrhunderts eine Schlüssel-Rolle in der bürgerlichen Vorstellungswelt zukommt. Es ist nun zu fragen, ob diese beiden Hauptkomplexe des historischen Romans auf Freiheit und Gleichheit bezogen werden können.

Dies scheint in der Tat möglich. Berndt von Vitzewitz gerät durch die Tatsache, daß er einen Aufstand gegen einen Verbündeten seines Souveräns ohne dessen Einwilligung, ja gegen dessen Willen initiiert, in einen Loyalitätskonflikt, den er als Sachwalter des »Volkes« und seiner Rechte ausficht. Freilich zieht Berndt in Betracht, daß er letzten Endes mit dem König, der in dieser Weise gezogen würde, in das gleiche politische Fahrwasser gelangt. Der Loyalitätskonflikt wird also mit Mitteln ausgetragen, die der Politik der liberalen Mitte strukturell ähneln; Gustav Freytag ist in der Zeitschrift *Die Grenzboten* einer der Hauptadvokaten – neben Julian Schmidt – dieser von unserer Quellensammlung belegten Politik, die darin besteht, den König in die bürgerliche Richtung zu ziehen, – nicht aber ihn zu verschrecken, zu isolieren oder gar zu bekämpfen, weil man meint, so den bürgerlichen Emanzipationsvorstellungen am ehesten zum Sieg verhelfen zu können. Bevor König und Liberale ins gleiche Fahrwasser kommen, würde die bürgerliche Seite jedoch den Konflikt riskieren. Indem Berndt von Vitzewitz sich erlaubt, ungehorsam gegenüber dem König zu sein, praktiziert er bürgerlichen Widerstand. Fontane bemüht sich, diese Form des Freiheitsbewußtseins nicht mit der adeligen frondeur-Freiheit zu identifizieren. Deshalb stößt General Bamme, der Vertreter des vorfriderizianischen Freiheitsbegriffs, erst zum Aufstand, als die Beteiligung Kniehases und damit der ländlichen bürgerlichen Schicht am Aufstand gesichert ist. Obendrein wird Bamme ironisch geschildert als halb spät-friderizianisch erstarrte, halb ganz ungewohnten Denkbahnen aufgeschlossene Figur. Abgegrenzt wird der Freiheitsbegriff Berndts gegen das spät-friderizianische Verständnis des Untertans; er hat wesentlich gehorsam zu sein. Bei der Erwägung, inwiefern Berndts Begriff der Freiheit bürgerlich ist, wird die Argumentation zu berücksichtigen sein, daß in Preußen und Deutschland Beamte sowie die fortschrittliche Sektion des Adels wesentliche soziale Faktoren darstellen, die Ziele der bürgerlichen Emanzipation Westeuropas zu verwirklichen. Auf der Aktion im Sinne bürgerlichen Widerstandes um »bürgerlicher Freiheit« willen durch Berndt beruht also der Hauptteil der Handlung des Romans.

Der andere Handlungszusammenhang – der der familiären Beziehungen – wird am konfliktreichsten in der Konstellation Lewin-Kathinka Ladalinski-Marie Kniehase abgehandelt. In diesem Dreieck spielt die Ebenbürtigkeit, wie bei Heiratsfragen gewöhnlich, eine Rolle; dies verdeutlicht, daß Gleichheit eine Schlüsselrolle spielt. Kathinka, wie überlegen sie Lewin in ihrer klaren Entschlossenheit ist – sie ist ihm als Polin unterlegen; sie kompensiert dies, indem sie sich gegen Lewin entscheidet und für Bninski, den bewußten National-Polen. Dadurch wird die Beziehung wieder aufgelöst.

Das Gleichheitsmotiv spielt über den kulturellen Bereich hinaus im ständischen Sinn ferner eine unmittelbare Rolle im Verhältnis Lewins zu Kniehase. Marie ist mit Renate von Vitzewitz erzogen, eigentlich aber das Kind des Pfälzers Kniehase – somit Lewin nicht ebenbürtig. Es muß als ein deutlicher Hinweis auf die Emanzipationsforderung des Bürgertums verstanden werden, wenn Fontane – nirgends wieder so deutlich, ja optimistisch wie hier – die Ehe zwischen Lewin und Marie zustande kommen läßt. Allerdings hat er nicht die Naivität, die Gleichheit beider gewissermaßen per Dekret[54] auszusprechen und dadurch als geleistet anzusehen. Vielmehr bringt Bamme es zustande, daß Marie im bürgerlichen Sinn – nämlich als Besitzende, Lewin »gleicher« wird. Die erforderliche Mitgift stellt Bamme.

Außer über emanzipatorische Absichten läßt sich der Roman mit der Sozialgeschichte vermitteln über seine Schichtenanalyse. Sie wird gesehen unter dem Aspekt von Fortschrittlichkeit und entspricht sowohl dem Selbstverständnis der Liberalen in der Epoche 1861/66 wie neueren historisch-empirisch-soziologischen Arbeiten[55]. Wir können das hier nur in einigen Worten als Problem sichtbar machen: Fortschrittlichkeit schreibt Fontane der einer Reform bewußt vorarbeitenden Sektion des Adels zu. Die bürgerlichen Elemente sind hier, repräsentiert von Hansen-Grell oder Othegraven, entweder bloß ideologisch eine »Macht«, oder gehemmt durch romantisch-zwiespältigen Intellektualismus (Faulstich) oder von beschaulich-aktiver Konstitution, obgleich nicht unwichtig (Seidentopf, Turgany), oder pietistisch aktionsfern (Tante Schorlemmer). Sie bilden immerhin für die ideologische Aufarbeitung wichtige, wenngleich disparate Faktoren. Die Unterschicht ist Objekt der Ereignisse (Hoppenmarieken) und wird als eigenständiger Faktor nicht anerkannt. Ideologiekritische Fragen könnten hier ansetzen. Dabei ist Raabes Werk (Jane Warwolf) zu beachten und die Parallelität Marie Kniehase-Antonie Häusler – die glücklich bzw. unglücklich in den adeligen Lebensstil Einbezogenen.

Der Bedeutung der Mittelschicht für die Herbeiführung fortschrittlicher Verhältnisse wird die Unfähigkeit der Kleinbürger so scharf wie nie wieder im Werk Fontanes entgegengestellt – die Niedlich, Klemm, Rabe, Stappenbeck erweisen sich wie die Bauern des Oderbruchs noch tief in der kleinbürgerlichen Unselbständigkeit spätfriderizianischen Untertanen-Verstandes befangen, unfähig zur Selbstbefreiung, ja unfähig dazu, auch nur den Gedanken der Emanzipation zu fassen. Die sozialgeschichtliche Funktion dieser Gewichtung herauszuarbeiten, ist eine der künftigen Forschungsaufgaben.

Die Ideologie des Freiheitsstrebens der Mittelschicht wird wie im Verfassungskonflikt den klassischen deutschen Autoren entlehnt, insbesondere Schiller (z. B. die Diskussion um Lemierre und Schiller auf Schloß Guse). Der Rückbezug der Epoche des Verfassungskampfes auf die Epoche der ersten bürgerlichen Bewegung, die zur Reform Deutschlands im bürgerlichen Sinne führte, ergibt sich aus dem Verhältnis der Entstehungszeit des Romans zur Zeit der Romanhandlung.

Im Gewand des historischen Romans ist *Vor dem Sturm* der erste Großroman der deutschen Gesellschaft, der Stadt und Land, alle Schichten, Öffentlichkeitswirken und familiäres Leben in bislang nicht dagewesener Form mustergültig vorführt, ohne als mustergültig erkannt worden zu sein. In den folgenden Jahren hat Fontane den Weg der begrenzten Form des Gesellschaftsromans beschritten und damit die Entwicklung dieser bürgerlichen Form deutscher Prosa auf den Höhepunkt geführt, indem er das spezifisch beachtete Verhältnis von Vergangenheit und Gegenwart im historischen Roman strich.

Der Gesellschaftsroman in Deutschland konnte, da hier die bürgerliche Gesellschaft den sozialpolitischen Sieg bis 1918 nicht errang, bürgerlich sein, wenn er die Ziele des Fortschritts beibehielt [56]. Die Gesellschaftsromane Fontanes scheinen als Eheromane jedoch auf den ersten Blick auf persönlichste, engste Problematik geschrumpft. Doch beziehen gerade Eheromane Emanzipationsfragen ein, soweit Liebesverhältnisse über gesellschaftspolitische Grenzen hinweg das Thema bilden. So spielt in Fontanes Eheromanen die durch den Sieg der Feudalaristokratie über das Bürgertum 1866 stabilisierte Klassentrennung, die die künftige Reichsgeschichte bestimmt, eine wesentliche Rolle. Und dies, obgleich die privaten Probleme der passenden oder nicht passenden Partnerwahl hier in ihren möglichen Konstellationen weitgehend durchgespielt sind: in *L'Adultera* wird die harmonische Partnerkonstellation erreicht durch Partnerwechsel, in *Petöfy* wird zwar ein Partnerwechsel vorgenommen, aber nicht bejaht, sondern als beeinträchtigt durch die Verletzung der Norm angesehen; in *Irrungen, Wirrungen* wird der Partnerwechsel erzwungen; es kommt zu bedingt glücklichen Ehen in der neuen Konstellation. In *Stine* und *Schach* wird die Ehe unglücklich, in *Cécile* die leere Bindung der zustande gekommenen Ehe dargestellt, bei unmöglicher Untreue und unmöglicher Ehe – in *Unwiederbringlich* dagegen funktioniert die Ehe nicht und hält dennoch ohne Ausweg beide Partner fest. In *Effi Briest* endlich löst sich die Ehe wegen Untreue auf.

Insofern die Liebes-Verhältnisse in der Regel über Standesgrenzen hinwegtendieren und an sie anstoßen, betont Fontane die gesellschaftliche Funktion des Eheromans. Diese Problematik ist erhöht durch den 1866 verhinderten Fortschritt auf mehr Gleichheit hin. In *Schach von Wuthenow* entzieht sich der vom König zur Ehe befohlene Offizier der Bindung, indem er sich erschießt – 1879 einer der deutlichen Proteste gegen die ins Persönliche eingreifende Staatsmacht vorbürgerlichen Zuschnitts. In *Petöfy* geht der Adelige freiwillig in den Tod angesichts der für seine Partnerin, die Schauspielerin, unüberwindlich gewordenen Probleme. Was in *Irrungen, Wirrungen* scheinbar zugunsten der Einhaltung der geschaffenen und rigid beibehaltenen Standesgrenzen gesagt wird, erscheint in *Stine* komplementär zurückgenommen, durch den Selbstmord des Adeligen, so daß dem Verzicht der Bürgerlichen im einen Roman (Lene) der Verzicht des Adeligen (Waldemar) im anderen entspricht. Diese Problematik wird in *Effi Briest* nur scheinbar fallengelassen; obgleich die beiden Rivalen um Effi, Innstetten und Crampas, adelig sind wie Effi selbst, wird nun die Adelige dargestellt als Opfer des rigiden feudalaristokratisch-autoritären Begriffs von Sittlichkeit, der ihrer Unmittelbarkeit und Menschlichkeit überall Schranken setzt, so daß, wer sein Leben natürlich lebt, mit dem Ehrenkodex notwendig in Konflikt geraten muß; als letztes Ergebnis dieser zerstörenden Kraft eines überholten öffentlichen Moralstandards autoritärer, vorbürgerlicher Struktur wird in erschütternder Weise die neue Generation, das Kind Effis, auf die Formel reduziert: »O gewiß, wenn ich darf«.

Überdies hat sich Fontane mit der dritten formtypischen bürgerlichen Gattung befaßt, dem Kriminalroman. Hier allerdings mit weniger Glück als im Gesellschaftsroman: keines der hierher zu rechnenden Werke *Unterm Birnbaum*, *Quitt* oder *Ellernklipp* hat die rationale, formbewältigte Kraft erreicht wie angelsächsische Kriminalgeschichten – ein deutliches Zeichen für die Vernachlässigung dieser Gattung im noch weithin agrarisch und vorbürgerlich strukturierten Deutschland ohne Urbanität und wichtige Charakteristica urbaner Lebensweise wie Mobilität und Anonymität des einzelnen; kleinbürgerliche bzw. feudal-aristokratisch-patriarchalische Bindungen sind in der deutschen Gesellschaft immer stärker erhalten geblieben als in bürgerlichen Gesellschaften Europas und Amerikas, soweit sie mehr Gleichheit verwirklicht haben. So unterließ es Schiller, seinen *Geisterseher* zu vollenden und wandte sich damit folgenschwer von dem Genre des Kriminalromans ab. Kein deutscher Epiker von Rang hat sich daraufhin mehr mit dem Kriminalroman befaßt, bis auf die Versuche Fontanes: weder Stifter noch Keller, weder Musil noch Thomas Mann, Walser nicht und nicht Grass. Insofern Fontane es tat, bezeugt er, daß er bürgerliche Emanzipationsvorstellungen auch über die sozialgeschichtliche Zeitenwende von 1866 hinaus erhält.

Mit Fontane gewinnt der Roman auch in der Form seine Vollendung als bürgerliche Gattung, insofern er die fiktive Realität aus mehreren personalen Perspektiven aufbaut. Dies beruht auf dem Prinzip bürgerlichen Ethos, jeden Dargestellten als ganzen Menschen aus seiner Widersprüchlichkeit heraus zu begreifen und zu schildern; diese Anlage resultiert in Totalität. In dieser Eigenschaft liegt die bis Thomas Mann unüberbotene künstlerische Kraft von Fontanes Arbeiten. Durch sie tragen Fontanes Werke dem bürgerlichen Gesichtspunkt der Gleichheit formalästhetisch Rechnung.

Diese Hinweise können hier nicht weitergeführt werden; sie überlassen ihre Ausführung der weiteren Arbeit. Eine Anzahl von Fragen ist damit jedoch gestellt, die die Vermittlung von Sozialgeschichte und liberalem Roman über emanzipatorische Absichten der Schriftsteller bzw. Werke wie über Handlungs- und Strukturelemente, ganze Zusammenhänge und schließlich Kunstformen in Erzählweise und Gattungen ermöglichen.

Anmerkungen

1 Materialistische Wissenschaft, Zum Verhältnis von Ökonomie, Politik und Literatur im Klassenkampf, hrsg. v. Autorenkollektiv sozialistischer Literaturwissenschaftler Westberlin, Berlin 1971, 1, 91.
2 ebd.
3 Materialistische Wissenschaft, 1, 95.
4 Theodor W. *Adorno*, Résumé über Kulturindustrie (1963), in: T. W. *Adorno*, Ohne Leitbild, Parva aesthetica, Frankfurt 1970, 67, 69.
5 Gert *Mattenklott*, Klaus *Schulte*, Literaturgeschichte im Kapitalismus, in: Neue Ansichten einer künftigen Germanistik, München 1973, 87.
6 Gert *Mattenklott*, Klaus R. *Scherpe*, Positionen der literarischen Intelligenz zwischen bürgerlicher Reaktion und Imperialismus, in: G. *Mattenklott*/K. *Scherpe*, Positionen der literarischen Intelligenz zwischen bürgerlicher Reaktion und Imperialismus, Reihe: Literatur im historischen Prozeß, Ansätze materialistischer Literaturwissenschaft, Bd. 2, Kronberg 1973, 1.
7 ebd., 2.
8 Christopher *Hill*, The Century of Revolution 1603–1714, Edinburgh 1963.
9 vgl. Bernd *Peschken*, Versuch einer germanistischen Ideologiekritik, Stuttgart 1972.
10 Hermann *Baumgarten*, Der deutsche Liberalismus, Eine Selbstkritik, I und II, in: Preußische Jahrbücher 18 (1866), 455–515 u. 575–628.
11 Heinrich von *Sybel*, Die Begründung des Deutschen Reiches durch Wilhelm I., vornehmlich nach den preußischen Staatsakten, München und Berlin 1901. Nach Elisabeth *Fehrenbach*, Die Reichsgründung in der deutschen Geschichtsschreibung, in: Reichsgründung 1870/71, ed. Theodor *Schieder*, Ernst *Deuerlein*, Stuttgart 1970, 265 eines der meist gelesenen Werke zu dieser Frage.
12 Otto *Hintze*, Die Hohenzollern und ihr Werk, Berlin 1915, 585.
13 *Hintze*, 620.
14 z. B. Heinrich Bernhard *Oppenheim*, Benedikt Franz Leo Waldeck, der Führer der preußischen Demokratie 1848–1870, Berlin 1880; Christian *Schlüter*, Benedikt Waldeck, Briefe und Gedichte, Paderborn 1883; K. *Wippermann*, Johannes Jacoby, in: Allgemeine deutsche Biographie, 1881, 13. Bd.; J. *Möller*, Rede, gehalten bei der Gedächtnisfeier für Dr. J. Jacoby, Königsberg 1877; Julian *Schmitt*, Nekrolog auf Johannes Jacoby, in: Nationalzeitung Nr. 147, März 1877.
15 z. B. Deutscher Liberalismus im Zeitalter Bismarcks, Eine politische Briefsammlung, I: Die Sturmjahre der preußisch-deutschen Einigung 1859–1870, Politische Briefe aus dem Nachlaß liberaler Parteiführer, ed. Julius *Heyderhoff*, Bonn u. Leipzig 1925; Julius *Heyderhoff*, Carl Twestens Wendung zur Politik und seine erste politische Broschüre, Ein Lebensausschnitt, in: Historische Zeitschrift 126 (1922), 242–270; Max *Duncker*, Politischer Briefwechsel aus seinem Nachlaß, ed. Johannes *Schultze*, Stuttgart, Berlin

1923; Rudolf *Haym*, Ausgewählter Briefwechsel, ed. Hans *Rosenberg*, Berlin, Leipzig 1930; Ludwig *Dehio*, Die Taktik der Opposition während des Konflikts, in: Historische Zeitschrift 140 (1929), 279–347.

16 Ludwig *Dehio*, Die Taktik der Opposition während des Konflikts, in: H. Z. 140 (1929).

17 Er beschreibt einerseits die äußerste Schärfe des Konflikts (Engelberg, 136/37), will andererseits, die Fortschrittspartei habe keinen »politischen Kampfplan« (138); er berücksichtigt bei diesem Argument nicht die Partei-Struktur dieser Epoche. Ernst *Engelberg*, Deutschland von 1849–1871, Von der Niederlage der bürgerlich-demokratischen Revolution bis zur Reichsgründung, Berlin (Ost) 1959.

18 Eugene N. *Anderson*, The social and political conflict in Prussia 1858–64, Lincoln 1954.

19 Adalbert *Heß*, Das Parlament, das Bismarck widerstrebte, Zur Politik und sozialen Zusammensetzung des preußischen Abgeordnetenhauses der Konfliktzeit (1862–1866), Köln 1964.

20 Wilhelm *Mommsen,* Deutsche Parteiprogramme, Göttingen 1960; Heinrich A. *Winkler,* Preuß. Liberalismus u. dt. Nationalstaat, Studien zur Gesch. d. deutschen Fortschrittspartei, Tübingen 1964.

21 Theodor *Geiger*, Die soziale Schichtung des deutschen Volkes, Stuttgart 1967.

22 Hartmut *Kaelble*, Berliner Unternehmer während der frühen Industrialisierung, Herkunft, sozialer Status und politischer Einfluß, Berlin 1972.

23 *Kaelble*, 233/34.

24 Friedrich *Engels*, Die preußische Militärfrage und die deutsche Arbeiterpartei (1865), in: Karl *Marx*, Friedrich *Engels*, Werke, Berlin 1968, Bd. 16, 75.

25 Ferdinand *Lassalle*, Reden und Schriften, ed. Friedrich *Jenaczek*, München 1970, 392 ff. (dtv)

26 Von den genannten wichtigen Protagonisten sind Carl Twesten, Benedikt Waldeck, Heinrich Sybel Beamte (Richter, Professor), Johannes Jacoby und Rudolf Virchow freiberuflich Tätige: Ärzte.

27 Friedrich *Zunkel*, Die rheinisch-westfälischen Unternehmen 1834–1879, Ein Beitrag zur Geschichte des deutschen Bürgertums, Köln 1962.

28 Zentralarchiv der DDR, Merseburg, und Geheimes Staatsarchiv Dahlem. Ich danke der Freien Universität Berlin für einen Zuschuß zur Reise nach Merseburg.

29 Erich *Hahn*, Rudolf von Gneist. The Political Ideas and Political Activity of a Prussian Liberal in the Bismarck-Period, Yale Dissertation 1971.

30 Briefe in: Die Sturmjahre der preußisch-deutschen Einigung 1859–1870, ed. Julius *Heyderhoff*, Bonn/Leipzig 1925; Gustav Freytag und Herzog Ernst von Coburg im Briefwechsel 1853–1893, ed. Eduard *Tempeltey*, Leipzig 1904; Gustav Freytag und Heinrich von Treitschke im Briefwechsel, Leipzig 1900; Gustav Freytags Briefe an Albrecht von Stosch, ed. Hans F. *Helmolt*, Stuttgart, Berlin 1913; Max *Duncker*, Politischer Briefwechsel aus seinem Nachlaß, ed. Johannes *Schultze*, Stuttgart, Berlin 1923.

31 Gustav *Freytag*, Gesammelte Werke, Leipzig 1887, Bd. 15.

32 Gustav *Freytag*, Der Kronprinz und die deutsche Kaiserkrone, Erinnerungsblätter, Leipzig 1889.

33 Klaus *Laermann*, Rezension von B. *Peschken*, Versuch einer germanistischen Ideologiekritik, Stuttgart 1972, in: Das Argument 16 (1974), 688–691.

34 Es bleibt dem Wissenschaftler unbenommen, über die Verifikationsmöglichkeit hinausgehende Feststellungen zu treffen. Sie sind allerdings keine wissenschaftlichen Urteile, sondern politische Auffassungen, die die Mittel der Machtausübung, Überredung, Suggestion, Propaganda legitim anwenden, um sich Wirkung zu verschaffen.

35 *Laermann*, 690.

36 Leo *Löwenthal*, Erzählkunst und Gesellschaft, Neuwied 1971, 126.

37 Beide in Neuauflage Berlin 1971.
38 Georg *Lukács*, Reportage oder Gestaltung? Kritische Bemerkungen anläßlich des Romans von Ottwalt, in: Zur Tradition der sozialistischen Literatur in Deutschland, Eine Auwahl von Dokumenten, Berlin (Ost) 1967, 447ff., besonders 449.
39 Adam *Smith*, Untersuchung der Natur und Ursachen von Nationalreichthümern, Leipzig 1776, 2 Bde.
40 T. E. *Carter*, Freitag's ›Soll und Haben‹, A Liberal Manifesto as a Best-Seller, in: German Life and Letters (1968), 320–329.
41 Dies nehmen Engelberg und Lukács an.
42 Wilhelm Raabe an Karl Geiger, 9.6.1909, in: Karl *Hoppe*, Wilhelm Raabe, Beiträge zum Verständnis seiner Person und seines Werkes, Göttingen 1967, 34.
43 Clara Zetkin an Wilhelm Raabe, 6.3.1908 und Wilhelm Raabe an Clara Zetkin, 10.3.1908, in: *Hoppe*, Raabe, 1967, 57/58.
44 Hermann *Pongs*, Wilhelm Raabe, Heidelberg 1958, z. Tl. nach dem Vorgang Romano Guardinis.
45 Hubert *Ohl*, Bild und Wirklichkeit, Heidelberg 1968.
46 Roy *Pascal*, The German Novel, Manchester University Press 1956.
47 Georg *Lukács*, Wilhelm Raabe, in: Deutsche Realisten des 19. Jahrhunderts (1939), Berlin(Ost) 1953.
48 Helmut *Richter*, Zwischen Zukunftsglaube und Resignation, Zum Frühwerk Wilhelm Raabes, in: Wissenschaftliche Zeitschrift der Universität Leipzig, Gesellschaftswissenschaftliche Reihe, 8 (1958/59), 397–412.
49 Barker *Fairley*, Wilhelm Raabe, München 1961.
50 Wilhelm *Raabe*, Der Schüdderump, 36. Kapitel, in: W. R., Das ausgewählte Werk, Berlin 1954, Bd. 3, 324.
51 Wilhelm Raabe an Edmund Sträter, 13.6.1891.
52 Wilhelm Raabe an Adolf Glaser, Februar 1866, in: »In alls gedultig«, Briefe Wilhelm Raabes 1842–1910, ed. Wilhelm *Fehse*, Berlin 1940, 51/52.
53 Aufzeichnungen Fontanes im Fontane-Archiv, Potsdam.
54 Theodor *Fontane*, Vor dem Sturm, in: Sämtliche Werke, ed. Walter *Keitel*, 3. Bd. München, o. J., 706.
55 Reinhart *Koselleck*, Preußen zwischen Reform und Revolution, Allgemeines Landrecht, Verwaltung und soziale Bewegung von 1791–1848, Stuttgart 1967.
56 Daß Fontane aufklärerische Ziele der Epoche Lessings weiterträgt, hat Ingrid *Mittenzwei*, Theorie und Roman bei Theodor Fontane, in: Deutsche Romantheorien, ed. Reinhold *Grimm*, Frankfurt 1968, 233–250, 237/38 dargestellt.

2

Claus-D. Krohn

Zur Sozialgeschichte des Verfassungskonflikts

2.1. *Problem des Verfassungskonflikts*

Mit Verkündung der »Neuen Ära« im Herbst 1858 durch den Prinzen Wilhelm von Preußen, der kurz zuvor die Thronfolge seines schwachsinnigen Bruders, König Friedrich Wilhelm IV, angetreten hatte, nahm das liberale Bürgertum nach 1848 zum zweiten und letzten Mal in der preußisch-deutschen Geschichte eine massive oppositionelle Haltung gegen den feudal-absolutistischen Obrigkeitsstaat ein. Äußerer Anlaß war die von der Krone geforderte Verstärkung des Heeres. Der daraus entstehende Budgetkonflikt zwischen konservativen Machteliten und der liberalen Mehrheit im Abgeordnetenhaus wuchs sich alsbald zum allgemeinen Verfassungskonflikt aus, in dem das liberale Bürgertum jedoch kaum eine der zahlreichen Emanzipationsforderungen durchsetzen konnte. Außenpolitische Erfolge, wie die Annektion Schleswig-Holsteins 1863/64 und der preußische Sieg über Österreich 1866, führten zum Zerfall der liberalen Bewegung und im sogenannten Nationalliberalismus zum endgültigen folgenschweren Bündnis mit dem Adel in der Ära Bismarck.

Es wird zu prüfen sein, warum das liberale Bürgertum gescheitert ist. Zweifellos verfügte er nicht über die nötigen Machtmittel. Darüberhinaus stellt sich jedoch auch die Frage, die insbesondere von der jüngeren Forschung zu beantworten gesucht wird, ob Inhalte und Strukturen der auf Freiheit, Gleichheit und Einheit gerichteten liberalen Forderungen sowie die politische Strategie des Bürgertums nicht ebenso zum Scheitern beigetragen haben.

Dabei wird man die Genesis der preußisch-deutschen Entwicklung seit Ende des 18. Jahrhunderts im Augen haben müssen, die allerdings hier nur angedeutet werden kann. Vielmehr soll die Selbstdarstellung liberaler Schichten und ihrer Forderungen, wie sie in der Dokumentation zum Audruck kommen, der sozio-ökonomischen Situation konfrontiert werden. Für die noch ausstehende, empirisch abgesicherte historisch-soziologische Klassen- bzw. Schichtenanalyse des Bürgertums ließen sich durch dieses Verfahren einige Anhaltspunkte gewinnen, die zugleich Rahmenbedingungen und methodische Hinweise für die Interpretation literarischer Werke abstecken könnten. Die Notwendigkeit einer Vermittlung von Sozialgeschichte und Literatur soll vor allem von der Anschauung bestimmt werden, daß die subjektive Intention des Dichtwerks in seiner Totalität repräsentative Einsichten in schichtenspezifische Bewußtseinslagen und politische Vorstellungen geben kann.

Obwohl die liberale Programmatik in der Zeit des Verfassungskonflikts nicht neu ist, sondern größtenteils schon vor 1848 in der Epoche des Vormärz entwickelt worden war, erscheint eine zeitlich auf die 60er Jahre begrenzte Untersuchung um so mehr gerechtfertigt zu sein, als die in Deutschland seit 1850 massiv einsetzende Industrialisierung qualitativ neue Bedingungen für die Einschätzung der

Forderungen des Bürgertums setzte, welches, im Gegensatz etwa zur Klasse der gentry in England, Träger der wirtschaftlichen Entwicklung war.

Gerade die Interdependenz von wirtschaftlicher Entwicklung und politisch-sozialen Absichten der Liberalen, oder deutlicher, der bereits eklatante Widerspruch von liberaler Ideologie, die von der kleinen individuellen Produktion des Frühkapitalismus mitgeprägt worden war, und den neuen industriewirtschaftlichen Strukturen wird von der jüngeren Forschung thematisiert. Während die ältere deutsche Historiographie im Kaiserreich und der Weimarer Republik den Liberalismus während des Verfassungskonflikts noch ganz in der wissenschaftlichen Tradition lediglich ideen- oder organisationsgeschichtlich ohne Bezug zu sozialökonomischen Faktoren beschrieb bzw. im Verfassungskonflikt lediglich personal zentriert die Auseinandersetzung der liberalen Fortschrittspartei mit Bismarck und den Konservativen konstatierte (Sybel, Hintze, Dehio), hatte die angelsächsische, insbesondere die amerikanische Forschung vor allem auch Interesse am Verfassungskonflikt unter Einbeziehung sozial-ökonomischer Implikationen bekundet (Anderson, Craig, Pflanze). Bei genauerer Betrachtung verraten diese älteren amerikanischen Arbeiten die Prägung durch aktuell-politische Interessen. Die Forschungen zum Liberalismus in Deutschland dienten häufig der apologetischen Absicht, im modernen nordamerikanischen Staat den Triumph der liberalen Demokratie zu feiern.

Bei der Kontinuität der westdeutschen Universitätswisschenschaft nach 1945 überwogen noch lange obrigkeitsfixierte, geistes– und organisationsgeschichtliche Anschauungen (Schieder, Bussmann, Hess). Erst in der jüngeren Forschung ist eine Abkehr von der überkommenen Sichtweise erkennbar (Winkler, Zunkel), wobei zunehmend die ökonomischen Faktoren für die Analyse liberaler Ansprüche berücksichtigt wurden (Böhme). Von der marxistischen Wissenschaft wurde jener Zusammenhang wohl immer hypostasiert (Engelberg, Kuczynski). Interessant ist jedoch, daß historisch-materialistische Theorieansätze von der westdeutschen Forschung bis in die 60-er Jahre hinein kaum rezipiert wurden. Vielmehr berief man sich auf die bahnbrechenden, jedoch lange folgenlosen Arbeiten Hans Rosenbergs, der schon am Vorabend des Faschismus und seiner Emigration mit wichtigen Untersuchungen zum Liberalismus und insbesondere zu den Auswirkungen der großen Weltwirschaftskrise von 1857 gezeigt hatte, daß auch die nichtmarxistische Forschung durchaus die Totalität von Gesellschaft, Wirtschaft und Politik thematisieren konnte. Durch Neuauflagen seiner frühen Arbeiten zur Wirkung konjunktureller Trends auf die politische Geschichte und die liberale Ideologie wurde Rosenberg erst in jüngster Zeit einer breiteren Öffentlichkeit bekannt mit der impliziten Absicht der Herausgeber, ihn gezielt gegen die Herausforderungen der marxistischen Historiographie aufzubauen und gleichsam zum Ahnherrn der modernen westdeutschen sozialökonomischen Geschichtsschreibung zu stilisieren. [1]

2.2 *Ausgangslage: die »Neue Ära«*

Nachdem Prinz Wilhelm im Oktober 1858 als neuer Regent den Eid auf die preußische Verfassung geleistet hatte, weckte die Entlassung des alten reaktionären Ministeriums Manteuffel, die Berufung des neuen liberal-konservativen unter dem Fürsten Hohenzollern-Sigmaringen sowie die Verkündung von Wilhelms Regierungsprogramm am 8. November 1858, das den »Forderungen der Zeit Rechnung tragen« wollte[2], nach zehnjähriger Reaktionszeit, in der jede politische Aktivität verboten und gewaltsam unterdrückt worden war, die Hoffnungen in der Öffentlichkeit auf eine fortschrittlichere, liberalere Zukunft. Wegen der noch bestehenden politischen Vereinigungsverbote nach dem Bundesreaktionsbeschluß von 1854 artikulierten sich in der folgenden Zeit die politischen Forderungen zunächst auf zahlreichen spontanen Sänger- und Turnfesten; die Säkularfeier des Schiller-Geburtstages wurde zur mächtigen politischen Manifestation. Der österreichisch-italienische Krieg von 1859 rückte unter anderem auch die Unabhängigkeitsbewegung Garibaldis in das Blickfeld des deutschen Publikums. Nach deren Vorbild wurde die Einheit der Nation auch in Deutschland zu einem wichtigen Postulat, das zu propagieren sich über ganz Preußen verteilt örtliche »Nationalvereine« bildeten. Endlich konstituierten sich erstmalig Parteien mit fest umrissenen Wahlprogrammen.

Zur Einschätzung dieser Aufbruchsstimmung wird man dem Optimismus, den Forderungen der jungen Parteien die Gründe für das Programm der Neuen Ära konfrontieren müssen. Die Neue Ära war keinesfalls proklamiert worden, um angesichts des hektischen industriewirtschaftlichen Aufschwungs nach 1850 dessen Träger stärker in die politische Verantwortung zu ziehen, sondern die Krone brauchte Geld. Das Versagen des militärischen Verteidigungssystems im Deutschen Bund bewog Wilhelm schon vor seiner Regentschaft, das Kriegsministerium mit Reorganisationsplänen zur Hebung der Schlagkraft des Heeres zu beauftragen. Das Fiasko des Bundesgenossen Österreich im Krieg gegen Italien, dem Preußen geschickt sich hatte entziehen können, verstärkte die Notwendigkeit zur Reform. Wilhelm und konservative Hofkreise hofften, mit scheinbaren Konzessionen, wie der Berufung vereinbarungsbereiter altliberaler Minister, vom Abgeordnetenhaus, das nach der Verfassung Anteil am Budgetrecht hatte, die nötigen Gelder bewilligt zu bekommen.[3] An der konservativen legitimistischen Ordnung sollte sich allerding nichts ändern und für die bevorstehenden und alle folgenden Wahlen wurde seitens der Krone und der Bürokratie massive Einschüchterung des liberalen Optimismus getrieben.

Die Liberalen setzten jedoch große Hoffnungen in die Absichten der Krone. Unter der Parole »Nur nicht drängen«[4] führten sie einen sehr zurückhaltenden Wahlkampf. Die noch von 1848 her bekannten Demokraten, wie Jacobi, Waldeck und andere, lehnten gar eine Kandidatur ab. Man sah bereits als ersten Erfolg an, wenn überhaupt Liberale in das Abgeordnetenhaus einziehen konnte und hütete sich vor Übereilung und Provokation.

Für die soziale und politische Rolle der verschiedenen liberalen Fraktionen wie für deren taktisches Verhalten in den 60-er Jahren mögen einige zentrale Bestimmungsfaktoren angedeutet werden:

1. Im Gegensatz zu den westeuropäischen Ländern scheint die fehlende Nationalstaatlichkeit in Deutschland ein gemeinsames bürgerliches Klassenbewußtsein und bürgerlichen revolutionären Elan verhindert zu haben.
2. In der Praxis des preußischen Verwaltungsstaates übernahm seit Ende des 18. Jahrhunderts die Bürokratie die vorwärtstreibende Rolle im sozial-ökonomischen Entwicklungsprozeß. Die historischen Vorbilder der Liberalen im Verfassungskonflikt, Befreiungskriege 1813/14 und Stein-Hardenbergsche Reformen, zu deren säkularen Ergebnissen die Kapitalisierung der Landwirtschaft und die Aufhebung des ständischen Zukunftwesens gehörten, trugen weniger emanzipatorische Züge im Sinne liberaler, auf individuelle Freiheit und Gleichheit gerichteter Forderungen. Sie zielten vielmehr auf Stabilisierung des »Ancien Régime« gegenüber den Einflüssen aus Frankreich, das in den Napoleonischen Kriegen die Ergebnisse der bürgerlichen Revolution in das reaktionäre Mitteleuropa zu tragen begann. [5]
3. In jenem bürokratisch-konservativen Modernisierungsprozeß von oben verkümmerten die ohnehin nur geringen Ansätze im deutschen Bürgertum zur »kompromißlosen politischen Neugestaltung«. [6] Das Ideal beschränkte sich im Rahmen eines monarchisch-konstitutionellen Staates auf die verfassungsmässig abgesicherten Freiheitsrechte, die, disponiert von der idealistischen Philosophie, mehr und mehr in realitätsferne Spekulationen abgedrängt wurden. [7]
4. Ähnlich wie in Frankreich der Widerspruch zwischen liberaler Theorie und besitzbürgerlichen Interessen bald nach der Revolution aufbrach, der das Besitzbürgertum immer weiter auf die Verteidigung materieller Interessen reduzierte und das dann im Julikönigtum nach 1830 endgültig seinen neofeudalen Charakter offenbarte, hatten sich auch in Deutschland nach der gescheiterten Revolution von 1848, während der sich z.B. das rheinische Großbürgertum aus Furcht vor der »roten« Demokratie alsbald hinter die feudale Ordnung stellte, ähnliche Entwicklungen vollzogen. Nach Oktroyierung der preußischen Verfassung 1849/50 konsolidierte sich die konservative militärisch-bürokratische Gegenrevolution im Bunde mit dem Großbürgertum, [8] dem die Förderungen des ökonomischen take-offs von der Bürokratie entgegengebracht wurden. Der Präsident der Handelskammer Köln, Bankier Gustav Mevissen, konstatierte 1850 für das rheinische Besitzbürgertum eine »so weitgehende politische Apathie«, die zur »totalen Indifferenz« geführt habe, und erkannte »bei der totalen Ohnmacht der Kammer in den politischen Fragen ..., daß die materiellen

Interessen die einzige Stelle bilden, von wo aus eine bessere Zukunft sich zu gestalten vermag.« [9]

5. Neben den Wirkungen der Hardenbergschen Reformen und der Vereinheitlichung des Marktes im Deutschen Zollverein in den dreißiger Jahren ermöglichten die staatliche Förderung privatkapitalistischer Industrie- und Gewerbetätigkeit nach 1848, die spezielle Gründung eines preußischen Handelsministeriums, Aktiengesetze, Reformen der Gewerbeordung etc. einen beispiellosen Konjunkturaufschwung, der Preußen in wenigen Jahren in die moderne kapitalistische Weltwirftschaft integrierte. Zum Leitsektor wurde seit den 40er Jahren der Eisenbahnbau, für den der preußische Staat beispielsweise den Aktionären Zinsgarantien zur Erleichterung des Investitionsrisikos gab. Das Wachstum des Transportwesens – in Preußen stieg das Anlagekapital im Eisenbahnbau von 158 Millionen Talern 1848 in den folgenden neun Jahren auf mehr als 360 Millionen an, 1858 verließ bereits die 1000. Lokomotive die Fabrik Borsigs in Berlin – riß den Maschinenbau mit sich. Die Eisenproduktion stieg von 1850 bis 1860 um 250 Prozent, 1866 wurde die Millionen-Tonnengrenze erreicht, analog entwickelte sich die Kohlenerzeugung. Die jährliche Arbeitsleistung pro Arbeiter nahm in jenen Jahren um 8,5 Prozent, im folgenden Jahrzehnt nach der ersten Industrialisierungs- und Rationalisierungswelle gar um 42 Prozent zu. Die Lebenshaltungskosten stiegen mit der Konjunktur steil an, mit denen die Löhne nicht mehr Schritt halten konnten. Das Mißverhältnis zwischen Erzeugung und Konsumtionsfähigkeit führte, nach den ersten Alarmzeichen in der Weltwirtschaftskrise von 1857, in den siebziger Jahren zur ersten langanhaltenden Überproduktionskrise, die fortan typisch für die kapitalistischen Trendperioden wurden. [10]

Eine wichtige Folgerung aus der Geschichte des Liberalismus bis in die fünfziger Jahre läßt sich ziehen, von der aus auch die liberalen Forderungen nach 1858 zu prüfen sind: Die liberale bürgerliche Intelligenz postulierte wohl die verfassungsrechtlichen Rahmenbedingungen des angestrebten Staatswesens, sie war jedoch erhaben über die Profanität des am Geschäft interessierten Bourgeois. Trotz interessenbedingter Trennung von Bildung und Besitz schuf das Bildungsbürgertum die Illusion einer harmonischen, auf Freiheit und Gleichheit beruhenden Gesellschaft, wobei ihm die Unkenntnis oder Überheblichkeit gegenüber den täglichen Geschäften das subjektive Bewußtsein scheinbaren materiellen Desinteresses verlieh. Die mit Hilfe des Besitzbürgertums im Keime erstickte 48-Revolution, überhaupt das Ausbleiben einer bürgerlichen, von allen Schichten getragenen Revolution, die Spaltung des liberalen Bürgertums in besitzbürgerlichen Bourgeois, der sich nach 1849 mit der feudalen Oberschicht arrangierte, und in realitätsfernes Bildungsbürgertum führten dazu, daß der 4. Stand, die entstehende Arbeiterbewegung praktisch die Funktion des bürgerlichen Radikalismus übernahm.

Nach 1858 kämpfte der bürgerliche Liberalismus für die politische Emanzipation nicht in geschlossener Front. Verschiedene Fraktionen mit unterschiedlichen

Interessenlagen schwächten sich gegenseitig. Während der Reaktionszeit in den 50er Jahren waren im wesentlichen nur die gemäßigten erbkaiserlichen Altliberalen im Abgeordnetenhaus vertreten, die seit ihrer Option in Gotha 1849 für die preußische Unionspolitik Gothaer oder wegen ihrer angepaßten Haltung auch Konstitutionelle genannt wurden. Hinter ihnen standen vor allem rheinische Industrielle, gemäßigte Großgrundbesitzer und gehobenes Bildungsbürgertum. Dieser Fraktion, keinesfalls einer geschlossenen Partei im Sinne Max Webers [11], standen in losen Gruppierungen die seit dem Fiasko der 48-Revolution verunsicherten Linksliberalen gegenüber, die wiederum in eine gemäßigte Linke mit dem »rosaroten Großgrundbesitzer« Karl Rodbertus sowie Hermann Schulze-Delitzsch und Viktor von Unruh und in die »radikalen« Demokraten mit Lothar Bucher, Johann Jacoby, Benedikt Waldeck, Franz Ziegler u. a. zerfielen. Ihren radikalen Ruf verdankte diese Gruppe vor allem ihrem Antrag aus den Jahren 1848/49, durch Verweigerung der Steuerzahlungen die Krone unter Druck zu setzen. Winkler hat in deren Verbalradikalismus, der in eklatantem Widerspruch zu einer realistischen politischen Strategie stand, den Ausdruck »einer zutiefst unpolitischen Haltung« gesehen[12]. Der Grund mag darin zu suchen sein, daß die radikalen Demokraten soziologisch zum kleinen Bildungsbürgertum gehörten, das in seiner sozialen und politischen Rückständigkeit die Implikationen der wirtschaftlichen Dynamik im aufsteigenden Kapitalismus nicht wahrnehmen konnte. Die Äußerungen von Jacoby, Waldeck, Karl Twesten, aber auch die Literatur Gustav Freytags oder Wilhelm Raabes müssen unter diesem Aspekt untersucht werden.

Nach ersten Organisationsversuchen der Liberalen im »Kongreß deutscher Volkswirte«, dessen Programmatik wie Gewerbefreiheit oder Assoziationswesen auf kleinbürgerlich-demokratischen Zuschnitt weist, und im »Nationalverein« begannen mit der Neuen Ära Versuche zu festeren Parteiorganisationen. Die Zurückhaltung der Demokraten und die Berufung altliberaler Minister machten es der liberal-konservativen Richtung leicht, sich an die Spitze der Aktivitäten zu setzen. Insbesondere der systemtreue Junker-Liberale Freiherr von Vincke, der »Mirabeau von der Hasenheide[13], versuchte eine Vereinigung der verschiedenen Richtungen unter seiner Führung, um möglicherweise den Demokraten zuvor zu kommen, die sich bisher nur mit allgemeiner Programmatik zu Wort gemeldet hatten[14]. Unter seiner Führung zogen die Liberalen zunächst geschlossen mit knapp 150 Abgeordneten im Januar 1859 in den ersten Landtag der Neuen Ära ein[15]. Doch die scheinbare Gemeinsamkeit währte nur knapp ein Jahr. Während der Sitzungsperiode 1860 kam es zu immer stärkerer Spannung zwischen Demokraten und den die Idee der Volkssouveränität ablehnenden Altliberalen hinter von Vincke. Die Nachwahl Waldecks, Schulze-Delitzschs und anderer Linker auf freigewordene Sitze stärkte die Unzufriedenen in der Fraktion Vincke. Jene legten Anfang 1861 einen Programmentwurf der Fraktion zur Beschlußfassung vor. Mit Mehrheit wurde dieses Programm, das im Juni 1861 fast wörtlich in das der neugegründeten Fortschrittspartei einging[16], abgelehnt. Die Fraktion »Jung-Litauen«, wie Vincke die zumeist aus Ostpreußen und Pommern stammenden Dissidenten abfällig nannte, verließ daraufhin das bisherige Bündnis.

Aus dem weit greifendem Umgruppierungsprozeß gingen schließlich im Sommer und Herbst 1861 neue Parteibildungen hervor. Bei Zusammentritt des Abgeordnetenhauses im Januar 1862 war die alte Fraktion Vincke auf 95 Mitglieder geschrumpft. Ihr stand etwa gleich stark die neue Fortschrittspartei gegenüber, zu der sich die Jung-Litauer konstituiert hatten. In Berlin hatte die Fortschrittspartei von 9 Wahlkreisen allein 8 erobert. Daneben gab es eine etwa 20köpfige unabhängige liberale Fraktion von Rönne sowie das aus rund 50 Abgeordneten bestehende linke Zentrum unter Führung Bockum-Dolffs, zu dem u. a. ein so schwergewichtiger Unternehmer wie Friedrich Harkort gehörte. Die Konservativen waren demgegenüber nach den Dezember-Wahlen 1861 auf einen unbedeutenden Rest von 15 Mann geschrumpft. Aus der organisationsgeschichtlichen Entwicklung sowie aus den Programmen der verschiedenen Parteien ergeben sich für die Einschätzung des liberalen »Emanzipationskampfes« einige wichtige Fragen:

1. Wie ist der Begriff »Emanzipation« zu gewichten, der als politisches Schlagwort des Vormärz seit etwa 1840 den gemeinsamen Nenner aller Forderungen auf Beseitigung rechtlicher, sozialer und ökonomischer Ungleichheit formulierte und liberal, demokratisch sowie sozialistisch auslegbar war? Im folgenden soll der Versuch gemacht werden, die erstarrte Formelhaftigkeit dieses Schlagwortes nach 1848 deutlich zu machen, da alle liberalen Fraktionen ohne Ausnahme mit »Emanzipation« lediglich den rechtlichen Anspruch des einzelnen Bürgers gegenüber dem Staat als Programm hypostasierten, ohne zugleich gesellschafts- und vor allem sozialpolitische Implikationen zu berücksichtigen, wobei der Begriff des Bürgers zugleich die Klassenabgrenzung zur Arbeiterschaft implizierte[17].
2. Was waren die tragenden Prinzipien, die es möglich machten, daß sich Anfang der 60er Jahre in dem parteipolitischen Umgruppierungsprozeß Demokraten und gemäßigte Liberale zusammenfinden konnten?
3. Wen repräsentierten die neuen liberalen Parteien? Lassen sich anhand der vorliegenden Quellen beispielsweise großbürgerliche Interessen bei den Konstitutionellen feststellen[18], während die Fortschrittspartei mehr das kleinbürgerliche Bildungsbürgertum vertrat?
4. Was wurde in den Parteiprogrammen verschwiegen? Warum fehlte etwa in allen liberalen Programmen trotz wiederholter Gleichheitsforderungen die Beschäftigung mit sozialen Fragen, u. a. auch die Gleichberechtigung der Frau, sowie die Forderung nach Abschaffung des reaktionären preußischen Dreiklassenwahlrechts?[19] Lag dieser Haltung die bereits 1848 hervorgetretene neofeudale Klassenabgrenzung des Besitzbürgertums nach unten zugrunde oder fürchteten die Liberalen französische Zustände, die Inthronisation eines

Usurpators durch das »Lumpenproletariat«? Wie würde sich dann erklären, daß bereits vor dem historischen Vorbild des Staatsstreiches Louis Napoleons das gleiche Wahlrecht nie zum Programmpunkt erhoben wurde? Geprüft werden müßte in diesem Zusammenhang auch, ob und welchen Anteil die Liberalen gerade durch ihre Abgrenzungsstrategie, d. h. durch verbalen Aktivismus, der von spezifischen Gruppeninteressen geprägt wurde und dem die breite Massenbasis fehlte, an der Berufung Bismarcks zum Ministerpräsidenten im September 1862 hatten. Bedeutsam in diesem Zusammenhang ist auch das Desinteresse gegenüber den Gleichheitsforderungen der Juden, die ursprünglich vom Bürgertum seit Dohms Schrift von 1781[20] insbesondere im Vormärz, als sie ein wichtiger Träger der ökonomischen Entwicklung waren, aktiv unterstützt wurden. Lag dieser Umschwung daran, daß die jüdische Bevölkerung unter den Bedingungen des Aufschwungs bereits in die Mittel- oder Oberschicht gesellschaftlich integriert war oder kompensierte das Bürgertum seine politische Ohnmacht nach 1848 mit gezielter Abgrenzung und Minderheitenressentiment? Richard Wagners Schrift über das *Judentum in der Musik* von 1850 scheint darauf hinzuweisen, ebenso der Antisemitismus in Gustav Freytags *Soll und Haben* von 1854, welch letzter in den 60er Jahren immerhin als einer der wichtigen Multiplikatoren – politisch und literarisch – der liberalen Ideologie anzusehen ist[21].

5. Aus den vorhandenen Quellen werden gravierende Vorbehalte der Konstitutionellen gegen die demokratischen Kräfte in der Fortschrittspartei deutlich. In der Attacke etwa, die Vincke gegen Waldeck führte und in der er sich gegen die vermeintliche Beugung des Königs im Begriff des »Staatsbürgers« anstelle des tradierten »Untertan« wandte[22], wird schlaglichtartig die obrigkeitsstaatliche Fixierung großbürgerlicher Interessen deutlich; Vincke war immerhin Abgeordneter der aufstrebenden Industriestadt Hagen. Allgemeiner Tenor liberaler Vorbehalte gegen die »Akademiker-Demokraten« (H. Rosenberg) war deren intellektuelle Geschwätzigkeit, die realpolitische Kalküls aus den Augen verlor. Zu prüfen wäre, welche politische Taktik die Demokraten einschlugen bzw., wie sie sich mit diesen Vorwürfen auseinandersetzten? Desgleichen wäre die Reaktion der eigenen besitzbürgerlichen Klassengenossen auf Bankier David Hansemanns Wahlaufruf vom September 1861 zu gewichten. Hansemann war mit dem Aufruf hervorgetreten, um »den besonnenen Elementen der konstitutionellen Partei, welche das Gefährliche der Projekte des Nationalvereins für Preußen einsehen, einen Vereinigungspunkt zu geben«[23]. Er fand auch sogleich die Unterstützung von verschiedenen Gruppen des reichen Bürgertums. Unter den rund 40 Erstunterzeichnern befanden sich allein 26 Industrielle, Kaufleute und Bankiers. Und die Berliner Börsen-Zeitung, das Sprachrohr der Industrie, betonte, daß dieser Aufruf »das politische Glaubensbekenntnis der besitzenden Klassen« sei[24]. Dennoch wurde das Programm auch in Teilen des Besitzbürgertums abgelehnt[25].

2.3 *Der Heeres- und Verfassungskonflikt*

Charakteristisch für die Neue Ära wurde die häufige Vertagung oder Auflösung des Abgeordnetenhauses, für welche immer der Konflikt um die Heeresreform ausschlaggebend war. Im Februar 1860 hatte das Staatsministerium dem Abgeordnetenhaus einen Gesetzentwurf vorgelegt, der die Verlängerung der Militärdienstpflicht von 2 auf 3 Jahre, die Erhöhung der Heeres-Präsenz und die Reduktion der sogenannten Landwehr vorsah. Die Liberalen waren keineswegs gegen eine Armee-Reform; sie stimmten durchaus einer Erhöhung der Schlagkraft nach außen zu, d. h. ein starkes Heer entsprach ihren Vorstellungen von der Führerrolle Preußens in der deutschen Einheitsbewegung.

Für das Besitzbürgertum kam noch ein weiterer Aspekt hinzu, den etwa die Handelskammer Altena mit folgenden Worten umschrieb: »Die volkswirtschaftlichen Grundsätze setzen vor allem die Sicherheit des Bestehenden voraus, und diese ruht selbstverständlich vorzugsweise in der Wehrkraft, den Besitz gegen *jeden* (Hervorheb. v. Verf., C.D.K.) Angriff zu schützen.« [26]. Diese allgemeine Formulierung schien sich nicht nur auf mögliche außenpolitische Verwicklungen zu beziehen, sondern ebenso auf die Furcht vor revolutionärer Gärung im Innern. Solche Optionen riefen jedoch den Widerspruch anderer liberaler Gruppen hervor. Werner Siemens wies z. B. nach, daß das Militär 42% aller Staatsausgaben beanspruchte und forderte deshalb, weniger Steuergelder für militärische Zwecke auszugeben [27]. Ebenso kritisierte er die Landwehr, die als Symbol der Befreiungskriege für viele liberale Abgeordnete unantastbar war, als zu schwerfällig und für Verteidigungszwecke unbrauchbar. Konsens zwischen den verschiedenen liberalen Gruppen bestand nur in der Forderung nach Beibehaltung der zweijährigen Dienstzeit, wobei die Wirtschaftsgruppen wünschten, die Rekruten »sobald als möglich in die bürgerlichen Erwerbskreise wieder eintreten zu sehen« [28], während vor allem die Linken in der Fortschrittspartei die Gefahren des Untertanengeistes bei längerer Dienstzeit im Auge hatten. Im übrigen gingen die Meinungen weit auseinander. Die Demokraten befürchteten, was Teile des Besitzbürgertums erhofften, daß die Reform zugleich eine Stärkung der feudalen Kräfte gegen die liberalen Emanzipationsansprüche bringen könnte.

Dieser Interessenunterschied schwächte die Position der Liberalen und legte einen ersten offenkundigen Mangel ihres Auftretens frei. Einerseits bissen sich die Demokraten an der unveränderten Beibehaltung der Landwehr fest.

Andererseits stimmten große Teile der Fortschrittspartei nach 1860 jährlich für die Bewilligung außerordentlicher Geldmittel zur Aufrechterhaltung der Kriegsbereitschaft, obwohl klar war, daß damit bereits die Reorganisation in Angriff genommen wurde. Mangelnde Geschlossenheit, fehlende Strategie, ja nicht einmal die konsequente Handhabung des Budgetrechts, eines der wenigen Rechte, das die

Parlamente in Deutschland bis 1918 hatten, kennzeichnen, wie es scheint, die liberale Position in dieser frühen Phase des Konflikts. Als der altliberale Finanzminister von Patow im September 1860 im Staatsministerium für die Einsparung von einer halben Million Talern im Militär-Etat zur Finanzierung der Reform votierte und Wilhelm daraufhin mit Rücktritt drohte, zog er seinen Antrag sogleich zurück. Weder in diesem Fall noch nach dem Duell des Abgeordneten Twesten mit dem Chef des Militärkabinetts, Edwin von Manteuffel, der sich durch die parlamentarischen Attacken von jenem beleidigt fühlte und nach dem Rencontre vom Dienst suspendiert werden mußte, nutzte die bürgerliche Opposition die Schwäche der Krone, eine das feudale System bedrohende Strategie zu entwickeln. Stattdessen erschöpften sich auch die Demokraten in parlamentarischen Debatten im Abgeordnetenhaus, das lediglich die Funktion einer Spielwiese hatte und nach Gutdünken der Krone aufgelöst werden konnte.

Vertane Chancen, systemkonformes Verhalten, Ehrfurcht vor dem Monarchen scheinen die Position der Liberalen, welche zu jener Zeit rund 90 Prozent der Mandate im Abgeordnetenhaus besaßen, schon im Frühjahr 1862 so geschwächt zu haben, daß bereits hier das Ende der Neuen Ära anzusetzen ist. Äußerer Anlaß war der Antrag des Fortschrittsabgeordneten Hagen auf Spezialisierung des Haushaltsplans für 1862 mit der Absicht, die Mehrausgaben der Heeres-Organisation durch Einsparung bei anderen Titeln zu decken[29]. Dieser Vorstoß vermittelt einen prägnanten Eindruck von der Qualität liberaler Opposition. In der Budgetkommission, die längst das gleiche forderte, hatte Finanzminister von Patow diesem Verlangen bereits zugestimmt, wenn auch erst für 1863, da aus technischen Gründen der 62er Etat nicht mehr neu formuliert werden konnte.

Als der Hagensche Antrag mit 171:143 Stimmen im Abgeordnetenhaus angenommen wurde, sah das Kabinett darin zurecht einen Affront. In der Kronratsitzung des folgenden Tages erklärte der der rheinischen Industrie entstammende und seit 1848 amtierende altliberale Handelsminister von der Heydt, daß das Kabinett mit dem Abgeordnetenhaus nicht mehr zusammenarbeiten könne und zurücktreten wolle[30]. Der taktische Zug gelang. Als Kriegsminister Roon betonte, daß der Antrag nur die Schwächung der Krone beabsichtige, lehnte Wilhelm die Entlassung ab und löste am 11. März kurzerhand das Abgeordnetenhaus auf; Neuwahlen wurden für Mai 1862 angesetzt. Dennoch traten einige altliberale Minister wie Ministerpräsident Auerswald, Finanzminister von Patow und Innenminister Graf Schwerin zurück, da verschiedene liberale Initiativen, z. B. der Antrag auf Umgestaltung des preußischen Herrenhauses, vom König abgelehnt worden waren. Charakteristisch für die Situation war, daß ein so engagierter Exponent industriewirtschaftlicher Interessen wie von der Heydt, der seit 1848 ganz wesentlich den rasanten Konjunkturaufschwung gefördert hatte, zusammen mit dem erzkonservativen Kriegsminister Roon den entschlossensten reaktionären Kurs gegen das Abgeordnetenhaus zu steuern suchte. Sogar die Ministerkollegen konnten sich mit diesen Absichten nicht identifizieren, so daß das Staatsministerium zwei unterschiedliche Voten über den künftigen Regierungskurs dem König vorlegte[31].

Schärfste Reaktionen der Konservativen kennzeichnen die Ministerkrise. Daß die Truppen mit scharfer Munition ausgerüstet wurden[32], gibt natürlich einen Hinweis auf die Möglichkeiten, die die Liberalen im Ernstfall hatten, nur wurden diese ultima ratio und eine adäquate Konfliktsstrategie nie erwogen. Die Altliberalen scheinen vielmehr in dieser Phase die später für den Sozialimperialismus nach 1870 typischen Ablenkungsstrategien, einen gezielten auswärtigen Krieg, als willkommene Konfliktlösung angesehen zu haben[33].

Trotz schwerster Wahlbehinderung durch die Regierung errang die Opposition im Mai 1862 einen überwältigenden Sieg. Die Fortschrittspartei gewann 30 neue Mandate auf Kosten der Altliberalen hinzu und verfügte nun zusammen mit dem linken Zentrum über rund zwei Drittel aller Sitze im Abgeordnetenhaus, während die Altliberalen 50 Mandate verloren und die konservative Fraktion von 15 auf 11 Sitze zusammenschmolz[34]. Der Wahlsieg motivierte die Fortschrittspartei zu schärferer Opposition in der Kammer gegen die Heeresreform. Dabei ging es jetzt nicht mehr allein um die Fragen der Dienstzeit, der Landwehr etc., sondern um das Recht der zweiten Kammer, durch Mittelbewilligungen entscheidend die Staatsgeschäfte mitzubestimmen. Da der König auf der dreijährigen Dienstzeit beharrte, strich die Opposition im September alle geforderten Mehrausgaben für den Militäretat. Unter den 68 Gegenstimmen der Konservativen und Altliberalen befand sich auch die eines Fortschrittmannes: Karl Twesten. Dem muß um so größeres Gewicht beigemessen werden, als er immerhin einer der Wortführer der liberalen Opposition war. Und tatsächlich begann mit diesem Schritt eine allmähliche Änderung der oppositionellen Haltung.

Nach jenem Beschluß des Abgeordnetenhauses trat die Regierung zurück. In der neuen Krise erwog auch Wilhelm seinen Rücktritt, als sich Bismarck anbot, gegen die zweite Kammer die Interessen der Krone durchzusetzen. Von den Liberalen liegen jedoch keine Stellungnahmen vor, ob und wie die prekäre Lage der Krone möglicherweise auch außerparlamentarisch zur Durchsetzung ihrer Emanzipationsforderungen zu nutzen sei. Die Beschränkung der Opposition auf das parlamentarische Forum machte es Bismarck nach seiner Berufung zum Ministerpräsidenten leicht, mit den Liberalen fertig zu werden. Sie haßten den »reaktionären märkischen Junker« [35], doch stellten das Kronrecht der Ministerernennung nicht infrage. Gleich nach seinem Amtsantritt erklärte Bismarck in der Budgetkommission, »nicht auf Preußens Liberalismus sieht Deutschland, sondern auf seine Macht... Nicht durch Reden und Majoritätsbeschlüsse werden die großen Fragen der Zeit entschieden – das ist der große Fehler von 1848 und 1849 gewesen – sondern durch Eisen und Blut.« [36] Welche Sicherheit dokumentiert diese ironische Behandlung der liberalen Opposition, deren Ziel ebenfalls die Einigung Deutschlands unter Preußens Führung war. Ihr Slogan »durch Freiheit zur Einheit«, d. h. die Liberalisierung Preußens als Anziehungskraft für die anderen deutschen Staaten, wurde von Bismarck als illusionärer Traum herausgestellt, denn schon seit dem italienischen Krieg konnten die Militärpolitik und das Auftreten Preußens im Zollverein nicht darüber hinwegtäuschen, daß es nicht auf tradierte machtstaatlich-hegemoniale Ansprüche im Deutschen Bund verzichten würde, was von den süddeutschen Liberalen auch genau erkannt wurde[37].

Bismarcks Auftreten gegenüber der liberalen Opposition fand sogar nachhaltige Unterstützung beim Besitzbürgertum. Die Kaufleute und Industriellen hatten der Regierung im Heereskonflikt ohnehin nicht so scharf gegenübergestanden wie die Politiker der Fortschrittspartei, was zugleich für eine realistischere Einschätzung der politischen Machtverhältnisse sprechen mag. Trotz Bismarcks verfassungswidrigem Polizeiregiment trat die Bourgeoisie dem nicht mit ihrer ökonomischen Macht schroff gegenüber, sondern sah sogar die Fortschrittspartei noch als Verantwortliche für den Verfassungskonflikt. Unter Hinweis auf die deutschen Akademiker, die »sehr gelehrt, aber nicht immer vernünftig sind«, erhob die Handelskammer Altena in ihrem Jahresbericht 1862 schwere Vorwürfe gegen die Fortschrittspartei und ihre Politik, die »im preußischen Volke... keinen irgend bedenklichen Stützpunkt findet«.

Als das Abgeordnetenhaus im Oktober 1862 die Staatsausgaben ohne seine Zustimmung für verfassungswidrig erklärte, wird es kurzerhand aufgelöst. Bismarck propagiert die »Lückentheorie«, nach der die Krone die Pflicht habe, die Ausgaben weiter zu bestreiten, auch wenn die Kammern die Zustimmung zum Etat verweigerten. Trotz fortlaufender Einschüchterung der Opposition – beispielsweise weigert sich Kriegsminister Roon im Mai 1863, das Hausrecht des Präsidenten im Abgeordnetenhaus anzuerkennen, worauf wiederum eine Kammerauflösung erfolgt; im Juni 1863 wird eine Presseverordnung erlassen, die die Arbeit liberaler Journalisten und Verleger entscheidend einschränkt – klammert sie sich an erfolglose parlamentarische Formen, verzichtet auf eine breitere Mobilisierung der Öffentlichkeit. Nicht einmal der sicher zweifelhafte Vorschlag Lassalles, daß das Abgeordnetenhaus sich nach den fortgesetzten Provokationen auf unbestimmte Zeit vertagen möge, um der Regierung die wiederholten Verfassungsbrüche deutlich zu machen[38], wird aufgegriffen. Von den Liberalen wird lediglich die Idee der Steuerverweigerung diskutiert, die sich schon in der 48-Revolution als naiv erwiesen hatte und jetzt noch illusionärer war. Gerade in der Wirtschaftspolitik bestand zwischen Regierung und liberaler Bourgeoisie weitgehende Übereinstimmung. Im Frühjahr 1862 hatte Preußen mit Frankreich einen freihändlerisch-liberal bestimmten Handelsvertrag paraphiert, der zudem wichtige Rückwirkungen auf Preußens Vormacht im Zollverein hatte. Durch den Vertrag wurde die in den 50er Jahren vereinbarte Annäherung Österreichs praktisch hinfällig, das sich aufgrund seiner rückständigen Industrie weiterhin mit hohen Schutzzöllen von Außenmärkten abschließen mußte[39]. Wegen dieser Aspekte – Liberalisierung der Handelspolitik und wirtschaftspolitische Schritte zur kleindeutschen Einheit – hatte der Handelsvertrag nicht allein für die Interessengruppen Bedeutung. Ihm wurde deshalb im Juli 1862 auch mit großer Mehrheit im Abgeordnetenhaus zugestimmt. In dieser Situation wirtschaftlicher Prosperität und wirtschaftspolitischer Übereinstimmung mit der Regierung die Steuerverweigerung zu fordern, war realitätsfern. In der Tat sind auch keine nennenswerten Steuerverweigerungen potenter Zensiten aus dem Handel und der Industrie bekannt.

Trotz des schwelenden Verfassungskonflikts, in den folgenden Jahren wurde jedesmal der Heeresetat mit großer Mehrheit abgelehnt, weichte nach der Niederschlagung des polnischen Aufstandes Anfang 1863, bei dem die Demokraten wohl das polnische Selbstbestimmungsrecht unterstützt, jedoch preußische Landabtretungen ehemals polnischer Gebiete für einen künftigen Nationalstaat Polen abgelehnt hatten, sowie nach dem Schleswig-Holsteinischen Krieg und der Annektion der Elbherzogtümer die heftige Opposition der Liberalen allmählich auf. Je geringer die Chancen zur Durchsetzung der liberalen Forderungen wurden, desto lauter wurde der Ruf der Liberalen nach der deutschen Einheit, wurde der nationale Gedanke als Inbegriff allgemeinen Fortschritts zum Ausdruck innenpolitischer Ohnmacht[40]. Seit 1864 gingen die Meinungen in der Fortschrittspartei darüber immer stärker auseinander[41] und nach dem Sieg Preußens über Österreich im Sommer 1866 und der Gründung des Norddeutschen Bundes zerfiel die liberale Opposition endgültig; der größte Teil der Fortschrittspartei ging offen in das konservative Lager über. Karl Twesten entwarf sogar die Thronrede für die Beilegung des Verfassungskonflikts durch die Indemnitätserklärung des Abgeordnetenhauses für die vorangegangenen Etatverletzungen. Die Gründung der nationalliberalen Partei beschloß die Feudalisierung großer Teile der bürgerlichen Klasse, ehe sie jemals – wie in Westeuropa – zur Avantgarde der Emanzipation geworden war. Bürgerliche Freiheit war nicht mehr politisch oder gar sozial auf die Selbstbestimmung der Menschen bezogen, sondern war zu einem »nationalen Begriff« verflacht, das hieß »Führung durch Bluts-, Stammes- oder Volksgenossen«, wie Friedrich Naumann später meinte[42].

Auf dem Hintergrund dieser skizzenhaften ereignisgeschichtlichen Folie soll an einigen ausgewählten, in der Dokumentation belegten liberalen Ansprüchen entwickelt werden, warum der Emanzipationskampf – wenn er überhaupt einer war – scheitern mußte, und das nicht, weil ihm allein die Machtmittel gegenüber der feudalstaatlichen Ordnung fehlten.

2.4 *Liberale Ideologie und Selbsteinschätzung*

Die Identifikation der liberalen Bewegung mit dem Bürgertum oder die Bezeichnung des 19. Jahrhunderts als das »bürgerliche« werfen die Frage auf, ob das Bürgertum als einheitliche Klasse definiert werden kann. In einer neueren Untersuchung über das Bürgertum in den preußischen Rheinprovinzen wird von solchem homogenen Ansatz ausgegangen, von dem her ein allgemeiner Desintegrationsprozeß seit dem Scheitern des Liberalismus nach 1860 entwickelt wird[43]. Diese jüngste Arbeit kennzeichnet einmal mehr das Dilemma der Forschung zum Bürgertum, die bis heute noch keine explizite historisch-soziologische Theorie oder gar umfassendere empirische Ergebnisse vorlegt hat. Merkwürdigerweise hat nicht einmal die marxistische Historiographie Begriff und Gegenstand der bürgerlichen Gesellschaft hinreichend analysiert oder Marxens Entwurf beispielsweise der Empirie seiner Zeit konfrontiert. Von den regionalgeschichtlichen Studien Kaelbles[44], Zunkels[45] und auch Zeises[46] werden wohl gesellschaftlicher Status und Bewußtseinsdisposition der Bourgeoisie, der Kaufleute und Industriellen, erhellt. Jene repräsentieren jedoch nur spezifische Gruppen in größerem zeitlichen Rahmen. Aus der Zielrichtung liberaler Emanzipationsforderungen wird deutlich, daß sie überwiegend von Juristen, also der bildungsbürgerlichen Schicht, gestellt wurden. Sie war es, die die ideologischen Horizonte festlegte; und über diese Schicht steckt die Forschung noch in den Anfängen.

Zu deren zeitgenössischer Selbsteinschätzung führt etwa der liberale Staatsrechtler Johann Caspar Bluntschli in seinem weit verbreiteten Staats-Wörterbuch als Kriterium des »Bürgerstandes« die »gemeine Freiheit« an[47], die in der Relation »individueller Erwerb – individuelle Freiheit« als souveränes Vermögen von Einzelpersonen angesehen wird. Zu prüfen wäre, inwieweit hier vorindustrielle Gesellschaftsvorstellungen eingegangen sind, die bei dem rapiden industriellen Wachstum, der seit den 50er Jahren erkennbaren Tendenz zu kapitalistischen Großbetrieben längst anachronistisch geworden war. In der Definition der Gleichheit durch Wilhelm Heinrich Riehl, der in den 50er Jahren das grundlegende Werk über die »bürgerliche Gesellschaft« geschrieben hat, wird die schichtenspezifische Selbsteinschätzung schon klarer[48]. Freiheit wird funktional auf Bildung bezogen, deren »abgestufte Geltung« nicht von außen, aus den sozialökonomischen Verhältnissen, sondern aus den Fähigkeiten der Individuen abgeleitet wird. Auch bei Bluntschli ist Bildung zentrale Voraussetzung für Eigentum und Freiheit; zentrale Eigenschaft des Bürgers schlechthin, wenn er etwa die Handwerker mit den Fabrikarbeitern gleichsetzt und sie mit den kleinen Bauern von dem »höheren Bürgerstand« sondert, der den ritterschaftlichen Kreisen näher verwandt sei als »den unteren bürgerlichen Klassen«. In diesen Vorstellungen manifestiert sich die von Hegel und Wilhelm von Humboldts Kulturliberalismus herzuleitende Tradition der geistigen Elite, die sich um die Jahrhundertwende neben der wirtschaftlichen Oberschicht gebildet und zwischen den Fronten von Bourgeoisie und Bürokratie mit dem Bildungsprivileg sich einen eigenen Aktionsraum geschaffen hatte. Trotz veränderter sozialökonomischer Strukturen perpetuierte die Bildungselite von der »sozialen Frage«, die eine Bestimmung des Verhältnisses von Individuum, Gesellschaft, Gerechtigkeit und Freiheit beinhaltete, nur den Freiheitsgedanken und das Persönlichkeitsideal. Trotz der Pathetik des Allgemein-Menschlichen – darauf wurde schon hingewiesen – erwies sich dieser Anspruch identisch mit den ökonomischen Zielen der Bourgeoisie, nur scheinbar verstellt vom materiellen Desinteresse. Zu fragen wäre, warum die bildungsbürgerliche Elite, deren Emanzipationsforderungen im Verfassungskonflikt überwiegend das formale Verhältnis des Individuums zum Staat betrafen, es unterließ, ein konkretes Modell einer auf Gleichheit und Gerechtigkeit beruhenden Gesellschaft zu entwerfen. Im Gegenteil, wie schon die liberale Berufung auf die gegen den westeuropäischen Fortschritt gerichteten Befreiungskriege sowie die Wahlrechtsfrage gezeigt hatten, offenbaren auch Bluntschlis und Riehls Ausführungen über die natürliche Hierarchie der Stände oder den Ausschluß der Frauen von politischen Rechten im Grunde vorindustriell-ständische Fixierungen. Jener Stände-Ordnung lag die organologische Staatsauffassung zugrunde, die in England von Edmund Burke[49] und in Deutschland von der romantischen Rechtsschule um Savigny gegen die rationalistische Naturrechtslehre seit der Französischen Revolution entwickelt wurde. Im Rückgriff auf altständische Organisationsformen verbanden sich Ehrfurcht vor der historischen Vergangenheit mit der Vorstellung von der Harmonie eines sich in ständigem Fortschritt entwickelnden Sozialwesens. Das Bekenntnis des radikalen Demokraten Waldeck zum altpreußischen Königtum[50] oder die Illusion des Nationalökonomen Gustav Schmoller, daß die ökonomischen Krisen – die erste große Weltwirtschaftskrise von 1857/58 war gerade überwunden – der Vergangenheit angehören und die Zukunft »ein Wachsen der Gleichmäßigkeit und Kontinuität der ökonomischen und sozialen Existenz« sei[51], finden in jenen Anschauungen ihre ideologischen Wurzeln. Auch die Aktualisierung der positivistischen Gesellschaftslehre Auguste Comtes durch Karl Twesten[52] auf der Suche nach liberaler Identität gehört in diesen Rahmen. Comte folgte den Theoretikern der französischen Gegenrevolution (de Bonald, de Maistre) in seinem Mißtrauen gegenüber der Idee der Volkssouveränität. Dagegen setzte er die von den Naturwissenschaften beeinflußte »organische« Ansicht, nach der gesellschaftlicher Interessenausgleich nur durch abgestufte Gewalten und Klassen möglich sei. Die scheinbar jenseits diffuser Harmonievorstellung liegende Berücksichtigung sozialer Konflikte hebt sich bei Comte allerdings wieder auf, da zur positiven, d. h. naturwissenschaftlich gewordenen Organisation der Gesellschaft nur »kompetente Kapazitäten« befähigt seien. Und das waren für ihn die Gelehrten, so daß auch nach diesem Entwurf die Bildungseliten als Träger möglichen Fortschritts erschienen[53]. Obwohl die Comte-Rezeption sich mühelos in die spekulativ-romantizistischen organischen Staatsvorstellungen des engagierten liberalen Bildungsbürgers einfügte, ergab sich bei der Publikation des Comte-Aufsatzes in den *Preußischen Jahrbüchern*, eines der wichtigen liberalen Medien, für Twesten ein heute pikant anmutender Konflikt mit deren Herausgeber, dem altliberalen Germanistikprofessor und Gründungsmitglied der konstitutionellen Partei, Rudolf Haym, der wie Treitschke und andere Geistesgrößen die deutsche idealistische Philosophie nicht kritisiert wissen wollte und sich gegenüber den Lesern der Jahrbücher in einer Vorbemerkung ausdrücklich von Twestens Aufsatz distanzierte.

Trotz der in der organologischen Theorie enthaltenen gesellschaftlichen Unterschiede negierten die liberalen Ideologen die daraus erwachsenen Konflikte. Im individuellen Freiheitspostulat, im Optimismus über den harmonisch sich entwikkelnden Fortschritt verdeutlicht sich weniger die Analyse gesellschaftlicher Realität als vielmehr die abstrakte Konstruktion eines von jeden Sozialbezügen isolierten Individualismus. Die engagierten Juristen verstanden den Staat als ein Gebilde von Rechtsbeziehungen mehr oder weniger gleicher Partner, die Probleme der sozialen Ungleichheiten sahen sie kaum. Die Behandlung des »4. Standes« führte die theoretische Offenheit der liberalen Klassenstruktur ad absurdum. Die Fabrikarbeiter und Handwerksgesellen waren keine Persönlichkeiten mit gleicher menschlicher und politischer Würde. Deren soziale Probleme wurden nur am Rande wahrgenommen. Einerseits reklamierten die Liberalen für sich, das ganze »arbeitende und denkende Volk« zu vertreten, wie Twesten im Abgeordnetenhaus proklamierte[54], andererseits suchte die bildungsbürgerliche Mittelschicht sehr schnell mit der unternehmerischen Bourgeoisie unter den breiten Fittichen der sich modernisierenden alten Konservativen Schutz[55], als die Arbeiter die liberalen Prinzipien beim Wort nahmen und den Kampf für politische und soziale Gleichheit mit eigenen Interessenorganisationen begannen. Gerade unter diesen Aspekten müssen die liberale Opposition im Verfassungskonflikt und der Kompromiß 1866 gesehen werden, der seinen Abschluß in der großen Depression nach 1873 fand, als die Konjunktur rapide zurückging und die Erwartungen zerstörte, die in den laisser-faire-Kapitalismus und in die Zunahme allgemein wachsenden Wohlstandes gesetzt worden waren. Im Bündnis mit den agrarischen Junkern votierte man für die Schutzzollgesetzgebung, die die liberale Freihandelsära abschloß, und in der folgenden Sammlungsbewegung stützte das nationalliberale Bürgertum den reaktionären Kurs nach innen (Sozialistengesetz) und die imperialistische Ablenkung der unausgetragenen inneren Konflikte nach außen.

Realitätsferne und sozial-ständische Überheblichkeit charakterisieren das Programm und die Taktik der liberalen Opposition in der Konfliktzeit. Während Friedrich Engels den einzigen Weg für eine erfolgreiche Emanzipation der Arbeiterklasse in deren Koalition mit dem kleinen und mittleren Bürgertum gegen den herrschenden Feudaladel und die Bourgeoisie sah[56], während Ferdinand Lassalle in der Hoffnung auf Staatshilfe für die zu gründenden Arbeiterassoziationen Kontakte zu Bismarck aufnahm, welcher selbst schon seit 1848 durchaus die Bedeutung der sozialen Frage erkannt hatte und in den Verhandlungen mit Lassalle die Arbeiter gegen die Liberalen auszuspielen suchte[57], während Bündnispolitik also zur notwendigen realpolitschen Strategie der verschiedenen sozialen Gruppen gehörte, vermißt man solche Überlegungen bei den Liberalen. Nicht einmal selbst waren sie geschlossen. Die liberalen Träger der Emanzipationsversuche im Verfassungskonflikt hatten nur partielles Interesse daran, die Arbeiter im Kampf gegen die feudale Monarchie an sich zu binden. Sie brachten kaum Verständnis für die wachsenden Probleme der Industriearbeiterschaft auf. Schon die Ablehnung oder mindestens Indifferenz gegenüber dem gleichen Wahlrecht zeigt, daß die Liberalen den Zusammenhang von sozialen und politischen Fragen übersahen und den Betroffenen kaum die Selbstbestimmung bzw. angemessenen Einfluß auf die politische Machtausübung gestatten wollten. Das elitäre Bewußtsein der Liberalen wird in der Politik des Nationalvereins deutlich, womit auch scheinbare Ängste vor der kleinbürgerlichen »levée en masse« zugunsten eines Bonaparte relativiert werden. Jener Verein war kaum mehr als ein propagandistischer Honoratiorenclub. 1861 finanzierte er wohl die Reise einer Arbeiter-Delegation zur Weltausstellung nach London, Mitglieder des Nationalvereins konnten Arbeiter aber nicht werden. Der Einsatz der Liberalen für die Interessen der Arbeiter verdeutlicht, daß ihnen die Politisierung der gesellschaftlich Machtlosen »völlig fern« lag[58]; in ihren stereotypen Angeboten von »Bildung« und »Selbsthilfe« zeigte sich die elementare Verkennung sozialer Probleme. Obwohl im liberalen Gesellschaftsmodell die ständische Ungleichheit festgeschrieben war, bzw. – wie es der Industrielle Harkort und der Bankier Hansemann ausdrückten – soziale Unterschiede Naturgesetz oder göttliche Ordnung seien[59], wurde Bildung als vornehmstes Integrationsprinzip der Arbeiter angesehen. Um gleichberechtigte Mitglieder der Gesellschaft zu werden, sollten die niederen Klassen zuvor die Wertordnungen des Bildungsbürgers übernehmen.

Ebenso widersprüchlich war die Forderung nach »Selbsthilfe« der Unterprivilegierten. Von dem Kreisrichter Schulze aus Delitzsch ganz wesentlich initiiert, zeigen die Selbsthilfeorganisationen, die von selbständigen Handwerker getragenen Kredit- und Vorschußvereine, die Manipulation des Kleinbürgers durch die Bildungs- und Besitzeliten. Gegen die profitbringende Arbeitsorganisation des industriellen Großbetriebs in Aktiengesellschaften setzten die kleinen Handwerker ihre Spargroschen in den Kreditvereinen. So schlossen zum Beispiel die rund 130 Vereine in Preußen 1860 mit einem Betriebskapital von 3 Millionen Talern und einer Summe gewährter Vorschüsse von rund 8 Millionen ab[60], während allein im Eisenbahnbau das Anlagekapital 1857 schon rund 360 Millionen Taler betragen hatte. Die Selbsthilfeorganisationen zeigen zudem die gruppenspezifische Interessenbindung, für die Industriearbeiter und Handwerksgesellen wurde nichts Vergleichbares entworfen, es blieb bei leerer Deklamation und bissiger Polemik gegen Lassalles Idee der Produktivassoziationen für Arbeiter[61].

Dennoch war der propagandistische Erfolg jener Schlagworte zunächst nicht gering, denn es muß berücksichtigt werden, daß um 1860 noch drei Viertel der gewerblichen Arbeiter dem Handwerk angehörten. Zahlreiche Gesellen, vor allem handwerkliche Spezialisten, fühlten sich erhaben über die Fabrikarbeiter und als Arbeiter bezeichnet zu werden, anstatt als Gehilfe oder Geselle, hielten viele für eine Beleidigung. Obwohl die Arbeitsorganisation und die Löhnung der Gesellen sich in den größeren Betrieben kaum von denen der Fabrikarbeiter unterschieden, hingen viele der Illusion an, später einmal Meister werden zu können[62]. Ohne Klassenbewußtsein strömten sie daher anfänglich den Bildungsvereinen zu, die von Liberalen gegründet wurden und zu Beginn der Neuen Ära wie Pilze aus dem Boden schossen. Diese Diskussionsforen trafen sich in ihrer domestizierenden, Klassengegensätze leugnenden Funktion mit den sozialen Initiativen der Unternehmer. Die Versicherungsprojekte des altliberalen Kaufmanns Gustav Mevissen »zur Verbesserung der Lage der arbeitenden Klassen«, an welche in den achtziger Jahren Bismarck mit der Sozialgesetzgebung anknüpfte, hatten vornehmlich die Aufgabe, »Anhänglichkeit an das Bestehende« zu befestigen – und nebenbei mögen auch noch die Vorstellungen dahinter gestanden haben, aus den Fonds der Versicherungsbeiträge der Betroffenen günstige Kreditmöglichkeiten zu gewinnen[63].

Neueste Untersuchungen zur sozialen Schichtung der Handwerker, Gesellen und Arbeiter im 19. Jahrhundert zeigen den Stellenwert dieser bürgerlichen Aktivitäten zugunsten des »4. Standes«. Nicht nur Kapitalmangel und schlechte Schulbildung, sondern auch familiäre Herkunft und Tradition und die daraus folgende Qualität der Berufsausbildung (Lehrjahre mußten bezahlt werden) stellten objektive Mobilitätsschranken dar, die seit dem 18. Jahrhundert etwa das Verhältnis selbständiger Meister zu lohnabhängigen Gesellen ständig verschlechtert hatten, ohne daß dazu die entstehende große Industrie beigetragen hatte, die das Problem erst seit den 40er Jahren rapide weiter verschärfte. Die in den liberalen Postulaten »Bildung« und »Selbsthilfe« dogmatisierte Möglichkeit vertikaler Mobilität dokumentierte einen rückwärts gewandten Anachronismus, der bereits anhand zeitgenössischer amtlicher Statistiken erkennbar gewesen wäre. Schon im Vormärz wurde deutlich, daß eine zunehmende Zahl der gewöhnlichen Gesellen die sich verschlechternden Aufstiegschancen nicht allein als Mangel empfand, sondern im Bewußtsein, lebenslang Angehöriger der »Arbeiterklasse« zu bleiben, allmählich eine eigene Klassenidentität in Abgrenzung zum Bürgertum entwickelt hatte[64].

Während die liberalen Ideologen im Abgeordnetenhaus lautstark ihre Forderungen erhoben und die Vertretung des ganzen Volkes für sich reklamierten, hatten sich nicht nur in Lassalles Allgemeinem Deutschen Arbeiter-Verein 1864 große Teile der Lohnabhängigen von den Liberalen abgespalten. Auch die großen wirtschaftlichen Interessengruppen waren längst eigene Wege gegangen. Verschiedene Gründe waren dafür maßgebend. Übereinstimmend haben erstens z. B. Kaelble für die Berliner Kaufmannschaft und Zunkel für das rheinisch-westfälische Unternehmertum den hohen Grad von Exklusivität seit der frühen Industrialisierung nachgewiesen, der den Verkehr auf den eigenen sozialen Bereich beschränkte. Darüberhinaus organisierten die bürgerlichen Unternehmer ihre Forderungen nicht im bürgerlichen Gesamtrahmen, sondern primär nach den eigenen unmittelbaren Interessen[65].

Seit 1848 haben zweitens die meisten Unternehmer aus Furcht vor den sozialökonomischen Konsequenzen der Revolution ihre politischen Forderungen zurückgestellt und sich der preußischen Obrigkeit angenähert[66]. Drittens förderte, wie in der Hardenbergschen Reformzeit, die Bürokratie gerade nach 1848 einen wirtschaftsliberalen Kurs, um das ökonomische Potential, das die wesentlichste Gefahr für die etablierte Ordnung hätte darstellen können, an den Staat zu binden. Unter dem gemäßigt liberalen Handelsminister von der Heydt, der 1848 eigens dafür berufen worden war, wurden die Wirtschaftsgruppen fortan regelmäßig an der Willensbildung der Ministerialverwaltung beteiligt, indem z. B. die Gesetzentwürfe allen Handelskammern zur Stellungsnahme vorgelegt wurden. Und viertens wurde von der Krone mit der Titel- und Ordensverleihung ein Disziplinierungsinstrumentarium geschaffen, das vielen Unternehmern – wie es scheint – willkommen zur Kompensation nicht erreichter politischer Gleichberechtigung gegenüber der herrschenden Adelsklasse war. Bei raschem Vermögenszuwachs der Bourgeoisie führte die politische Unmündigkeit zum Bedürfnis gesellschaftlicher Gleichrangigkeit mit dem Adel, was sich in der Adaption adeliger Lebensformen und der spezifisch preußisch-militaristischen Schmuckattribute niederschlug. Während in den 30er Jahren des 19. Jahrhunderts Titel und Orden allein an die wirtschaftliche Qualifikation und den Beitrag der Auszuzeichnenden zum Fortschritt gebunden war, wurde seit den 50er Jahren die politische Haltung entscheidend für die Nobilitierung. Nur noch solche Personen wurden ausgezeichnet, »welche sich durch patriotische Haltung und politische Tätigkeit in konservativem Sinne ausgezeichnet haben« [67]. Damit hatten die feudalen Machteliten ein mächtiges Druckmittel in der Hand, denn um die Auszeichnungen wurde von der Bourgeoisie in vielen Fällen selbst nachgesucht. Im Regierungsbezirk Düsseldorf trugen 1861 bereits 40 Unternehmer den Titel des Kommerzienrats und weitere 90 verschiedene Orden, die überwiegend in der Reaktionszeit verliehen worden waren[68].

Für die Berliner Kaufmannschaft hat Kaelble die politische Regierung der »Kommerzienräte« überprüft. Bis Anfang der 60er Jahre wählten die Ausgezeichneten alle konservativ, in den folgenden Jahren wurden nur Altliberale geehrt. Der erste Anhänger der Fortschrittspartei, der den Titel erhielt, war 1868 der stellvertretende Korporationsvorsitzende Benjamin Liebermann, der ehedem die gemäßigte konstitutionelle Partei mitgegründet, den nationalliberalen Umschwung 1866 aber nicht mitgemacht hatte[69].

Deutlich wird in den Selbstaussagen und Forderungen der rheinisch-westfälischen Schwerindustrie, daß sich für sie der Fortschritt vor allem ökonomisch als Kapazitätsausweitung definierte, von politischer Emanzipation war bei ihnen nach 1848 nur noch wenig die Rede. Während die exportorientierten Agrarier und die Träger des Handelskapitals viel deutlicher freihändlerisch orientiert waren[70], beriefen sich die industriellen Unternehmer wegen der überragenden britischen Konkurrenz insbesondere auf die – für den Liberalismus ganz untypische – Hilfe des Staates[71]. Industriekapitalistische Sachzwänge führten dazu, daß die

Schicht der Unternehmer die liberalen Prinzipien für ihre ökonomischen Interessen nie ernstlich vertraten. Während die traditionsreiche Maschinenfabrik Funcke & Hueck beispielsweise im Dezember 1864 in einem Firmenrundschreiben noch das Hohelied der Konkurrenz auf den Märkten anstimmte, die »das Triebwerk der industriellen Entwicklung« sei, mußte sie knapp ein halbes Jahr später ihren Kunden die Kartellabsprache mit einem britischen Konkurrenz-Unternehmen zur Aufteilung des Zollvereins-Marktes mitteilen[72].

Zwar nahm in der Neuen Ära das politische Engagement des Besitzbürgertums scheinbar rapide zu, doch waren Unternehmer gegenüber den Landwirten im Abgeordnetenhaus immer noch ihrer Bedeutung nach unterrepräsentiert[73]. Wie schon darauf hingewiesen wurde, verstanden sich die Unternehmer-Abgeordneten ausschließlich als Vertreter bestimmter gruppenspezifischer Interessen. An den politischen Emanzipationsforderungen sind sie kaum beteiligt, was die bisherige Forschung über die »Koalition« nach 1848 von Besitz und Junkerklasse zu bestätigen scheint[74]. Im Heeres- und Verfassungskonflikt glaubte dann auch einer der führenden Repräsentanten des rheinischen Besitzbürgertums, der altliberale Bankier und Präsident der Kölner Handelskammer Gustav Mevissen, trotz aller Empörung über die Verfassungsbrüche Bismarcks, daß das keinen Bruch mit der Krone rechtfertige. Mevissens Ziele richteten sich mehr auf die »allgemeinen Lebensinteressen des Staates« als auf Parteidoktrinen; »die ernste Frage der Wahrhaftigkeit des Staates erschien ihm nicht geeignet zu einer Kraftprobe zwischen Krone und Volk«[75].

2.5 *Zur literarischen Interpretation aus sozialgeschichtlicher Sicht.*

Konnten die materiellen Interessen des Großbürgertums einigermaßen klar gefaßt werden, so wird es angesichts der Selbsteinschätzung scheinbar materiellen Desinteresses schwieriger, Bewußtsein und politischen Ort des Bildungsbürgertums zu analysieren. Der »realistischen«, auf Wirklichkeitsdarstellung abzielenden Literatur käme dabei eine wichtige Erklärungsfunktion zu. Mit den Mitteln der Ideologiekritik lassen sich jedoch die literarische Werke prägenden Wertordnungen und Bewußtseinslagen allein nicht ermitteln. Ideologiekritik als wissenschaftliche Methode reicht nicht, da sie vom Objekt der Analyse, der Literatur her in ihren Darstellungsmöglichkeiten eingeschränkt wird. Vielmehr muß sie notwendigerweise durch die Analyse der den Gegenstand bedingenden Phänomene erweitert werden. In Bezug auf den liberalen Roman diente diesem Vorhaben der skizzenhafte Umriß liberaler Politik in der sozialökonomischen Umbruchsphase nach 1859. An einigen Beispielen wurde das Selbstbewußtsein der verschiedenen Gruppen des politischen Bürgertums zu ermitteln versucht.

Auf der Folie der sozialökonomischen Entwicklung ließe sich die Programmatik des Bürgertums mithilfe der literarischen Äußerungen auf ihre schichtenspezifische Struktur und ihren in den Emanzipationspostulaten zum Ausdruck kommenden ideologischen Fixierungen analysieren. In dem prägnantesten Tendenzwerk der Zeit, in Gustav Freytags *Soll und Haben*, das als exemplarisches Beispiel herausgegriffen wird, findet man eine positive Schilderung allein des besitzenden Bürgertums, alle anderen sozialen Gruppen unterliegen der Kritik. Zu prüfen wäre, ob dieses »Hohelied des bürgerlichen Kaufmannsstandes« [76] von einem Autor, der zu einem der engagiertesten Vertreter des Liberalismus in der Zeit des Verfassungskonflikts gezählt werden kann, überhaupt den realen wirtschaftlichen und sozialen Gegebenheiten entsprach. Ferner wären die Beziehungen der sozialen Gruppen untereinander zu beachten. Vom Adel und vom Pöbel, den beiden Feinden des Bürgertums, verdient der eine zugrunde zu gehen, während der andere nicht mehr als eine dienende Stellung beanspruchen darf. Das veranschaulichen die hünenhaften Lagerarbeiter in der Schröterschen Handlung, denen schwerste körperliche Arbeit in patriarchalischer Abhängigkeit noch große Freude zu bereiten scheint. Aus der Idylle des Kaufmannsstandes werden von Freytag alle negativen Seiten der wirtschaftlichen Entwicklung eliminiert. Das Bankkapital, als wesentliche Voraussetzung des wirtschaftlichen Aufschwungs, wird als spezifisch jüdische Erscheinung mit allen antisemitischen Klischees geschildert, Entartungserscheinungen der Industrialisierung dem unfähigen Adel zugeordnet und die verderblichste Konstellation – nach Freytag –, die Verbindung von Adel und Pöbel für den polnischen Aufstand konstruiert. Die Selbstbestimmungsforderungen der Polen, die kurz darauf zu einem machtvollen und von der europäischen Reaktion blutig niedergeschlagenen Aufstand führten, reduzieren sich bei Freytag in chauvinistischer Hybris zur Unbotmäßigkeit slawischer Untermenschen.

Ohne auf Einzelheiten in der Interpretation der liberalen Romane näher einzugehen, sollen aus sozialgeschichtlicher Perspektive nur einige Überlegungen zu den Arbeitsschritten literarischer Analyse angeführt werden. Geht man davon aus, daß Literatur eine besondere Form des die Realität, den konkret historischen Kontext sich aneignenden Bewußtseins ist, so kann das Werk nicht hermeneutisch aus sich selbst heraus verstanden werden, sondern muß in Beziehung zu den realen gesellschaftlichen Strukturen gesetzt werden, die in der Makroanalyse zu erhellen sind. Bei diesem Vorgehen soll die spezifische Realitätserfassung im literarischen Werk das dahinterstehende Bewußtsein des Autors deutlich machen. Für die literarische Fiktion ließen sich z. B. folgende Schemata herausarbeiten:

1. Eine konkrete Utopie kann dem zeitgenössischen Leser als alternativer Entwurf zu seiner eigenen Realität angeboten werden, um zunächst einmal Einsicht in die Bedingtheit seiner sozialen Lage zu wecken. Diese Absicht charakterisiert vor allem die Vormärz-Literatur, etwa die Gedichte Freiligraths.

2. Im literarischen Werk wird eine Scheinrealität konstruiert, die mit der konkreten Umwelt des Autors trotz erklärten Anspruchs nichts oder nur wenig gemein hat. Hier wäre Freytags *Soll und Haben* einzuordnen.
3. Trotz realer kritischer Ansätze kann der literarische Text aufgrund von Perspektivlosigkeit oder Scheinperspektiven verschleiernde und damit entpolitisierende, systemkonforme Funktion haben. In Wilhelm Raabes Roman *Der Dräumling* von 1870 etwa wurden die Schillerfeiern von 1859 zum Thema gemacht. Mit beißendem Spott werden die Vorbereitungen des Festes in der Spießerwelt eines kleinen Ortes beschrieben. Obwohl im Handlungsverlauf deutliche Kritik an den bildungsbürgerlichen, philisterhaften Klassengenossen offenkundig ist, scheinen Bewußtseinsstrukturen Raabes durch, die das Ziel jener Kritik nicht recht deutlich machen. Das Schillerfest wird weniger in seiner politischen Bedeutung ersten aufkeimenden Selbstbewußtseins gesehen, als vielmehr als Kompensation des Bürgers für ungelebte Möglichkeiten in eine Reihe mit dem tradierten, rückwärtsgewandten Antikenkult des Bürgertums gestellt. In der Mikroschau individueller Querelen werden kaum Möglichkeiten erkennbar, wie der überlieferte Rückzug in die Innerlichkeit politisch emanzipativ überwunden werden kann. Wie der windige Fink in *Soll und Haben* wird im *Dräumling* der Geschäftsmann Knackstert, der wie jener aus Hamburg stammt, das längst die bürgerliche Herrschaft repräsentierte, blasiert sowie den kleinstädtischen Verhältnissen fremd und unangemessen dargestellt. Die Frage bleibt damit offen, worauf die in der spöttischen Kritik zu vermutenden progressiven Absichten beruhen. Darüberhinaus müßte – auch in den anderen Romanen Raabes – unter anderem geprüft werden, welche Funktion die auffälligen literarischen Anspielungen auf die abendländische Literatur und Kultur haben.

Die beiden genannten Autoren scheinen schichtenspezifisch identischer Mentalität zu sein. Freytag in der Apologie einer ständisch-vorkapitalistischen Wirtschafts- und Gesellschaftsordnung, Raabe in seinem an kleinbürgerlichen Verhältnissen stagnierendem Spott. Von hier zu Theodor Fontanes Prinzip literarischer Aussage »ride, si sapis« scheint eine gerade Linie zu führen.

Als Erkenntnisinteresse stünde hinter der sozialgeschichtlich eingebetteten literarischen Interpretation die Absicht, die Literatur nicht antiquarisch, d. h. historisch rückwärtsgewandt von einer irreversiblen Vergangenheit her zu verstehen, sondern sie funktional zur Einsicht in tragende bis in die Gegenwart aktuelle ideologische Fixierungen einzusetzen. Aufgabe des Vermittlungsprozesses von Literatur- und Sozialgeschichte könnte dabei sein, die »Schere« von gesellschaftlicher Realität und bewußtseinsbedingter Brechung im literarischen Kunstwerk zu erkennen und damit die Einsicht in die geistige Disposition tragender Schichten des deutschen Bürgertums zu gewinnen, das sich mit seiner Identität so schwer tat.

Anmerkungen

1 Hans-Ulrich *Wehler* (Hrsg.): Sozialgeschichte heute. – Festschrift für Hans *Rosenberg* zum 70. Geburtstag. Göttingen 1974 (= Kritische Studien zur Geschichtswissenschaft 11).
2 Kaiser Wilhelms des Großen Briefe, Reden und Schriften. I. Bd. 1797–1860. Berlin 1906. S. 445 ff. (s. Dokumenten-Anhang)
3 Gerhard *Eisfeld:* Die Entstehung der liberalen Parteien in Deutschland 1858–1870. Hannover 1969. S. 72; Konrad *Canis:* Die politische Taktik führender preußischer Militärs 1858 bis 1866. – In: Die großpreussisch-militaristische Reichsgründung 1871. Hrsg. H. *Bartel* u. a. Bd. 1. Berlin 1971. S. 122 ff.
4 Zentrales Staatsarchiv II Merseburg (ZStA II). Rep 169 C, Abschn. 64a, Bd. 1, Petition örtlicher Honoratioren aus Marienwerder/Westpr. v. 1. 5. 1859.
5 Reinhard *Koselleck:* Preußen zwischen Reform und Revolution. Allgemeines Landrecht, Verwaltung und soziale Bewegung von 1791 bis 1848. Stuttgart 1967. (= Industrielle Welt Bd. 7).
6 Hajo *Holborn:* Der deutsche Idealismus in sozialgeschichtlicher Beleuchtung. – In: Historische Zeitschrift 174 (1952), S. 366.
7 Kurt *Klotzbach:* Das Eliteproblem im politischen Liberalismus. Ein Beitrag zum Staats- und Gesellschaftsbild des 19. Jahrhunderts. Köln/Opladen 1966. S. 10 ff.
8 Hans *Rosenberg:* Honoratiorenpolitiker und »Großdeutsche« Sammlungsbestrebungen im Reichsgründungsjahrzehnt. – In: Jahrbuch für die Geschichte Mittel- und Ostdeutschlands 19(1970), S. 173; Friedrich Zunkel: Der Rheinisch-Westfälische Unternehmer 1834–1879. Ein Beitrag zur Geschichte des deutschen Bürgertums im 19. Jahrhundert. Köln/Opladen 1962. S. 182 ff.
9 Joseph *Hansen:* Gustav von Mevissen. Ein rheinisches Lebensbild 1815–1899. Bd. 1. Berlin 1906, S. 606 u. 616.
10 Helmut *Böhme:* Deutschlands Weg zur Großmacht. Studien zum Verhältnis von Wirtschaft und Staat während der Reichsgründungszeit 1848–1881. Köln 1972. S. 65 ff.; Hans *Rosenberg:* Die Weltwirtschaftskrise 1857–1858. Göttingen 1974. S. 33 ff.
11 Max *Weber:* Wirtschaft und Gesellschaft. Grundriß der verstehenden Soziologie. Tübingen 1972. S. 167 ff.
12 Heinrich August *Winkler:* Preußischer Liberalismus und deutscher Nationalstaat. Studien zur Geschichte der Deutschen Fortschrittspartei 1861–1866. Tübingen 1964. S. 118 ff.
13 Marx am 10.5.61 an Engels, MEW 30, S. 168.
14 Rede Johann Jacobys in der Königsberger Urwählerversammmlung am 10. 11. 1858. – In: J. *Jacoby:* Gesammelte Schriften und Reden 2. T. Hamburg 1872. S. 97 ff.
15 *Eisfeld,* Entstehung der liberalen Parteien. S. 75 ff.
16 Felix *Salomon:* Die deutschen Parteiprogramme. H. 1: 1844–1871. Leipzig u. a. 1907. S. 42 ff.
17 Zum historisch-politischen Begriff und seiner Entwicklung im 19. Jahrhundert vgl. den Artikel »Emanzipation« von Koselleck/Grass im Historischen Lexikon der politisch-sozialen Sprache in Deutschland. Bd. 2. Stuttgart 1975.
18 Nachdem das konstitutionelle Wahlprogramm Anfang Oktober 1861 veröffentlicht worden war, sandte es Bankier David Hansemann, der wesentlich an der Abfassung mitgewirkt hatte, fast ausschließlich an Vertreter des Finanzkapitals, so u. a. an Bankier Oppenheim in Köln, Alexander von Sybel, den Handelskammer-Präsidenten von Düsseldorf, vgl. ZStA II, Rep. 92, NL Hansemann, Nr. 38, B. 20 ff.
19 Nach der Verordnung vom 30. 5. 1849 wurden die Urwähler für die Wahlen zur

2. Kammer des Landtags, dem Abgeordnetenhaus, in 3 Klassen eingeteilt, so daß die Gesamtheit der Angehörigen einer Klasse jeweils den gleichen Steuerbetrag zahlte und die gleiche Zahl von Abgeordneten ernannte. Zu den Dezember–Wahlen 1858 gab es danach in Klasse I 159 000Wähler, in Klasse II 454 000, die je die gleiche Zahl von Abgeordneten nominierte wie die 2,75 Millionen Wähler in Klasse III.

20 C. W. *Dohm:* Über die bürgerliche Verbesserung der Juden. Berlin 1781.

21 Zu dieser Problematik in den sechziger Jahren vgl. S. *Jersch-Wenzel:* Die Lage von Minderheiten als Indiz für den Stand der Emanzipation einer Gesellschaft. – In: *Wehler,* Sozialgeschichte heute, S. 365 ff.

22 Rede von Vinckes im Abgeordnetenhaus am 8. 3. 1861, Sten. Ber. 1861. S. 427 f.

23 David Hansemann am 7. 10. 1861 an den Düsseldorfer Handelskammerpräsidenten v. Sybel. ZStA II, Rep. 92, NL Hansemann, Nr. 38.

24 Berliner Börsen-Zeitung v. 7. 10. 1861.

25 Bankier Benjamin Liebermann am 30. 9. 1861 an D. Hansemann. ZStA II, Rep. 92, NL Hansemann, Nr. 38.

26 Jahresbericht der Handelskammer Altena für 1862. – In: Preußisches Handelsarchiv 1863, S. 483.

27 (W. Siemens): Zur Militairfrage. Ein Vorschlag. Berlin 1862.

28 Jahresbericht der HK Altena für 1862, a. a. 0.

29 ZStA II, Rep. 92, NL Zitelmann, Nr. 96; *Eisfeld,* Entstehung der liberalen Parteien, S. 114 f.

30 ZStA II, Rep. 90, Abt. B. III 2 B, Nr. 3, Konratssitzung v. 8. 3. 1862.

31 Voten der preußischen Regierung vom 13. u. 14. 3. 1862, Geh. StA Dahlem, Rep 92 II, NL Auerswald, Nr. 13.

32 Max Duncker am 5. 3. 1862 an Ernst von Stockmar. – In: M. *Duncker:* Politischer Briefwechsel aus seinem Nachlaß. Hrsg. J. *Schultze.* Stuttgart 1923. S. 318 f.

33 Rudolf Haym am 15. 3. 1862 an M. Duncker, ebenda S. 325.

34 Es muß allerdings berücksichtigt werden, daß die Wahlbeteiligung äußerst gering war, z. B. nach Adalbert Hess: Das Parlament das Bismarck widerstrebte. Zur Politik und sozialen Zusammensetzung des preußischen Abgeordnetenhauses der Konfliktszeit (1862–1866). Köln/Opladen 1964 (= Politische Forschungen Bd 6), S. 23:

	1. Abt.	2. Abt.	3. Abt.	zusammen in %
1855	39,6	27,2	12,7	16,1
1858	50,2	37,1	18,5	22,6
1861	55,8	42,4	23,0	27,2
1862	61,0	48,0	30,5	34,3
1863	57,0	44,0	27,3	30,9
1866	60,4	47,5	27,6	31,4

35 Otto *Hintze:* Die Hohenzollern und ihr Werk. Berlin 1915. S. 576.

36 zit. n. *Eisfeld,* Entstehung der liberalen Parteien, S. 117.

37 Jacob *Venedey:* Das Grundübel des Nationalvereins. Freiburg/Br. 1864. S. 3 ff.

38 Ferdinand *Lassalle:* Was nun. Zweiter Vortrag über Verfassungswesen (vom 17. 11. 1862). Berlin 1907. S. 37 ff.

39 *Böhme,* Großmacht, S. 100 ff.; Winkler, Preußischer Liberalismus, S. 71 ff.

40 *Winkler,* ebenda, S. 98.

41 vgl. Berichte des Polizeipräsidenten von Berlin, ZStA II, Rep. 92, NL Zitelmann, Nr. 75.

42 Friedrich *Naumann:* Das Ideal der Freiheit. Berlin 1908. S. 5 f.

43 Hansjoachim Henning: Das westdeutsche Bürgertum in der Epoche der Hochindustrialisierung 1860–1914. T. 1: Das Bildungsbürgertum in den preußischen Westprovinzen. Wiesbaden 1972.

44 Hartmut *Kaelble:* Berliner Unternehmer während der frühen Industrialisierung. Herkunft, sozialer Status und politischer Einfluß. Berlin 1972.
45 *Zunkel,* Rheinisch-Westfälische Unternehmer.
46 Roland *Zeise:* Gemeinsamkeiten und Unterschiede in der politischen Konzeption der deutschen Handels-, Industrie- und Bankbourgeoisie in der politischen Krise von 1859 bis 1866. – In: Jahrbuch für Wirtschaftsgeschichte 10 (1974). S. 175ff.
47 s. Material-Teil.
48 Wilhelm Heinrich *Riehl:* Über den Begriff der bürgerlichen Gesellschaft. München 1864.
49 Edmund *Burke:* Reflections on the revolution in France, and on the proceedings in certain societies in London relative to that event. London 1790.
50 Benedikt Waldeck am 22. 1. 1864 im Abgeordnetenhaus, Sten. Ber. 1864, S. 854.
51 Gustav *Schmoller:* Die Arbeiterfrage. – In: Preußische Jahrbücher 14 (1864). S. 393ff.
52 Carl *Twesten:* Lehre und Schriften Auguste Comte's. – In: Preuß. Jbb 4 (1859). S. 279ff.
53 A. *Comte:* Plan der wissenschaftlichen Arbeiten, die für eine Reform der Gesellschaft notwendig sind. Einl. D. *Prokop*. München 1973. S. 13 ff.
54 Sten. Ber. d. Abg. Hauses 1866. Bd. 1, S. 79ff.
55 Hans *Rosenberg:* Große Depression und Bismarckzeit. Wirtschaftsablauf, Gesellschaft und Politik in Mitteleuropa. Berlin 1967. S. 56.
56 Friedrich *Engels:* Die preußische Militärfrage und die deutsche Arbeiterpartei. Jan./Febr. 1865. – In: MEW 16, S. 37ff.
57 Otto *Pflanze:* Bismarck and the Development of Germany. The Period of Unification 1815–1871. Princeton 1963. S. 222ff.
58 *Rosenberg,* Honoratiorenpolitiker, S. 169.
59 *Zunkel:* Rheinisch-Westfälische Unternehmer, S. 94.
60 (Hermann) *Schulze-Delitzsch:* Vorschuß- und Kreditvereine als Volksbanken. Praktische Anweisung zu deren Gründung und Einrichtung. Leipzig 1862. S. 158ff.
61 *Pflanze:* Bismarck, S. 224.
62 August *Bebel:* Aus meinem Leben. T. 1. Stuttgart 1910. S. 49; Jürgen *Kocka:* Unternehmensverwaltung und Angestelltenschaft am Beispiel Siemens 1847–1914. Zum Verhältnis von Kapitalismus und Bürokratie in der deutschen Industrialisierung. Stuttgart 1969.
63 *Hansen, Mevissen,* 2. Bd. S. 517ff.
64 Frederick D. *Marquardt:* Sozialer Aufstieg, sozialer Abstieg und die Entstehung der Berliner Arbeiterklasse 1806–1848. – In: Geschichte und Gesellschaft 1 (1975). H. 1. S. 43ff.
65 *Kaelble,* Berliner Unternehmer, S. 276ff.
66 *Zunkel,* Rheinisch-Westfälische Unternehmer, S. 170ff.
67 Geh. StA Dahlem, Rep. 90, Nr. 2057, Vermerk im Staatsministerium v. 19. 8. 1864.
68 *Zunkel,* ebenda, S. 118.
69 *Kaelble,* ebenda, S. 274f.
70 *Böhme,* Großmacht, S. 16f.
71 Antrag der Handelskammer Köln v. 27. 5. 1859 an den Preuß. Handelsminister v. d. Heydt, abgedr. bei *Hansen, Mevissen,* 2. Bd. S. 537ff.
72 Funcke & Hueck 1844–1934. Rundschreiben aus den Jahren 1864–1909. Hagen (1934). S. 9ff.
73 *Zunkel,* Rheinisch-Westfälische Unternehmer, S. 189.
74 so *Böhme,* Großmacht, S. 16.
75 *Hansen, Mevissen,* 2. Bd. S. 719.
76 Leo *Löwenthal:* Erzählkunst und Gesellschaft. Die Gesellschaftsproblematik in der deutschen Literatur des 19. Jahrhunderts. Neuwied 1971. S. 132.

3

Claus-D. Krohn, Bernd Peschken

Material

3.1 Emanzipatorische Absichten

3.1.1 Allgemeine Ziele

1 Selbstbestimmung

1 Selbstbestimmung und Selbsttätigkeit (Twesten[1])

Die moderne Gesellschaft erfordert zu ihrer Entwicklung die freie Selbsttätigkeit und die ungehemmte Ausbildung und Anstrengung aller Kräfte. Ein Volk, das sich diese nicht zu sichern weiß, kann sich auf die Länge nicht mehr neben den übrigen behaupten. Wenn sich auch eine Zeit lang einzelne Richtungen der Tätigkeit ohne erheblichen Nachteil zurückdrängen lassen und eine unterdrückende Gewalt daher nicht unmittelbar auf allen Gebieten schädlich zu wirken braucht, so stehen doch gegenwärtig die materiellen, geistigen und sittlichen Verhältnisse der Völker in einem so untrennbaren Zusammenhange, daß die industrielle und soziale Freiheit dauernd nicht ohne politische Freiheit möglich ist. Die Energie und die staunenswerten Erfolge, mit denen in England, in Nordamerika und in der Schweiz gearbeitet wird, zeigen, wie unmittelbar Wohlstand und Kraftentwicklung davon abhängen, daß keine politischen Fesseln und keine überwachenden Einmischungen der Regierung die freie und selbstvertrauende Tätigkeit hemmen. Die Mischung von Kraft und Intelligenz, welche die heutige Zivilisation bedingt, verträgt sich nicht mit willenloser Unterwürfigkeit auf irgend einem Gebiet. Eine Regierung, die sich die politische Aktion absolut reservieren will, kommt über kurz oder lang dahin, in alle Zweige der Tätigkeit einzugreifen, Furcht und Schweigen zu verbreiten, die Intelligenz zu unterdrücken und die Fähigkeiten zu mißachten, die außer ihrer Sphäre auftauchen und ihr gelegentlich unbequem fallen.

Daß in Fällen der Not und Bedrängnis eine energische Zustimmung des Volkes die wirksamste Stütze der Politik ist, pflegt jede Regierung anzuerkennen. Wir aber wollen die Teilnahme des Volkes an einem wichtigen Teile seiner eigenen Angelegenheiten nicht als eine gelegentlich in Bewegung gesetzte Maschinerie, sondern als ein regelmäßig und beständig wirkendes Glied in dem Staatsorganismus, und erwarten davon die beste Kräftigung des Staates. Die Menschen interessieren sich dauernd und tatkräftig nur für das, woran sie selbsttätig mitwirken. Diese Mitwirkung soll keineswegs in jede Maßregel der Regierung eingreifen oder in kleinliche Schikane ausarten, aber sie soll sich kräftig geltend machen, wenn es sich darum handelt, den Gang der Politik in großen Fragen zu bestimmen, Übergriffe abzuwehren oder Mißstände zu beseitigen.

C. *Twesten,* Woran uns gelegen ist, Ein Wort ohne Umschweife, Kiel 1859, S. 54f.

1 Carl Twesten (1820–1870) war Jurist, seit 1845 im preuß. Justizdienst (Stadtgerichtsrat in Berlin), 1861 Abgeordneter der Fortschrittspartei, 1866 Mitbegründer der nationalliberalen Partei.

2 Selbstbestimmung, Gleichberechtigung in Jacobys[1] Auffassung (1858)

Man wirft den Demokraten – zumal denen des Jahres 1848 und 1849– Ungestüm, unpolitische Überstürzung im Handeln vor. Vielleicht mit Recht. Aber man erwäge – ich sage dies nicht zur Rechtfertigung, sondern zur Entschuldigung – man erwäge: Woraus entsprang dieser Ungestüm, das sogenannte Überstürzen? Aus politischem Mißtrauen. Und daß dies Mißtrauen ein vollberechtigtes war, das haben uns – denke ich – die letzten neun Jahre genugsam bezeugt. Wahrlich die Ursachen, welche die Bewegung von 1848 scheitern gemacht, sind tiefer zu suchen als in dem Ungestüm und der leidenschaftlichen Hast einzelner Demokraten.

Ferner sagen unsere Widersacher: wir seien politische Idealisten. (Beiläufig bemerkt, gelten wir Ostpreußen wunderbarer Weise im Auslande insgesamt für Idealisten.)

Politische Idealisten! – Ich leugne nicht, daß es im Jahre 1848 unter unserer Partei Einzelne gab, die damals für Preußen eine andere als monarchische Regierungsform für möglich hielten. Sie waren im Irrtum und haben ihren Irrtum bitter gebüßt. Sind aber – frage ich – sind etwa diejenigen unserer Gegner weniger Idealisten, die einst der »rettenden Novembertat« entgegenjubelten, die von einem Ministerium Manteuffel das Heil constitutioneller Freiheit erwarteten? Sind die etwa weniger Idealisten, die für uns Preußen eine absolute Regierung, eine Junkerherrschaft oder ein reines Militär- und Polizei-Regiment auf die Dauer für möglich gehalten? Auch sie wird – hoffentlich – die Erfahrung eines Bessern belehrt haben.

Die Zeit liegt hinter uns, da man die Demokratie als Popanz benutzte, um ängstlichen Gemütern damit Furcht einzujagen. Jetzt meine Herren! – ich spreche dies als meine volle, innige Überzeugung aus – jetzt gibt es in unserem Lande – in der ganzen demokratischen Partei nicht einen Einzigen, der für Preußen, wie es ist, eine andere als monarchische Staatsform zu wollen, geschweige zu erstreben sich nur im Traume einfallen läßt(...) Welches Band ist's, das sie vereint?

Für den, der zu lesen versteht, ist in dem Programm selbst die Antwort zu finden.

Jene Männer, so weit sie auch sonst auseinandergehen, – zwei Grundsätze haben sie Alle gemeinsam: den Grundsatz der Selbstbestimmung und den der Gleichberechtigung – oder – wie das Programm es ausdrückt:

Den Gemeinden Selbstverwaltung!

Allen Bürgern gleiche Pflichten – gleiche Rechte!

Was für die persönlichen Angelegenheiten des einzelnen Menschen die Selbstbestimmung, das ist die Selbstverwaltung für die Gemeinde; und ebenso entspricht dem Prinzip der Gleichheit Aller – auf politischem Gebiet die Forderung: gleiche Pflichten – gleiche Rechte! –

Fassen wir zunächst den Grundsatz der Selbstbestimmung oder Tatfreiheit in's Auge! Es ist dies nichts anderes als die sittliche, echt protestantische Lehre der Selbstverantwortlichkeit. Es soll der Mensch in seinem Handeln dem eigenen Urteil folgen, soll nur das tun, was ihm die innere Stimme des Gewissens als gut und recht bezeichnet. Keinerlei Zwang also von außen, – keine Macht, Gewalt oder Bevormundung des einen Menschen über den andern! – Glaubens- und Lehrfreiheit, Freizügigkeit, Gewerbe-, Preß- und Vereinsfreiheit sind nur besondere – aus dem allgemeinen Prinzip der Selbstbestimmung hervorgehende Folgerungen und Forderungen. –

Der zweite Grundsatz ist Gleichberechtigung – d. i. Gleichheit Aller dem Staate gegenüber. Vor dem Gesetze keinerlei Unterschied zwischen den verschiedenen Ständen und Berufsklassen, zwischen vornehm und gering, hoch und niedrig, reich und arm. Es soll der Mensch zu den naturgemäßen, durch körperliche und geistige Anlage bedingten Unterschieden keine neue künstliche Schranke hinzufügen. Kein Vorrecht also – weder der Geburt noch des Besitzes, kein Monopol noch Zunfttum, kein Wahlzensus, keine Steuer- oder sonstige Bevorzugung!

Selbstregierung und Rechtsgleichheit – das ist das vereinende Band, – ist die Seele der Demokratie, – der Demokratie, die nicht aus dem Jahre 1848 stammt, sondern – ein mächtig geistiger Bund – allzeit und allerorten bestanden hat.

Rede J. Jacobys in der Königsberger Urwählerversammlung am 10. 11. 1858 zum »Aufruf der preußischen Demokratie«, in: J. *Jacoby,* Gesammelte Schriften und Reden, 2, Hamburg 1872, S. 97 ff.

1 Johannes Jacoby (1805–1877) war Mediziner, 48er-Demokrat (Mitglied der Nationalversammlung), seit 1863 Abgeordneter auf dem linken Flügel der Fortschrittspartei, 1864 wegen Aufruf zur Steuerverweigerung im Verfassungskonflikt zu sechs Monaten Gefängnis verurteilt.

2 *Freiheit*

3 Bürgerliche und politische Freiheit

Die Regierungsgewalt ist absolutistisch geblieben, während die Gesetzgebung es nicht mehr ist. Die Parlaments-Verfassung als äußerer Anhang des bureaukratischen Staates hat sich der mit alten Machtmitteln zur Durchsetzung ihres Willens ausgerüsteten Regierung gegenüber beim ersten Versuche als unwirksam erwiesen. Ihr Auseinandergehen droht eine Desorganisation, welche neue Bildungen mit ihren notwendigen Unterlagen und Consequenzen zur unumgänglichen Notwendigkeit macht. Die Widersprüche haben sich überraschend schnell zu voller Unverträglichkeit entwickelt. Die liberale Ära hat auf dem Gebiete der Gesetzgebung nichts getan, um Verfassung und Verwaltung in Übereinstimmung zu bringen, wie sie persönlich kaum eine einzige jüngere Kraft der eigenen Richtung in eine einflußreiche Stellung gebracht hat; die Reaction nimmt darin auf die bureaukratischen Traditionen sehr wenig Rücksicht. Abstracte Volksrechte, parlamentarische Formen und Ministeranklage helfen dem Constitutionalismus zu keiner Wahrheit, so lange sich die Regierungsgewalt selbst Recht spricht, so lange das öffentliche Recht nur in abstracto durch das Gesetz, aber in concreto durch die Administrativbehörden festgestellt wird. Ohne Sicherung des öffentlichen Rechts gegen eine discretionäre Polizeigewalt und ohne locale Selbstverwaltung kommt man nicht über den Absolutismus hinaus, sei es in napoleonischer oder in feudaler Form, nach Gelegenheit mit Glanz nach außen, mit sozialistischer Scharlatanerie, oder mit Bevorzugung des Junkertums verbrämt. Die bürgerliche und persönliche Freiheit, welche bedingtermaßen auch unter einer absoluten Regierung möglich ist, gewinnt erst wirkliche Sicherheit mit der politischen Freiheit, deren positives Wesen in der Selbsttätigkeit der Bürger im Dienste des Staates besteht. In einem national homogenen Staate ist es Unsinn, Staatszweck und liberale Institutionen als Gegensatz darzustellen; die administrative Dezentralisation steht der politischen Conzentration der Kräfte für große Staatszwecke nicht entgegen. Aber die Übertragung eines wesentlichen Teils der Staatsarbeit auf die persönlichen Leistungen unabhängiger Bürger ist das einzige Mittel, den Staat gesund und groß zu machen. In den Mittelständen wächst mit dem materiellen Aufschwung auch das Selbstgefühl und die Teilnahme am Staat. Diese Teilnahme darf nicht auf Augenblicke politischer Erregung beschränkt werden, sondern muß in regelmäßiger Erfüllung staatlicher Pflichten ihre Anwendung finden, wenn sie dauernd und fruchtbringend wirken soll. Ohne Gewöhnung der Selbstverwaltung, ohne praktische Geschäftstätigkeit erhält sich die kindliche Empfänglichkeit für Phrasen und Abstractionen, treten auch in den parlamentarischen Verhandlungen allgemeine Theorien und Declamationen an die Stelle gewissenhafter Studien und sachkundiger Behandlung der realen Fragen. Erst als Zusammenfassung des localen Selfgovernment gewinnt das Parlament Halt und Macht. Aber die Verwaltung bedarf so gut einer congruenten Verfassung, wie diese homogener Grundlagen. Das administrative Selfgovernment des Mittelalters hinderte nicht das Einbrechen des Despotismus und bei der englischen Selbstverwaltung der Friedensrichter und Kirchenvorsteher würden türkische Zustände möglich bleiben, wenn nicht die volle Öffentlichkeit daneben und das mächtige Parlament darüber stände. Vergötterung der Gewalt und ihrer augenblicklichen Erfolge, Verstimmung über fehlgeschlagene Erwartungen, Ungeduld und Blasirtheit wenden sich jetzt vielfach gegen den Parlamentarismus. Und doch ist ein aufrichtig constitutionelles System die einzige Regierungsform, welche in den modernen Staaten auf Dauer rechnen kann und ein gemäßigtes, stetiges Fortschreiten verbürgt. Doch ist schwer abzusehen, mit welchen anderen Formen man an politische Freiheit und an ein öffentliches Recht, als ein festes Gefüge unwandelbarer und verbürgter Rechtsordnungen, denken könnte. Trotz ihrer Unzulänglichkeit muß die bestehende parlamentarische Verfassung in ihrer Rechtscontinuität erhalten werden, damit nicht die Achtung vor dem Recht mehr und mehr erschüttert werde, und um mit ihr die notwendigen Unterlagen der Selbstverwaltung zu schaffen, die aus dem Absolutismus nimmer hervorgehen werden. Organischen Umgestaltungen so durchgreifender Art werden sehr große Schwierigkeiten entgegenstehen. Ihre Durchführung wird die Macht gewohnter Anschauungen und geschlossener Einrichtungen, wesentliche Bedenken und starke Interessen zu überwinden haben. Sie werden nicht durch königliche Dictatur oder durch eine mächtige Bureaukratie in das Leben gerufen werden, sondern nur, vom öffentlichen Geiste getragen, vielleicht nur in Zeiten äußerster Not durchzusetzen sein. Aber gelingt es nicht, so wird es vergeblich bleiben, in unserem Staate von Recht und Freiheit zu reden.

C. *Twesten,* Der preußische Beamtenstaat, in: Preußische Jahrbücher 18 (1866), S. 146 f.

4 Mevissens[1] Vorstellungen über Fortschritt, Freiheit, Nation (März 1860)

1860 März 12, Nizza. ›Ich fühle mich hier auf Augenblicke wieder in das Jahr 1847 versetzt. Die alte politische Begeisterung wacht wieder auf. Die junge italienische Presse ist meisterhaft geleitet und bewährt den alten Ruf Italiens. Wie weit sind wir in Deutschland in der Presse noch gegen Mailand und Florenz zurück, die doch so jung der Freiheit sich freuen! Ich finde in den diplomatischen Aktenstükken Sardiniens wie in der ganzen Presse sehr viel Maß, sehr viel Takt und die feinste politische Berechnung. Ein gewiegter Staatsmann kann bei dieser Nation seine Studien vervollständigen. Dabei eine ganz kolossale geistige Tätigkeit, die fast an allen Punkten gleichzeitig wie das elektrische Fluidum wirkt. Die Bevölkerung ist geistig sehr erregt, aber in ihrer ganzen Erscheinung sehr würdig, ohne alle Spur wilden demokratischen Spektakels. Der sardinische Staatsmann[2] ist dem großen Mann an der Seine[3] vollständig gewachsen. Ich glaube an eine baldige große Zukunft Italiens, wenn nicht ein feindliches Geschick den jungen Baum, noch bevor er Zweige und Blüten getrieben hat, entwurzelt. Italiens Einheit führt schnurstracks zur Einheit Deutschlands. In diesem Satze liegt der Schlüssel der starken Sympathie meines Geistes mit den Wallungen und Richtungen meines Gemütes.‹

1860 März 17, Genua. ›In mir steckt noch immer ungeschwächt jener jugendliche Glaube, jener feurige Enthusiasmus, der mit jedem freien Pulsschlage einer Nation sich identifiziert und nur im allgemeinen Fortschritt die eigene innerste Befriedigung findet. Ich hoffe, diesen frischen, dem großen Ganzen zugewandten Sinn bis an mein Lebensende zu bewahren, weiß aber auf anderen Fundamenten ruhende Anschauungen vollkommen zu würdigen und zu ehren. Jeder von uns wirkt auf seine Weise und seiner Eigentümlichkeit entsprechend für die Entwicklung des großen Gedankens, der die Schöpfung durchzittert. Mir tut der Anblick des jungen staatlichen Lebens in dem alten und doch so neuen Italien innerlich wohl; ich bleibe auch der Überzeugung, daß Italiens Einheit die Morgenröte der Einheit und neu entstehenden Macht unseres deutschen Vaterlandes sein wird. Jammerschade, daß Preußen die freie Zeit nicht benutzt, der inneren Entwicklung des Landes durch großartige öffentliche Bauten usw. einen rascheren Aufschwung zu geben! Statt dessen wird durch die ganz ungemessenen und ganz haltlosen Forderungen für Militärzwecke das Vertrauen des Landes erschüttert und die schon leidende Industrie mutwillig in einen der Agonie gleichenden Zustand versetzt. Es wäre wahrscheinlich Zeit, endlich in Berlin vom Kaiser Frankreichs zu lernen, wie man die Momente zwischen Krieg und Frieden geschickt ausnutzt und neue materielle Kräfte sammelt.‹

J. *Hansen*, Gustav von Mevissen, Ein rheinisches Lebensbild 1815–1899, 2, Berlin 1906, S. 573 f.

1 Präsident der Kölner Handelskammer, Altliberaler.
2 Camillo Cavour.
3 Kaiser Napoleon III.

5 Freiheitsverständnis der Wählerschaft

Am 24. d. M. hat die hiesige städtische (demokratische) Ressource in dem (...) Gartensaale eine Männerversammlung zur Besprechung der deutschen Frage abgehalten. (...)

Zu dieser Versammlung hatten sich gegen 800 Männer eingefunden, von denen der größte Teil Mitglieder der städtischen Ressource sind; die Demokratie war sehr stark vertreten. Der Vorsteher der Ressource, Herr Kaufmann Liftwitz, ergriff als Vorsitzender zuerst das Wort und sagte, daß die Ressource den vielen an sie ergangenen Aufforderungen, eine Männerversammlung betreffs Besprechung der deutschen Frage zu veranstalten, heute genügt habe in der Meinung, daß jetzt umso eher etwas in dieser wichtigen Frage geschehen müsse, weil jetzt Bayern, Württemberg und Sachsen dagegen arbeiten; er forderte die Versammlung auf, den Eisenacher und Frankfurter Beschlüssen [1] beizutreten und eine entworfene Resolution, welche er in 12 Exemplaren unter der Versammlung verteilte und von welcher ich eine Abschrift gehorsamst beifüge, zu unterschreiben, um sie an das Ministerium einzureichen. Jeder, der über die deutsche Frage zu sprechen wünsche, solle sich zum Worte melden. Herr Schornsteinfeger Hüllebrand bat zuerst ums Wort; er sprach sein Bedauern darüber aus, daß Breslau, die zweite Stadt in Preußen, solange gewartet, ehe sie etwas in dieser Frage getan, jedoch freue er sich, daß es nun doch noch geschieht und er wünsche von Herzen, daß jeder aus der Versammlung die Resolution unterschreibe. Hierauf sprach der Abgeordnete von Breslau, Herr Fabrikbesitzer Schöller und erklärte, daß er den Eisenacher Beschlüssen wegen des 4. Punktes nicht beitrete, weil er nicht wüßte, in welcher Weise Preußen die Initiative ergreifen soll; er könne deshalb auch diese Resolution nicht unterschreiben. Der Dr. med. Herr Eger ergriff hierauf das Wort und hielt eine nicht einstudierte Rede, in welcher er u. a. sagte: »Wir haben seit 10 Jahren des Erbärmlichen genug erlebt, der alte Sauerteig muß aufhören; als gute deutsche Patrioten wollen wir für die Einigkeit Deutschlands kämpfen und mit unserer Regierung Hand in Hand gehen.« Er empfahl die Resolution zur Unterschrift. Herr Schöller beantragte hierauf, eine Kommission zu ernennen, welche über den fraglichen Punkt beraten (möge) und darauf bezügliche Vorschläge macht. Der wegen Teilnahme am Aufruhr s. Z. bestrafte ehemalige Schneidergeselle Falkenhein erklärte sich entschieden gegen den Vorschlag des gen. Schöller, indem er mit großer Leidenschaft sagte: »Meine Herren, wir wollen nicht an den Worten herumklauben, sondern ich schlage vor, einstimmig den Eisenacher Beschlüssen beizutreten und die Resolution zu unterschreiben. Ich«, sagte er, indem er sich auf die Brust schlug, »lebe jetzt glücklicher, weil wir freier sind, aber das ist noch lange nicht genug, das muß noch besser kommen!« Hierauf erfolgte ein lebhaftes Bravo.

Der Polizei-Präsident in Breslau an den preuß. Innenminister v. Schwerin am 28.9.1859, ZStA II Merseburg, Rep 77, PrMdI, Lit. 662, Nr. 30, Bl. 25 ff.

1 zur Gründung des Nationalvereins.

6 Gründungsprogramm der Fortschrittspartei vom 9.6.1861

Im November dieses Jahres endigt die Legislaturperiode des gegenwärtigen Abgeordnetenhauses. Noch im Laufe des Jahres wird daher das ganze Volk zu einer Neuwahl seiner Abgeordneten berufen werden. (...)

Um den Mitbürgern, welche derselben Überzeugung mit uns sind, einen festen Mittelpunkt bei den bevorstehenden Wahlen zu geben, sprechen wir schon jetzt die politischen Grundsätze, die uns bei denselben leiten, in nachstehendem Wahlprogramm aus:

Wir sind einig in der Treue für den König und in der festen Überzeugung, daß die Verfassung das unlösbare Band ist, welches Fürst und Volk zusammenhält.

Bei den großen und tiefgreifenden Umwälzungen in dem Staatensysteme Europas haben wir aber nicht minder die klare Einsicht gewonnen, daß die Existenz und die Größe Preußens abhängt von einer festen Einigung Deutschlands, die ohne eine starke Zentralgewalt in den Händen Preußens und ohne gemeinsame deutsche Volksvertretung nicht gedacht werden kann.

Für unsere inneren Einrichtungen verlangen wir eine feste liberale Regierung, welche ihre Stärke in der Achtung der verfassungsmäßigen Rechte der Bürger sieht, es versteht, ihren Grundsätzen in allen Schichten der Beamtenwelt unnachsichtlich Geltung zu verschaffen, und uns auf diesem Wege die Achtung der übrigen deutschen Stämme erringt und erhält.

In der Gesetzgebung scheint uns die strenge und konsequente Verwirklichung des verfassungsmäßigen Rechtsstaats eine erste und unbedingte Notwendigkeit.

Wir verlangen daher insbesondere Schutz des Rechtes durch wirklich unabhängige Richter und diesen Schutz für jedermann gleich zugänglich, demnach Beseitigung des Anklagemonopols einer abhängigen Staatsanwaltschaft, Aufhebung des Gesetzes vom 8. April 1847 über das Verfahren bei Kompetenzkonflikten, Aufhebung des Gesetzes vom 15. Februar 1854, betreffend die Konflikte bei gerichtlichen Verfolgungen wegen Amts- und Diensthandlungen, überhaupt wirkliche Verantwortlichkeit der Beamten, endlich Wiederherstellung der Kompetenz der Geschworenen für politische und Preßvergehen.

Wir verlangen dann weiter endlichen Erlaß des in Artikel 61 der Verfassung in Aussicht gestellten Gesetzes über Verantwortlichkeit der Minister.

Nicht minder notwendig erscheint uns zu Preußens Ehre und zum Ausbau der Verfassung die Herstellung einer auf den Grundsätzen der Gleichberechtigung und der Selbstverwaltung gestützten Gemeinde-, Kreis- und Provinzialverfassung unter Aufhebung des ständischen Prinzipes und der gutsherrlichen Polizei.

Die in Artikel 12 der Verfassung gewährleistete Gleichberechtigung aller Religionsgenossenschaften muß mit Nachdruck gewahrt werden.

Die Hebung des Unterrichtswesens in der Volksschule, sowie in den Realschulen und den Gymnasien kann nur durch den endlichen Erlaß des Unterrichtsgesetzes nach Beseitigung der ministeriellen verfassungswidrigen Regulative und Normalvorschriften erfolgen. In diesem Unterrichtsgesetze, sowie bei der dringenden Ehegesetzgebung muß, bei letzterer durch dic Annahme der obligatorischen Zivilehe, die Trennung des Staates von der Kirche festgehalten und vervollständigt werden.

Die unerwartet großen Lasten, die in der vergangenen Legislaturperiode dem Lande auferlegt sind, fordern unbedingt, daß die wirtschaftlichen Kräfte des Landes gleichzeitig entfesselt werden, somit, daß eine Revision der Gewerbegesetzgebung, wie sie bereits vom gegenwärtigen Abgeordnetenhause in seinen Resolutionen niedergelegt ist, ins Leben trete.

Für die Ehre und die Machtstellung unseres Vaterlandes, wenn diese Güter durch einen Krieg gewahrt oder erlangt werden müssen, wird uns niemals ein Opfer zu groß sein (...)

Die Erreichung dieser Ziele wird aber, das muß auch dem blödesten Auge nach der Geschichte der drei letzten Jahre unbedingt klar sein, ein frommer Wunsch bleiben, solange nicht auf verfassungsmäßigem Wege eine durchgreifende Reform des gegenwärtigen Herrenhauses erfolgt ist. Diese muß daher als der Anfang aller Reformen vor allem mit Energie angestrebt werden.

Wir fordern nun alle Gleichgesinnten auf, Männer zu wählen, die diese Grundsätze, die Grundsätze der deutschen Fortschrittspartei, tief im Herzen tragen, Männer, deren Charakter und äußere Lebensstellung dafür bürgt, daß sie diese Grundsätze offen und von Rücksichten jeder Art unbeirrt im Abgeordnetenhause bekennen.

Wir halten es endlich für die Pflicht eines jeden Gleichgesinnten, den seine Mitbürger zum Abgeordneten wählen wollen, mit Hintansetzung allen eigenen Interesses dem Vertrauen seiner Mitbürger durch Annahme des Mandats zu entsprechen.

Im verfassungsmäßigen Staate werden Ziele nur durch ebenso furchtlose als konsequente und zähe Ausübung verfassungsmäßiger Rechte erreicht.

Mögen daher alsbald im ganzen Lande unsere gleichgesinnten Mitbürger, fernerliegende Meinungsunterschiede vergessend, von der verfassungsmäßigen Freiheit des Vereinsrechtes zum Zwecke der Wahlen – § 21 des Gesetzes vom 11. März 1850 – durch Bildung von Lokalwahlvereinen oder Komitees Gebrauch machen.

F. *Salomon,* Die deutschen Parteiprogramme, Berlin 1912, S. 77ff.

7 Freiheit, Staatsbürgerrechte

(...) Der Bürgerstand unterscheidet sich von dem Adel darin, daß er nicht wie dieser ein Stand der Auszeichnung, sondern ein Stand der Regel und der gemeinen Freiheit ist und sein will. Er ist daher von Natur mißtrauisch gegen jede ständische

Auszeichnung und derselben abgeneigt, denn er fürchtet, daß sie die Regel der bürgerlichen Gleichheit und Freiheit untergrabe oder verderbe. Auch der Adelige kann wohl Städtebürger sein oder werden, aber inwiefern er es ist, muß er sich der gemeinschaftlichen bürgerlichen Ordnung gleich jedem andern Bürger unterziehen. Von dem Bauernstande unterscheidet sich der Bürgerstand durch seine Beziehung auf die Stadt und städtisches Kulturleben, im Mittelalter insbesondere noch durch die energische Wahrung und Betätigung der persönlichen Freiheit. Steht der Bauer noch in näherem Zusammenhange mit der Erdoberfläche und mit den Einwirkungen der äußern Natur, so ist der Bürger in höherem Grade der Bewegung des menschlichen Kulturlebens hingegeben. Die Macht des Herkommens, der Sitte, der Familienüberlieferung, des festen Besitzstandes hält den Bauer in den gewohnten Bahnen eher fest als den Bürger, welcher den wechselnden Bedürfnissen der Zeit aufmerksamer folgt und auf mannigfaltigsten Wegen seine individuellen Kräfte versucht und Verbesserungen anstrebt. Für die rassenmäßige Vererbung bestimmter Rechtsverhältnisse hat der Bürger wenig Sinn: er liebt vor Allem die individuelle Arbeit und den individuellen Erwerb. Daher legt er auch einen so großen Wert auf die individuelle Freiheit (...)

Wie es ein Fortschritt gewesen war, als das Gefühl der gemeinsamen Vaterstadt die verschiedenen Bestandteile der Städtebevölkerung durchdrang und in einer bürgerlichen Genossenschaft zusammenfaßte, so war es auch ein Fortschritt der neuern Rechtsbildung, als das Bewußtsein des einen gemeinsamen Vaterlandes die verschiedenen Stände erfaßte und in dem gleichen Staatsbürgerrecht einen Ausdruck fand. Die innere Verbindung aller Teile zu einem Ganzen und die rechtliche Genossenschaft Aller war damit ausgesprochen. Im Mittelalter waren die ständischen Gegensätze so übermächtig, daß diese Gemeinschaft übersehen und die Einheit des Staates zerstückelt wurde. Die neue Zeit hebt diesen gemeinsamen nationalen und menschlichen Charakter vorzüglich hervor und hat darin Recht. Nur muß sie sich hüten, in den entgegengesetzen Fehler zu verfallen und die natürlichen und berechtigten Unterscheidungen, die hinterdrein in Betracht kommen, zu übersehen.

In diesen Fehler geriet man anfänglich. Man bemerkte nicht, daß sogar innerhalb der Stadt Gegensätze von größter Bedeutung für den Staat vorhanden seien und wurde dann durch die inneren Parteikämpfe heftig daran erinnert. Man beachtete nicht, daß die Menge der kleinen Handwerker und Krämer mit ihren Gesellen und Gehilfen und die in der neueren Zeit entstandene Fabrikbevölkerung, von dem Standpunkt des Staates aus betrachtet, der Masse der Bauern und der Dorfbewohner überhaupt weit näher stehen, als dem höhern Bürgerstande, der wissenschaftlich oder künstlerisch gebildeten und einem liberalen Beruf zugewendeten Bürger oder der großen Kaufleute und Fabrikanten, und daß diese hinwieder in gesellschaftlicher Beziehung und ihrer ganzen Lebens- und Denkungsweise nach den ritterschaftlichen Kreisen näher verwandt seien als den untern bürgerlichen Klassen. (...)

Ebenso übersah man, daß das eine staatsbürgerliche Volk doch nicht eine gleichmäßige ununterschiedene Masse sei, sondern von Natur und der geschichtlichen Bedeutung nach in große Gruppen zerfalle, von denen jede wieder ihre eigentümliche Stellung und Aufgabe habe für das Ganze. Man konnte die ständischen Gegensätze eine Zeit lang ignoriren, aber nicht ihre lebendige Wirksamkeit ausstreichen. Die Unterschiede waren dennoch da und übten ihren Einfluß aus auf die öffentlichen Zustände, obgleich man sich bemühte, sie nicht wahrzunehmen.

J. C. *Bluntschli* u. K. *Brater,* Deutsches Staats-Wörterbuch, Bd 2, Stuttgart 1857, S. 300 ff.

Die Staatsangehörigen werden Staatsbürger genannt, insofern sie wirklichen Anteil an der Besorgung der Angelegenheiten des Gemeinwesens nehmen, und insbesondere bei der Ausübung der Hoheitsrechte mitzuwirken berechtigt sind, sei es direkt als Volksvertreter, sei es indirekt als Wähler von diesen. – Die einzelnen Befugnisse, welche sich aus diesem Rechte der aktiven Teilnahme am Gemeinwesen ergeben, werden staatsbürgerliche Rechte genannt, und es gehören dahin insbesondere das Wahlstimmrecht und die Wählbarkeit bei der Bestellung der Repräsentativ-Organe für die Gemeinde, den Bezirk oder Distrikt, den Kreis oder die Provinz und für's ganze Land, dann die Befugniß als Geschworner bei der Ausübung der (insbesondere der Straf- und Handels-) Gerichtsbarkeit mitzuwirken. – Staatsbürger können nur Staatsangehörige nicht auch Fremde sein, oder mit andern Worten, das Indigenat ist notwendige Vorbedingung des Staatsbürgerrechts. Aber nicht alle Staatsangehörigen genießen die Rechte der Staatsbürger, sondern diese bilden in gewissem Sinne eine höhere Stufe von jenen, indem das Staatsbürgerrecht von noch anderen Bedingungen als dem Indigenate abhängig ist. Nur darf dies nicht so verstanden werden, als ob die Staatsbürger eine abgeschlossene mit Privilegien ausgezeichnete Kaste wären, sondern die Bedingungen, an deren Erfüllung das Staatsbürgerrecht geknüpft ist, müssen solche sein, daß ihnen von jedem Staatsangehörigen, welcher im Allgemeinen die Fähigkeit besitzt, politische Rechte auszuüben, genügt werden kann. Die politische Rechtsfähigkeit muß ein allgemeines, allen Staatsangehörigen zugängliches Verhältniß sein, darf nicht bloß einer einzelnen Klasse oder einigen einzelnen Klassen von Untertanen zukommen.

Ausgeschlossen von dem Staatsbürgerrechte sind aber in den sämtlichen neueren Staaten:

a) die Frauen, deren Beruf es nicht ist, im Gebiete des öffentlichen Lebens zu wirken;

b) die Minderjährigen (...)

c) Jene, welche in Folge richterlicher Verurteilung wegen Verbrechen oder wegen infamierender Vergehen die Fähigkeit zur Ausübung politischer Rechte für immer oder auf gewisse Zeit verloren haben, sofern sie nicht durch den Souverän rehabilitiert worden sind. (...)

In Ansehung dieser Erfordernisse des Staatsbürgerrechts besteht sowohl in der Theorie als in den positiven Gesetzen im Wesentlichen volle Übereinstimmung. In der Regel beschränkt sich aber die Gesetzgebung nicht auf die bis jetzt erwähnten Requisite, sondern sie macht die Ausübung der staatsbürgerlichen Rechte noch von andern Bedingungen abhängig. Eine solche ist insbesondere:

4) eine gewisse selbständige Stellung im Leben, welche die Gewähr dafür gibt, daß der Staatsangehörige sich bei der Besorgung der öffentlichen Angelegenheiten nur von der Rücksicht auf das Wohl des Ganzen, nicht von selbstsüchtigen Motiven leiten lassen, daß er nur nach seiner eigenen inneren Überzeugung, nicht nach den Einwirkungen Anderer handeln werde.

So sehr es vom politischen Standpunkte gerechtfertigt erscheint, eine solche Forderung an denjenigen zu stellen, der sich an den Angelegenheiten des Gemeinwesens aktiv beteiligen will, so schwierig ist es, die äußern Merkmale anzugeben und durch die Gesetze festzustellen, aus deren Vorhandensein die Selbständigkeit erkannt, bei deren Nichtvorhandensein sie als nicht gegeben betrachtet werden soll. Die Schwierigkeit wird noch dadurch vermehrt, daß früher und später gar manche Willkür und ungerechte Beschränkung unter dieser Firma in die Gesetzgebung Eingang gefunden hat. Indessen trotz dieser Schwierigkeiten darf die Gesetzgebung nicht aufhören, den rechten Weg zu suchen, der in er Mitte liegt zwischen willkürlicher Ausschließung und unbedingter Zulassung Aller. – Die genauere Bestimmung der Selbständigkeit kann entweder in negativer oder in positiver Weise versucht werden, indem entweder das Gesetz die Kategorien aufzählt, welche nicht als selbständig anzuerkennen sind, oder die Merkmale ausspricht, bei deren Vorhandensein Jemand als selbständig gelten soll, bei deren Mangel er von der Übung der staatsbürgerlichen Rechte ausgeschlossen ist. Bei der erstern Art der Definition werden insbesondere als unselbständig erklärt:

a) Personen, welche eine Armenunterstützung aus öffentlichen (Staats- oder Gemeinde-)Mitteln beziehen oder in der jüngsten Zeit bezogen haben. Der letztere Zusatz erscheint darum als zweckmäßig, damit nicht etwa unmittelbar vor der Ausübung des Staatsbürgerrechts eine Anzahl unselbständiger Stimmen durch Loskauf von der Armenliste gewonnen werden können.

b) Dienstboten, d. i. Personen, welche sich einem Andern zu bestimmten festen Dienstleistungen verdungen haben, die dabei regelmäßig auch in ein engeres persönliches Verhältniß zu ihrer Dienstherrschaft treten und daher derjenigen Selbständigkeit ermangeln, welche zur Teilnahme am öffentlichen Leben erforderlich ist. – Aus ähnlichen Gründen werden

c) Handwerksgesellen und Fabrikarbeiter, auch wohl Taglöhner, ausgeschlossen, wobei natürlich vorausgesetzt wird, daß der Taglohn die einzige oder doch die Hauptsubsistenzquelle bildet. Nicht jeder, der einmal einen oder mehrere Tage für einen Anderen um Lohn arbeitet, kann darum schon als Taglöhner und folgenweise als unselbständig bezeichnet werden.

Gegen die Ausschließung der beiden ersten Kategorien dürfte etwas Stichhaltiges nicht zu erinnern sein. Bedenklicher ist die gänzliche Ausschließung der Kategorien unter lit. c und wenn man glaubt, dieselben könnten ihr Staatsbürgerrecht in unruhigen, kritischen Zeiten mißbrauchen, so ist darauf hinzuweisen, daß die Gefahr für's Gemeinwesen dadurch nicht verringert wird, daß man diese Klassen als politisch mundtodt oder handlungsunfähig erklärt. Man verweist sie dann von Anfang an auf den Gebrauch der physischen Gewalt! Um die Teilnahme an den politischen Rechten auch diesen Klassen, in so weit es ohne Gefahr für's Ganze geschehen kann, zu ermöglichen, hat man in anderen Gesetzen den positiven Weg zur Bestimmung der Grenze zwischen den politisch Handlungsfähigen und Unfähigen eingeschlagen und hat verordnet:

a) daß zur Ausübung der staatsbürgerlichen Rechte jeder berufen sei, der einen eigenen Hausstand hat, gleichviel welches sonst seine soziale Stellung sei. Damit verwandt ist

b) das System jener Gesetze, nach welchen die selbständige Betreibung irgend eines Berufes als das wesentliche Kriterium des Staatsbürgerrechts betrachtet wird. Eine nähere Präzision dieses Gedankens in Verbindung mit jenem unter a enthält die bayerische Verfassung von 1818, welche zum Staatsbürgerrechte neben dem Indigenate fordert: »Ansäßigkeit im Königreiche, entweder durch den Besitz besteuerter Gründe, Renten oder Rechte, oder durch Ausübung besteuerter Gewerbe, oder durch den Eintritt in ein öffentliches Amt.« Oder man hat

c) verfügt, daß Alle zur Ausübung der politischen Wahlrechte befähigt und wählbar seien, welche dem Staate eine direkte Steuer entrichten, indem man nur denjenigen zum Mitberaten der öffentlichen Dinge qualifizirt erachtet, der auch zur Bestreitung der Ausgaben mit beiträgt (vergl. z. B. das bayerische Wahlgesetz vom 4. Juni 1848).

d) In andern Staaten hat man das Staatsbürgerrecht mit dem Gemeindebürgerrecht in Verbindung gebracht, und jenes von diesem abhängig gemacht. Ob und in wie weit darin eine Garantie der Selbständigkeit liege, läßt sich nur dann sagen, wenn man die Bedingungen kennt, unter welchen das Gemeindebürgerrecht erworben wird. Kommt dieses von Rechtswegen Jedem zu, der in der Gemeinde seinen Wohnsitz nimmt und etwa ein kleines Einzugsgeld entrichtet, so kann darin irgend eine Sicherung der Selbständigkeit nicht gefunden werden.

e) Im deutschen Mittelalter war der Grundbesitzer allein zur Übung politischer Rechte befähigt, wobei natürlich vorausgesetzt ward, daß er ein Freier war. Daß dieses System, so berechtigt es auf einer gewissen Stufe der geschichtlichen Entwicklung erscheint, für die Gegenwart nicht mehr angemessen sei, ist schon in anderen Artikeln des Staatswörterbuchs gezeigt worden.

f) Sehr häufig wird die Garantie der Selbständigkeit in dem Besitze eines gewissen Maßes von Vermögen oder was in der Wirkung dasselbe ist, in einem gewissen Einkommen gefunden. (Census.) In beiden Beziehungen läßt sich dann ein doppelter Weg einschlagen, um das Vorhandensein des geforderten Besitzes oder Einkommens nachzuweisen. Man kann nämlich das Vermögen oder Einkommen in jedem einzelnen Falle durch Schätzung erheben, oder man nimmt zum Maßstab den Steuersatz, der ja, wenn die Steueranlage richtig angeordnet und durchgeführt ist, sich nach dem Vermögen, resp. Einkommen, richtet. Wir erinnern, um ein Beispiel hiefür anzuführen, an die Bestimmung der französischen Charte von 1814, der zufolge nur derjenige ein Wahlrecht für die Kammer der Abgeordneten üben konnte, welcher 300 Fr. an direkten Steuern entrichtete, und wählbar nur jener, welcher 1000 Fr. zahlte. Von den deßfallsigen Grundsätzen des englischen Staatsrechts war schon oben in dem Artikel Großbritannien (B. IV. S. 445 u. 446) die Rede; dasselbe statuirt bekanntlich einen verschiedenen Census für das Wahlstimmrecht in den Städten und Flecken einerseits und in den Grafschaften anderseits, wogegen der Passivcensus seit 1858 abgeschafft ist. Jeder Census hat das Bedenken gegen sich, daß er, wenn hoch gegriffen, nur einer kleinen Zahl von Geldaristokraten die politischen Rechte verleiht, wenn niedrig, teils nutzlos ist, teils sehr verschieden je nach den örtlichen Verhältnissen wirkt.

Eine andere Frage ist die, ob das Vermögen, resp. die Steuergröße, nicht bei der Verteilung des Stimmrechtes in Betracht zu ziehen sei, so daß der Stimme des Besitzenden ein größeres Gewicht beigelegt wird, als jener des Besitzlosen. Die preußische Verfassung z. B. hat dieses System angenommen. Darnach werden die Urwähler bei den Abgeordnetenwahlen nach Maßgabe der von ihnen zu entrichtenden direkten Staatssteuern in drei Abteilungen geteilt, und zwar in der Art, daß auf jede Abteilung ein Dritteil der Gesamtsumme der Steuerbeträge aller Urwähler fällt. Die erste Abteilung besteht aus denjenigen Urwählern, auf welche die höchsten Steuerbeträge bis zum Belaufe eines Dritteils der Gesamtsteuer fallen u. s. w. Jede Abteilung wählt besonders, und zwar jede ein Dritteil der Wahlmänner. – Ähnliches gilt in Würtemberg. Zwei Dritteile der Wahlmänner (bei den Abgeordnetenwahlen) bestehen aus denjenigen Bürgern, welche im nächstvorhergegangenen Finanzjahre die höchste ordentliche direkte Steuer, sei es aus eigenem oder nutznießlichem Vermögen an den Staat zu entrichten hatten. (...)

J. C. *Bluntschli*, Staats-Wörterbuch, Bd. 9, S. 662 ff.

8 »Untertan« oder »Staatsbürger«. Vincke[1] gegen Waldeck[2]

Dann ist das geehrte Mitglied (Waldeck, C. D. K.) auf ein Wort zurückgekommen, nämlich auf den Ausdruck »Untertan« gegenüber dem Ausdruck »Staatsbürger.« (...)

Er ist dann auf die Sache eingegangen und hat mich als alten deutschen Publizisten darüber belehren wollen, daß nach der Entwickelung unserer deutschen Verhältnisse nur der Ausdruck »Staatsbürger« berechtigt und der Ausdruck »Untertan« unter allen Umständen vom Übel wäre. Ich habe gegen den Ausdruck »Staatsbürger« an sich nichts und habe ihn öfter gebraucht, er ist gewiß ein berechtigter; nur glaube ich, daß der Ausdruck »Untertan« ein eben so gutes Bürgerrecht in Deutschland und Preußen und speziell hier in diesem Hause hat, und dabei bleibe ich stehen.

(Bravo!)

Wenn er uns selbst gesagt hat, Untertan wäre man nur einer gesetzlich konstituirten Staatsgewalt, nun dann frage ich ihn, ob er Se. Majestät den König etwa nicht für eine gesetzlich konstituirte Staatsgewalt hält, und wenn er das mit uns tun muß, so ist er also folgeweise mit seinen eigenen Worten geschlagen.

(Sehr richtig! auf beiden Seiten)

Er hat uns gesagt, deshalb könne man den Ausdruck »Untertan« nicht mehr gebrauchen, weil nach der Entwickelung unserer Verfassung andere Faktoren mit hinzugetreten wären, durch deren Mitwirkung nur Steuern aufgelegt und Gesetze zu Stande kommen könnten, daß es also außer der früher allein berechtigten Staatsgewalt jetzt noch andere legislative Faktoren gäbe. Ja, meine Herren, diese Tatsache denke ich ihm nicht zu bestreiten, aber ich weiß nur nicht, was das in Bezug auf diesen Satz beweisen soll: (...) ich habe damals dabei gesagt, wir sind untertan dem Gesetze; wir sind untertan dem großen Gemeinwesen, das wir Staat nennen – so weit geht der Herr Abgeordnete mit mir – und sodann habe ich hinzugefügt, wir sind vor allen Dingen untertan dem Fürsten, welchem die Leitung dieses Staatswesens anvertraut ist. Darin weicht der Herr Abgeordnete von mir ab, und das ist eben der Unterschied zwischen seiner demokratischen Anschauung und der meinigen. (...).

Ich weiß allerdings, daß die Partei, welcher der Herr Abgeordnete angehört hat – und daran hat er auch leider heute erinnert – damals durch ihr Treiben hier in der National-Versammlung den preußischen Staat an den Rand des Abgrundes gebracht hat,

(lebhaftes Bravo)

und ich weiß, daß die monarchischen Elemente des Staates damals den Staat gerettet haben, und das habe ich jederzeit und auch damals auf dieser Tribüne anerkannt. (...)

Der Unterschied zwischen seiner Auffassung und der Auffassung der Konstitutionellen ist im Wesentlichen in kurzen Worten der, daß die Gesinnungsgenossen des Herrn Abgeordneten für Bielefeld Se. Majestät den König beugen wollten – ob sie ihn noch beugen wollen, weiß ich nicht – unter die Beschlüsse irgend welcher Versammlung und daß dies meine Freunde niemals gewollt haben. Wir sind der Ansicht, daß, wie auch die Geschicke unseres Landes sich wenden mögen, wir immer in einem monarchischen Staate bleiben, wir immer wollen, daß ein Monarch an der Spitze Preußens stehe und deshalb erkennen wir mit Freuden Se. Majestät den König als unseren Monarchen und wir sind und wollen bleiben seine Untertanen!

Rede Frh. v. Vinckes im preuß. Abgeordnetenhaus am 8. 3. 1861 gegen Waldeck, Sten. Ber. 1861, S. 427f.

1 Georg Ernst Friedrich Freiherr v. Vincke (1811–1875) war Jurist. In der dts. Nationalversammlung gehörte er zu den bedeutendsten Führern der konstitutionellen Partei. Im preuß. Abgeordnetenhaus bekämpfte er die demokratische Linke; im preuß. Landtag 1850–55 wandte er sich entschieden gegen die kirchl. und feudale Reaktion des Ministeriums Manteuffel. 1861 bildete Vincke im preuß. Abgeordnetenhaus die sog. altliberale Fraktion.

2 Benedikt Franz Leo Waldeck (1802–1870) war Jurist. In der preuß. Nationalversammlung 1848 gehörte er zu den äußersten Linken. Waldeck war Präsident des Verfassungsausschusses. 1849 wurde er aufgrund eines gefälschten Briefes als Eingeweihter in Hochverratspläne verhaftet, jedoch ein halbes Jahr später wieder freigesprochen. Ab 1860 gehörte er als einer der hervorragendsten Führer der Fortschrittspartei dem preuß. Abgeordnetenhaus an. Er nahm am Steuerverweigerungsbeschluß teil und verfaßte die Anklageschrift auf Hochverrat gegen das Ministerium Brandenburg-Manteuffel.

3 *Gleichheit*

9 Liberalismus zwischen sozialistischer Theorie und Reaktion

Wie in der Praxis der Fortschritt wesentlich negativ in der Zertrümmerung und Nivellirung der alten Gesellschaft bestand, so entwickelten sich auch in den Theorien von Sitte, Recht und Staat vorzugsweise die Kräfte der Zerstörung. Die Abstractionen der Metaphysik von der allgemeinen Gleichheit, dem freien denkenden, absolut berechtigten Individuum, waren trefflich geeignet, den bestehenden und durch die gesellschaftlichen Bedürfnisse nicht mehr gerechtfertigten Ungleichheiten, inhumanen Vorurteilen und beschränkenden Unterdrückungen entgegenzutreten, vermochten aber keine haltbare Organisation zu erzeugen, und endeten in der Consequenz ihrer sozialistischen und communistischen Systeme damit, nicht nur die bestehende Ordnung, sondern im Eigentum und der Familie die Grundlagen jeder möglichen Ordnung anzugreifen. Wo die Metaphysik positive Constructionen versuchte, nahm sie die Elemente dazu aus der bestehenden Ordnung, und sogar formell bekleidete sie ihre Grunddogmen von der Gleichberechtigung, Gedankenfreiheit, Volkssouveränität mit einer Art unantastbarer Weihe, – gerade wie die Theologie ihre göttlichen Gebote, aus denen sie mit mehr oder minder Willkür die Satzungen ableitet, welche den wechselnden Bedürfnissen der Gesellschaft entsprechen. Positive Neugestaltungen treten fast nur in den großen Fortschritten der Industrie und der speziellen Wissenschaften hervor; aber in Ermangelung allgemeiner Conzeptionen streben die Ideen der Ordnung aus Furcht vor Anarchie nach dem verfallenen System des Mittelalters zurück, und die Ideen des Fortschritts wenden sich aus Furcht vor retrograder Unterdrückung gegen jede bestehende Gewalt.

C. *Twesten,* Lehre und Schriften Auguste Comtes, in: Preussische Jahrbücher 4 (1859), S. 299

10 Absolute Gleichheit?

Das Streben nach Gleichheit wirkt rastlos drängend und treibend in der Gesellschaft, wie das Streben nach Freiheit im Staate. Allein die absolute Gleichheit könnte nur erreicht werden auf Kosten aller Freiheit und Bildung, in einer communistischen Despotie, d. h. die absolute Gleichheit würde die Gesellschaft vernichten. Ebenso würde schrankenlose Freiheit den Staat vernichten; denn sie ist nur bei vollendeter Staatlosigkeit denkbar. Dem Gleichheitsdrange ist eine zweifache Schranke gesetzt: einmal in der leiblich und geistig so unterschieden begabten Natur der Individuen, dann aber auch in der mannigfach abgestuften Geltung und Würde der Arbeit, einer Geltung, die nicht von Außen als ein zufälliger Rang decretiert ist, sondern im Wesen der Arbeit selber liegt. Ein Resultat dieser notwendigen Ungleichheit sind eben die Stände.

Also stünden die Stände im Widerspruch mit dem bewegenden Prinzip der Gesellschaft, mit der Gleichheit? Mit der schrankenlosen Gleichheit ganz gewiß. Allein da die oben bezeichneten Schranken naturnotwendig sind, so kann doch die Gleichheit in nichts Anderem beruhen, als daß es einem jeden gestattet sei, in Arbeit, Erwerb und Gesittung so viel aus sich zu machen, als er aus sich machen kann und will. Genügt ihm dann der Erfolg nicht, so hätte er lediglich mit unserem Herrgott und mit sich selber darüber zu rechten. Und dieser Gedanke der möglichst freien Selbstbestimmung der Arbeit und der möglichst freien Selbstentfaltung der Kräfte ist in der Tat der einzig fruchtbare und praktische Gleichheitsgedanke, der dann auch in dem modernen Begriff des Staates Wurzel gefaßt hat. (...)

W. H. *Riehl,* Über den Begriff der bürgerlichen Gesellschaft, Vortrag in der kgl. Akademie der Wissenschaften am 30. März 1864, München 1864, S. 10

11 Gleichheit und aristokratische Privilegien

Wie wenig Anhalt die exclusive Aristokratie im preußischen Volke hat, zeigt das Resultat der letzten Wahlen. Von der polizeilichen Unterstützung verlassen, ist die Feudalpartei in der zweiten Kammer auf eine schwache Minorität zusammengeschrumpft, und der Umstand, daß ihre hervorragendsten Koryphäen unterlegen, dagegen viele wenig bekannte Grundbesitzer in ihrer Heimat wiedergewählt sind, läßt schließen, daß manche Mitglieder nicht sowohl ihrer Parteistellung, als dem localen Ansehn ihrer Person oder ihres Besitzes die Wahl verdanken. Daß die Grundaristokratie überhaupt zahlreich in der Wahlkammer vertreten sei, ist nicht bloß wünschenswert, sondern sogar notwendig. Diese Classe hat die wichtigen Interessen der ackerbauenden und ländlichen Bevölkerung zu repräsentiren und bildet fast den einzigen Kreis, der nach Vermögen, Bildung, Muße und Unabhängigkeit eine große Zahl von Mitgliedern stellen kann, wenn die Volksvertretung nicht ausschließlich dem Beamtenstande anheimfallen soll. Denn andere Kräfte sind bei uns noch nicht in genügender Menge zur Auswahl vorhanden. Die Capazitäten des großen Handels und der Industrie sind noch wenig geneigt eine politische Rolle zu übernehmen; wir sahen eben erst Männer, die nach ihrer hervorragenden Stellung in der Geschäftswelt und nach ihren Talenten so wünschenswert im Hause der Abgeordneten sein würden wie Herr Warschauer und Herr Hansemann, jede Wahl ablehnen. Der Popularität der liberalen Mitglieder der Aristokratie hat gewiß ihre Geburt niemals geschadet; in der Mehrheit ist sogar das Publicum durchaus geneigt, dem Adel einen bevorzugten Anteil an der Gesetzgebung, sowie einen gewissen Vorrang in der Diplomatie, im Heere und in der Beamtenhierarchie einzuräumen, selbst der Teil, welcher sich dies nicht gern zugesteht. Will aber die Aristokratie diese politische Suprematie für die Dauer behaupten, so muß sie zwei unerläßliche Bedingungen erfüllen. Einmal muß sie sich auf ein hervorragendes Niveau allgemeiner und politischer Bildung stellen, wie sich die englische Aristokratie seit mehreren Generationen dadurch auszeichnet. Bis jetzt sind fast Alle, die hier einige Fähigkeiten im öffentlichen Leben gezeigt haben, und namentlich die Mitglieder der reactionären Partei aus der Schule des Beamtentums hervorgegangen. Und ferner muß sie allen privatrechtlichen Privilegien, besonders denen, die nach Talern und Groschen zu schätzen sind, aufrichtig entsagen. So lange sie sich den gewöhnlichen Leistungen in der Gemeinde und im Staate entzieht, wird sie stets mit dem Verdachte zu kämpfen haben, daß sie sich hauptsächlich durch Eigennutz vor den übrigen Ständen auszeichne, und scheidet sich künstlich von der übrigen ländlichen Bevölkerung, deren natürliche Vertreterin sie ist. Es wäre Torheit sich darüber zu täuschen. Die Bauern haben kein großes Vertrauen zu dem Beamten, aber das entschiedenste Mißtrauen gegen den Rittergutsbesitzer.

C. *Twesten,* Woran uns gelegen ist, S. 33, S. 54

12 Angriffe auf die bürgerliche Familie

Man hört nicht selten sprechen, als hätte es mit den Verfolgungen, Beeinträchtigungen, Unterdrückungen mißliebiger Personen oder Tendenzen nicht viel auf sich, als läge nicht viel daran, wenn eine Existenz verkümmert oder eine Familie zerrüttet würde. Namentlich alles, was an der Presse beteiligt ist, wird vielfach geradezu als vogelfrei betrachtet, ohne zu bedenken, daß die Tagesschriftsteller größtenteils denselben Klassen angehören, ebenso gut geboren und erzogen sind, als die Mehrzahl der Beamten. Aber für den, welchen es trifft, ist es immer schwer und die Rückwirkung auf die allgemeine Sittlichkeit reicht weit über den einzelnen Fall hinaus. Ungerechte Willkür korrumpiert sowohl den, der sie übt, als den, der sie leidet, und nicht minder den ganzen Kreis, der sich gewöhnt, sie als etwas Alltägliches hinzunehmen. Ein Volk, welches als Gesindel behandelt wird, wird Gesindel.

C. *Twesten,* Woran uns gelegen ist, S. 59

3.1.2 Verfassungspolitik

1 Hauptforderungen

13 Die Hauptforderungen der vereinigten liberalen Fraktionen.
12. Oktober 1858.[1]

1. Sicherstellung der Freiheit der Wahlen, soweit dies irgend durch die Gesetzgebung möglich ist; namentlich Feststellung der Wahlbezirke durch das Gesetz.
2. Umbildung der Provinzial- und Kreisverfassung der Gemeinde- und Städteordnung im Sinne früherer Selbstverwaltung.
3. Aufhebung der gutsherrlichen Polizei.
4. Beseitigung der bisher bestehenden Befreiungen von der Grundsteuer.
5. Erlaß eines Gesetzes über die Verantwortlichkeit der Minister.
6. Revision der Gesetze über die Presse zum Schutz der Presse und des Buchhandels gegen die bisherige Anwendung des Gewerbegesetzes von 1845.
7. Erlaß des in der Verfassung § 26 in Aussicht gestellten Gesetzes zur Regelung des ganzen Unterrichtswesens auf Grund des § 20: »Die Wissenschaft und ihre Lehre sind frei.«
8. Ausführung des § 12 der Verfassung: »Der Genuß der bürgerlichen und staatsbürgerlichen Rechte ist unabhängig von dem religiösen Bekenntnisse.«
9. Revision der Gesetzgebung über die Zulässigkeit des Rechtsweges und das Recht der Verwaltungsbehörden durch Exekution eine Handlung oder Unterlassung zu erzwingen, über deren Zulässigkeit durch die Gerichte rechtskräftig erkannt worden.[2]

F. *Salomon,* Parteiprogramme, S. 73 f.

1 Forderungen der schlesischen Liberalen.
2 Dies fordert, die Verwaltungsgerichtsbarkeit zu schaffen.

14 Der Aufruf der preußischen Demokratie. Königsberg i. Pr., 5. 11. 1858

Ehrerbietung dem Könige!
Achtung der Landesverfassung!
Den Gemeinden Selbstverwaltung!
Allen Bürgern gleiche Pflichten – gleiche Rechte!

In Gemäßheit dieser unserer politischen Grundsätze wünschen wir die gewissenhafte Handhabung der bestehenden Landesverfassung, sowie die freisinnige Fortbildung derselben auf gesetzlichem Wege, insbesondere:

1. Feststellung der Wahlbezirke durch das Gesetz, Wiedereinführung des gleichmäßigen Wahlrechts und der Stimmzettelwahl.

2. Umbildung der städtischen und ländlichen Gemeindeordnung im Sinne freier Selbstverwaltung.

3. Ausführung des Art. 97 der Verfassungsurkunde: »Die bestehende Steuergesetzgebung wird einer Revision unterworfen und dabei jede Bevorzugung abgeschafft.«

4. Revision der Gesetze über die Presse und das Vereinsrecht; Schutz der Presse gegen mögliche Willkür der Verwaltungsbeamten, namentlich gegen die seither übliche Anwendung des Gewerbegesetzes v. J. 1845.

5. Erlaß des in Art. 12 der Verfassung verheißenen Gesetzes über das Unterrichtswesen im Sinne des Art. 20: »Die Wissenschaft und die Lehre ist frei.«

6. Sicherstellung der im Art. 12 der Verfassung anerkannten Religionsfreiheit; gewissenhafte Ausführung der daselbst ausgesprochenen Bestimmung: »Der Genuß der bürgerlichen und staatsbürgerlichen Rechte ist unabhängig von dem religiösen Bekenntnisse.«

Um das angegebene Ziel zu erreichen, tut es vor allem not, daß nur solche Männer zu Abgeordneten erwählt werden, die sich in unabhängiger Stellung befinden und – ohne für sich etwas zu erstreben oder zu fürchten – das einmal für Recht Erkannte mit männlichem Freimut zu vertreten die Fähigkeit und den ersten Willen haben.

Wir Unterzeichnete fordern diejenigen unserer Mitbürger, welche die hier ausgesprochenen Ansichten teilen, auf, sich mit uns zu gemeinsamer Tätigkeit zu vereinigen. Wir behalten uns vor, seinerzeit die zur Wahl geeignet erscheinenden Männer öffentlich namhaft zu machen.

Möge die gewissenhafte Verfassungstreue, die bei Einsetzung der Regentschaft sich so glänzend bewährt hat, dem Vaterlande eine heilverkündende Vorbedeutung, dem Volke ein nachahmenswertes Vorbild sein. Möge jeder Wähler – welcher Partei angehöre – seine etwaigen persönlichen Ab- oder Zuneigungen dem höheren Zwecke unterordnen, und – ohne durch äußere Einflüsse oder Rücksichten sich bestimmen zu lassen – auf eine dem Gemeinwohl entsprechende Weise furchtlos und gewissenhaft seine Pflicht tun!

F. *Salomon,* Parteiprogramme, S. 74f.

2 *Militärkonflikt als Verfassungskonflikt*

15 Die Bedeutung der Verfassung

Allerdurchlauchtigster, Großmächtigster König!
Allergnädigster König und Herr!

Eurer Majestät, ihrem erhabenen König und Herrn, mit offenem Freimut nahe zu treten, ist zu jeder Zeit ein teueres Vorrecht der Preußen, in der gegenwärtigen Lage des Vaterlandes aber zugleich eine ernste Pflicht.

Wir, treugehorsamst Unterzeichnete, Eingesessene der Provinzen Rheinland und Westfalen, fühlen uns nicht allein durch Besitz oder Berufs- und Lebensstellung aufs Innigste verwachsen mit der Monarchie, der anzugehören unser Stolz ist, – der geschichtliche Entwickelungsgang, der durch ein bewunderungswürdiges Zusammenwirken von Regentengröße und Volkskraft in diesem Staate deutschem Wesen eine zukunftsreiche Stätte gegründet, der das große Ergebniß der Jahrhunderte, die Einheit von Krone und Volk, durch die Verfassung untrennbar befestigt hat – das ist es, was uns den vaterländischen Staat, die preußische Monarchie zu dem Boden macht, in dem unser politisches Leben wurzelt, an den sich unsere teuersten nationalen Hoffnungen knüpfen, und zu dessen Verteidigung wir jedes Opfer einzusetzen bereit sind.

Aber desto mächtiger ergreift uns die Tatsache, daß dieser Boden in seinem Fundamente erschüttert ist. Das Fundament der verfassungsmäßigen Monarchie ist das Recht, und das Recht wird verletzt, wenn die Staatsregierung die Finanzverwaltung ohne die Grundlage eines verfassungsmäßig festgestellten Staatshaushalts-Etats führt.

Mit Trauer sehen wir in Folge eines beklagenswerten Conflikts, den ein verfassungswidriger Beschluß des Herrenhauses noch schärfte, den innern Frieden des Landes getrübt, die Geltung Preußens in Europa geschwächt, ja das Ansehen des Königtums im Volke gefährdet, und unsere Besorgniß wächst bei der Wahrnehmung, daß am Throne Eurer Majestät der Gesamtheit des Volkes ein kleiner Bruchteil mit Kundgebungen entgegentritt, die nur in dem Ausdruck der Loyalität gegen Eure Königliche Majestät der Gesinnung des Landes entsprechen, in allem Übrigen aber das öffentliche Rechtsbewußtsein verletzen und den Riß des Zwiespalts erweitern.

Allergnädigster König und Herr!

Wir wollen die Macht der Krone in der Ausübung des ihr allein zustehenden Regierungsrechtes vor jeder Schwächung bewahrt wissen; wir betrachten dieses unantastbare durch die Verfassung geheiligte Recht als eine Bürgschaft für die gedeihliche Entwickelung des Vaterlandes. Aber eben so unantastbar ist uns das durch die Verfassung nicht weniger geheiligte Recht des Landes, durch seine verfassungsmäßige Vertretung mitzuwirken bei der Gesetzgebung und die Staatsausgaben zu bewilligen. In der Anerkennung dieses Rechts durch die Krone, in der weisen Ausübung desselben durch die Volksvertretung, in einem beiderseitigen von der Rücksicht auf die Wohlfahrt des Landes getragenen Entgegenkommen erblicken wir die Quelle des staatlichen Gemeinsinnes, auf dem die Machtstellung Preußens beruht, und des freien Gehorsams, der allein die Krone wahrhaft stark macht.

Allergnädigster König und Herr!

Wir verkennen nicht die weisen Absichten, welche Eure Königliche Majestät mit einer Reform der Heeresorganisation verbinden; wir wollen ein starkes Heer, das in Zeiten der Gefahr die ganze Kraft des waffenfähigen Volkes umfaßt; wir wünschen keineswegs, daß jene wichtige Anordnung zurückgenommen, sondern daß sie, unter verfassungsmäßiger Mitwirkung der Landesvertretung, mittels der vom Lande allgemein ersehnten Beschränkung der Präsenzzeit in den Grenzen ausgeführt werde, welche eine gewissenhafte Prüfung der volkswirtschaftlichen Zustände und der finanziellen Leistungsfähigkeit des Landes notwendig erscheinen läßt. Die Erwartung ist begründet, daß das Haus der Abgeordneten, nachdem dem Rechte des Landes Anerkennung geworden, zu einer Verständigung in diesem Sinne die Hand bieten wird.

Allergnädigster König und Herr!

Das Land widmet Eurer Majestät die Gesinnung der treuesten Anhänglichkeit; es weiß, daß Allerhöchstdieselben das Wohl des Volkes auf Ihrem Herzen tragen und die Herstellung des Friedens ersehnen.

In der festen Überzeugung, daß es nur einen einzigen Weg zu diesem Ziele gibt, – dem Drange folgend, in einem ernsten Augenblick unsere Pflicht als treue Söhne des Vaterlandes und wahre Freunde des Königtums zu erfüllen, legen wir an den Stufen des Thrones die ehrfurchtsvolle Bitte nieder:

»Eure Königliche Majestät mögen geruhen zu befehlen, daß dem Hause der Abgeordneten Vorlagen gemacht werden, welche geeignet sind, eine Vereinbarung über den Staatshaushalts-Etat und eine Herstellung des verfassungsmäßigen Rechtszustandes herbeizuführen.«

In tiefster Ehrfurcht ersterben wir Euerer Königlichen Majestät alleruntertänigste treugehorsamste (...) [1]

Adresse rheinischer Notabeln vom 6. 1. 1863 zur Heeresreform (Verfasser Herbert von Beckerath). ZStA II Merseburg, Rep 77, tit 867, Nr. 8, Bl. 2ff.

1 Es folgen 27 Seiten mit Namen der führenden Mitglieder der Handelskammern Aachen, Altena, Barmen, Düren, Düsseldorf, Duisburg, Essen, Gladbach, Iserlohn, Mühlheim a/d. Ruhr, Rheydt, Trier, Uerdingen, Viersen.

16 »Rechtsfragen sind Machtfragen«

In meinem letzten Vortrage[1] habe ich Ihnen, meine Herren, das Wesen der Verfassungen, und speziell auch der preußischen, entwickelt. Ich zeigte Ihnen, wie zu unterscheiden ist zwischen der wirklichen und der nur geschriebenen Verfassung oder dem Blatt Papier; wie die wirkliche Verfassung eines Landes immer nur in den realen tatsächlichen Machtverhältnissen besteht, die sich in einer gegebenen Gesellschaft vorfinden. Ich zeigte Ihnen, wie die geschriebene Verfassung, wenn sie den tatsächlichen Machtverhältnissen der organisierten Macht der Gesellschaft nicht entspricht, wenn sie also nur das ist, was ich das »Blatt Papier« nannte, der Überwucht der organisierten Machtverhältnisse gegenüber rettungslos verloren ist, und zwar wie sie das notwendig und jedenfalls sein muß. Denn es nimmt dann, sage ich, entweder die Regierung die Änderung der Verfassung vor, um die geschriebene Verfassung in Übereinstimmung mit den tatsächlichen Machtverhältnissen der organisierten Macht der Gesellschaft zu setzen. Oder aber es tritt die unorganisierte Macht der Gesellschaft auf, beweist von neuem, daß sie größer ist als die organisierte und ändert dann notwendig die organisierten Machtverhältnisse der Gesellschaft, also die Verfassungspfeiler selbst, wieder eben so weit nach links hin ab, als die Regierung es bei ihrem Siege nach rechts hin in dieser oder jener Form getan hätte.

Ich resümierte am Schlusse meines Vortrages denselben in folgenden Worten: »Wenn Sie, meine Herren, den Vortrag, den ich Ihnen zu halten die Ehre hatte, nicht nur festhalten und sorgfältig durchdenken, sondern ihn zu allen seinen Konsequenzen fortdenkend entwickeln, so werden sie zum Besitz aller Verfassungsweisheit gelangen. Verfassungsfragen sind ursprünglich nicht Rechtsfragen, sondern Machtfragen; die wirkliche Verfassung eines Landes existiert nur in den reellen tatsächlichen Machtverhältnissen, die in einem Lande bestehen; geschriebene Verfassungen sind nur dann vonWert und Dauer, wenn sie der genaue Ausdruck der wirklichen in der Gesellschaft bestehenden Machtverhältnisse sind – das sind die Grundsätze, die Sie festhalten wollen.«

Wenn dies nun wahr sein soll, daß die Durchdenkung und Fortentwicklung dieses Vortrages zu allen seinen Konsequenzen Sie in den Besitz aller Verfassungskunst und Verfassungsweisheit setzen würde, so müßte dieser Vortrag, wenn Sie ihn zu seinen Konsequenzen fortentwickeln, auch imstande sein, den Weg, den sicheren und alleinigen Weg anzugeben, auf welchem der gegenwärtig im Lande bestehende Konflikt einem für die Nation gedeihlichen und siegreichen Ausgang zuzuführen sei. Und in der Tat ist es eben dies, was ich heut leisten will. Ich will aus der Theorie heraus, die ich Ihnen entwickelt habe, das Mittel bestimmen, welches notwendig und allein zu einer siegreichen Beendigung des zwischen der Regierung und der Kammer eingetretenen Konflikts führen muß.

Ehe ich dazu übergehe, lassen Sie uns noch einen Blick darauf werfen, wie unbedingt wahr die Theorie ist, die ich damals über das Wesen der Verfassungen aufgestellt habe, und die ich meiner heutigen Untersuchung überall als die Seele derselben zugrunde lege. (...) Sie wissen alle, daß es das in der Verfassung geschriebene unbestreitbare und unbestrittene Recht der Kammer ist, dem Staatshaushaltsetat die Genehmigung zu erteilen oder zu verweigern. Die Kammer hat nun von diesem Recht Gebrauch gemacht. Herr v. Bismarck bestreitet auch nicht eigentlich, daß dies das Recht der Kammer sei. Aber er sagt in der Sitzung vom 7. Oktober wörtlich: »Rechtsfragen der Art pflegen nicht durch Gegenüberstellung widerstreitender Theorien, sondern nur allmählich durch die staatsrechtliche Praxis erledigt zu werden.« Sehen Sie ein wenig genauer zu, meine Herren, so finden Sie, daß hier, nur in etwas verschleierten, verschämten Ausdrücken, wie es sich für einen Minister schickt, ganz meine Theorie entwickelt ist. Das Recht der Kammer übersetzt Herr v. Bismarck mildernd in den Ausdruck Rechtsfrage. Er leugnet nicht – wie könnte er auch? – daß diese Rechtsfrage oder dieses Recht auf dem Blatt Papier oder in der Verfassung steht. Aber, sagt er, es steht nur auf dem Blatt Papier, das wirklich Entscheidende dagegen sei die staatsrechtliche Praxis. Mit dem milderen Ausdruck »staatsrechtliche Praxis«, mit dem, was wirklich geschieht und vor sich geht im Gegensatz zum bloßen Recht oder zu der Rechtstheorie, ist hier, wie Sie sehen, nur der Druck dessen bezeichnet, was ich deutlicher die realen tatsächlichen Machtverhältnisse genannt habe. Ihr mögt, sagt Herr v. Bismarck also, aus dem Ministeriellen ins Unverblümte übersetzt, das Blatt Papier für Euch haben. Aber ich habe die realen tatsächlichen Machtverhältnisse der organisierten Macht, Heer, Finanzen, Gerichte, unter mir, und diese realen tatsächlichen Machtverhältnisse sind es, die in letzter Instanz doch das Entscheidende sind und die staatsrechtliche Praxis bestimmen.

Der Einspruch dieser realen tatsächlichen Machtverhältnisse, sagt Herr v. Bismarck zu den Abgeordneten, setzt Euer Recht zu einer bloßen Rechtsfrage herab und diese selben Machtverhältnisse bürgen mir auch schon, daß die Sache nicht im Sinne Eures bloß theoretischen, bloß papiernen Rechts zu Ende gehen wird. »Allmählich,« sagt Herr v. Bismarck, »wird die staatsrechtliche Praxis diese Rechtsfrage, das heißt diesen Konflikt zwischen nur geschriebenem Recht und in Erz gegrabenen Machtverhältnissen in einem ganz anderen Sinne erledigen.« Hierin liegt noch eine weitere Einsicht des Herrn v. Bismarck. Sie erinnern sich, daß ich Ihnen in meinem letzten Vortrag auseinandersetzte, was ein konstitutioneller Präzedenzfall sei. Wenn ich einmal die Macht zu etwas habe, so habe ich das zweite Mal auch schon das Recht dazu (...).

Allein bei alledem werden Sie aus dieser Betrachtung der Worte des Herrn Ministerpräsidenten dennoch ersehen haben, daß derselbe ein tiefer und feiner Kenner des Verfassungswesens ist, daß er ganz und gar auf dem Boden meiner Theorie steht, daß er vortrefflich weiß, wie die wirkliche Verfassung eines Landes nicht in dem Blatt Papier, sondern in den tatsächlichen Machtverhältnissen besteht, und nur aus diesen, nicht aus dem papiernen Recht, die staatsrechtliche Praxis, das, was wirklich geschieht, bestimmt wird, und daß er sich ausgezeichnet klar darüber ist, was Präzedenzfälle sind, wie sie entstehen und wie sie nachher verwertet werden.

Ich kann also Sie alle, meine Herren, und ganz besonders die hier anwesenden Vertreter der Polizeigewalt, darauf aufmerksam machen, daß ich mich auf einem von allen obersten Behörden im Staat anerkannten und durchaus unangreifbaren Boden befinde. (...)

Sie können also vollständiges Zutrauen haben in die unangreifbare Wahrheit der Verfassungstheorie, die ich Ihnen entwickelt. Und wenn sich nun aus einer so von allen Seiten und durch die Ereignisse selbst betätigten Theorie mit logischer Konsequenz ein Mittel sollte ableiten lassen, wie in dem gegenwärtigen Konflikt der Sieg erlangt werden kann, so würden Sie getrosten Mutes sein können, meine Herren. Denn Sie würden dann mit derselben vollständigen Zuversicht überzeugt sein können, daß dieses Mittel, als aus dieser Theorie heraus geboren, auch das unbedingt zutreffende, das mit Sicherheit zum Siege führende sein muß.

F. *Lassalle,* Über Verfassungswesen, Drei Abhandlungen, Berlin 1907, S. 47ff.

1 Vor seinem Vortrag »Was nun?«, der zuerst im November 1862 auf dem Höhepunkt des Verfassungskonflikts nach Bismarcks Berufung gehalten wurde, hatte Lassalle bereits einen ersten Vortrag »Über Verfassungswesen« nach der Märzkrise und der Kabinettsumbildung im April 1862 gehalten.

17 Heeresform und Budgetrecht

Es ist wahr, daß das Abgeordnetenhaus an Creditbewilligungen Bedingungen knüpfen kann und wird. Es wird voraussichtlich die Erhaltung der Landwehr, und gewisse Garantien für den Inhalt des künftigen Organisationsgesetzes beanspruchen. Allein auch diese Bedingungen wird doch die Staatsregierung zuvor abwarten müssen –, abwarten, ob sie etwas Ungesetzliches oder Unmögliches enthalten. Bevor dies mit irgend einem Schein behauptet werden kann, wäre wiederum jene angebliche Unmöglichkeit eine künstlich und geflissentlich gemachte.

Bei allen Verlegenheiten, die der constitutionelle Weg der Staatsregierung irgendwie bereiten kann, wird sie doch immer anerkennen müssen, daß sie selbst diese Lage herbeigeführt hat, daß nach der alten Erfahrung mit den constitutionellen Kammern Europas auf dem Boden der Rechtsanerkennung und der Creditbewilligung salvo iure immer am leichtesten zu verhandeln ist, daß steuerbewilligende Versammlungen sich nun einmal nicht militärisch brüskiren, sondern nur in Güte behandeln lassen, daß der Zustand nur ein interimistischer ist, daß die Regierung selbst zum guten Teil es in der Hand hat ihn abzukürzen, und daß es endlich der verfassungsmäßige Weg ist. Dieser eine Grund begreift zuletzt alle Gründe in sich.

Die Staatsregierung hat uns wiederholt aufgefordert unsere Pflicht zu tun. Wir tun sie. Wir würden das Budgetrecht und den verfassungsmäßigen Anteil an der Gesetzgebung Preis geben, wenn wir anders handelten. Wir würden durch jeden Mittelweg einen verworrenen Zustand nur verworrener, einen widerspruchsvollen Zustand nur widerspruchsvoller machen. Aber eben deshalb dürfen wir erwarten, daß auch die Staatsregierung nach der Verfassung und nach ihrem Eide handeln werde. Die der Staatsregierung von Außen her zukommenden Ratschläge, sie möge eine angebliche »Unmöglichkeit des Budgets« zu Stande bringen, – eine Unmöglichkeit, welche durch künstliche Veranstaltungen und Unterlassungen systematisch gemacht werden soll, – gehört zunächst in das Bereich der gefährlichen Palliative, nach welchen das Übel schnell und in weit schlimmerer Gestalt wiederkehrt. Sie gehören aber auch in das Gebiet der politischen Ränke, welche mit der Verfassungsverletzung enden, statt damit anzufangen, und welche zugleich die moralischen Grundlagen eines Staats untergraben. Ein solcher Versuch wäre des preußischen Namens und des alten sittlichen Verhältnisses zwischen dem preußischen Volk und seinem König nicht würdig.

R. *Gneist*, Die Lage der Preussischen Heeresorganisation am 29. September 1862 nebst einem Zusatz über die Landwehr, Berlin 1862, S. 24f.

18 Siemens' Kritik an der Heeresreform

Wenn nun die Landwehr-Organisation, wie sie vor dem Jahre 1859 bestand und wie sie nach vieler Ansicht wieder hergestellt werden soll, in sich keine einheitliche, außerdem aber für unsere Zeit zum Angriff zu schwerfällig, zur Verteidigung zu langsam ist, so erscheint das Verlangen der Regierung nach einer neuen Heeresverfassung nicht ungerechtfertigt. Es muß im Gegenteil anerkannt werden, daß die Regierung zu einer Modifikation des Bestehenden gewichtige, reine militairische Gründe hatte. Dafür aber, daß man dasselbe ganz aufhob und zu einem System überging, durch welches das stehende Heer, dieser Krebsschaden unserer Zeit, bedeutend vergrößert, das Offiziercorps verdoppelt wurde, welches eine weitere Belastung des Budgets und die Verausgabung von 42 Prozent aller Staatsausgaben für militairische Zwecke bedingte, welches daneben das Heer dem Volk gänzlich zu entfremden drohte, dafür waren wohl politische Gründe maßgebend.

W. *Siemens*, Zur Militairfrage, Ein Vorschlag, Berlin 1862, S. 5

19 Vorbereitung der Heeresreform durch Wilhelm

Diese Schwäche der Truppenkörper bringt die preuß. Infanterie auf den Stand und daher auch in den Zustand, in welchem wir die Bayer., Würtemb., Hannover. Truppen sehen. Zu diesen Truppen hat niemand Vertrauen u. Deutschland erwartet immer von Preußens festgegliederter Armee Schutz und Schirm. Dies Vertrauen muß aber verschwinden, wenn wir in denselben Fehler verfallen, in den jene Staaten durch die Schwächung ihrer Truppen geraten sind. Und warum sind sie in diesen Verfall geraten? Weil die Kammern mit seltener Consequenz auf die fortgesetzte Herabsetzung der Militair-Budgets seit fast 30 Jahren drangen u. dadurch, völlig sich bewußt dessen was sie taten u. was sie wollten, die Präsenz-Stärke der Truppen auf ein Minimum herabdrückten, in denen sich kein kriegerischer Geist, keine Disziplin, keine Anhänglichkeit für Fürst und Dynastie entwickeln konnte, aber nach Ansicht der Kammern auch nicht entwickeln sollte. Kurzum die bewaffnete Macht sollte nicht mehr die der Souverains sein, sondern nach u. nach in die Abhängigkeit der Kammern geraten, sie sollte Parlaments-Armee werden, weshalb auch der erste Ruf bei allen revolutionairen Bewegungen nach der Bürgerwehr erschallt; teils um die Truppen zu kränken, teils um die Bürgerwehr um so sicherer zu revolutionairen Zwecken zu benutzen. (...)

Und diesen Zustand wollen wir uns jetzt in Preußen selbst erziehen? Und dazu sollte das Staatsministerium die Hand bieten? Nimmermehr! (...)

Je fester und entschiedener wir dem Landtage gegenüber auftreten werden, je leichter wird der Sieg sein. Aber aus einem Guß muß unsere Sprache, müssen unsere Handlungen sein; da, wo ich Unerquickliches im eigenen Lager gefunden zu haben glaube, bin ich eingeschritten, da ich nur gewohnt bin, mit offenem Visir zu kämpfen. Der Sieg darf nicht denen bleiben, die durch unverantwortliche Verschleppung uns in voriger Session bekämpften. Die Forderungen und Annahme der Einschränkungen des Finanz-Ministers wäre aber Strecken der Waffen, denn sie brächten uns dahin, wohin uns die Vincke-Stavenhagens haben wollen. Dies aber darf u. kann nicht sein!

Oostende, den 11. August 1860

Der Prinzregent Wilhelm am 11.8.1860 an das Staatsministerium, GStA Dahlem, Rep 92 II, NL Auerswald, Nr. 13

20 Handel und Gewerbe opponieren gegen die Kosten der Heeresreform

In der Vermehrung internationaler Verträge liegt überhaupt ein wesentliches Mittel zur Entwickelung der Produktion und somit der Steuerkraft des Landes. Bezüglich der gegenwärtigen Steuerkraft müssen wir uns aber an dieser Stelle ein freimütiges Wort erlauben, damit eine Illusion zerstört werde, welche in maßgebenden Kreisen obzuwalten scheint. Vor Kurzem fiel in dem hohen Hause der Abgeordneten die Äußerung, daß der Wohlstand des Landes sich in den letzten Jahren gehoben habe. Wir müssen diese Anschauung als entschieden unrichtig bekämpfen. Seit 1857 ist der Wohlstand effektiv zurückgegangen. Wir verweisen auf die Jahresberichte der Handelskammern, welche mitten im praktischen Leben stehen und besser, wie manche andere Behörde, hierüber zu urteilen im Stande sein möchten. Sie lauten fast aus ganz Preußen im entgegengesetzten Sinne. Durch die fortwährende Kriegsfurcht, welche im Handel und Gewerbe keinen Aufschwung zuließ, und durch die stets progressirenden Ansprüche an die Steuerkraft des Landes hat der Wohlstand merklich gelitten. Will man einen höhern Steuerertrag für die Hebung des National-Vermögens geltend machen, so darf nicht vergessen werden, daß dieser das Produkt einer künstlichen Operation bildet. – Neben den ungeheuren Steuerlasten sind der Produktionskraft des Landes in den letzten Jahren abermals 60000 Mann mehr als früher zu Kriegszwecken entzogen worden, welche in ihren besten Jahren nicht nur unproduktiv konsumiren, sondern auch das Land einen erheblichen Teil der Steuerkraft entbehren lassen. Bricht der Krieg los, so könnten wir leicht in den Fall kommen, genug Soldaten, aber nicht die Mittel zu haben, sie zu ernähren. Es scheint uns eine wichtige Pflicht, hierüber offen zu sprechen, auf daß zu rechter Zeit in eine Bahn gelenkt werde, welche uns vor solchem Unglück bewahrt. Besser jetzt, als wenn es zu spät ist. Nicht Engherzigkeit, sondern wahre Liebe zum Vaterland drängt uns zu dieser Erklärung. Daß der Rheinländer im Falle der Not Gut und Blut zu opfern weiß, hat er bewiesen. Nichts ist aber für das Wohl des Landes bedenklicher, als seine Kräfte in Friedenszeiten fortwährend so anzuspannen, daß ihm in außergewöhnlicher Lage nichts mehr zu opfern bleibt.

Eine Reform der Umlage der Steuern scheint uns nicht minder geboten. Auch wir haben unter der Steuerschraube ohne Ende nicht wenig zu leiden. Das Prinzip, negative Beweise von dem Steuerpflichtigen zu verlangen, nachdem man ihn ohne eingehende Kenntniß seiner Verhältnisse über Gebühr abgeschätzt hat, ist gefährlich. Der Handel- und Gewerbetreibende wird dadurch den Einschätzungs-Kommissionen gebunden überliefert; er wird sich selbst bei zu hoher Veranschlagung nimmer dazu verstehen, seine Bücher offen zu legen, da ihm hierdurch sein Kredit gefährdet und die erste Lebensbedingung seines Geschäftes abgeschnitten werden kann.

Leider ist unser im letzten Berichte ausgesprochener Wunsch auf eine Ausgleichung der Einquartierungslast bis jetzt nicht in Erfüllung gegangen, ebensowenig eine Ausgleichung der Grundsteuer mit den östlichsten Provinzen ins Leben getreten.

Wollten Exzellenz auch nach dieser Richtung hin die Interessen des Handels und der Gewerbe zu wahren trachten; denn auf dem Gewerbe bleiben schließlich alle Lasten ruhen, da der Gewerbetreibende an den häuslichen Herd gebunden ist. In unserer Provinz sind schon viele wohlhabende unabhängige Leute der übermäßigen Steuern wegen ausgewandert.

Jahresbericht 1860 der Handelskammer Düsseldorf, Preussisches Handelsarchiv, 1861, 2, S. 348

21 Twesten sieht die Möglichkeit eines Kompromisses

Wir wissen die schwierige Stellung der Abgeordneten den Militärvorlagen gegenüber vollkommen zu würdigen. Wir sprechen nicht von den Rücksichten auf die Krone, auf die Minister, auf die Partei, wir sprechen nur von der Sache selbst. Gesprächsweise wird wohl hin und wieder ein radicales Ablehnen auf jede Gefahr hin verlangt. Davon konnte und kann unseres Erachtens im Ernste nicht die Rede sein. Wer möchte die Verantwortlichkeit übernehmen, in jetziger Zeit die Mittel zu verstärkten Kriegsrüstungen zu versagen? und wo wäre die Macht, einen anderen Plan an die Stelle dessen zu setzen, für den sich die Regierung entschieden hat? dessenungeachtet können wir uns mit dem Verfahren des Hauses keineswegs zufrieden geben. Die Majorität hielt die Vorlagen, wie sie waren, für verderblich, für unannehmbar. Ihre Mitglieder sprachen sich sehr unzweideutig darüber aus. Und dennoch setzte man die unbeschränkte Durchführung derselben in's Werk. Herr Kühne und Herr v. Vincke, die den Vergleich der provisorischen Bewilligung herbeiführten, wußten so gut, wie wir es wußten, also sehr genau, was erfolgen mußte und erfolgt ist. Das Geld war nicht zu augenblicklicher Kriegsbereitschaft, sondern zur Reorganisation der Armee gefordert. Herr v. Roon machte gar kein Hehl daraus, sondern begann unter den Augen der Kammer die neuen Einrichtungen, die unmöglich rückgängig zu machen sind. Nachdem die neuen Regimenter errichtet, die Offiziere ernannt worden, läßt sich nichts mehr daran ändern. Man kann nicht jedes Jahr eine Umformung der Armee vornehmen. Damals hatte die Kammer es in ihrer Gewalt, Einschränkungen und Bedingungen durchzusetzen, welche die Sache auch für diejenigen annehmbar machen konnten, die bei freier Wahl einem anderen Plane den Vorzug gegeben hätten. In der jetzigen Lage ist es weit schwieriger, und bei der vorgerückten Zeit der Session kaum noch denkbar, etwas Erhebliches zu erreichen. Man kann einzelne Posten streichen oder ermäßigen. Im Ganzen wird und muß man wieder provisorisch bewilligen. Nur definitiv darf die Kammer den jetzigen Umfang und die jetzigen Kosten der Armee nicht werden lassen. Sie muß die Macht in der Hand behalten und der künftigen Volksvertretung reserviren.

C. *Twesten*, Was uns noch retten kann, Ein Wort ohne Umschweife, Berlin 1861, S. 83 f.

3 *Ministerverantwortlichkeit*

22 Entwurf eines Gesetzes über die Verantwortlichkeit der Minister

Regierungsvorlage
Abschnitt I.
Strafrechtliche Verantwortlichkeit der Minister.
§ 1
Die Minister können wegen Verfassungsverletzung angeklagt werden.
§ 2
Eine Verfassungsverletzung wird von einem Minister begangen, wenn sich derselbe in Verwaltung seines Amtes durch Handlungen oder Unterlassungen eines Eingriffes in die durch die Verfassungsurkunde gewährleisteten Rechte unter Zuwiderhandlung gegen ausdrückliche Gesetzes-Vorschriften, vorsätzlich und mit dem Bewußtsein der Verfassungswidrigkeit schuldig macht (...)

Beschlüsse der Kommission
Wir, Wilhelm, von Gottes Gnaden König von Preußen,
verordnen mit Zustimmung beider Häuser des Landtages Unserer Monarchie, was folgt:
Abschnitt I.
Strafrechtliche Verantwortlichkeit der Minister.
§ 1
Die Minister können wegen Verfassungs-Verletzung angeklagt werden.
§ 2
Eine Verfassungs-Verletzung wird von einem Minister begangen, wenn sich derselbe in Verwaltung seines Amtes durch Handlungen oder Unterlassungen eines Eingriffs in die durch die Verfassungs-Urkunde gewährleisteten Rechte, mit dem Bewußtsein der Verfassungswidrigkeit schuldig macht. (...)

Preuß. Abgeordnetenhaus, Session 1861/62, ZStA II Merseburg, Rep. 169 C, Abschn. 66

23 Votum des Justiz- Ministers von Bernuth vom 2.10.1861, ein Gesetz über die Verantwortlichkeit der Minister betreffend

Dem Königlichen Staats-Ministerium vorzulegen.
Mittelst Votums vom 23. Oktober 1860 hat mein Herr Amtsvorgänger dem Königlichen Staats-Ministerium einen Gesetz-Entwurf über die Verantwortlichkeit der Minister vorgelegt.

Nachdem derselbe einer wiederholten schriftlichen und mündlichen Abstimmung unterworfen worden war, ist er in der schließlich angenommenen Fassung Seiner Majestät dem Könige überreicht, und in der am 12. Januar d. J. Allerhöchst abgehaltenen Conseilsitzung einer umfassenden Beratung unterworfen worden.

Bei dieser nahmen des Königs Majestät Anstand, dem Gesetz-Entwurfe, in der vorgelegten Fassung, zuzustimmen, behielten Sich vielmehr Allerhöchst Ihre Entschließung über die vom Staats-Ministerium einstimmig befürwortete Vorlegung desselben an den Landtag vor, und es ist demgemäß diese Vorlegung in der verflossenen Diät unterblieben.

Dagegen ergriff das Abgeordnetenhaus die Initiative in der Sache, indem aus seinem Schoße zwei Anträge hervorgingen, welche dieselbe in Anregung brachten. (...)

Wie das über die Conseilberatung aufgenommene Protokoll ergiebt, nahm unter den Bedenken, welche des Königs Majestät gegen den Erlaß eines Ministerverantwortlichkeits-Gesetzes überhaupt hegten, dasjenige eine vorzugsweise Stelle ein, welches aus dem landesherrlichen Begnadigungsrechte hergeleitet wurde. Nach Artikel 49 der Verfassungs-Urkunde kann das dem Könige sonst unbeschränkt zustehende Recht der »Begnadigung und Strafmilderung« zu Gunsten eines »wegen seiner Amtshandlungen verurteilten Ministers« nur auf Antrag derjenigen Kammer ausgeübt werden, »von welcher die Anklage ausgegangen ist.«

Nach dem Erlaß eines Ministerverantwortlichkeits-Gesetzes würde somit der Landesherr – verfassungsmäßig – einen wegen »Verfassungsverletzung«, »Bestechung« oder »Verrates« verurteilten Minister nicht aus eigener Bewegung und aus Königlicher Machtvollkommenheit, sondern nur auf Antrag des Landtages der Monarchie begnadigen können, und diese Schmälerung des landesherrlichen Begnadigungsrechtes ist es, an welcher Seine Majestät Anstoß genommen haben. Allerhöchstdieselben haben demzufolge darauf hingewiesen, daß zum Zwecke des Erlasses eines Ministerverantwortlichkeits-Gesetzes diejenige Bestimmung, welche »die Begnadigung dem Könige entziehe und dem allgemeinen Landtage zuweise«, gestrichen werden müsse, und es würde somit, um dieser Allerhöchsten Intention zu entsprechen, einer Abänderung des angezogenen Artikels 49 der Verfassungs-Urkunde bedürfen. (...)

Demgemäß würde sich, um einerseits den Allerhöchsten Intentionen zu entsprechen, und um andererseits nicht über das Maß des hierzu Notwendigen hinauszugehen, der Vorschlag darauf beschränken können:

> »daß dem Landesherrn das unbedingte Begnadigungs- und Strafmilderungsrecht in Bezug auf die gegen einen verurteilten Minister erkannten Strafen des gemeinen Rechtes zurückgegeben«,

dem Landtage dagegen das mindere Recht reserviert würde,

> »die Begnadigung von seinem Antrage abhängig sein zu lassen, in so weit es sich um den Verlust des Minister-Amtes und die Fähigkeit zur abermaligen Bekleidung eines solchen handele.«

Eine derartige Schmälerung des der Landesvertretung jetzt verfassungsmäßig beiwohnenden größeren Rechtes würde sich, meines ergebensten Dafürhaltens, durch die Erwägung rechtfertigen lassen, daß die Landesvertretung nur dabei ein politisches Interesse habe, daß ein wegen seiner Amtshandlungen zum Amtsverluste verurteilter Minister nicht wieder ohne ihren Antrag, im Gnadenwege, in das ihm aberkannte oder in ein anderes Minister-Amt eingesetzt werde, wogegen kein politisches Interesse vorliege, in der Verkürzung des sonst unbeschränkten landesherrlichen Begnadigungsrechtes noch weiter zu gehen, und die Gnade in Bezug auf die – so zu sagen – nicht politischen Strafübel gleichfalls von ihrem Antrage abhängig zu machen.

GStA Dahlem, Rep. 90, Nr. 183

24 Votum des Kriegs-Ministers v. Roon vom 1.12.1862 über ein Gesetz zur Ministerverantwortlichkeit

In meinem Votum vom 7ten November 1860 habe ich mich dahin geäußert:

daß von der Vorlage eines Gesetzes über die Ministerverantwortlichkeit zur Zeit noch abzuraten sei,

und zwar aus den vom Herrn Justiz-Minister Simons in dem Votum vom 23sten Oktober 1860 für diese Auffassung geltend gemachten Gründen.

Ich kann bei dieser Ansicht auch jetzt nur stehen bleiben, und finde in den Ereignissen der inzwischen verflossenen zwei Jahre nur neue Gründe für dieselbe.

Das Ministerverantwortlichkeitsgesetz, welches die wirksamste Garantie für die Aufrechterhaltung der Rechte des Landtages resp. der Untertanen bezweckt, ist vermöge dieses Inhalts dazu bestimmt, den Schlußstein in dem s. g. Verfassungsausbau zu bilden.

Dieser »Ausbau« ist noch nicht vollendet. Wichtige Bestimmungen der Verfassungsurkunde, wie über den Unterricht, das Patronat, das so außerordentlich wichtige Gemeindewesen, die Diäten der Abgeordneten sind noch unausgeführt, oder werden sich in der von der Verfassungsurkunde gegebenen Richtung als unausführbar erweisen. Die Erfahrungen der letzten zwei Jahre schieben die Wahrscheinlichkeit einer Vereinigung über diese Gesetze vorläufig in ungewisse Ferne.

In anderen Bestimmungen ermangelt die Verfassungs-Urkunde der klaren und unzweifelhaften Fassung, sowohl hinsichtlich des materiellen Inhalts als hinsichtlich der formalen Disposition über die Kompetenz zu deren Auslegung. Die Erfahrungen der letzten Jahre bestätigen dies z. B. hinsichtlich der Ausdehnung der Rechte der Juden, aber auch bei den allerwichtigsten und für die gedeihliche Entwicklung des ganzen Staatslebens folgereichsten Materien, wie hinsichtlich der Festsetzung des Budgets und der Kompetenz der beiden Häuser sowie der Krone hierbei, hinsichtlich der Verhältnisse der evangelischen Kirche. u.s.w.

Unter diesen Umständen erscheint es mir sehr bedenklich, eine Institution zu gründen »zum Schutze der Verfassung«, welche ihrem Inhalte nach unvollständig oder unklar ist, oder »zum Schutze der gewährleisteten Rechte«, deren Umfang noch der allerverschiedensten Auslegung seitens der öffentlichen Gewalten unterliegt.

GStA Dahlem, Rep. 90, Nr. 183

4 *Redefreiheit*

25 Antrag des Herrenhauses 1865, gegen Abgeordnete vorzugehen.

Das Herrenhaus wolle beschließen, (...)

die Königliche Staats-Regierung zu ersuchen:
innerhalb der Grenzen der bestehenden Gesetze Vorsorge zu treffen, daß Injurien, Verleumdungen und andere verbrecherische Äußerungen auch dann den allgemeinen Strafgesetzen unterworfen bleiben, wenn sie von einem Mitgliede der Häuser des Landtages bei einer Beratung in denselben ausgehen.

Motive.

Es kann das Bedürfniß einer Aktion der Gesetzgebung zur Zeit nicht anerkannt werden, da in der Verfassung eine Straflosigkeit für vorgedachte Fälle nicht ausgesprochen ist.

Berlin, den 10. Juni 1865

Herrenhaus, Sitz.periode 1865, Drucksache Nr. 121

26 Immunität der Abgeordneten. Antrag der Fortschrittspartei im Abgeordnetenhaus vom 1.2.1866.

Das Haus der Abgeordneten wolle beschließen zu erklären:

In Erwägung, daß die gerichtliche Verfolgung der Abgeordneten Twesten und Frentzel wegen Reden, die sie im Abgeordnetenhause gehalten haben, von der Staats-Anwaltschaft beantragt, von den Gerichten erster und zweiter Instanz zwar abgelehnt, von dem Strafsenate des Obertribunals aber zugelassen ist, im Widerspruche mit entgegenstehenden Entscheidungen dieser Behörde aus den Jahren 1853 und 1865.

In Erwägung, daß der Art. 84. der Verfassung anordnet:

Sie (die Mitglieder beider Kammern) können für ihre Abstimmungen in der Kammer niemals, für ihre darin ausgesprochenen Meinungen nur innerhalb der Kammer auf dem Grund der Geschäfts-Ordnung (Art. 78.) zur Rechenschaft gezogen werden;

In Erwägung, daß hierdurch zum Schutze der für die Wirksamkeit des Landtags unentbehrlichen Redefreiheit jeder Behörde außerhalb des Landtags irgend eine Befugnis, wegen Reden der Landtags-Mitglieder gegen dieselben einzuschreiten, unzweideutig abgeschnitten ist; daß folglich der Staats-Anwaltschaft und den Gerichten keine Ausdeutung, keine Zensur des Inhalts der Reden der Volksvertreter zusteht;

In Erwägung, daß jeder Angriff dieser Art das Verfassungsleben in seinen Wurzeln untergräbt;

erklärt das Haus der Abgeordneten:

1) Der Antrag der Staats-Anwaltschaft auf gerichtliche Verfolgung der Abgeordneten Twesten und Frentzel wegen ihrer Reden im Abgeordnetenhause, sowie die Zulassung dieses Antrages von Seiten des Strafsenates des höchsten Gerichtshofes enthalten eine Überschreitung der amtlichen Befugnisse der Staats-Anwaltschaft und der Gerichte und einen, den Art. 84. der Verfassung verletzenden Eingriff in die Rechte des Abgeordnetenhauses;

2) Das Haus der Abgeordneten erhebt zur Wahrung seiner Rechte und der Rechte des nach Art. 83. der Verfassung von ihm vertretenen ganzen Volkes Protest gegen diesen Eingriff und gegen die Rechtsgültigkeit eines jeden Verfahrens und jeder Verurteilung, welche in Folge dieses Antrages und ähnlicher Anträge der Staats-Anwaltschaft gegen seine Mitglieder ergehen möchten.

Berlin, den 1. Februar 1866.

Preuß. Abgeordnetenhaus, 8. Leg.periode, III. Session 1866, Drucksache Nr. 33

27 Antrag der Altliberalen Mommsen, Dahlmann u. a. vom 8.2.1866

In Erwägung, daß die Zusammensetzung der Senate dieses Gerichtshofes sowie die Berufung der Hilfsrichter vom Justiz-Minister abhängt, der Straf-Senat gegenwärtig auch durch zwei Hilfsrichter ergänzt ist, beschließt das Haus der Abgeordneten:

1) das Haus der Abgeordneten erhebt zur Wahrung seiner Rechte und der Rechte des von ihm vertretenen ganzen Volkes Protest gegen jeden Eingriff in das ihm durch Art. 84. gewährleistete Recht der unbeschränkten Redefreiheit;
2) das Unternehmen des Justiz-Ministers durch eine – der Verfassung widersprechende – Entscheidung des obersten Gerichtshofes, die Bestrafung der Abgeordneten Twesten und Frentzel wegen ihrer Reden im Abgeordnetenhause herbeizuführen, enthält eine Verfassungs-Verletzung;
3) der Justiz-Minister bleibt wegen dieses Eingriffs in die verfassungsmäßigen Privilegien der Volksvertretung und für dessen Folgen mit seiner Person verantwortlich. Art. 44. und 61. der Verfassung.

Preuß. Abgeordnetenhaus, 8. Leg.periode, III. Session 1866, Drucksache Nr. 48

28 Immunität

Antrag.

Lasker[1]. Das Haus der Abgeordneten wolle beschließen, dem nachfolgenden Gesetz-Entwurf die verfassungsmäßige Zustimmung zu erteilen:

Gesetz.
betreffend
die Deklaration des Artikels 84. der Verfasungs-Urkunde
vom 31. Januar 1850

Wir Wilhelm von Gottes Gnaden, König von Preußen etc. verordnen unter Zustimmung der beiden Häuser des Landtages, was folgt:

In Gemäßheit des Artikels 84. der Verfassungs-Urkunde vom 31. Januar 1850 darf kein Mitglied des Landtages wegen seiner Abstimmung, oder wegen der in Ausübung seines Berufes getanen Äußerungen gerichtlich oder disziplinarisch verfolgt oder sonst außerhalb der Versammlung desjenigen Hauses, zu welchem es als Mitglied gehört, zur Verantwortung gezogen werden.

Berlin, den 20. November 1867.

Preuß. Abgeordnetenhaus, 10. Leg.periode, I. Session 1867

1 Eduard Lasker (1829–1884) war Jurist; er gehörte 1865 bis 1879 dem preuß. Abgeordnetenhaus, 1867 bis 1883 dem Reichstag an. Zunächst Mitglied der Fortschrittspartei, war er 1866 Mitbegründer der nationalliberalen Partei. An der liberalen Wirtschaftsgesetzgebung (Gewerbeordnung), an der preuß. Kreisordnung (1872) und an den Reichsjustizgesetzen (1876) hatte Lasker großen Anteil. Er geriet wiederholt in scharfen Gegensatz zu Bis-

marck, der zum Bruch führte, als Lasker 1878 das Sozialistengesetz und 1879 die Schutzzollpolitik Bismarcks schroff bekämpfte. 1880 trennte er sich von den Nationalliberalen.

5 *Rechte des Parlamentspräsidenten*

29 Zusammenstoß des Parlamentspräsidenten mit dem Kriegsminister

In der Sitzung des Abgeordnetenhauses vom 11. Mai 1863 hatte sich nach dem Schlusse einer Rede des Abgeordneten von Sybel dem stenographischen Berichte zufolge, folgende Debatte entsponnen, welche zu dem vorstehenden Saatsministerialerlass die Veranlassung gab:

Kriegs-Minister v. Roon: Es war nicht meine Absicht, mich an der General-Debatte weiter zu beteiligen, als es mir etwa geboten erschiene in Folge von Äusserungen der Herren, die auf der Tribüne sich über diese Materie zu äussern hatten. Ich habe aber heute schon das dritte Mal Veranlassung, anzuerkennen, dass noch eine andere zwingende Notwendigkeit mich nötigen kann, das Wort zu ergreifen. Das ist vor allen Dingen die persönliche Färbung, welche der Debatte durch mehrere der heutigen und auch durch einen der Redner von vorgestern gegeben worden ist, welcher Letztere in meiner Abwesenheit gesprochen hat. Meine Herren, ich bezweifle ganz und gar nicht, dass die Mehrzahl derjenigen Herren, die von Verfassungsbruch sprechen, auch wirklich überzeugt sind, dass wirklich eine Verfassungsverletzung stattgefunden hat. (Unruhe und Zischen links.) Ich muss aber bemerken: Wenn Äusserungen, wie sie hier gemacht worden sind:

»Die Verfassung ist verletzt. Dieses Ministerium hat die Verfassung verletzt,« oder wenn, wie der letzte Herr Vorredner für gut befunden, mir die Berechtigung, zum Patriotismus zu ermahnen, um deswillen abgesprochen wird, weil ich den Unfrieden, oder wie er sich sonst ausdrückte, in das Land geschleudert habe, wenn dergleichen persönliche Äusserungen gegen das Ministerium oder gegen eines seiner Mitglieder erhoben werden, so ist das nach meiner Auffassung eine ganz unberechtigte Anmassung. (Einzelne Bravo rechts und Unruhe.)

Vize-Präsident von Bockum-Dolffs: Ich muss den Herrn Kriegs-Minister unterbrechen.

Kriegs-Minister v. Roon: Ich bitte mich nicht zu unterbrechen.

Vize-Präsident v. Bockum-Dolffs (unter Schellen mit der Glocke): Ich habe zu sprechen und ich unterbreche den Herrn Kriegs-Minister.

Kriegs-Minister v. Roon: Ich muss um Verzeihung bitten, ich habe das Wort und werde es nicht fortgeben. (Glocke des Präsidenten.) Ich habe das Wort, das steht mir nach der Verfassung zu und keine Schelle und kein Winken und keine

Unterbrechung...... (Glocke des Präsidenten. Ruf: »Zur Ordnung!« und »Schweigen!« und grosse Unruhe.)

Vize-Präsident v. Bockum-Dolffs: Wenn ich den Herrn Kriegs-Minister zu unterbrechen habe, so hat er zu schweigen. (Stimmen rechts Oh! Oh! Lebhaftes Bravo von links.) und zu dem Ende bediene ich mich der Glocke, und wenn der Minister dem nicht Folge geben sollte, so verlange ich jetzt, mir meinen Hut zu bringen.

Kriegs-Minister v. Roon: Ich habe gar nichts dagegen, wenn der Herr Präsident seinen Hut (Viele Stimmen links: »Schweigen.«) sich bringen lassen will; ich muss aber bemerken...... (Grosse Unruhe und laute Zurufe von links.) Meine Herren, 350 Stimmen sind lauter als eine. Ich verlange mein constitutionelles Recht. Ich kann sprechen nach der Verfassung, wenn ich will, und es hat Niemand das Recht, mich zu unterbrechen.

Vize-Präsident v. Bockum-Dolffs (unter wiederholten Zeichen mit der Glocke): Ich unterbreche den Herrn Kriegs-Minister. Wenn der Präsident spricht, so hat hier Jeder zu schweigen, und Jeder, der hier im Hause ist, sei es hier unten, sei es auf den Tribünen, er hat dem Präsidenten Folge zu geben, und wenn hier wirklich Etwas vorgekommen wäre, was gegen die Ordnung des Hauses verstossen hätte, so würde es meine Sache gewesen sein, das zu rügen. Ich habe das nicht getan, denn der Herr Vorredner hat sich in seinem Rechte befunden (Bravo! Links. Zischen rechts.) Jetzt erteile ich dem Herrn Kriegs-Minister das Wort.

Kriegs-Minister von Roon: Ich muss bemerken, dass ich wiederholt protestire gegen das Recht, welches der Herr Präsident sich der Königlichen Regierung gegenüber nimmt. Ich meine, die Befugniss des Herrn Präsidenten geht, wie schon bei einer früheren Gelegenheit gesagt worden ist, bis an diesen Tisch und nicht weiter! (Heftiger Widerspruch links, und Zischen rechts. Grosse Unruhe. Der Vize-Präsident v. Bockum-Dolffs bedeckt sein Haupt, und alle Mitglieder erheben sich, links unter lebhaftem Bravo!)

Vize-Präsident v. Bockum-Dolffs: Das heisst, die Sitzung ist für eine Stunde vertagt, meine Herren.

(Vertagung der Sitzung um 12 Uhr 50 Minuten. – Die Sitzung wird um 1 Uhr 55 Minuten durch den Vize-Präsidenten v. Bockum-Dolffs wieder eröffnet.)

Vize-Präsident v. Bockum-Dolffs: Die Sitzung ist wieder eröffnet. Ich würde dem Herrn Kriegs-Minister das Wort zu erteilen haben, da ich ihn aber nicht auf seinem Platze sehe, so erteile ich das Wort gegen den Antrag der Commission dem Herrn Abgeordneten Freiherrn von Vincke (Stargard).

Später tritt der Regierungscommissär, Herr Oberst v. Bose ein und erklärt, »dass die Herren Minister verhindert sind, der heutigen Sitzung ferner beizuwohnen.«

Reaktion der Regierung

Berlin, den 11. Mai 1863

In der heutigen Sitzung hat der mitunterzeichnete Kriegs-Minister sich genötigt gesehen, persönlich verletzende Äusserungen einzelner Mitglieder des Hauses der Abgeordneten, nachdem dieselben von dem Präsidium nicht gerügt worden waren, seinerseits zurückzuweisen. Er ist dabei vom Präsidentenstuhle aus unterbrochen worden. Seine Bitte, ihn nicht zu unterbrechen, und seine Berufung auf das verfassungsmässige Recht der Minister haben kein Gehör gefunden; es ist ihm sogar vom Präsidentenstuhle aus Schweigen geboten worden. Die Sitzung wurde demnächst vertagt. Das Staats-Ministerium glaubt dieses Verfahren des Präsidiums seiner prinzipiellen Bedeutung wegen zum Gegenstande einer Erörterung machen zu sollen. Nach Art. 60 der Verfassungs-Urkunde müssen die Minister auf ihr Verlangen zu jeder Zeit gehört werden. Jede Kammer kann die Gegenwart der Minister verlangen. Nach den Art. 78 und 84 regelt jede Kammer ihren Geschäftsgang und ihre Disziplin durch eine Geschäfts-Ordnung und können die Mitglieder der Kammern für ihre ausgesprochenen Meinungen nur innerhalb der Kammer auf Grund der Geschäfts-Ordnung zur Rechenschaft gezogen werden. Diese Bestimmungen der Verfassungs-Urkunde – und sie sind die einzig massgebenden – unterwerfen nur die Häuser des Landtags der durch ihre Geschäfts-Ordnung geregelten Disziplin, stellen die strenge Handhabung derselben aber auch in Aussicht, indem sie im Hinblick auf diese die Anwendung der allgemeinen Strafgesetze auf etwaige ungesetzliche Äusserungen der Abgeordneten ausschliessen. Den Ministern steht das gleiche Privilegium nicht zur Seite; dagegen sind sie auch der Disziplin des Hauses durch keine Bestimmung unterworfen.

Das Staats-Ministerium muss sich vielmehr der Teilnahme an den Beratungen des Abgeordnetenhauses so lange enthalten, bis ihm durch das Präsidium die hierdurch erbetene Erklärung zugeht, dass eine Wiederholung des heutigen, der gesetzlichen Begründung entbehrenden Verfahrens gegen ein Mitglied des Staats-Ministeriums nicht in Aussicht steht.

Erwiderung des Abgeordnetenhauses

In der Sitzung des Abgeordnetenhauses vom 15. Mai 1863 wurde der nachstehende Antrag der Geschäftsordnungs-Commission, welcher das Schreiben des Staatsministeriums vom 11. desselben Monats zur Berichterstattung überwiesen worden war, in namentlicher Abstimmung zum Beschlusse erhoben:

Das Haus der Abgeordneten wolle beschliessen zu erklären:

1) dass der Präsident vermöge des ihm allein zustehenden Rechts, die Verhandlungen zu leiten und die Ordnung im Hause aufrecht zu erhalten – Art. 78 der Verfassungs-Urkunde, §. 11 der Geschäfts-Ordnung – jeden Redner – auch die Minister und deren Vertreter – unterbrechen kann;
2) dass durch eine solche Unterbrechung das verfassungsmässige Recht der Minister, zu jeder Zeit gehört zu werden, nicht beeinträchtigt wird.

Das Staatsarchiv, hrsg. v. L. K. *Aegidi* und A. *Klauhold*, Hamburg 1863, S. 273ff.

Kritik Friedrich Engels'

Was sagst Du zu den Braven in Berlin, die zu dem Schluß gekommen sind, daß es fraglich ist, ob ihr Präsident den Minister zur Ordnung rufen darf, wenn der Minister sagt, die ganze Kammer könne ihn kreuzweis usw. Nie hat ein Parlament doch mit größerer Geduld, und mehr zur Unzeit, den Satz festgehalten, daß die bürgerliche Opposition in ihrem Kampf mit Absolutismus und Junkerkamarilla verpflichtet sei, Fußtritte hinzunehmen. Das sind genau wieder unsre alten Freunde von 1848. Indes sind diesmal doch die Zeiten anders angetan.

F. Engels an K. Marx am 20.5.1863, in: *Marx Engels* Werke (MEW), 30, Berlin 1964, S. 347

6 *Herrenhausreform*

30 Herrenhaus

Das Herrenhaus ist eine Parteischöpfung, wie es keine zweite in Europa gibt. Im Mittelalter konzentrierten sich bei der Grundaristokratie fast ausschließlich die Elemente der nationalen Macht, der Besitz und die Bildung, und dem entsprechend ruhte in ihren Händen alle weltliche Gewalt. Seitdem das bewegliche Vermögen neben dem Grundeigentum in die Höhe gekommen, hat sich das geändert. Der Anteil der Aristokratie am Grundbesitz bildet nur noch einen geringen Bruchteil des Nationalvermögens, wie sie einen geringen Bruchteil in den gebildeten Klassen der Völker ausmacht. Und da sie das gesellschaftliche Übergewicht, welches Reichtum und Bildung verleihen, nicht mehr hat, kann ihr das naturgemäß damit verbundene politische Übergewicht nur durch willkürliche und künstliche Mittel erhalten werden. Die Hauptsache dabei ist freilich, daß sie die ausschließliche Umgebung der Fürsten bildet und dadurch in den Stand gesetzt wird, nicht nur am Hofe, sondern auch in allen Zweigen der Verwaltung, der Diplomatie und der Armee die einflußreichsten Stellen einzunehmen. Dieses höchste Vorrecht befähigt sie, auch ihre geringeren Vorrechte gegen die sonstige Lage der Umstände zu behaupten. In Preußen ist ihr dies mit einem Glücke gelungen, von welchem man freilich bei den ökonomisch und politisch mehr vorgeschrittenen und darum mächtigeren Nationen, bei Engländern und Franzosen, keinen Begriff mehr hat.

C. *Twesten,* Was uns noch retten kann, S. 70f.

31 Sybel zur Reform des Herrenhauses und über die Feudalpartei

Heinrich v. Sybel[1] an Max Duncker[2]

Im allgemeinen stand es in den letzten Zeiten doch so, daß die liberalen Minister keinen rechten Einfluß mehr an höchster Stelle hatten, daß sie, um den Rest ihrer Stellung zu behaupten, allerlei Konzessionen machten, welche mit ihren Prinzipien nur mittelmäßig stimmten, daß sie entfernt nicht daran denken konnten, mit der Feudalpartei in gebührender Weise abzurechnen, daß sie mit einem Worte bei dem Könige keine eigene Meinung mehr hatten. (...)

Sollte es jetzt nicht möglich sein, daß von diesem Punkt aus die liberalen Minister eine Mehrheit aus den liberalen Fraktionen um sich ralliierten, so daß sie dem Könige erklären könnten, sie hätten jetzt die Entscheidung in der Hand, sie seien in dem Fall, das Armeebudget wenigsten für die nächsten Jahre zu erwirken und Preußen gegen den Bundestag zu wappnen, sie könnten es und niemand anders, aber nur unter der Voraussetzung, daß die Krone völlig mit den Feudalen breche, deren wachsender Einfluß bisher die Regierung in der Kammer und Preußen in Deutschland diskreditiert habe, ohne deren Beseitigung weder an eine Mehrheit in der Kammer, noch an einen moralischen Einfluß in Deutschland zu denken wäre? Unter »Bruch mit den Feudalen« verstehe ich Reform des Herrenhauses oder noch besser Modifikation des Ministeriums. Jetzt, wo sich für den König wieder ein eigenes wichtiges Interesse an liberaler Politik aufdrängt, müßten sowohl die liberalen Minister, als die Fraktion Grabow völlig kategorisch sein, bereit zu jedem Schritt im monarchischen Sinne (Heerwesen, Oberrechnungskammer), aber unerbittlich in der Polemik gegen die feudale Partei. Es steht in der Tat so, daß ich jedes Vorgehen in der deutschen Sache ohne vorausgegangenen Bruch mit der Feudalpartei für eine verblendete Tollkühnheit, für ein frevelhaft leichtsinniges Spielen mit dem Feuer, für den Anfang der traurigsten Niederlage halten müßte ... Kann Auerswald nicht jetzt den Bruch mit den Feudalen durchsetzen, so gestehe ich in vollem Ernste, daß sofortiges Nachgeben vor einer schlimmen Verwicklung oder, daß mir die sofortige Bildung eines feudalen Konseil das ganz Erwünschte wäre. Der jetzige Zustand, der nicht Fisch noch Fleisch ist, scheint mir die allerschlimmsten Gefahren in sich zu schließen, allmähliches und nutzloses Verbrauchen der liberalen Minister, Zersplitterung und Demoralisation der liberalen Partei und gänzliche Isolierung Preußens in Deutschland.

H. v. Sybel an M. Duncker, Bonn, den 11. 2. 1862, in: M. *Duncker*, Politischer Briefwechsel aus seinem Nachlaß, hrsg. v. J. *Schultze*, Stuttgart 1923, S. 313f.

1 Heinrich v. Sybel (1817-1895) war Historiker, Prof. in Bonn, 1862-64 altliberales Mitglied des preuß. Abgeordnetenhauses, 1867 nationalliberaler Abgeordneter im norddeutschen Reichstag.

2 Max Duncker (1811-1886) war Altliberaler, 1852-58 Prof. in Tübingen, 1859 Hilfsarbeiter im preuß. Staatsministerium, 1861 Vortragender Rat beim Kronprinzen.

32 »Sind die Mitglieder des Herrenhauses Volksvertreter?«

Der Präsident Grabow bezeichnet in seiner Rede bei Eröffnung des Landtags das Abgeordnetenhaus als »die alleinige, aus allgemeinen Wahlen hervorgegangene, wahre Vertretung des preußischen Volkes«. Dagegen sagt Herr v. Bismarck bei der Adreß-Debatte:

»Nach der Verfassung ist die Volksvertretung bei beiden Häusern des Landtags; die Verfassung macht zwischen beiden keinen Unterschied. In dieser Beziehung heißt es im Art. 83: ›Die Mitglieder beider Häuser des Landtages sind Vertreter des ganzen Volkes‹. Der Umstand, daß das Abgeordnetenhaus aus einer Wahl hervorgeht, giebt demselben nach der Verfassung kein höheres Recht als dem Herrenhause«.

Und ebenso erklärt das Herrenhaus selbst in seiner Adresse an den König, daß – »nach Artikel 83 der Verfassung nicht ein Haus allein, sondern beide das ganze Volk vertreten«.

Wahrscheinlich ist es diese Tatsache, die zu der vorliegenden Frage Anlaß gegeben: ob das Herrenhaus als eine Volksvertretung anzusehen sei? –

Lassen wir vorerst den angezogenen Verfassungsartikel ganz aus dem Spiele; betrachten wir die Frage lediglich vom Standpunkte des gesunden Menschenverstandes!

»Vertreter« nennt man den, welcher eines Anderen Stelle vertritt, für einen Anderen handelt, dessen Gerechtsame wahrnimmt.

Die Vertretung kann eine bloß tatsächliche sein oder – eine rechtliche.

Daß das Herrenhaus keine tatsächliche Vertretung des preußischen Volkes ist, darüber, meine Herren! brauche ich – Ihnen gegenüber – wohl kaum ein Wort zu verlieren. Sie kennen die Geschichte der letzten acht Jahre – so lange ungefähr besteht das jetzige Herrenhaus – ;Sie wissen nur zu gut, daß dieses Haus – weit entfernt, den Wünschen des Volkes gerecht zu werden, gerade den Widerstand gegen den Volkswillen für seine Aufgabe hält.

Was die rechtliche Vertretung betrifft, so sind zwei Fälle zu unterscheiden: es kann dieselbe entweder mit Zustimmung, im Auftrage der zu vertretenden Person erfolgen – oder ohne diese Zustimmung, auf Grund allgemeiner Gesetzesvorschriften. Der letztere Fall findet natürlich nur dann statt, wenn der zu vertretenden Person der eigene vernünftige Wille abgeht. So ist z.B. der Vater rechtlicher Vertreter seines unmündigen Sohnes, der Vormund Vertreter seines Mündels. Für einen mündigen, dispositionsfähigen Menschen dagegen giebt es keine andere rechtliche Vertretung als eine solche, zu welcher er selbst ausdrückliche Vollmacht erteilt hat.

Wenden Sie das Gesagte auf das staatliche Leben an, und die Antwort auf unsere Frage ergiebt sich von selbst. Ein ungebildetes, noch unmündiges Volk mag immerhin durch eine Staatsgewalt – gleichviel, welcher Art ihr Ursprung sei, – beherrscht und vertreten werden. Hat sich aber im Volke ein einheitliches Selbstbewußtsein, ein klar bewußter Gesamtwille entwickelt, – ist ein Volk im Besitz einer Verfassung, – die ja nichts Anderes ist als der Ausdruck erlangter Volksmündigkeit –; dann ändert sich die Sache: ein solches Volk kann fortan rechtlich nur von Männern vertreten werden, die es selbst erwählt und mit der Vertretung seiner Interessen betraut hat! –

Sehen wir uns nun den Artikel 65 unserer Verfassung an! Da heißt es:

»Das Herrenhaus wird zusammengesetzt aus Mitgliedern, welche der König mit erblicher Berechtigung oder auf Lebenszeit beruft«.

Da hiernach die Mitglieder des Herrenhauses vom Könige ernannt, nicht aber vom Volke erwählt sind, so können sie den König und ihre eigene Person, so können sie tatsächlich alles Mögliche vertreten, – rechtliche Vertreter des Volkes aber können sie nun und nimmermehr sein.

J. *Jacoby*, Vortrag in dem Verein der Verfassungsfreunde am 21. März 1863, Königsberg 1863, S. 195 ff.

7 *Wahlen, Wahlrecht*

33 Wahlen, ein Beispiel

Regierungsbezirk Düsseldorf
Einwohnerzahl 1.062 546 (1858)

Zahl der Wahlmänner überhaupt	1065
Erste bzw. dritte Abteilung	1335
Zweite Abteilung	1395
Zahl der Urwähler	208 897
1. Abt.	7830
2. Abt.	25732
3. Abt.	175335
Zahl der Urwähler pro Wahlmann	
1. Abt.	5,8
2. Abt.	18,3
3. Abt.	131

An der Wahl haben teilgenommen
% aller Urwähler

Landkreis Moers 1. Abt.	65 %
Stadt Düsseldorf	41 %
Landkreis Moers 2. Abt.	23 %
Stadt Düsseldorf	48 %
Landkreis Moers 3. Abt.	6,1 %
Stadt Düsseldorf	17,8 %
Landkreis Moers überhaupt	9,2 %
Stadt Düsseldorf überhaupt	22,5 %

ZStA II Merseburg, Rep. 169 C, Abschn. 80, Nr. 20, Wahlangelegenheiten

34 Lassalles Kritik am preußischen Dreiklassenwahlrecht

Wir haben jetzt also gesehen, meine Herren, was die Verfassung eines Landes ist, nämlich: die in einem Lande bestehenden tatsächlichen Machtverhältnisse.

Wie verhält es sich denn nun aber mit dem, was man gewöhnlich Verfassung nennt, mit der rechtlichen Verfassung? Nun, meine Herren, Sie sehen jetzt sofort von selbst, wie es damit steht!

Diese tatsächlichen Machtverhältnisse schreibt man auf ein Blatt Papier nieder, gibt ihnen schriftlichen Ausdruck, und wenn sie nun niedergeschrieben worden sind, so sind sie nicht nur tatsächliche Machtverhältnisse mehr, sondern jetzt sind sie auch zum Recht geworden, zu rechtlichen Einrichtungen, und wer dagegen angeht, wird bestraft!

Ebenso, meine Herren, wird Ihnen jetzt von selbst klar sein, wie man bei diesem Niederschreiben jener tatsächlichen Machtverhältnisse, wodurch sie nun auch zu rechtlichen werden, zu Werke geht.

Man schreibt da nicht hinein: der Herr Borsig ist ein Stück der Verfassung, der Herr Mendelsohn ist ein Stück der Verfassung usw., sondern man drückt dies auf eine viel gebildetere Art und Weise aus.

Will man also zum Beispiel feststellen: die wenigen großen Industriellen und großen Kapitalisten in der Monarchie sollen so viel Macht haben und mehr als alle Bürger, Arbeiter und Bauern zusammengenommen, so wird man sich hüten, das in dieser offenen und unverhüllten Form niederzuschreiben. Aber man erläßt ein Gesetz, wie zum Beispiel das oktroyierte Dreiklassenwahlgesetz vom Jahre 1849, durch welches man das Land in drei Wählerklassen einteilt, gemäß der Höhe des Steuerbetrages, den die Wähler entrichten und der sich natürlich nach ihrem Kapitalbesitz bestimmt.

Nach den amtlichen Listen, meine Herren, die im Jahre 1849 von der Regierung nach dem Erlaß dieses Dreiklassenwahlgesetzes aufgenommen wurden, gab es damals in ganz Preußen

3 255 600 Urwähler,

die in folgender Weise in die drei Wahlklassen zerfallen:

Zur ersten Wählerklasse gehörten
in ganz Preußen .... 153 808 Wähler
zur zweiten .... 409 945 Wähler
zur dritten .... 2 691 950 Wähler

Ich wiederhole Ihnen, meine Herren, daß diese Zahlen aus amtlichen Listen genommen sind.

Wir sehen hieraus, daß hiernach 153 808 sehr reiche Leute so viel politische Macht in Preußen haben, wie 2 691 950 Bürger, Bauern und Arbeiter zusammengenommen, daß ferner diese 153 808 sehr reichen Leute und die 409 945 mäßig reichen Leute, welche die zweite Wählerklasse bilden, gerade noch einmal so viel politische Macht haben als die ganze andere Nation zusammengenommen, ja daß die 153 808 sehr Reichen und die bloße Hälfte der 409 945 Wähler der zweiten Klasse schon mehr politische Macht haben als die andere Hälfte der mäßig reichen zweiten Klasse und die 2 691 950 der dritten zusammengenommen.

Sie sehen hieraus, meine Herren, daß man auf diese Weise genau dasselbe Resultat erzielt, als wenn man mit plumpen Worten in die Verfassung schriebe: ein Reicher soll siebzehnmal so viel politische Macht haben als ein anderer Bürger oder ebensoviel als siebzehn andere. (...)

Will man ferner in der Verfassung feststellen: eine kleine Anzahl adliger Grundbesitzer soll für sich allein wieder so viel Macht besitzen, wie Reiche, Wohlhabende und Nichtbesitzende, wie die Wähler aller drei Klassen, die ganze Nation zusammengenommen, so wird man sich wieder hüten, dies mit so ungebildeten Worten zu sagen – denn bemerken Sie wohl, meine Herren, ein für allemal, alles Deutliche ist ungebildet – sondern man setzt in die Verfassung: es solle mit einigen unwesentlichen Zutaten aus den Vertretern des alten und befestigten Grundbesitzes ein Herrenhaus gebildet werden, dessen Zustimmung zu den die ganze Nation vertretenden Beschlüssen des Abgeordnetenhauses erforderlich ist und das somit einer Handvoll alter Grundbesitzer die politische Macht gibt, auch den einstimmigen Willen der Nation und aller ihrer Klassen aufzuwiegen.

F. *Lassalle,* Über Verfassungswesen, Vortrag vom 16.4.1862, Berlin 1907, S. 23 ff.

3.1.3 Bürgerlicher Anspruch auf Ordnung der Gesellschaft

1 Landwehr, Bürgerlicher Einfluß aufs Militär

35 Jacoby über Heeresreform und Rechtsstaat

Außer dem Abgeordnetenhause, dem legitimen, verfassungsmäßigen Organe des Volkswillens, giebt es noch zwei bestimmende Mächte im Staate, den König und das Herrenhaus.

Das Herrenhaus, wie es gegenwärtig – faktisch, nicht rechtlich – zusammengesetzt ist,

(Bravo.)

das Herrenhaus ist der getreue Ausdruck der kleinen, aber durch ihre politische Rührigkeit mächtigen Adelspartei. Statt bürgerlicher Gleichberechtigung, wie solche durch Art. 4 der Verfassung allen Preußen gewährleistet ist, strebt diese Partei nach einer bevorzugten Stellung im Staate, nach Anerkennung von Standesvorrechten, nach Förderung ihrer vermeintlichen Standes- und Sonderinteressen. Der Feudal- oder Ritterstaat ist ihr Ideal – und – »Omnia serviliter pro dominatione« – durch Knechtschaft zur Herrschaft! ist ihr Wappenspruch.

(Lebhaftes Bravo.)

Der König, das darf nicht bezweifelt werden, will des Landes Wohl; das Wohl des Landes aber ist nach seiner, des Königs individueller Überzeugung, in erster Linie abhängig von der Vermehrung des stehenden Heeres, und zwar eines langgeschulten, von militairischem Sondergeiste durchdrungenen Soldaten-Heeres. – Durchführung der von ihm selbst entworfenen Militairreform, Herstellung und Erhaltung des straffen Militairstaates in Preußen – ist das Ziel, das um jeden Preis zu erstreben er für seine Königspflicht hält.

Meine Herren, wir Alle, denke ich, wir ehren und achten jede ehrliche Überzeugung, also auch die des Königs Wilhelm des Ersten; aber – wir verlangen ein Gleiches für uns. Auch wir wollen des Landes Wohl, des Landes Wehrhaftigkeit, aber auf dem Wege des beschwornen Verfassungsrechtes!

(Bravo.)

Auch wir wollen eine Umgestaltung des Heerwesens, aber im Geiste eines Scharnhorst und Gneisenau, im Geiste des annoch in voller Rechtskraft bestehenden Gesetzes vom 3. September 1814, nicht Beiseiteschiebung des volkstümlichen Instituts der Landwehr, sondern Erhaltung, Ausbildung, sorgsame Pflege desselben behufs Anbahnung eines wohlorganisirten, von bewußter Vaterlandsliebe und echtem Bürgersinn beseelten Volksheeres.

(Stürmisches Bravo.)

Eine solche Wehrverfassung allein entspricht den Anforderungen der Zukunft, entspricht den Grundbedingungen constitutioneller Staatsordnung, entspricht endlich, und darauf lege ich das Hauptgewicht, dem Streben nach fester Einigung mit unsern deutschen Brüdern! (...)

Der König will den vorzugsweise auf den Krieg organisirten Militairstaat, – das Herrenhaus den mittelalterlichen feudalen Ritterstaat, – das Abgeordnetenhaus den auf bürgerlicher Freiheit gegründeten Rechtsstaat. Bei so auseinander gehenden Bestrebungen, das muß wohl Jedem einleuchten, ist eine aufrichtige, ehrliche Verständigung undenkbar, – gerade so undenkbar, wie die Existenz eines feudal-militairischen Rechtsstaats!

(Große Heiterkeit.)

Meine Herren! wer unter solchen Umständen noch von einer Vermittlung der Gegensätze, von Versöhnung der Parteien, von Hand-zum-Frieden-Bieten reden kann, der, ja, ich gestehe es aufrichtig, der treibt entweder nur ein eitles Spiel mit Worten oder – geht absichtlich darauf aus, den Gegner hinter's Licht zu führen. (...)

Meine Herren! halten wir fest daran: es giebt nur eine gründliche Lösung des gegenwärtigen Zwiespalts:

Soll Preußen als Rechtsstaat erstehen, muß notwendig der Militair- und Junkerstaat Preußen untergehen!

(Stürmischer Zuruf.)

Rede des Abgeordneten J. *Jacoby*, gehalten in der Wahlmännerversammlung des II. Berliner Wahlbezirks am 13. November 1863, Leipzig 1863, S. 6ff.

36 Demokraten und Landwehr

Der Unterschied unserer Landwehr von anderen ist gerade, daß sie das volle reife System der Volksbewaffnung ist, während andere sogenannte Volksheere entweder nicht Heer oder nicht Volk sind, vielmehr eine Selbsttäuschung über Beides. (...) Volksheer ist nur die gleichmäßige Bewaffnung der gesellschaftlichen Klassen, also die Verbindung von Besitz und bürgerlichem Beruf mit der Übung der Waffen. In einer englischen Miliz, welche vornehme Herren und Gesindel umfaßt, fehlen die verbindenden Glieder eines Volksheeres. Ebensowenig waren die Sansculots Volksheere; denn die durch Besitz und Bildung Reichsten gehören zum Volk vor Allen. Die heutige französische Armee fühlt sich nicht als Volksheer trotz aller egalité et fraternité, trotz aller Troupiers. Auch unser stehendes Heer von etatsmäßigen Beamten und Minderjährigen kann doch nicht das preußische Volk in Waffen darstellen? Käme es bloß darauf an, möglichst unterschieds- und rücksichtslos die Massen der Bevölkerung eine Zeit lang unter Offizieren und Unteroffizieren exerziren zu lassen, so wäre die Conscriptionsweise Napoleons I. einem Volksheere schon ziemlich nahe gewesen. Wäre dies das wahre Volksheer, so wäre der Absolutismus die wahre Volksverfassung: die Verfassung, in welcher alle Beamten kommandiren und alle anderen kommandirt werden. Die Landwehr ist doch wohl etwas Anderes, wenn sie die gesamte gereifte Bevölkerung in ihrer natürlichen sozialen Gliederung nach Besitz, Bildung und Beruf, zu Heerkörpern zusammenfaßt, in denen der unbesoldete Offizier und Unteroffizier nicht bloß das königliche Amt, sondern auch den eigenen Besitz repräsentirt, in denen die guten Gewohnheiten des Soldaten mit den guten Gewohnheiten des Bürgers unwillkürlich eins werden.

Wir meinen also mit dem Volksheer, dessen Beibehaltung die Volksstimme verlangt, nicht irgend ein Zukunftsheer, sondern die alte königlich preußische Landwehr, in der gewohnten Formation des preußischen Heeres, – unsere Landwehr mit ihren ruhmreichen Erinnerungen und mit dem Landwehrkreuz, welches dem Bürger und Bauer noch immer dasselbe bedeutet, trotz alles Unfugs, welcher unter dieser Signatur getrieben worden ist. Die Bevölkerung hängt mit ungeschwächtem Vertrauen an seinem alten Wehrinstitut. Es hofft, daß auch der König der Landwehr dasselbe Vertrauen schenken werde, wie seine erlauchten Vorgänger und wie jene Feldherren, welche glänzende Schlachten mit einer Landwehr in viel dürftigerer Gestalt geschlagen haben.

R. *Gneist,* Heeresorganisation, S. 27

37 Jacoby lehnt die Heeresreform ab

Politische Motive liegen der Armeereform zu Grunde; und so sind es auch vorwiegend politische Motive, die mich zur Verwerfung derselben bestimmen. Ich verwerfe die Armeeorganisation, weil sie den Grundsätzen der Selbstbestimmung und Gleichberechtigung widerstreitet: weil durch sie die königliche Gewalt auf eine – der Freiheit gefahrdrohende Weise verstärkt, das Sonderinteresse der Adelspartei auf Kosten des Bürgers gefördert wird.

(Sehr richtig! Bravo!)

Eine Armee, wie die Reorganisation sie schaffen will, ein großes stehendes Soldatenheer, geführt von Berufsoffizieren, die weder auf die Verfassung vereidigt, noch den allgemeinen Landesgesetzen unterworfen sind,

(Sehr richtig!)

ist eine Gefahr, eine stete Bedrohung der staatlichen Freiheit. Es ist der »bewaffnete Friede« im Innern, eine permanente »Kriegsbereitschaft« gegen das eigene Volk! Ist der Träger der Krone, der constitutionell-beschränkte Monarch, zugleich unumschränkter »oberster Kriegsherr«, hat er als solcher die Macht, über die Beschlüsse der Landesvertretung hinweg, trotz Widerspruchs der öffentlichen

Meinung, seinen persönlichen Willen durchzusetzen, dann ist die Verfassung ein leerer Name,

(Sehr wahr!)

dann hängt Verfassung und Verfassungsrecht einzig und allein von der Selbstbeschränkung des Herrschers, d. h. von der königlichen Gnade ab.(...)

Wie der bürgerlichen Freiheit, eben so sehr widerstreitet die neue Organisation der bürgerlichen Rechtsgleichheit. Die Gerechtigkeit verlangt vor Allem eine gleichmäßige Verteilung der Staatslast unter den Staatsbürgern, also in Bezug auf den Militärdienst: entweder Heranziehung aller Waffenfähigen zur Dienstleistung, oder volle Entschädigung der Dienstleistenden auf Kosten der übrigen Bürger.

Wie nun verhält sich die Sache bei uns? »Alle Preußen sind wehrpflichtig«, besagt das Gesetz. In Wahrheit aber genügt nur ein kleiner Teil der Bürger, kaum ein Viertel, der verfassungsmäßigen Wehrpflicht. In dem Belieben der Militärbehörden steht es, diesen oder jenen Bürger auszuwählen, ihn jahrelang seinem bürgerlichen Gewerbe, den bürgerlichen Verhältnissen zu entziehen und zwangsweise in das Heer einzustellen. Für alle Opfer an Zeit und Kraft, die der Erwählte dem Gemeinwohle bringen muß, wird ihm außer einer kärglichen Löhnung nicht die geringste Entschädigung zuteil. Wie ist diesem Unrechte abzuhelfen? Da Preußen zu seinem Schutze eines starken Kriegsheeres bedarf, die Finanzkraft des Landes aber nicht ausreicht, dem diensttuenden Bruchteile des Volkes eine angemessene Entschädigung zu gewähren, so bleibt nur ein Ausweg: Einführung eines volkstümlichen Wehrsystems. Soll der Gerechtigkeit, soll dem constitutionellen Grundsatze: »Gleiche Pflichten, gleiche Rechte!« Genüge geschehen, so muß – mittelst Abkürzung der Dienstzeit, mittelst Erleichterung der Dienstlast – die rechtlich bestehende »allgemeine Wehrpflicht« zu einer tatsächlichen Wahrheit gemacht werden.(...)

Meine Herren, es ist in diesem hohen Hause wiederholt behauptet worden, daß die Armee-Reorganisation die Ursache des Verfassunsconflicts sei. Ich glaube, mit Unrecht! Militärfrage und Verfassungsconflict stehen vielmehr in einer naturgemäßen Wechselwirkung zu einander. Die politische Verfassung des Staates geht überall Hand in Hand mit der Wehrverfassung des Landes. Änderung der einen fordert und bedingt eine entsprechende Änderung der andern.

Bei dem Übergange Preußens aus der absolutistischen Staatsform in die constitutionelle mußte daher notwendig die Stellung des Militärs in Bezug auf die Verfassung zur Sprache kommen; und da können allerdings wir, die demokratische Partei, es der Regierung nur Dank wissen, daß sie zuerst diese wichtige Frage angeregt, daß sie von Hause aus dieselbe in so scharf bestimmter, dem ganzen Volke verständlicher Form hingestellt hat.

Die Militärfrage, d. h. die Frage: ob stehendes Soldatenheer, ob volkstümliche Wehrverfassung? ist – ihrem Kern und Wesen nach – eine durchaus politische, eine Freiheitsfrage. Sie ist gleichbedeutend mit der Frage: ob Preußen nach wie vor ein scheinconstitutioneller Militärstaat bleiben, oder zu einem wahren Verfassungs- und Rechtsstaate vorschreiten soll.

Rede J. Jacobys im preuß. Abgeordnetenhaus am 29.4.1865, in: J. *Jacoby*, Schriften, 2, S. 268 ff.

38 Twesten über die Ausschließung Bürgerlicher aus dem Offizierkorps

Der Offizierstand hatte eine so außerordentliche Geltung, daß Friedrich der Große verfügte, ein Fähnrich – damals der jüngste Offizier der Companie – der einen Feldzug mitgemacht, rangire über einem königlichen Rat, und daß er aus besonderer Gnade den bürgerlichen Dirigenten der Oberrechnungskammer Manger zum Secondelieutenant ernannte, damit ihm wenigstens die jüngeren Offiziere nicht vorgingen. Sonderstellung, Anmaßung und Übermut der Offiziere waren vor 1806 sehr groß und trugen wesentlich zu der starren Gleichgültigkeit bei, mit der damals das Volk den Staat zusammenbrechen sah. In Erinnerung dieser Zeiten verfuhr Friedrich Wilhem III. mit großer Strenge gegen Offiziers-Exzesse, die übrigens seit 1815 trotz der Aufmerksamkeit, mit welcher derartige Vorfälle registrirt werden, immer sehr selten gewesen sind. Dauernder und gefährlicher ist die durch den militärischen Hofstaat genährte Einbildung der Militär-Monarchie, als ob die Armee in Preußen etwas Anderes wäre und leistete als in jedem anderen Staate. Die Vermischung des gesellschaftlichen Einflusses am Hofe und der Stellung in der Militär-Bureaukratie führt leicht dahin, daß die militärischen Angelegenheiten einesteils in eine falsche Stellung zu den übrigen Zweigen der Staatsverwaltung gebracht und andererseits zu sehr aus dem höfischen Gesichtspunkte behandelt werden. Zugleich entsteht die Illusion, als ob die mit militärischem Range bekleideten Personen des Hofes ohne weiteres brauchbare, oder gar kriegserfahrene Soldaten wären.

Die besondere persönliche Beziehung zwischen dem königlichen Hause und dem Offiziercorps hat vorzugsweise beigetragen, dem Adel im preußischen Staate eine einträgliche Präponderanz zu erhalten, wie kaum in irgend einem anderen größeren Staate. Seit Friedrich Wilhelm I. wurde die Armee eine Versorgungsanstalt und Domaine des Adels. In die Cadettenhäuser wurden nur Adliche aufgenommen. Das Cadettenhaus in Stolpe wurde ausdrücklich gestiftet, um dem armen pommerschen Adel Ausbildung und Brod im Offizierstand zu geben. Bei einem Besuch des Königs in Hinterpommern fand sich auch, daß fast jeder Adliche des Landes in der Armee diente oder gedient hatte. Friedrich der Große sah ungern bürgerliche Offiziere, und im Frieden brachte es selten ein Bürgerlicher zum Stabsoffizier. Die, welche man in höherer Stellung behalten wollte, wurden gewöhnlich geadelt. Bis 1806 wurden nur in der Artillerie und dem Ingenieurcorps, wo regelmäßig Unteroffiziere zu Offizieren befördert wurden, und bei einem Teil der Husarenregimenter, wo der dritte Teil der Offiziere bürgerlich sein durfte, bürgerliche Offiziere zugelassen. Wenn auch 1808 das Privilegium des Adels gesetzlich aufgehoben wurde, so gab es doch bei der großen Reduction der Armee 1813 fast nur adliche Offiziere. Erst in den Kriegen gingen aus den freiwilligen Jägern und aus gedienten Unteroffizieren so viele Offiziere hervor, daß 1815 die größere Hälfte derselben bürgerlich war. Aber trotz der gesetzlichen Gleichstellung hat sich das tatsächliche Übergewicht des Adels immer erhalten. Man hat gelegentlich eingewendet, daß die unverhältnismäßig große Zahl adlicher Offiziere nicht auf Bevorzugung schließen lasse; allerdings würde das bloße Zahlenverhältniß auch von anderen Ursachen herrühren können, aber der Umstand, daß die Zahl der Bürgerlichen in den unteren Graden der der Adlichen ziemlich gleich ist und in den höheren immer mehr abnimmt, stellt es außer Zweifel, daß das Übergewicht des Adels auf der Ausschließung des Bürgerstandes in der Beförderung beruht. Von den 8500 Offizieren des stehenden Heeres sind $^4/_7$ adlich, $^3/_7$ bürgerlich. Rechnet man die Landwehr mit, so stehen sogar über 8000 bürgerliche Offiziere gegen 6000 adliche. Dagegen nimmt die Zahl der Bürgerlichen nach oben derartig ab, daß es 1862 unter 119 Obersten der Infanterie nur 8 Bürgerliche gab, von denen nur ein einziger die Stelle eines Regimentscommandeurs bekleidete.

C. *Twesten,* Der preußische Beamtenstaat, in: Preußische Jahrbücher 18 (1866), S. 110f.

2 *Selbstverwaltung in Gemeinden und Kreisen*

39 Forderung nach Beseitigung der Polizeiobrigkeit der Gutsherren

Von den übrigen Arbeiten, die uns noch vorlagen und die sehr wenig zur Ausführung gekommen sind, waren die wichtigsten allerdings diejenigen, welche die Gemeinde und die Kreisordnung betreffen. Schon im vorigen Jahre am ersten Male, als ich in Bielefeld sprach, erklärte ich diesen Punkt für den wichtigsten. Für das wichtigste, ja für dringend notwendig halte ich es, daß die Provinzial- und Kreisstände, die auf einem unrichtigen Prinzip beruhen, abgeschafft werden; daß wir eine Kreisvertretung erhalten, aber eine solche, die von den Gemeindevertretern gewählt wird, und daß dann wieder die Kreisvertretung die Provinzialvertretung wählt, das ist erstes und dringendstes Erforderniß auf diesem Felde.

Wohl, meine Herren, jetzt wurden verschiedene Gesetze vorgelegt, eine Städteordnung, die zum Teil Verbesserungen enthielt, eine Landgemeindeordnung für die Rheinprovinz: die, wenn Besseres nicht zu erreichen gewesen wäre, wir unterstützt hätten, hauptsächlich weil das Wahlrecht der Bürgermeister, wie die Gemeindevorsteher dort genannt werden, der Gemeinde gegeben werden sollte. Außerdem wurde eine Kreisordnung vorgelegt, diese aber haben wir in unserm Abgeordnetenhause nicht gehabt, da diese Vorlage zuerst im Herrenhause beraten wurde. Bei uns wurde noch vorgelegt das Gesetz über die Amtshauptleute, das mit der Art der Gemeindeverfassung in den östlichen Provinzen zuammenhängt. Dort ist ein Zustand, den wir uns nicht wünschen werden und können, der Zustand, daß die großen Güter sich absondern von der Gemeinde, gar nicht zur Gemeinde gehören und sogar noch der Gemeinde den Schulzen ernennen und die Polizei ausüben. 26 000 Gemeinden existieren unter diesem Zustande, ein Zustand, der bald im gebildeten Europa uns eigentümlich sein wird, in fast allen andern Ländern ist er abgeschafft. Das Gesetz wollte diesem Zustande bald ein Ende machen und das Recht der Polizei, das dem Gute anklebt, aufheben, es wollte aber diese Polizeiobrigkeit übertragen an Amtshauptleute, 6 oder 7 für den landrätlichen Kreis und die jetzigen Kreisstände sollten eine Liste für die Ernennung derselben aufstellen. Dies Gesetz beruhte auf einem unrichtigen Prinzip, denn die Ortspolizei ist nach dem noch geltenden Gesetze vom 11. März 1850 ein Attribut, das den Gemeindevorstehern, dem Bürgermeister zusteht. Und es ist sehr wesentlich, daß sie gerade mit diesem Amte zusammenhängt. Man konnte hierüber also kein Gesetz geben, bis man den östlichen Provinzen wie unsern eine Gemeindeordnung gegeben hatte. Um dieses alles anzudeuten, und den Weg anzubahnen und den allein richtigen zu zeigen, führte ich das aus, was ich voriges Jahr schon ankündigte. Ich wollte nichts neues, ich wollte nicht das vorschlagen, was ich für meine Person für das Beste hielt, sondern ich sagte nur: Geht zurück auf eure eigenen Sachen, führt die Gemeindeordnung, die 1850 Manteuffel gegeben, wieder ein mit denjenigen Verbesserungen, die jetzt von der Mehrheit oder sonst anerkannt sind. Diesen Antrag habe ich gemacht, der dann in der Commission freilich mit einer kleinen Majorität abgelehnt wurde, der aber im Abgeordnetenhause, wie man kaum zweifeln kann, eine bedeutende Majorität gehabt haben würde.

Rede des Abgeordneten Dr. Waldeck, gehalten in seinem Wahlbezirke auf dem Schützenhofe bei Herford am Sonntag, den 13. April 1862, Berlin 1862, S. 4ff.

40 »Ausführung des Staatswillens durch selfgovernment«

Kehren wir zu den deutschen Verhältnissen zurück, so stand in Preußen gegenüber den erfolgreichen ständischen Bestrebungen der alten Gesellschaft die neue Erwerbsgesellschaft damals noch ohne die politischen Rechte zur Abwehr der ihr feindseligen Neuerungen, ohne ein Organ zur Verwirklichung ihrer eigenen Vorstellungen. Es war natürlich, daß in jener Zeit sich alle Augen nach Frankreich wandten, wo die neuen Sozialideen vollständig und ausschließlich zur Geltung gekommen waren. Wohl ein Menschenalter hindurch galten fast alle französischen Einrichtungen als selbstverständlich »constituionell«, als Autorität, über deren Anwendbarkeit nicht zu streiten sei. Es war eine Zeit des unbefriedigten Dranges nach Teilnahme am Staat, in welchem, klar und unklar, soziale Interessen und ideales Streben nach der persönlichen Freiheit sich in dem französischen Muster zusammenfanden, – eine Zeit, welche jedenfalls mit Zensur, geheimem Gerichtsverfahren und polizeilichen Ausweisungen nicht mehr zu leben wußte. Die Zahl der Beistimmenden war um so größer, als Niemand genötigt war, sein Freiheitsideal in irgend einer concreten Gestalt zu verwirklichen. Das Individuum stand noch unmittelbar dem Staat gegenüber, ohne die Gewöhnung im selbsttätigen Verband mit andern Klassen die Rechte anderer Gesellschaftsklassen würdigen und achten zu lernen. Allen sozialen Richtungen stand das Beamtentum als der nächste Gegner gegenüber; man glaubte daher, daß mit der Demütigung dieses Gegners die Freiheit unmittelbar gewonnen sei. Für das Individuum, wenn es ohne verantwortliche Selbsttätigkeit der Staatsordnung gegenübersteht, wird das »Ich« der Mittelpunkt des Staats, von dem aus sich jedes Verfassungsideal mit Leichtigkeit zurecht legt. Das Dasein nebengeordneter Rechte, Lebensanschauungen, Interessen wird dabei ignorirt, der Widerspruch solcher für Mangel an Einsicht oder an gutem Willen gehalten. Es entsteht damit eine krankhafte Sehnsucht nach einem luftigen Verfassungideal, welchem die Tatkraft zur Verwirklichung fehlt, weil der Einzelne dem Staat gegenüber machtlos ist, weil alle Fragen, die hier zwischen dem »Ich« und dem »Staat« gelöst werden sollten, nur zu lösen sind durch eine zusammenhängende Gesetzgebung, Verwaltungsordnung und communale Institutionen, welche über die nächsten sozialen Vorstellungen hinausgehen. Die Extravaganz der Theorie stand gewöhnlich in Wechselwirkung mit dem Kleinmut bei der Überwindung jedes Hindernisses. Auch dieser Idealismus war nur durch wirkliche Staatsarbeit und Steuer im Communalleben zu corrigiren. (...)

Quer durch diese Bestrebungen hindurch kamen aber 1848 die Ideen der neuen Gesellschaft zu einem unerwarteten, ungestümen Durchbruch in einer constitutionellen Verfassung, welche den Steuerzahlern den unmittelbaren Anteil an der Gesetzgebung gewährt. Es konnte damit natürlich nichts Anderes zur Geltung kommen als die Idee neuzubildender Kreis-, Stadt- und Dorfparlamente. Die Kreis- und Provinzialstände waren ja auch nichts weiter als Boards zur Fassung von Beschlüssen und Anstellungsrechten ohne eigene Verwaltungsarbeit und Verantwortlichkeit: der soziale Verfassungsstreit dreht sich daher wie in England seit der Reformbill nur um die Teilnahme an diesen Rechten. Der deutsche Partikularismus wandte sich sogar mit Vorliebe den Localgebieten zu: von den Dorf-, Stadt- und Kreisparlamenten wurde in erster Stelle die Verwirklichung der großen constitutionellen Grundidee, der eigentliche »Ausbau« der Verfassung erwartet. Mit Leichtigkeit vereinigte man sich zu allgemeinen Resolutionen darüber (Verfassungsurkunde Artikel 105). Auch die darauf folgende Ausarbeitung einer Gemeinde-, Kreis-, Bezirks- und Provinzialordnung vom 11. März 1850 gab zwar der Parlamentsvertretung einen bestimmten Ausdruck, blieb aber vor der eigentlichen Aufgabe stehen: die Rechtsgrundsätze, das Rechtsgebiet, die verwaltenden Organe des selfgovernment und die Rechtscontrollen zu finden, an deren Stelle ein »Oberaufsichtsrecht der Regierung« tritt, welches in der Wirklichkeit zu einem französischen Verwaltungssystem, zur subalternen Stellung der conseils zurückführt. (...)

Und dabei ist die Gesetzgebung stehen geblieben, analog dem Stillstand nach der Stein-Hardenberg'schen Gesetzgebung. Auch eine später folgende, der Selbstregierung günstigere Periode vermochte die Initiative zu einer umfassenden Reform nicht zu finden. »Kam es von diesen Standpunkten aus zu Entwürfen, so war es leicht, einen Regierungsrat, Landrat oder Assessor zu beauftragen, daß er »etwas mache«, um dem Zeitgeist Rechnung zu tragen. Es fehlten für diese Gesetzentwürfe selbst die allernotwendigsten Grundlagen einer administrativen Statistik. In der unglücklichen Gestalt eines Ministerrats, der nicht selbst, sondern durch Referenten arbeitet, nahmen dann diese Entwürfe ihren weiteren Verlauf. Die tägliche Beschäftigung mit der Einzelentscheidung der Zweifel und Streitfragen des öffentlichen Rechts in der laufenden Verwaltung nahm die preußischen Departementschefs so übermäßig in Anspruch, daß der eigentliche Beruf der Minister, Gesetzentwürfe selbst zu machen, organisatorische Gedanken selbst zu haben, in der Initiative der Gesetzgebung (nicht in der Auslegung vorhandener Gesetze) ihr System zu vertreten, fast ganz in Vergessenheit kam.« (...)

Dieser Stillstand ist das Erzeugniß widersprechender Anforderungen, welche alle sich in einem Worte einigen, der Sache nach aber das völlig Entgegengesetzte und Unvereinbare wollen. Die alte Gesellschaft will selfgovernment, meint aber damit Provinzial-, Kreisstände und Gutspolizei, Standschaften, Besitzrechte, keine Übernahme der Staatsfunktionen zu eigener Arbeit und Verantwortung. Die neue Gesellschaft verlangt selfgovernment, meint aber Kreis-, Stadt- und Dorfparlamente. Das Beamtentum läßt sich jedes selfgovernment gefallen, am liebsten französische conseils, wenn nur seine eigene Stelllung in der Hauptsache beim Alten bleibt.

R. *Gneist,* Verwaltung, Justiz, Rechtsweg, Staatsverwaltung und Selbstverwaltung nach englischen und deutschen Verhältnissen mit besonderer Rücksicht auf Verwaltungsformen und Kreisordnungen in Preußen, Berlin 1869, S. 114ff.

41 Der Beitrag der Gemeindeordnung zum freien und gleichen Bürgerrecht

Antrag

Das Haus der Abgeordneten wolle beschließen:
dem nachstehenden Entwurfe eines Gesetzes über die Wiedereinführung der Gemeinde-Ordnung vom 11. März 1850 seine Zustimmung zu geben.

Wir, Wilhelm von Gottes Gnaden König von Preußen etc.,
verordnen:

Artikel 1.

Die Gemeinde-Ordnung vom 11. März 1850 (Gesetz-Sammlung von 1850, Seite 213) erhält für den ganzen Umfang der Monarchie wieder Gesetzeskraft unter folgenden Abänderungen.

Artikel 2.

Zu § 1 alinea 2.

Einzelne Besitzungen oder Güter, welche bisher noch keiner Gemeinde angehört hatten, werden dem Bezirke einer bestehenden oder zu bildenden Gemeinde zugelegt (vgl. Artikel 12.)

Andere Artikel beschäftigen sich mit der Wahl der Gemeinde-Räte: Hierbei werden statt der drei Wahlklassen Wahlbezirke nach der Größe mit gleichem Stimmrecht vorgeschlagen. (Artikel 4).

Eine weitere Bestimmung sieht einen demokratischen Wahlvorstand (ohne Berücksichtigung des 3-Klassen-Wahlrechts) vor. Der Wahlvorstand soll danach bestehen aus dem Wahlvorsteher, der vom Gemeindevorsteher ernannt wird, aus einem Beisitzer, der vom Gemeinderat deputiert wird, sowie drei Beisitzern, die von der Wählerversammlung mit Stimmenmehrheit bei Beseitigung der öffentlichen Abstimmung gewählt werden sollen (Artikel 7).

Ferner wird bestimmt die Aufhebung des Einzugsgeldes, so daß die Möglichkeit für jeden Bürger besteht, ohne finanzielle Voraussetzungen Bürger der Gemeinde zu werden (Artikel 9).

Ausdrücklich wird gefordert, die Güter in die Wahlbezirke zu integrieren (Artikel 12).

Außer Kraft gesetzt wird die Bestimmung, wonach die Ortsobrigkeiten in den 6 östlichen Provinzen der Preußischen Monarchie unter Beteiligung der Gutsherren bestimmt werden (Artikel 14).

Motive.

Die dringendste und unabweisbarste Forderung im Preußischen Staate ist die endliche feste Regulierung der Gemeinde-Verfassung und der damit in inniger Verbindung stehenden Kreis-, Bezirks- und Provinzial-Verfassung(...). Wenn diese Gesetze auch noch manches vom liberalen Standpunkte aus zu wünschen übrig lassen, so beruhen sie doch auf den richtigen allgemeinen Grundsätzen, welche zugleich dem Geiste wie dem Worte der Verfassung entsprechen(...). Der bloße Überblick dieses Gesamtbildes(...) wird die Überzeugung geben, daß es auf einfacher, unseren Zuständen angemessener Grundlage ruht, und die seit 1810 schon außer aller Berechtigung dastehende Scheidung der Staatsbürger in Ritter, Bürger und Bauern, die Scheidung von

Stadt und Land, während die Gewerbe längst auf das Land gerückt sind, die Scheidung gewisser größerer Güter vom Gemeinde-Verbande und deren besondere Berechtigung beim Kreis- und Provinzial-Verbande, daß diese Scheidungen, welche durch die Provinzial- und Kreis-Verordnungen von 1821 von den Toten erweckt wurden und so viel Schaden angerichtet haben, gründlich beseitigt worden sind. Einer der wichtigsten Artikel war daher der Artikel 66 der Kreis- und Provinzial-Ordnung, welcher verordnet: »Alle Gesetze über die Kreis- und Provinzial-Stände sind aufgehoben.« Daß solche Gesetze auf Widerstand derjenigen stoßen, welche bei Aufrechterhaltung der feudalen alten Zustände interessiert sind, liegt in der Natur der Sache.
(...) Insbesondere ist vielfach der Hauptunkt ins Licht gestellt, daß ein gesundes Verhältnis unter den einzelnen Landbewohnern nicht eher hergestellt werden kann, als bis die verfassungswidrigen Rechte der Besitzer größerer Güter aufgehört haben(...).

Dazu kommt, daß die Festhaltung der Trennung von Stadt und Land in den Gemeinde-Einrichtungen, die Festhaltung der Aussonderung großer Güter vom Gemeinde-Verbande auch auf politischem Gebiete das alte ständische Prinzip der Vertretung der hohlen Scheidung von Ritter, Bürger, Bauer vorbereitet und nach der erklärten Absicht der feudalen Partei auch anbahnen soll.

Sodann kommt der für den Verkehr und für die gleichmäßige Entwicklung des öffentlichen Lebens so hochwichtige Vorteil in Betracht, daß in einer wesentlich homogenen Bevölkerung auch dasselbe Kommunal-Gesetz gilt.

Dr. Waldeck, als Antragsteller. Unterstützt durch: Twesten, Löwe, Duncker, Dr. Virchow und weitere 40 Parlamentarier.

[Der Antrag auf Abschaffung der Sonderrechte von Gütern wurde 1867 wiederholt (Antrag Nr. 70, Haus der Abgeordneten, 10. Legislaturperiode, 1. Session 1867).]

Preuß. Abgeordnetenhaus, Session 1862, ZStA II Merseburg, Hist. Abt. II, Rep. 169

Petition, betreffend die Gemeinde-Ordnung

Ein Hohes Haus der Abgeordneten bitten wir daher, der von dem Abgeordneten Waldeck eingereichten Gesetzesvorlage über Wiedereinführung der Gemeinde-Ordnung vom 11. März 1850 mit einigen Abänderungen seine Zustimmung zu geben.

Bielefeld, 27. Februar 1862, mit 86 Unterschriften.
Berufsangaben: Kaufmann, Färber, Photograph, Damastwirker, Schwager, Bäkker, Tischler, Sattler, Schuhmacher, Buchbinder, Tapezierer, Korbmacher u. a.

ZStA II Merseburg, Hist. Abt. II, Rep. 169

3 *Gesellschaftspolitischer Beitrag der Wirtschaft*

42 Gewerbefreiheit

Als die Verkehrsschranken mit großer Kühnheit niedergerissen und der Zollverein ins Leben gerufen wurde, war der freisinnige Tarif von 1818 ein Meisterwerk der Handelspolitik; seitdem sind England und die Schweiz zum Freihandel übergegangen, Frankreich hat uns in dem neuesten Handelsvertrag weit überflügelt, Österreich hat sich dem Zollverein gleichgestellt, selbst Rußland hat seinen Tarif ermäßigt; hier ist Stillstand eingetreten, in wichtigen Artikeln wie Eisen und Garn, sogar Rückschritt; die verderblichen Hemmungen der Fluß- und Transit-Zölle lasten auf dem Verkehr; und Preußen kann keineswegs alle Schuld auf die anderen Regierungen abwälzen.

Zur Zeit, da Beuth das Gewerbeinstitut oder Hofmann das statistische Büro einrichtete, galten beide mit Recht als musterhafte Anstalten. Man glaubte von ihrem Ruhme zehren zu können. Jetzt gehen viele junge Leute aus Preußen überhaupt und selbst aus Berlin nach Hannover, Karlsruhe oder Zürich, weil das Gewerbeinstitut den heutigen Anforderungen zu wenig entspricht. In der Statistik sind wir nicht nur hinter Belgien unter Quetelets berühmter Leitung, sondern auch hinter manchen deutschen Ländern erheblich zurückgeblieben.

Die Volksschulen und Gymnasien Preußens werden in ihrem Durchschnitt nicht mehr zu den besten in Deutschland gezählt. In Württemberg verlangt man höhere Leistungen. Es ist zum Teil die kirchliche Einseitigkeit, welche die Gesinnung und den Eifer der Orthodoxie über Lehrfähigkeit und Kenntnisse setzte, auch geradezu die Gegenstände und das Maß des anderweitigen Unterrichts einschränkte, zum Teil die allgemeine Tendenz der Vielregiererei, was das Niveau der preußischen Schulen heruntergedrückt hat. In der Leitung der Unterrichtsangelegenheiten verbindet sich leicht die schulmeisterliche Unfehlbarkeit mit dem bürokratischen Hochmut, um durch einförmiges Reglementieren die Freudigkeit und Wirksamkeit in dem Berufe der Lehrenden zu hemmen. Bei den Schulkollegien, den Konsistorien und den Gerichtshöfen hört man in den letzten Jahren übereinstimmend die Klagen über Abnahme der wissenschaftlichen Bildung bei der Mehrzahl der zu examinierenden Kandidaten.

Am augenfälligsten ist der positive Rückschritt und am unmittelbarsten in die wirtschaftlichen Interessen des Volkes eingreifend, welchen Preußen in der Gewerbegesetzgebung gemacht hat, aller wissenschaftlichen Erkenntnis und aller Erfahrung trotzend, welche in den Ländern von größerer industrieller Entwicklung die erfolgreichere Arbeit, der höhere Wohlstand und die höhere Leistungsfähigkeit der Einzelnen wie der Gesellschaft darbieten. Wärhend andere Nationen die Schranken der Konkurrenz und des freien Verkehrs hinwegräumen, während

Österreich zur Gewerbefreiheit übergeht, ist Preußen seit 1845 von der bestehenden Gewerbefreiheit zu den hemmendsten Beschränkungen zurückgekehrt. Die Hindernisse in Niederlassung und Freizügigkeit, die Abgrenzungen der einzelnen Gewerbe, die Verbote des Übergangs von einem Handwerk zum anderen und der Beschäftigung in einem anderen Gewerbe, die fixierte Lehrlings- und Gesellenzeit halten Kapital und Arbeit, die Elemente, von deren Vereinigung der nationale Wohlstand am wesentlichsten abhängt, künstlich auseinander. Seit 1849 haben wir das Böhnhasen-Jagen der alten Zünfte und die absurdesten Zänkereien über die Befugnisse der einzelnen Gewerbe wieder erstehen sehen. Von derartigen Beschränkungen der gewerblichen und bürgerlichen Freiheit – der unbehinderten Selbstbewegung der erwerbenden Tätigkeit und der Unabhängigkeit der Bürger in ihrem Erwerbstande von Eingriffen der Behörden – wie sie das polizeiliche Konzessions- und Aufsichtswesen bei uns konstituiert, hat man in anderen zivilisierten Ländern keine Ahnung mehr. Der französische Imperialismus unterdrückte die politische Freiheit, aber die soziale ließ er unangetastet. Er stellte die wirtschaftliche Wohlfahrt des Landes, die Grundlage seiner Macht, über das Ideal, jeden Bürger in seinem Nahrungsstande von der Polizei abhängen zu sehen. Mit der Gewerbeordnung von 1849 wird Preußen bald als ein Anachronismus in der ganzen gebildeten Welt dastehen.

C. *Twesten,* Was uns noch retten kann, S. 65ff.

43 »Freiheit des richtigen Geldverkehrs«

Zu den Gesetzentwürfen, die von einzelnen Mitgliedern gemacht wurden, kam auch ein Gesetz, daß die sogenannten Wuchergesetze abgeschafft werden sollten. Die Kammer hats angenommen und hat jene besondere Bestimmung, welche ein bestimmtes Prozent feststellt, daß bei uns jetzt 5 % beträgt, und wenn mehr als das stipulirt werde im Contract, dieses verboten sei, abgeschafft. Das wird vielfältig als großer Mißgriff angesehen, als würden dadurch alle Geldbedürftigen an die Wucherer ausgeliefert, an alle diejenigen, welche durch Schändlichkeiten allerdings die Not eines armen Mannes benutzen, um ihn durch Gelderpressung herunterzubringen. (...)

Es ist eine große Täuschung, anzunehmen, daß die Aufhebung der Wuchergesetze irgend etwa beitrage, daß der Zinsfuß anders werde. Wir haben jetzt allgemeines Wechselrecht in ganz Deutschland, das für den Credit äußerst segensreich geworden ist und besonders dem redlichen Manne nützt, der geneigt ist, seinen Mitmenschen zu helfen und ihn in den Stand setzt, sich bei unsichrer Schuld vor Verlusten zu sichern.

Ich muß gestehen, wenn man die Sache unbefangen betrachtet, so ist das Geldleihen und -verleihen ganz wie der Fall eines Käufers und Verkäufers, der seine

Ware oft doppelt und dreifach so hoch verkauft als er sie eingekauft hat. Das kann man alle Tage an Grundstücken, an Waren und an Getreide sehen. Und keinem Menschen in der Welt fällt's ein zu sagen, wie drückt der doch die Leute! Und es ist doch ganz dasselbe, ob jemand sein Eigentum in Häusern, Korn oder Geld hat. In England, Amerika und andern Ländern ist der Zinsfuß unbeschränkt. Bei uns war gegenwärtig der Antrag darum ganz an der Zeit, weil wir augenblicklich niedrigen Zinsfuß haben. Alle Papiere stehen hoch und der Zinsfuß ist 4%. Glauben Sie, darum weil die Wuchergesetze abgeschafft werden, würde er steigen? Gar nicht! Sondern wer sein Geld hingiebt, nimmt was er kriegt: er kriegt aber nicht mehr, als der allgemeine Zinsfuß beträgt, weil man überall Geld bekommen kann. Das sind die Gründe gegen die Wuchergesetze, obwohl ich zugebe, daß ihre Abschaffung nicht gerade zu den notwendigsten gehörte. Aber Recht ist Recht, und die Vorschläge der Regierung in einer früheren Sitzung waren vollständig begründet, und man sollte sich nicht irre machen lassen durch die, welche das gehässige Wort Wucherer ausbeuten gegen solche. – Wenn das Wort Bedrücker, Blutsauger, Plager der Armen bedeutet, so haßt Niemand die Wucherer mehr als ich sie hasse. Die Freiheit des richtigen Geldverkehrs ist eine Folge der Gewerbefreiheit, dieses Palladium unseres Staates, der wir sehr viel zu verdanken haben, dadurch z. B. daß die Gewerbe von den Städten aufs Land rückten, sind durch Bierbrauereien und Fabriken auf dem Lande schon Millionen verdient worden. Wie beschwert nun sich einer darüber, daß er zu Grunde geht, wenn er seine Sache unbesonnen angefangen hat! Das bringt die Natur der Sache mit sich und ein männliches selbständiges Volk, das für mündig erklärt worden ist, muß selbst wissen, wie es die Freiheit gebrauchen will. Das war wohl nötig zu bemerken, weil ich höre, daß auch hier und sonst so sehr viel namentlich in dieser Beziehung dem Abgeordnetenhause Vorwürfe gemacht worden sind. Die Vorwürfe unsrer Gegner gegen die Fortschrittsmänner, Liberalen u. s. w., als wären sie Umsturzmänner, werden ihnen in der öffentlichen Meinung nicht schaden.

Rede des Abgeordneten Dr. Waldeck vom 13. April 1862

44 Kapitalisierung von Grund und Boden

Wir wenden uns daher nunmehr zu denjenigen Vorschlägen, welche von verschiedenen anderen Seiten, und nicht minder von Korporationen oder Gesellschaften, wie von Männern der Wissenschaft ausgegangen sind, die für diese ihre, die Verbesserung zunächst der preußischen Hypothekenverfassung betreffenden Vorschläge eine vollwichtige Autorität in Anspruch zu nehmen berechtigt sind. (...)

Insbesondere aber verweisen wir auf den Kommissionsbericht des Preußischen Herrenhauses vom 22. April 1857, sowie auf den in der Legislaturperiode von

1861 und wiederum von 1862 von Mitgliedern des preußischen Abgeordnetenhauses auf Anregung der volkswirtschaftlichen Gesellschaft für Ost- und Westpreußen dem Abgeordnetenhause überreichten, vollständigen Gesetzentwurf nebst Motiven zur Abänderung der Hypothekenordnung von 1783. Es ist zu bedauern, daß über diesen letztgedachten Entwurf bisher weder eine Plenar-, noch auch eine Kommissionsberatung im Abgeordnetenhause stattgefunden hat. Umsomehr ist es daher an der Zeit, durch die volkswirtschaftliche Vierteljahresschrift die Aufmerksamkeit für die sofort näher anzugebenden Grundprinzipien der (...) beantragten Reformen der (...) preußischen Hypothekenordnung vom 20. Dezember 1783 in Anspruch zu nehmen, da diese inzwischen in der einen und anderen Beziehung von den neueren Hypotheken-Gesetzen anderer deutscher Länder überholt ist. (...)

Wenn (abgesehen vom Königlich-Sächsischen Gesetze vom 6. November 1843) vorzugsweise Mecklenburg-Schwerin, ein deutsches Land, welches sonst nicht bloß in politischen, sondern auch in allen anderen volkswirtschaftlichen und sozialen Verhältnissen über den mit dem modernen Polizeiregime verquickten Feudalstaat nicht hinausgekommen und wo für die große Mehrzahl der Bevölkerung, der 1820 erfolgten Aufhebung der Leibeigenschaft ungeachtet, von persönlicher Freiheit kaum die Rede ist, in seinen Hypothekenordnungen mustergültige Normen für die Verbesserung des Realkredits der Grundbesitzer besitzt (...), so zeugt dies einerseits von dem Reichtum deutschen Geistes und Lebens, andererseits von dem erfahrungsmäßig dem eigenen Interesse innewohnenden Scharfsinn. (...)

Der Herstellung eines vollkommenen, bereiten und wohlfeilen Realkredits ist hauptsächlich dadurch genügt, daß das Hypothekenrecht wiederum, mit Beseitigung des gemeinen römischen Pfandrechtssystems, auf den altgermanischen Charakter und Rechtssatz zurückgeführt ist, daß die Hypothek von dem mit dem römischen Recht eingeführten rechtlichen Charakter als eines bloßen Accessoriums – einer Verbürgung (...) – entkleidet von der persönlichen Obligation (...) völlig losgelöst, (...) ein besonderes selbständiges Vermögensobjekt (...) darstellt (...), welches so leicht übertragbar ist wie der Pfandbrief. (...)

Es vereinfacht sich das Verfahren der Hypothekenbehörde bei Bildung und Ausfertigung der Hypotheken; diese erhält die wünschenswerte Beschleunigung und wird weniger kostspielig. Nur die hauptsächlichsten Punkte der Reform sollen hier erwähnt und hervorgehoben werden.

Zunächst ist es die zweckwidrige Anwendung und Ausübung des sogen. Legalitätsprinzips, dessen Beseitigung nötig ist, wenn von einer gründlichen Reform der preußischen Hypothekenverfassung von 1783 die Rede sein soll. (...) Sie beruht auf einer die Parteien bevormundenden Offizialmaxime, welche man hingegen im Prozeßrechte als ungehörig und unausführbar aufgegeben hat. Daher darf die Voruntersuchung (...) weder die Gültigkeit und Rechtsbeständigkeit des einzutragenden Geschäfts, noch die inneren Mängel, der der Eintragung zugrunde liegenden Dokumente zum Gegenstande haben. Sie hat sich vielmehr auf die für die

Eintragung vorgeschriebene äußere Form und Gestalt der Vorlage, auf die Identität und buchmäßige Legitimation der Antragsteller, wie auf die Übereinstimmung der einzutragenden Akte mit dem Hypothekenbuche zu beschränken.

Den Interessenten selber ist vielmehr jede andere, über dieses Maß hinausgehende Prüfung der Urkunde zu überlassen. Die Hypothekenbehörden sind außerdem nur für die ordnungsmäßige Führung der Bücher (...) verantwortlich zu machen. Was eingetragen werden soll, ist die Sache der Parteien; es muß von ihrer Willensbestimmung abhängen, daher von ihnen beantragt werden. (...)

Durch Bestimmungen der gedachten Art kann dem Realkredit diejenige Gestalt gegeben werden, welche den Privathypotheken die Vorzüge der Pfandbriefe ohne deren Nachteil gewährt, und welche Kreditverbände und Pfandbriefssysteme, ganz besonders für den städtischen Grundbesitz, überflüssig macht, welche demnächst auch zu einem regelmäßigen Marktverkehr in bestimmten Perioden für Privathypotheken, wie er in Mecklenburg längst besteht, hinführt, wobei sich der Kapitalist, der Gelder auf Hypotheken anlegen will, mit dem kapitalbedürftigen Grundbesitzer begegnet und wo auch die Übertragung der Hypotheken von einer Hand in die andere leicht bewirkt wird, ähnlich wie die Börse der Markt für »lettres au porteur« ist. (...) Hoffen wir, daß die Reform des Realkredits in einer künftigen Legislaturperiode ihre Anerkennung finden und zur Ausführung kommen werde.

A. *Lette,* Der Realkredit und dessen Reform, in: Vierteljahresschrift für Volkswirtschaft u. Kulturgeschichte 1 (1863), hrsg. v. J. *Faucher,* S. 178 ff.

45 Gewerbliche Unterstützungskassen

Endlich verschlingen die gewerblichen Unterstützungs-Kassen durch ihre mißverstandene Organisation bedeutende Summen. Die Beiträge der Arbeitgeber und Arbeitnehmer betragen für den hiesigen Stadtkreis jährlich nahezu 26,000 Rthlr. und kommen der Summe der Gewerbesteuer, welche die Industrie außerdem noch aufzubringen hat, fast gleich, worüber Jedermann klagt.

Diese bedeutenden Lasten trägt aber der Gewerbfleiß allein, weil man die sonderbare Behauptung aufstellt, von der Arbeit komme das Proletariat, und weil man verkennt, daß Wohlstand und Reichtum keinen andern Boden haben, als die Arbeit. Übrigens bekämpfen wir keinesweges die Kassen an sich, nur sind wir der Meinung, daß die Beiträge zu hoch sind und daß bei zweckmäßiger Einrichtung die Zwecke mit weniger als der Hälfte der jetzt verausgabten Summe zu erreichen sein würden. Die zu große Zentralisation erfordert das viele Geld, weil die Kontrolle unmöglich wird und deshalb die Mißbräuche nicht verhindert werden können. Jeder Mitbeteiligte an den sehr großen Kassen ist überzeugt, daß sie mißbraucht werden, und darum sucht er für sich zu erhaschen, was er kann. Den klaren Beweis, daß es so ist, finden wir in unserer Nähe, nämlich in den beiden Knappschafts-Vereinen des Eschweiler Bergwerks-Vereins und des Wurmreviers, bei einer Vergleichung ihrer jährlichen Ausgaben. Der Eschweiler Knappschafts-Verein besteht schon seit 56 Jahren und die jährlichen Ausgaben sind nach einem Durchschnitt von 1854 bis einschließlich 1859 berechnet.

Die Angaben in Bezug auf das Wurmrevier stellen die Ausgaben in 1859 dar. Es wurden demnach im Eschweiler Bergwerks-Verein verausgabt für

	Rthlr.	Sgr.	Pf.
Unterstützungen an Kranke	2291	23	4
Knappschafts-Ärzte	683	25	–
Arzneien	919	2	2
Verwaltungskosten	514	11	3
Summa ...	4409	1	9

im Wurmrevier aber

	Rthlr.	Sgr.	Pf.
Kranken-Unterstützungen	5905	18	2
Ärzte	1440	8	4
Medizinalkosten	2855	5	2
Verwaltungskosten	1975	21	–
Summa ...	12176	22	8

Da nun der Eschweiler Verein aus 1952 Köpfen besteht und der Wurmrevier-Verein aus 2909 Köpfen, so müßte man im Wurmrevier mit ungefähr 6600 Rthlrn. auskommen, wenn die Kosten beider Vereine gleich wären. Das Wurmrevier braucht aber beinahe die doppelte Summe, und das liegt nur daran, daß der Kreis zu groß ist, indem dazu, außer den neun Gruben der Vereinigungs-Gesellschaft, die Grube Anna bei Alsdorf, Maria bei Höngen und die Gruben Furth und Melanie gehören. Vier Gesellschaften sind dabei beteiligt und dieselben haben nur den Einfluß darauf, den die Königlichen Bergbehörden ihnen einräumen wollen; es ist also natürlich, daß die Kontrolle sehr schwach ist, besonders in Bezug auf die Scheinkranken, sowie auch, daß der große Kreis sehr viel Verwaltungskosten bedingt. Der Eschweiler Verein ist nicht nur kleiner, – was nicht der alleinige Vorzug ist, – sondern die Gruben gehören auch nur einer Gesellschaft, die die Kontrolle zu führen im Stande ist, während in dem engern Kreise auch die Arbeiter selbst noch die schärfere Kontrolle führen können und dies in vollem Maße tun.

Jahresbericht 1860 der Handelskammer Aachen und Burtscheid, Preußisches Handelsarchiv 1861, 2, S. 265

46 Gründung von Vorschußvereinen und ihre Behinderung durch die Regierung

Meine Herren, die Angelegenheit, welche Ihnen hier bei der ersten Petition von der Kommission vorgeführt wird, betrifft die hochwichtige genossenschaftliche Bewegung. Ich bedaure sehr, daß die beiden Herrn Amendementsteller nicht anwesend sind, der Abgeordnete Dr. von Bunsen und der Abgeordnete Schulze (Berlin), und ich halte es deshalb um so mehr für meine Pflicht, Sie auf diese Petition noch besonders aufmerksam zu machen. Sie können aus dieser Angelegenheit ersehen, wie tief wir noch in dem Polizeistaate stecken, wie bei unseren Verwaltungs-Behörden noch immer Anschauungen überwuchern, wonach den Staats-Angehörigen Alles verboten ist, was nicht ausdrücklich durch das Gesetz erlaubt ist, dagegen andererseits den Behörden bei Ausübung ihres Aufsichtsrechtes, Alles erlaubt ist, was nicht ausdrücklich durch das Gesetz verboten ist.

Ich sehe mich genötigt, das Tatsächliche, wie es im Bericht niedergelegt ist, bei ein paar Punkten noch etwas zu erläutern.

Die Vorsteher des Vorschuß-Vereins zu Schneidemühl überreichten also das Statut, das Sparkassen-Buch und das Mitglieder-Verzeichnis dem Magistrat nur zur Kenntnißnahme, wie es im Berichte heißt. Hierbei bemerkten sie ausdrücklich, daß einem Reskript des Herrn Ministers von Westphalen vom Jahre 1856 ein solcher Verein keiner Konzession bedürfe. Dessen ungeachtet sah sich der Magistrat veranlaßt, an die Regierung zu Bromberg zu berichten. Es mochte ihm wohl noch nicht vorgekommen sein, daß ein Verein von vornherein erklärte, daß er keiner Konzession bedürfe. Die Regierung zu Bromberg erwiderte nun erst nach drei Monaten, daß zwar dem Vorschuß-Vereine zu Schneidemühl an sich nichts entgegenstände, daß aber die Verbindung einer Sparkasse mit einem solchen Verein nicht zulässig sei, weil das Reglement über die Einrichtung des Sparkassenwesens vom 12. Dezember 1838 nur Gemeinden die Einrichtung solcher Anstalten erlaube. Dieser Bescheid wird gewiß bei Jedem, der nur ganz entfernt etwas von dem Sparkassenwesen in Preußen und anderwärts weiß, die größte Verwunderung erregen. Ich will nur auf das Eine dabei aufmerksam machen, daß in dem Ministerial-Blatt für die innere Verwaltung eine Anzahl Reskripte steht, die auch bei anderen Stellen des Berichtes zum Teil erwähnt sind, welche ausdrücklich von Privat-Sparkassen neben den Sparkassen der Gemeinden sprechen. Diese gedruckten Ministerial-Reskripte waren also der Regierung zu Bromberg völlig unbekannt. Außerdem müßte man doch annehmen, daß der Staats-Anzeiger besonders von den Verwaltungs-Behörden gelesen wird – die müssen ihn halten, Privatleute pflegen ihn nicht zu halten in Preußen. Dem Staats-Anzeiger ist seit ein paar Jahren als Beilage eine monatliche Zeitschrift des statistischen Bureaus beigefügt und in dieser Beilage stand im Januar und Februar 1861 ein großer schätzenswerter Aufsatz des Direktors des statistischen Bureaus Engel über die Sparkassen in Preußen: In diesem Aufsatz werden nun ganz speziell, nicht bloß die Privat-Sparkassen erwähnt, sondern auch der Sparkassen der Vorschuß-Vereine wird besonders Erwähnung getan. Dessen ungeachtet ist der Regierung zu Bromberg sechs Monate darauf noch völlig unbekannt, daß überhaupt solche Privat-Sparkassen erlaubt seien. Sie meint, weil das Reglement vom Jahre 1838 nur die Sparkassen der Gemeinden reglementire, so dürften überhaupt keine andern Sparkassen existiren. Nun ist diese Ansicht zwar von dem Minister des Innern reprobirt, an den sich die Regierung zu Bromberg wendete. Die Vorsteher des Vorschuß-Vereins erklärten nämlich, sie würden der Verfügung nicht nachkommen. Die Regierung wendete sich an den Minister des Innern vielleicht nur deshalb, weil die Vorsteher des Vereins nun noch ein zweites Ministerial-Reskript und zwar von dem damaligen Minister, Grafen Schwerin, vom 19. März 1861, wonach wiederum solche Sparkassen gestattet seien, für sich citirten. Der Minister klärte nun die Bromberger Regierung darüber auf, daß Privat-Sparkassen gesetzlich gestattet seien. Jetzt erließ aber die Bromberger Regierung das merkwürdige Reskript vom 10. Februar 1860. (...)

Ich muß das Reskript vom 28. April 1862 noch in Bezug auf einen Punkt erwähnen. Es ist nämlich in demselben gesagt, daß »nicht zugegeben« werden könne, daß in der Ausübung des Aufsichtsrechtes über die Sparkasse zu Schneidemühl »ein Hinderniß für die Entwickelung der Kasse« zu finden sei. Es tut mir leid, daß in dem Ministerium eine solche allgemeine Auffassung Platz gegriffen hat. Die Vorschuß-Vereine sind auf Selbsthilfe gegründete Genossenschaften. Sie finden diese Selbsthilfe nicht bloß in der Ausschließung jeder Unterstützung und jeder Mildtätigkeit, und nicht bloß darin, daß jedes Mitglied für die Vereinsschulden solidarisch verhaftet ist; sie finden diese Selbsthilfe auch darin, daß sie den Behörden auch nicht den geringsten Einfluß auf ihre Tätigkeit gestatten. Die deutschen Genossenschaften, namentlich die Vorschuß-Vereine haben sich diese Selbständigkeit erstritten, sie sind groß geworden in dem Kampf mit der Bureaukratie. Die Vorschuß-Vereine selbst haben also eine andere Ansicht über die Schädlichkeit der Regierungs-Aufsicht, als der Herr Minister des Innern in dem Reskript vom 28. April 1862 ausspricht. Ich hoffe, auch diese Ansicht wird bei dem Ministerium des Innern nicht immer dieselbe bleiben. (...)

Fast alle Vorschuß-Vereine haben eben solche Sparkassen, wie der Verein zu Schneidemühl; es geht also diese Angelegenheit fast alle Vereine in Preußen an. Es existiren in Preußen aber, wie im Bericht angeführt ist, 162 Vereine (die Zahl ist inzwischen auf 186 gestiegen). Es ist ferner im Bericht gesagt, daß die 300 deutschen Vorschuß- und Kredit-Vereine im Jahre 1861 bei einem Gesamt-Umsatz von 20 Millionen Taler einen Sparkassen-Bestand von ca. 5 $^{1}/_{2}$ Millionen Taler gehabt haben. In letzterer Beziehung liegt indessen ein Druckfehler: es muß statt 5 $^{1}/_{2}$ heißen: 3 $^{1}/_{2}$ Millionen. Der Umstand, daß die Vorschuß-Vereine schon jetzt einen so großen Umsatz gemacht haben, wird Sie vielleicht schon veranlassen, die Sache für wichtig zu halten; aber Sie müssen erwägen, daß die deutsche Genossenschafts-Bewegung noch in ihren Anfängen steht. Ich glaube, zur Begründung dessen noch einige Worte sagen zu müssen.

Der erste Vorschuß-Verein entstand bekanntlich im Jahre 1850 in Delitzsch, und wurde gegründet von dem jetzigen Abgeordneten für Berlin, Schulze, der ja nicht bloß in preußischen und deutschen Zeitschriften, sondern selbst in außerdeutschen Zeitschriften mit Recht stets als der Vater des ganzen deutschen Genossenschaftswesens bezeichnet wird.

Die Vorschuß-Vereine haben sich anfänglich sehr langsam vermehrt. Nach dem Delitzscher Verein entstand 1851 in Eilenburg ein Verein, im Jahr 1852 entstand kein Verein, im Jahre 1853 entstand einer, im Jahre 1854 entstanden zwei, im Jahre 1855 wieder zwei Vereine, also nach den ersten fünf Jahren waren erst sieben Vereine vorhanden (jetzt sind es in Deutschland dreihundert). Damals im Jahre 1855 erklärte der jetzige Herr Abgeordnete für Berlin in einer ersten gedruckten Benachrichtigung über das von ihm begründete Genossenschaftswesen, daß er der Zeit engegensehe, wo in ganz Deutschland keine einzige Stadt existiren würde, die nicht solche Vereine besäße. Dieser Zeitpunkt ist zwar noch nicht da, aber wir sind ihm seit 1855, in sieben Jahren, beträchtlich näher gerückt. Ein gleiches Anwachsen, wie in der Zahl der Vereine, hat sich auch in den Umsätzen gezeigt, oder vielmehr ein weit stärkeres Anwachsen. (...)

Im Jahre 1857 setzten die Vorschuß-Vereine zusammen erst 6–800,000 Rthlr. um, im Jahre 1858 hatte sich diese Zahl mehr als verdoppelt. Im Jahre 1859 waren es 5–6,000,000 Rthlr., im Jahre 1860 10–11,000,000 Rthlr., im Jahre 1861 20,000,000 Rthlr. Sie sehen, es ist dies immer eine Steigerung unter alljährlicher Verdoppelung, und wenn das so fortginge, so würden Sie die bekannte Berechnung mit den 64 Feldern des Schachbretts machen können. So wird es nun zwar nicht fortgehen, sonst gebe das für das Jahr 1872 schon einen Gesamt-Umsatz von mehr als 11,000 Millionen Rthlr. Aber, ich glaube vollkommen sicher zu sein, wenn ich behaupte, daß in 10 Jahren der Umsatz mindestens 300–400 Millionen Taler betragen wird. Ich glaube demnach, das Haus der Abgeordneten kann mit vollem Recht die Gesundheit des Genossenschaftswesens anerkennen durch ein einstimmiges Votum. Ich hoffe, dies wird um so sicherer eintreten, als sich ja jetzt schon alle Parteien für das Genossenschaftswesen interessiren. Ich erinnere Sie daran, daß der preußische Volksverein neuerdings Normal-Statuten zu Vorschuß-Vereinen ausarbeiten läßt durch Panse und Genossen, – Normal-Statuten, welche die übrigen Vereine freilich nicht als normal anerkennen können, da danach nur Handwerksmeister zu den Vereinen zugelassen werden sollen. Ich glaube, daß auch die konservative Partei, soweit sie nicht mit dem preußischen Volksverein übereinstimmt, durchaus in der Lage ist, dem Kommissions-Antrage ihre Zustimmung zu geben. Ich glaube auch von den Herren im Zentrum, mich dessen vergewissern zu können.

Diese Herren interessiren sich ja, wie wir bei so vielen Gelegenheiten gesehen haben, ganz besonders für das Wohl und Wehe des armen Mannes im Lande, namentlich in ihren Provinzen. Es hat mich gestern der eine Herr Redner dieser Fraktion, der Herr Abgeordnete Reinhardt, speziell an die Vorschuß-Vereinsfrage erinnert, als er beklagte, daß die Winzer seiner Provinz darauf angewiesen wären, sofort nach der Weinlese ihre Trauben zu verkaufen, weil sie sich dafür Kartoffeln, Holz und Korn einkaufen müßten. Ja, wenn das wirklich so ist, da würde ich einfach nur raten: Sorgen die Herren dafür, daß in den Gegenden, wo Winzer sind, Vorschuß-Vereine gegründet werden; dann können die Winzer in solche Verlegenheiten überhaupt nicht kommen. Die Geldfrage ist bei uns in Deutschland, was die ärmeren Volksklassen betrifft, überhaupt keine Frage mehr. Um Geld zu beschaffen für den, der überhaupt kreditfähig ist, haben wir die Vorschuß-Vereine, welche völlig ausreichend sind.

L. *Parisius* am 25.7.1862 im preuß. Abgeordnetenhaus, Sten. Ber. 1862, 2, S. 834ff.

47 Ausbreitung der Vorschußvereine

Hochgeehrter Herr Ministerpräsident, Euer Exzellenz wollen gnädigst diese Vorstellung entgegennehmen: Die Umsturzpartei ist hier ganz ausgezeichnet organisiert. Sie bedarf politischer Vereine nicht mehr; sie herrscht durch gesellige Vereine, denen ihre politische Tendenz kaum nachgewiesen ist, wenngleich sie mit fortgesetzten Tatsachen dem täglichen Beobachter überzeugend vor Augen tritt.

Bis zum Winter 1862 war diese Herrschaft eine unbeschränkte, wahrhaft despotische. Seitdem sind ihr mit Erfolg zuvorderst ein gut gesinnter geselliger Verein und später – dadurch ermöglicht – eine patriotische Vereinigung entgegengesetzt worden.

Neue Ereignisse gefährden die Existenz beider, und deshalb treibt mich die Vaterlandsliebe, Euer Exzellenz erlauchtester Erwägung folgendes zu unterbreiten:

Im vorigen Jahre ist im nahen Flecken Ruho, und soeben ist hierselbst ein Vorschußverein (Darlehenskasse) nach der bekannten Schulze-Delitzschen Idee gebildet (worden). Hier, wie wohl fast überall, ist die Sache ganz in der Hand der Umsturzpartei. Das Geben der Darlehen, die Hoffnung auf Darlehen fesseln. – Unsere patriotische Vereinigung ist – wenn auch noch nicht aufgelöst – doch faktisch tot. – Der Prozentsatz des Vereins bei Gewährung des Darlehens ist ca. 15 %. Meines Erachtens kann es gar keinem Zweifel unterliegen, daß dies strafbar ist, denn die Darlehensgeber und die Zinsen zahlenden Darlehensnehmer sind keineswegs dieselben Personen, und die Prozente fließen – mit geringem Abzuge – in das spezielle Vermögen der Mitglieder.

Darauf wird weder hier, noch sonst irgendwo von der Staatsanwaltschaft eingeschritten.

Bleibt die Umsturzpartei hierbei im ganzen Lande ungehindert, so wird sie in nicht langer Zeit durch die Korruption der Staatsbürger und Anhäufung enormer Geldmittel äußerst gefährlich werden. – In der Nachbarstadt Memel hat eine gleiche Darlehenskasse im vorigen Jahre 100.000 Taler Betriebskapital gehabt. Angenommen, daß sämtliche Darlehenskassen im Staate zusammen eine Million Betriebskapital besitzen, so werden daraus – nach mathematischen Regeln – binnen 10 Jahren 4 Mill., binnen 20 Jahren 16 Mill., binnen 30 Jahren 64 Millionen, binnen 40 Jahren 256 Mill. Taler. Das praktische Ergebnis wird freilich ganz so riesig nicht sein.

Ein Entgegenwirken durch ähnliche, von konservativer Seite gegründete Vereine, wird gewiß ein günstiges Resultat nicht erzielen. Das ergibt sich aus den bekannten Eigentümlichkeiten der Parteien – es würde an Geld fehlen. – Meines Dafürhaltens würden solche Vereine sich mit glücklicher Wirkung bilden lassen, wenn die Geldmittel aus der Staatskasse gewährt würden. Es müßte freilich ein Gesetz oktroyiert werden, welches solchen Darlehenskassen den höheren Zinssatz gestattet. Alle erwähnten Vorteile wären alsdann bei der Regierung.

Der Kreisrichter von Heidekrug/Ostpr. am 25. März 1865 an den Ministerpräsidenten von Bismarck, ZStA II Merseburg, Rep 90a, St.Min., A VIII 1 d, Nr. 3, Bl. 62

48 Beginn des Freihandels: Der Deutsch-Französische Handelsvertrag

Die im Handelsvertrage mit Frankreich erstrebten Vorteile sind die Erweiterung des Marktes für Industrie und Handel des Zollvereins und die leichtere Durchführung einer Reform für dessen Eingangszölle, welche bei der mangelhaften Verfassung des Zollvereins auf anderm Wege nur schwer zu erreichen war. Diese beiden Vorteile, von denen der erstere von großer Erheblichkeit namentlich für die diesseitige Fabrikation der Litzen und Bänder zu werden verspricht, sind mit Recht als wichtig und bedeutend allgemein anerkannt worden.

Die am meisten – auch von den Industriellen im Bezirk der Handelskammer – gegen den Vertrag hervorgehobenen Bedenken bestehen darin, daß die Tarifreduktionen in vielen Positionen zu weit gehen und dadurch, bei der beabsichtigen Generalisirung der Zölle, einzelne Industriezweige einer übermächtigen Konkurrenz von Seiten Englands preisgeben werden; daß das Prinzip der Reziprozität zum Nachteil des Zollvereins vielfach verletzt erscheint; vor Allem aber darin, daß der Verkehr mit Österreich, welcher auf Grund des Handelsvertrages von 1853 bedeutende Dimensionen erreicht hat und noch größere zu erreichen verspricht, durch die Bestimmungen des Art. 31 im Handelsvertrag mit Frankreich, wieder auf seine frühere Geringfügigkeit zurückgeführt werden wird.

Diese Bedenken haben mehreren zollvereinsländischen Regierungen zum willkommenen Anlaß gedient, den Handelsvertrag abzulehnen und damit die Erhaltung des Zollvereins ernstlich in Frage zu stellen.

Der Handelsstand von ganz Deutschland sieht mit Spannung und Besorgniß der weiteren Entwickelung dieser hochwichtigen Angelegenheit entgegen. (...)

Wenn der Staat den Industriellen zumutet, die Konkurrenz mit dem Auslande auch ohne das bisherige Maß von Schutz auf dem eigenen Gebiete zu bestehen, wenn er von ihnen verlangt, daß sie ihre Fabrikate so billig abgeben, wie sie das in gewerblicher Beziehung ältere und weiter vorgeschrittene Ausland liefern kann, dann ist doch sicher die Erwartung berechtigt, daß der Staat nun auch die Hand zur Beseitigung aller derjenigen Belastungen und Hemmungen biete, welche die freie Entwickelung der gewerblichen Tätigkeit hindern, und daß er jene Entwicklung ebenso fördere, wie solche im Auslande von Staatswegen, direkt oder indirekt, durch Mittel aller Art gefördert worden ist und andauernd gefördert wird.

Manche Maßnahmen der jüngsten Zeit lassen deutlich erkennen, daß Preußen dem Beispiel des Auslandes zu folgen beabsichtigt und den Weg der wirtschaftlichen Reformen einzuschlagen gedenkt. Der Bergbau auf Eisenstein wurde von allen Steuern befreit und im Übrigen soll die Bergwerkssteuer successive bis auf 2 pCt. vom Brutto-Ertrag ermäßigt werden, was hoffen läßt, daß man sich zu dem weiteren Schritt der allein richtigen Netto-Besteuerung entschließen werde; nach dem Vorgange der Befreiung des Rheins von den die Schiffahrt erdrückenden Fesseln, deren letzter Rest auch wohl bald fallen wird, sind Verhandlungen wegen Befreiung der Elbe angeknüpft worden, welche hoffentlich zu einem ersprießlichen Resultate führen; der harte Druck, dem die diesseitigen Erzbezüge aus Nassau vermittelst der preußischen Lohn-Schiffahrtssteuer, sowie der nassauischen Lohnzölle und Schleusengelder unterworfen waren, ist nach erfolgter Aufhebung der ersteren nunmehr sehr wesentlich dadurch weiter gemildert worden, daß – wie es scheint auf Preußens Veranlassung – Nassau vom 1. Januar 1863 ab die Bergzölle ganz abgeschafft und die Talzölle auf die Hälfte ermäßigt hat; den Schwierigkeiten der Schiffahrt auf der versandeten Oder soll gründlich abgeholfen und somit ein lange beklagter Übelstand beseitigt werden; dem Projekte der so wichtigen Kanal-Verbindung zwischen Rhein, Ruhr, Weser und Elbe hat der Staat seine Förderung und kräftige Hilfe in Aussicht gestellt, so daß nach Beendigung der im Gange befindlichen Vorarbeiten zur Ermittelung und Feststellung der zweckdienstlichsten Richtung der erste Spatenstich nicht lange mehr auf sich warten lassen dürfte; es wurden Fonds für Zweig- und Anschlußbahnen zugesagt und der Vervollständigung unseres Bahnnetzes großer Vorschub geleistet; die von Ew. Excellenz erteilte Antwort auf das Gesuch um Konzessionirung der projektirten Bahn Köln-Soest, welche eine Parallelbahn der Bergisch-Märkischen Eisenbahn bilden wird, bekundet, daß der Staat das den Eisenbahn-Gesellschaften seither tatsächlich eingeräumte Monopol beschränken will und die »freie Konkurrenz im Transportverkehr« wenigstens im Prinzip für berechtigt anerkennt(...).

Resolution der Handelskammer Elberfeld und Barmen 1862, Preußisches Handelsarchiv 1863,1, S. 84f.

49 »Die freie Konkurrenzwirtschaft«

1. Firma Funcke & Hueck am 27. Dezember 1864 an ihre Kunden:

Die Konkurrenz ist das Triebwerk der industriellen Entwicklung, – ohne sie Stillstand und Rückschritt, – allein die Konkurrenz soll sich nicht im Schein, nein, sie muß sich in etwas Reellem betätigen. – Traurig ist es, daß allerlei Manöver gemacht werden, um mit scheinbar niedrigeren Offerten dem Publikum zeitweise Sand in die Augen zu streuen, – unbekümmert, ob damit gute Systeme und Machtverhältnisse in Frage gestellt, und schließlich bei den Abnehmern und Konsumenten Zweifel an der Rechtlichkeit der Lieferanten erregt werden.

2. desgleichen am 16. August 1865:

Trotz der bedeutenden Herabsetzung unserer Originalpreise von Holzschrauben haben sich die in unserem Circulairschreiben vom 15. Juni angedeuteten Befürchtungen bewahrheitet, daß bei den billigen Frachten von England nach den Nord- und Ostsee-Häfen, den bedeutend herabgesetzten Zöllen, und endlich den sehr erniedrigten Preisen der Herren Nettlefold & Chamberlain in Birmingham, welche die beiden anderen Holzschrauben-Fabriken in Birmingham auch noch käuflich an sich brachten, englisches Fabrikat nach dem Zoll-Verein kommen würde, und ist damit die vaterländische Holzschrauben-Industrie in eine Lage versetzt, deren Folgen sich sehr bald kennzeichnen werden.

Unter solchen Verhältnissen, und um das Geschäft auch für unsere vielen treuen und uns mit Wohlwollen zugetanen Geschäftsfreunde auf Grundlage einer richtigen Beurteilung des Artikels selbst aufrecht zu halten, haben wir mit den Herren Nettlefold & Chamberlain in Birmingham einen langjährigen Vertrag abgeschlossen, von dessen wesentlichem Inhalt Ihnen umstehendes Circulairschreiben Kenntnis gibt, und welcher uns den ausschließlichen Verkauf von Holzschrauben für den Zoll-Verein, Lauenburg, Holstein, Schleswig, Mecklenburg, Belgien und Holland überträgt.

Funcke & Hueck 1844–1934, Hagen o. J. (1934), Selbstverlag, S. 9ff.

50 Mevissen lehnt die Kriegsstruktur Preußens ab

Die Industrie, die Trägerin der friedlichen internationalen Beziehungen, hält sich allerorten überzeugt, daß die heutige Weltlage weder Eroberungskriege noch lange andauernde Kontinentalkriege überhaupt erträgt; sie rechnet darauf, daß die für die Erhaltung wie für die Herstellung des Friedens wirksamen gewaltigen latenten Kräfte der zivilisierten Nationen gegen eine Politik des Ehrgeizes und der einseitigen Überhebung einer Macht sich sofort koalisieren und durch das Gewicht ihrer Vereinigung unwiderstehlich strenges Maßhalten allen zur gebieterischen Pflicht machen werden. Die deutsche Industrie rechnet darauf, daß die deutschen Regierungen, die ihnen zu Gebote stehenden Kräfte würdigend, jeder aggressiven den Frieden Europas bedrohenden Politik fortan wie bisher fernbleiben werden, sowie darauf, daß eine Bedrohung der deutschen Machtstellung sofort die stammverwandte dominierende Seemacht zum wirksamen Verbündeten Deutschlands machen, und daß der Hinblick auf diese drohende Eventualität jedes etwaige aggressive fremde Gelüste im Zaum halten werde.

Die Situation des Augenblicks zeigt klarer, als irgend eine frühere, wie sehr die materielle Entwicklung der Völker ihre politische Macht, und wie sehr ihre politische Macht und Selbständigkeit ihre ungestörte materielle Entwicklung bedingt. Für Deutschland enthält sie eine ernste Mahnung. Die Seeküsten des Vaterlandes entbehren noch zurzeit der schützenden Flotte und sind jeder angreifenden Seemacht fast schutzlos preisgegeben, sofern Preußen und Deutschland sich genötigt sehen sollten, ohne Bündnis mit einer Seemacht in einen Krieg einzutreten.

Nur die fortschreitende materielle Entwicklung des Landes kann dem Staate die Mittel zur Gründung einer bedeutenden Seemacht schaffen. Diese Entwicklung führt dazu, daß das Eisen und alle übrigen Erfordernisse der modernen Seemacht im Inlande erzeugt werden; sie sichert durch Entwicklung einer die Welt umfassenden Handelsmarine der Flotte die im Kriege erforderliche Bemannung; sie schafft durch den sich bildenden Kapitalreichtum des Volkes dem Staate die Mittel, neben einer achtunggebietenden Landmacht noch große Summen für den Bau der Kriegshäfen wie der Schiffe und für die Unterhaltung der Flotte aufzuwenden. Sehen wir in diesem Augenblick mit Schmerz die Machtmittel unseres Vaterlandes zu Lande der ergänzenden Flotte, deren sie in der Gegenwart und nach den neuesten Fortschritten der Marine mehr als je bedürfen, entbehren, so drängen uns Wahrnehmungen des Augenblicks dazu, auch der anderen Wehrinstitution unseres Vaterlandes, deren Modifikation die seit einem halben Jahrhundert stattgefundene Entwicklung unseres Landes zu gebieten scheint, zu gedenken.

Wir verkennen nicht einen Augenblick die Größe und Schönheit der Idee, welche im Befreiungskriege die ganze Nation zu den Waffen rief und die preußische Wehrverfassung auf die gleiche Wehrhaftigkeit aller Bürger des Staates gründete.

Bei der bedeutenden Entwicklung, welche die Industrie des Landes seit jener Periode erfahren, bei der hohen, ja, vielleicht dezisiven Bedeutung, welche die ungeschwächte Aufrechterhaltung der produktiven Kräfte für die Staaten der Gegenwart hat, drängt sich indes die Frage auf, ob jene, wesentlich auf den einfacheren Verhältnissen des Agrikulturstaates basierende, Wehrverfassung für den Industriestaat nicht Mängel in sich birgt, welche ihre Vorzüge überwiegen; ob sie nicht die freie, unbehinderte Aktion des Staates durch die Schwerfälligkeit der Bewegung und durch die tiefen Störungen im wirtschaftlichen Leben der Nation, welche jede Mobilmachung involviert, namentlich in sochen Fällen hemmt, wo der Staat zu einer offensiven Kriegsführung veranlaßt wäre?

Wir halten uns für verpflichtet, es auszusprechen, daß jede Mobilmachung unseres Heeres den ganzen wirtschaftlichen Organismus unseres Staates im innersten Kerne angreift, daß sie eine gewaltsame Stockung der Produktion und dadurch bei enormem Kapitalverluste relativ geringe finanzielle Leistungsfähigkeit und sich in weiteste Kreise ausbreitende wirtschaftliche Insuffizienz und wirtschaftliches Unbehagen im Gefolge hat.

Jahresbericht der Handelskammer Köln für 1858, in: J. *Hansen,* Mevissen, 2, S. 544f.

51 Fortschrittsoptimismus

Die Krisen in den letzten fünfzig Jahren, die allerdings die Arbeiter oft brodlos machten, haben ihren Ursprung meist in einer Überproduction, die in Folge der Eröffnung neuer Märkte, deren Fassungskraft man noch nicht kannte, eintrat. Von Jahr zu Jahr wird dies seltener und der Schlag, weil er sich weiter verteilt, unbedeutender werden. Und dann ist nicht zu übersehen, daß von solchen Krisen nur die leichtsinnige und unsittliche Speculation getroffen wird, viel weniger die ruhige, geordnete Production. In Deutschland haben wir entfernt nicht jene unsittlichen Auswüchse des Speculationswesens; die Geschäfte sind reeller, es giebt weniger Schwindel, darum haben uns aber auch die Krisen so wenig getan. Wie leicht ging die furchtbare Krisis im Jahre 1857 vorbei! Die Handelskrisen, (...) brechen hauptsächlich das Faule vom Baume der volkswirtschaftlichen Production. Kommen sie wie ein Sturmwind, vor dem kein morscher Zweig Stand halten kann, so sind sie auch in sehr kurzer Zeit vorbeigesaust. Zumal die Arbeiterwelt leidet durch sie jetzt vorübergehend, vorübergehender als einst das Handwerk an localen Stockungen; denn nach Reinigung der Luft in der Unternehmerregion pulsirt bald die Production mit neuer Frische, nachdem sie vor den Krisen langsamer, träger geworden war. (...)

Unsere ganze moderne Wirtschaftsgeschichte ist ein Wachsen der sittlichen Solidarität und Gemeinschaft, ein Wachsen der Gleichmäßigkeit und Continuität der ökonomischen und sozialen Existenz. Daß mit dem Übergang zu so viel Neuem auch viel Irrtum und Ausschweifung, viel drückende Überspeculation, viele Fehler aus Unkenntniß der Verhältnisse verbunden waren – das ist natürlich. Das Gute und Neue will stets erkämpft und mit Lehrgeld bezahlt sein.

Die bisherigen Bemerkungen haben uns gezeigt, daß die Hauptursachen unseres industriellen Proletariats, der Druck der Maschinen und Handelskrisen auf den Arbeitslohn, die Brodlosigkeit vieler Handwerker und ihre gedrückte Lage, die Einführung einer ganz veränderten Technik und einer ganz veränderten sozialen Stellung der verschiedenen Glieder des Arbeitsorganismus, – daß diese Mißstände, die besonders in den Jahren 1840 bis 1855 auf Deutschland lasteten, wirklich in der Hauptsache nur vorübergehende waren. Ebenso sind andere – wie der schwere Kampf mit der Übermacht vorangeschrittener Industrieländer – mehr und mehr überwunden und werden noch mehr in den Hintergrund treten, je freier die Handelspolitik des Zollvereins sein wird, je mehr sich unsere Industrie auf das conzentrirt, worin sie am meisten exzellirt, je weniger sie Alles selbst machen will, auch das, was das Ausland unendlich besser und billiger liefert.

Von jeher hat man es für das ökonomische, soziale und politische Ideal gehalten, wenn die Vermögensverteilung keine zu ungleiche war, wenn neben dem Reichtum der Großen und der Armut der Kleinen ein mittlerer Besitzstand die breite Masse des Gesellschaftskörpers ausfüllte, wenn die verschiedenen ökonomischen Classen sich nicht geschlossen gegenüberstanden, sondern überall ein allmählicher Übergang stattfand, wenn die Kluft zwischen den verschiedenen Ständen der frischen Kraft stets überwindbar blieb, wenn die Classeninteressen nicht jenen feindlichen Gegensatz, jenen egoistischen Widerstreit annahmen, der alle sittliche Wechselwirkung, alle Gemeinsamkeit der Ideen und der Weltanschauung, der die Pflicht der Erziehung für die höheren Stände gegenüber den niederen erschwert oder aufhebt.

Von diesem Gesichtspunkt müssen wir unsere industriellen Verhältnisse betrachten. Es handelt sich nicht bloß um eine ökonomische, sondern um eine sittliche Culturfrage. Sind unsere Handwerker- und Arbeiterverhältnisse, ist die ökonomische Lebensbasis der Arbeiter – der Arbeitslohn auf dieser abschüssigen Bahn?

G. *Schmoller,* Die Arbeiterfrage, in: Preußische Jahrbücher 14 (1864), S. 410ff.

52 Einführung des Patentschutzes

Obwohl ich der politischen Tätigkeit seit dem Jahre 1866 gänzlich entsagt hatte, wendete ich den öffentlichen Angelegenheiten doch fortgesetzt rege Teilnahme zu. Eine Frage, der ich schon früher besonderes Interesse gewidmet hatte, war die des Patentwesens. Es war mir längst klar geworden, daß eines der größten Hindernisse der freien und selbstständigen Entwicklung der deutschen Industrie in der Schutzlosigkeit der Erfindungen lag. Zwar wurden in Preußen sowohl wie auch in den übrigen größeren Staaten Deutschlands Patente auf Erfindungen erteilt, aber ihre Erteilung hing ganz von dem Ermessen der Behörde ab und erstreckte sich höchstens auf drei Jahre. Selbst für diese kurze Zeit boten sie nur einen sehr ungenügenden Schutz gegen Nachahmung, denn es lohnte sich nur selten, in allen Zollvereinsstaaten Patente zu nehmen, und dies war auch schon aus dem Grunde gar nicht angängig, weil jeder Staat seine eigene Prüfung der Erfindung vornahm und manche der kleineren Staaten überhaupt keine Patente erteilten. Die Folge hiervon war, daß es als ganz selbstverständlich galt, daß Erfinder zunächst in anderen Ländern, namentlich in England, Frankreich und Nordamerika, ihre Erfindungen zu verwerten suchten. Die junge deutsche Industrie blieb daher ganz auf die Nachahmung der fremden angewiesen und bestärkte dadurch indirect noch die Vorliebe des deutschen Publicums für fremdes Fabrikat, indem sie nur Nachahmungen und auch diese großenteils unter fremder Flagge auf den Markt brachte.

Über die Wertlosigkeit der alten preußischen Patente bestand kein Zweifel; sie wurden in der Regel auch nur nachgesucht, um ein Zeugniß für die gemachte Erfindung zu erhalten. Dazu kam, daß die damals herrschende absolute Freihandelspartei die Erfindungspatente als ein Überbleibsel der alten Monopolpatente und als unvereinbar mit dem Freihandelsprinzip betrachtete. In diesem Sinne erging im Sommer 1863 ein Rundschreiben des preußischen Handelsministers an sämtliche Handelskammern des Staates, in welchem die Nutzlosigkeit, ja sogar Schädlichkeit des Patentwesens auseinandergesetzt und schließlich die Frage gestellt wurde, ob es nicht an der Zeit wäre, dasselbe ganz zu beseitigen. Ich wurde hierdurch veranlaßt, an die Berliner Handelskammer, das Ältestencollegium der Berliner Kaufmannschaft, ein Promemoria zu richten, welches den diametral entgegengesetzen Standpunkt einnahm, die Notwendigkeit und Nützlichkeit eines Patentgesetzes zur Hebung der Industrie des Landes auseinandersetzte und die Grundzüge eines rationellen Patentgesetzes angab.

Meine Auseinandersetzung fand den Beifall des Collegiums, obschon dieses aus lauter entschiedenen Freihändlern bestand; sie wurde einstimmig als Gutachten der Handelskammer angenommen und gleichzeitig den übrigen Handelskammern des Staates mitgeteilt. Von diesen schlossen sich diejenigen, welche ein zustimmendes Gutachten zur Abschaffung der Patente noch nicht eingereicht hatten, dem Berliner Gutachten an, und in Folge dessen wurde von der Abschaffung Abstand genommen.

Dieser günstige Erfolg ermutigte mich später zur Einleitung einer ernsten Agitation zur Einführung eines Patentgesetzes für das deutsche Reich auf der von mir aufgestellten Grundlage. (...) Das Endresultat der Debatten war ein Patentgesetzentwurf, der im wesentlichen auf der in meinem Gutachten von 1863 aufgestellten Grundlage ruhte. Diese bestand in einer Voruntersuchung über die Neuheit der Erfindung und darauf folgender öffentlicher Auslegung der Beschreibung, um Gelegenheit zum Einspruche gegen die Patentirung zu geben; ferner Patenterteilung bis zur Dauer von fünfzehn Jahren mit jährlich steigenden Abgaben und vollständiger Publikation des erteilten Patentes; endlich Einsetzung eines Patentgerichtes, das auf Antrag jederzeit die Nichtigkeit eines Patentes aussprechen konnte, wenn die Patentfähigkeit der Erfindung nachträglich mit Erfolg bestritten wurde.

W. v. *Siemens,* Lebenserinnerungen, Berlin 1892, S. 258 ff.

53 Der industriewirtschaftliche Aufschwung

Selten werden wir über ein Jahr zu berichten haben, dessen ausschließliche Bewegung die der Hausse war, wie das verflossene Jahr. (...)

Die allgemeinen Ursachen dieser Bewegung liegen teilweise in der fruchtbringenden Tätigkeit vieler Zweige des deutschen Handels, teilweise aber auch in einem großen Geldüberfluß, der fast während des ganzen Jahres angehalten hat. Es ist nicht zu verkennen, daß auf letzteren der amerikanische Krieg von großem Einflusse ist. Große Summen, die in dem Handel mit Amerika tätig waren, warten seit lange auf ein Ende der Feindseligkeiten, gaben aber inzwischen der Hausse-Spekulation eine Stütze für ihre Operationen.

Was die ersterwähnte Ursache der Haussebewegung betrifft, so stiegen die Einnahmen aller Eisenbahnen und industriellen Unternehmungen. Verbesserte Tarife, Zunahme des deutschen Binnenhandels und schließlich wohl auch die Erfahrungen in der Ökonomie der Verwaltung und des Betriebes lassen erheblich bessere Renten bei den meisten Eisenbahnwerten erwarten.

So wechselnd auch die politischen Verhältnisse sich in dem verflossenen Jahre gestalteten, das Kapital blieb dagegen unempfindlich und die Haussebewegung fand bei trüben Aussichten nur Veranlassung zur Ruhe, um sodann frischer und kräftiger der eingeschlagenen Richtung zu folgen.

Wenden wir uns zu den einzelnen Gattungen der Papiere, so haben wir hinsichtlich der Renten- und Pfandbriefe wenig Veränderungen zu bemerken. Bei wechselnder Bedeutung des Geschäfts darin erhalten sich diese Papiere in gewissen Kreisen in stets gleicher Beliebtheit. Aber auch sie weisen im Durchschnitt nur Kursbesserungen auf.

Für die in großer Anzahl auftauchenden Schuldverschreibungen der Kommunal- und Kreisverbände zeigt die Berliner Börse wenig Aufmunterung und Entgegenkommen. Sie weist solche Papiere mehr in diejenigen Kreise, zu deren speziellem Nutzen sie geschaffen sind, und der oft geringe Gesamtbetrag derselben eignet sich auch in der Tat für die Berliner Börse nicht recht.

Die preußischen Staatspapiere haben, mit Ausnahme der 3 1/2 prozentigen Staatsprämien-Anleihe, bei welcher allerdings eine erhebliche Steigerung eingetreten ist, am wenigsten Teil gehabt an der Haussebewegung und dem großen Umsatz des vorigen Jahres.

Die Konvertirung eines Teiles der 4 1/2 prozentigen Staatsanleihe in 4 prozentige, auch wohl der Umstand, daß die Stimmung in einem großen Teile Deutschlands unserer Regierung ungünstiger wurde, ließen die preußischen Anleihen im Auslande weniger beliebt erscheinen. Süddeutschland und Holland haben sich zum Teil ihrer Anlagen darin entledigt, und das hierdurch unserer Börse zuströmende Material ließ eine Besserung der Preise nur in geringem Maße aufkommen.

Das Geschäft in Eisenbahn-Stamm-Aktien war dagegen von außerordentlicher Ausdehnung. Wir haben schon oben die steigende Bewegung der Kurse und ihre

Gründe angedeutet und können uns daher darauf beschränken, einzelne Kurssteigerungen hervorzuheben, die am besten geeignet sind, die tiefeingreifende Bedeutung dieses Geschäftszweiges für den National-Wohlstand darzutun.

So erfuhren z. B. eine Steigerung:

Bergisch-Märkische Aktien	von 97 $^{3}/_{4}$	bis 109,
Berlin-Anhalter Aktien	von 130	bis 150,
Berlin-Hamburger Aktien	von 111	bis 127,
Berlin-Potsdam-Magdeburger Aktien	von 149	bis 217,
Berlin-Stettiner Aktien	von 120 $^{1}/_{2}$	bis 136,
Cöln-Mindener Aktien	von 154 $^{1}/_{2}$	bis 193,
Breslau-Freiburger Aktien	von 110	bis 143,
Mainz-Ludwigshafener Aktien	von 110 $^{1}/_{2}$	bis 131 $^{1}/_{2}$,
Nordbahn-Aktien	von 49	bis 63 $^{3}/_{4}$,
Mecklenburger Aktien	von 49	bis 62 $^{1}/_{2}$,
Niederschlesische Zweigbahn-Aktien	von 38	bis 65,
Oberschlesische Aktien	von 123 $^{1}/_{4}$	bis 176 $^{1}/_{2}$,
Rheinische Aktien	von 89	bis 100 $^{3}/_{4}$,
Stargard-Posener Aktien	von 88 $^{3}/_{4}$	bis 109,
Kosel-Oderberger	von 33 $^{1}/_{2}$	bis 63 $^{3}/_{4}$ (...)

In Zettel- und Kreditbankaktien hatte ebenfalls, namentlich in den letzten Monaten des Jahres, ein bedeutender Geschäftsumsatz und eine erhebliche Kurssteigerung statt. Die allgemeine Haussebewegung hat alle Bestände der Kredit-Institute wesentlich verbessert und ihnen Gelegenheit gegeben, sich mit Nutzen alter Bestände zu entledigen. Nebenher hatten die Zettelbanken im Allgemeinen ausreichende Verwendung ihrer Kapitalien. Bei den meisten Bank-Instituten darf man also für das Jahr 1862 gute Dividenden erwarten.

Bericht der Ältesten der Kaufmannschaft zu Berlin 1862, Preußisches Handelsarchiv 1863, 1, S. 155

Indem wir den Bericht über das letzte Jahr der ›Handelskammer für Essen, Werden und Kettwig‹ beginnen, nehmen wir Anlaß, einen Rückblick auf die 23 Jahre ihres Bestehens zu werfen, und in wenigen Zügen den Aufschwung anzudeuten, den Handel und Industrie im Bezirke der Handelskammer während jenes Zeitraums genommen haben. (...)

Im Jahre 1841 besaß Essen als An- und Abfuhrwege nur seine Landstraßen und mittelbar die Ruhr; eine Erweiterung seines Absatzgebietes erstrebte es durch die von der Handelskammer in ihrem ersten Jahresberichte (und leider auch noch heute in ihrem 23.) verlangte Herstellung einer Chaussee nach dem Veste Recklinghausen; – jetzt ist Essen einer der wichtigeren Punkte von zwei mächtigen Eisenbahn-Systemen; die dritte große Eisenbahn baut ihren Schienenweg dahin und der Rhein-Weser-Elbe-Kanal ist das nächste Ziel seines Strebens.

Die Folgen davon mußten alle Erwartungen übertreffen. Im Jahre 1863 förderten 2 Essener Zechen fast soviel Kohlen, als 1841 der ganze Essen-Werdensche Bergamtsbezirk; ein einziges Fabrik-Etablissement (das Kruppsche) beschäftigte ein Arbeiterpersonal, welches sechs Siebenteln der Bevölkerung der Bürgermeisterei Essen in 1841 gleich kam (im laufenden Jahre übersteigt die Arbeiterzahl der genannten Fabrik schon die ganze Einwohnerzahl von Essen ins 1841); die Steinkohle des Bezirks, welche 1841 noch mühsam per Achse ihre Konsumenten in engem Gebiete aufsuchte, wagt jetzt die Konkurrenz mit England über den Ozean hinüber; die Fabrikate der Gußstahlfabrik stehen nicht allein den Produkten Englands, das früher den ganzen Industriezweig allein ausbeutete, gleich, sondern haben, namentlich in großen Stücken, den Vorsprung vor England gewonnen und sich dadurch auch dorthin den Weg gebahnt. (...)

A. Bevölkerung und direkte Steuern.

1841. Bürgermeisterei	Einwohnerzahl	Grundsteuer. Rthlr.	Klassensteuer. Rthlr.	Gewerbesteuer. Rthlr.	Summa der direkten Steuern Rthlr.
Essen	6,280	2,861	4,047	3,002	9,910
Werden	7,791	3,803	3,618	1,766	9,187
Kettwig	5,963	4,592	3,036	1,116	8,744
Summa	20,034	11,256	10,701	5,884	27,841
1845.					
Essen	7,547	2,978	4,153	3,191	10,322
Werden	9,671	3,949	3,757	1,790	9,496
Kettwig	6,589	4,692	3,091	1,240	9,023
Summa	23,807	11,619	11,001	6,221	28,841

1861.			Klassensteuer.	klassifizirte Einkommensteuer.		
Essen	20,811	3,575	13,656	6,270	5,663	29,164
Werden	12,100	4,130	7,246	2,348	2,014	15,738
Kettwig	7,466	4,896	5,087	2,122	1,300	13,405
Summa	40,377	12,601	25,989	10,740	8,977	58,307

Es ergeben sich hieraus folgende Verhältnißzahlen:

	für die Bevölkerung		für die Summe der direkten Steuern	
	Verhältniß 1841 : 1861.	durchschnittlicher Zuwachs in einem Jahre.	Verhältniß 1841 : 1861.	durchschnittlicher Zuwachs in einem Jahre.
in Essen	100 : 331	11,55 pCt.	100 : 294	9,70 pCt.
in Werden	100 : 151	2,55 pCt.	100 : 171	3,55 pCt.
in Kettwig	100 : 125	1,25 pCt.	100 : 153	2,65 pCt
Zusammen	100 : 201	5,5 pCt.	100 : 209	5,45 pCt.

B. Zahl der zur Handelskammer berechtigten und verpflichteten Gewerbetreibenden mit Angabe der von ihnen gezahlten Prinzipal-Gewerbesteuer.

	Essen.		Werden.		Kettwig.		Summa.	
	Gewerbesteuer		Gewerbesteuer		Gewerbesteuer		Gewerbesteuer	
	Zahl.	Rthlr.	Zahl.	Rthlr.	Zahl.	Rthlr.	Zahl.	Rthlr.
1841	46	766 1/2	24	268	20	240	90	1,274 1/2
1845	49	852	24	288	21	252	94	1,392
1849	54	930	21	252	20	246	95	1,428
1853	58	1,010	25	300	19	218	102	1,528
1857	82	1.475	23	278	23	278	128	2,031
1861	88	1,562	25	300	24	294	137	2,156
1863	95	2,463 1/3	40	576	26	366	161	3,405 1/3

C. Steinkohlen-Bergbau.

Um die riesigen Zunahme-Verhältnisse dieser Industrie zu veranschaulichen, stehen uns für die drei Bürgermeistereien folgende Zahlen zu Gebote:

		Zahl der Zechen.	Arbeiter-Zahl.	Förderung. Tonnen.
1845.	Essen	2	374	416,698
	Werden	22	748	492,646
	Kettwig	11	453	382,905
	Summa	35	1,575	1,292,249
1858.	Essen	6	2,218	1,889,843
	Werden	28	1,117	920,715
	Kettwig ..	26	821	574,640
	Summa	60	4,156	3,385,198
1861.	Essen	6	2,553	2,388,930
	Werden	25	954	1,018,718
	Kettwig	23	773	682,910
	Summa	54	4,280	4,090,558
1862.	Essen	6	2,460	2,754,376
	Werden	18	753	793,056
	Kettwig	25	702	614,921
	Summa	49	3,915	4,162,353
1863.	Essen	6	2,661	3,166,239
	Werden	20	788	884,150
	Kettwig	20	661	536,073
	Summa	46	4,110	4,586,462

Das Wachstum der Arbeiterzahl und Förderung wird demnach durch folgende Verhältnißzahlen ausgedrückt:

a. Arbeiterzahl.

	1845.		1858.		1861.		1863.	Durchschnittliche Zunahme pro Jahr von 1845–1863.
in Essen	100	:	593	:	683	:	711	33,39 pCt.
in Werden	100	:	149	:	128	:	108	0,44 pCt.
in Kettwig	100	:	181	:	171	:	146	2,56 pCt.

b. Förderung.

	1845		1858		1861		1863	Durchschnittliche Zunahme pro Jahr von 1845–1863
in Essen	100	:	454	:	573	:	760	36,67 pCt.
in Werden	100	:	187	:	207	:	179	4,39 pCt.
in Kettwig	100	:	150	:	178	:	140	2,32 pCt.

D. Hüttenwerke.

Die Statistik für 1845 zählt an Eisenhütten und sonstigen Metallfabriken:

in der Bürgermeisterei Essen .... 2 mit 180 Arbeitern,
in der Bürgermeisterei Werden .... 3 mit 9 Arbeitern,

Dagegen sind jetzt folgende Werke in Betrieb:

	1858		
Bürgermeisterei Essen.	Arbeiter	Produktion. Pfd.	Fabrikat.
Krupp'sche Gußstahlfabrik	1050	7,000,000	Gußstahl.
Essener Maschinenfabrik	229	2,350,000	Eisengußwaren.
		–	Hammereisen.
		–	Bleche, Stabeisen.
		17,500	Messing.

	1861		
Bürgermeisterei Essen.	Arbeiter	Produktion. Pfd.	Fabrikat.
Krupp'sche Gußstahlfabrik	2138	10,000,000	Gußstahl.
Essener Maschinenfabik	156	1,760,000	Eisengußwaren.
		–	Hammereisen.
		75,000	Bleche, Stabeisen.
		12,500	Messing.

	1863		
Bürgermeisterei Essen.	Arbeiter	Produktion. Pfd.	Fabrikat.
Krupp'sche Gußstahlfabrik	5500	25,000,000	Gußstahl.
Essener Maschinenfabrik	285	2,135,000	Eisengußwaren.
		110,419	Hammereisen.
		300,000	Bleche, Stabeisen.
		28,053	Messing.

Jahresbericht der Handelskammer für Essen, Werden und Kettwig 1863, Preußisches Handelsarchiv 1864, 2, S. 598 ff.

54 Forderung der Industrie nach Staatshilfe

Eben erst hat die Handelskrise des Jahres 1857 die Luft gereinigt und, wenn auch unter empfindlichen Verlusten, die Überproduktion beseitigt und dem Handel strenge Solidität zurückgegeben. Die Kredite sind relativ sowohl auf dem Fondsmarkte wie auf der Produktenbörse und in der Industrie weniger angespannt als in früheren Jahren, und seit Januar, seit dem ersten Auftauchen der Besorgnis eines europäischen Krieges, ist die Vorsicht, welche die erst eben überwundene Handelskrise zurückgelassen hat, noch gesteigert. Möge die hohe Staatsregierung, die gesunde Lage des Landes und das reguläre Maß seiner Produktion ungeschwächt aufrechthaltend, von dem betretenen Wege der kleinmütigen Beschränkung der Arbeit einlenken und dadurch, daß sie der Zukunft vertraut, dem Lande und der Industrie das Vertrauen zu sich selbst zurückgeben!

Wir richten, tiefdurchdrungen von der Überzeugung, daß dadurch die Finanzkräfte des Staates nicht geschmälert, sondern gesteigert, ja einzig aufrecht erhalten werden können, an Euer Exzellenz die Bitte, unverweilt die öffentlichen Bauten im Lande und vor allem die Eisenbahnbauten wieder aufnehmen und mit erhöhter Kraft fortführen lassen zu wollen. Dieser Akt des Staates wird sofort das Vertrauen wieder wecken, die Produktion neu beleben und den heute leblosen Börsen ihre Lebenskraft, das flottante Anlage suchende Kapital der Nation, wiedergeben. Eine längere Lähmung der industriellen Produktion des Landes halten wir für den gefährlichsten Schlag, der den Gesamtinteressen bereitet werden könnte.

Für den Agrikulturstaat ist eine Stockung öffentlicher Arbeiten in politischen Krisen ohne großes Bedenken. Die Arbeitskraft, die den öffentlichen Arbeiten und verwandten Zwecken entzogen wird, wendet sich dem Ackerbau zu und findet nützliche und produktive Verwendung. Unter dem Drucke einer partiellen Arbeitsstockung wird die Agrikulturproduktion in ihrem Ertrage gesteigert, während zu gleicher Zeit billiger produziert und bei verringertem Konsum das Inland in erhöhtem Maße zum Export von Agrikulturprodukten befähigt wird. Gerade das Gegenteil findet statt auf dem Gebiete der Industrie. Der Arbeiter der Industrie ist eine Spezialität, die weder zum Ackerbau noch sonst anders als für ihre Spezialität gebraucht werden kann. Steht das industrielle Etablissement still durch Mißtrauen, Mangel an Kapital oder durch das Produkt beider, vorübergehende Beschränkung des Konsums an Manufakten, so hört der dem Etablissement angehörige Arbeiter gänzlich auf, zu produzieren. Er wird nationalwirtschaftlich absolut unproduktiv. Er hört aber darum nicht auf, zu konsumieren, er muß vielmehr von den übrigen produzierenden Kräften mit erhalten werden. Ist die Industrie zum Feiern im großen Umfange genötigt, so fällt der Export, weil Kapital und Unternehmungslust fehlen, um für den Export zu produzieren. Mit dem fallenden Export sinkt die disponible Kapitalkraft des Landes und die Fähigkeit, Kapital zu reproduzieren. Der verringerte Konsum an Industrieerzeugnissen im Inlande bietet kein Äquivalent, denn bei Industrieprodukten ist die Arbeit der bei weitem bedeutendste Faktor. Die mögliche Ersparnis an Rohstoff wird weit überwogen durch den Ausfall an Export. Die Hände, die dem Inlande industrielle Erzeugnisse geschafft hätten, wenn das Vertrauen erhalten worden wäre, sind gänzlich lahm gelegt, und die nicht in Anspruch genommene produktive Arbeitskraft ist für sie wie für das Land rein verloren.

Wie die Verhältnisse in den letzten Wochen unter dem Eindrucke höchst beklagenswerter, weit über das vernünftige Maß hinausgehender Befürchtungen geworden sind, erscheint es für den Augenblick geboten, daß die Staatsregierung nicht allein durch Wiederaufnahme und kräftige Fortführung der eigenen Bauten das sinkende Vertrauen neu belebe, sondern daß sie auch noch durch andere Mittel die große industrielle Gesellschaft in der Lösung ihrer Aufgabe unterstütze.

Der Staatsregierung bieten sich zur Erreichung dieses Zwecks verschiedene Wege dar:

a) Beleihung von Effekten und Waren durch die königliche Bank;

b) vorübergehende Beleihung von Effekten und Waren durch (auf Grundlage der durch das Gesetz vom 15. April 1848 gegebenen Organisation) neu herzustellende Darlehnskassen;

c) durch Flüssigmachung latenter Kapitalien mittelst Aufhebung oder Suspension der Wuchergesetze.

Wir vermögen von hier aus nicht zu ermessen, inwiefern der Kredit der Bank zurzeit eine noch stärkere Anspannung durch vermehrte Ausgabe von Noten ratsam und ausführbar erscheinen läßt. Nach dem veröffentlichten Status vom 30. April hatte die Bank in Umlauf 73 546 000 Taler gegen 43 274 000 Taler Barvorrat. Obschon die danach vorhandene Marge noch sehr bedeutend ist, und obschon wir glauben, daß nach einiger Zeit das vielleicht augenblicklich vorhandene Angebot von Diskontpapier wesentlich abnehmen dürfte, so erscheint uns doch die Lage der Bank nicht derart, daß die Reserve derselben, welche der Wollmarkt ohnehin gerade jetzt bedeutend schwächen dürfte, noch füglich durch sehr umfassende Effekten- oder Warenbeleihungen reduziert werden sollte. Namentlich halten wir es für sehr problematisch, ob es der Bank gelingen würde, mit Leichtigkeit eine stärkere Notenzirkulation als die gegenwärtige dauernd zu erhalten. Wir bezweifeln dies um so mehr, als bei stockendem, sich beschränkendem Verkehr die Notenzirkulation in der Regel sich vermindert. Sollte diese in der allgemeinen Lage der deutschen Industrie begründete Verminderung auch für den Augenblick dadurch paralysiert werden, daß zunächst die Noten der Privatbanken der kleinen deutschen Staaten, wie dies schon in so hohem Grade der Fall ist, zurückströmen und jene Verminderung auf sich nehmen, so ist doch bei längerer Dauer der beschränkten Produktion selbst eine Verminderung der Zirkulation über jenes, durch die verminderte Zirkulation der Privatbanken gegebene Maß um so mehr wahrscheinlich, als die preußischen Noten aus Süddeutschland, wo bisher ein ansehnlicher Teil derselben zirkuliert hat, successive unter dem Eindrucke allgemeineren Mißtrauens zurückströmen können.

Antrag der Kölner Handelskammer vom 27. Mai 1859 an Handelsminister v. d. Heydt betr. die die Industrie lähmenden Maßregeln, in: J. *Hansen*, Mevissen, 2, S. 537ff.

55 Wirtschaftseinheit

Resolutionen des ersten deutschen Handelstages,
beschlossen zu Heidelberg, den 13. – 18. Mai 1861.

I. Beschlüsse, betreffend die Organisation des Handelstages.

1) Der allgemeine deutsche Handelstag erklärt und gestaltet sich zum Organ des gesamten deutschen Handels- und Fabrikantenstandes, um in regelmäßig wiederkehrenden Versammlungen von Abgeordneten desselben über allgemein wichtige Fragen des Verkehrs dessen Gesamtansicht auszusprechen.
2) Der Handelstag tritt mindestens alle zwei Jahre zusammen. (...)
4) Bis zur Einführung definitiver Bestimmungen über die Art der Zusammensetzung des Handelstages in Näherem sind alle deutschen Handelskammern und Handelsvorstände, oder wo solche offizielle Handelsorgane nicht vorhanden, auch kaufmännische Privatvereine, sofern sie die Pflege der öffentlichen Verkehrsinteressen zum Zwecke ihrer Vereinigung haben, und nach Ansicht des bleibenden Ausschusses die Gesamthandelsinteressen des betreffenden Platzes zu vertreten geeignet sind, berechtigt, Bevollmächtigte in beliebiger Anzahl zu demselben zu entsenden. Jeder dieser Bevollmächtigten kann sich bei der Beratung beteiligen. Bei der Abstimmung steht indessen den mehreren Vertretern eines Platzes, beziehungsweise Handelsbezirkes, nur eine Stimme zu, über welche sie sich zu einigen haben.
(...)
9) Es wird ein bleibender Ausschuß für die Zeit von einem Handelstag zum anderen und ein ständiges Zentralbureau eingerichtet.
10) Der Sitz derselben wird nach Berlin verlegt.
(...)

II. Beschlüsse in Bezug auf Maß- und Gewicht-Einheit.
(...)

4) Der deutsche Handelsstand hat dahin zu wirken, daß in sämtlichen deutschen Staaten die Einführung des demgemäß aus dem Meter abzuleitenden einheitlichen dezimalen Maßsystems für alle Zwecke des Handelsverkehrs baldigst stattfinde, wenn auch im Übrigen die vollständige Durchführung des metrischen Maßsystems, namentlich in Bezug auf Flächenmaße, längere Vorbereitungen und Übergangsperioden erfordern sollte.

(...)

III. Beschlüsse in Bezug auf Münz-Einheit.

(...)

5) Nach Einführung der einheitlichen neuen Rechnungs-Einheit und nach damit verbundener Aufhebung der sog. süddeutschen Währung werden die Courantgeld-Ausmünzungen in Deutschland nur folgende sein dürfen:
   Taler oder Dreimark... 30 Stück ein Pfund fein Silber enthaltend,
   Mark... 90 Stück ein Pfund fein Silber enthaltend,
   Zweimark... 45 Stück ein Pfund fein Silber enthaltend,
   Viermark... 22 $^1/_2$ Stück ein Pfund fein Silber enthaltend
   Halbe Mark (50 Pfennigstücke)... 180 Stück ein Pfund fein Silber enthaltend

6) Als Scheidemünze sind künftig nur folgende Münzsorten zu prägen: 20-Pfennige (2 Groschen), 10-Pfennige (Groschen), 5-Pfennige (halbe Groschen), 2-Pfennige, Pfennige.

(...)

IV. Beschlüsse, betreffend die Organisation des Zollvereins.

Der allgemeine deutsche Handelstag erklärt:

1) Der fernere Bestand und die weitere Ausdehnung des deutschen Zollvereins ist für deutsche Interessen von der größten Bedeutung.
2) Der Beitritt derjenigen deutschen Staaten, welche dem Zollverein noch nicht angehören, ist zu erstreben.
3) Zwischen dem deutschen Zollverein und Österreich ist Verkehrsfreiheit, soweit sie nach den in beiden Zollgebieten bestehenden Verbrauchssteuern und Finanzzöllen zu verwirklichen ist, einzuführen. Auch ist tunlichst dahin zu wirken, daß in geeigneter Zeit eine vollständige Handels-Vereinigung zwischen dem Zollverein und dem österreichischen Staate eintrete.
4) Es ist auf Beseitigung der Hindernisse, welche dem völlig freien Verkehr im Zollverein noch entgegenstehen – wohin insbesondere die Übergangssteuern und die Ungleichmäßigkeit der Verbrauchssteuern gehören – hinzuwirken. Auch sind die Handels-Interessen des Zollvereins nach Außen durch Bestellung gemeinsamer Consular-Agenten und Annahme einer gemeinsamen Flagge zu wahren.

(...)

6) Zu dem Ende wird bei Erneuerung der Zollvereins-Verträge darauf Bedacht zu nehmen sein, daß die Gesetzgebung des Zollvereins der Vertretung der vereinigten Regierungen einerseits – und der der Bevölkerung der Vereinsstaaten andererseits – gemeinschaftlich übertragen werde, dergestalt, daß die

übereinstimmenden, durch Majorität gefaßten Beschlüsse dieser beiden Körperschaften als endgültige Gesetze im ganzen Zollgebiete einzuführen sind.

(...)

V. Beschlüsse bezüglich der Einführung des deutschen Handelsgesetzbuchs.

Der deutsche Handelstag erklärt:

1) Der Entwurf eines allgemeinen deutschen Handelsgesetzbuchs nach den Beschlüssen der letzten Lesung möge sofort und unverändert in allen deutschen Bundesstaaten eingeführt werden.

(...)

3) Es möge überall und möglichst gleichzeitig mit dieser Einführung die Organisation von Handelsgerichten in Angriff genommen werden, und zwar nach folgenden leitenden Prinzipien:

a) In Handelssachen entscheiden nur Handelsgerichte.

(...)

c) Die Urteile der Handelsgerichte werden von kaufmännischen Richtern unter einem rechtsgelehrten Vorsitzenden gefällt.

(...)

f) Die Vollstreckbarkeit der Urteile muß eine allgemeine im ganzen Bundesgebiete sein.

4) Es möge durch Vereinbarung der deutschen Regierungen und Stände baldmöglichst ein gemeinsamer oberster deutscher Gerichtshof zur Erhaltung der Einheit und gemeinsamen Fortbildung des deutschen Handelsrechts ins Leben treten.

(...)

VII. Beschlüsse in Betreff der Transitzölle auf der Berlin-Hamburger Bahn und der Flußzölle.

1) Der deutsche Handelstag erklärt, die Aufhebung der Transitzölle auf der Berlin-Hamburger Bahn ist eine wirtschaftlich, nicht minder aber durch Gerechtigkeit und Billigkeit gebotene Notwendigkeit.

(...)

Protokolle der Commerzdeputation, Anlagen 1861

4 *Gesellschaftspolitischer Beitrag des Rechts*

Beamtenunabhängigkeit

56 Rede Twestens am 10. 2. 1866 im preuß. Abgeordnetenhaus zur Unabhängigkeit der Richter

Das Ober-Tribunal hat meine kühnsten Erwartungen übertroffen.

(Stürmischer Beifall links.)

Man hat sich demaskirt.

Ja, meine Herren, so weit hat das Regiment der Grafen Bismarck, Eulenburg und zur Lippe den höchsten Gerichtshof des Landes gebracht, daß er nicht mehr bloß den Gesetzen und der Verfassung des Landes – das sind wir längst gewöhnt, – daß er auch den eigenen, noch kürzlich wiederholten Beschlüssen Hohn spricht. Der Herr Referent hat Ihnen gestern alle die Urteile vorgeführt, die das Ober-Tribunal selbst gefällt hat in seinem Kriminal-Senat, und in seinem Disziplinar-Senate über die Fälle, die zu seiner Kognition gediehen sind, in Betreff der in diesem Hause gehaltenen Reden. Der letzte Fall, der Fall des Herrn Abgeordneten v. Lyskowski, hat erst im vorigen Jahre stattgefunden. Die gegen Herrn v. Lyskowski verhandelten Akten sind mir nicht bekannt; aus einer anderen Sache aber, die an demselben Tage verhandelt worden ist, am 11. Januar 1865, habe ich die Namen konstatirt, die Namen der Richter, welche damals im Kriminal-Senate anwesend waren. Es waren dies der Präsident v. Schlieckmann, die Ober-Tribunalsräte Frech, Goltammer, Heffter, v. Holleben, v. Tippelskirch und Kühne. Alle diese Herren waren auch in der Sitzung vom 29. Januar dieses Jahres anwesend; sie haben alle mit alleiniger Ausnahme der Herren Frech und Goltammer am 29. Januar dieses Jahres für die Regierung gestimmt. (...)

Gerade wie einst in den Zeiten des Absolutismus gegen die Preßfreiheit, so wurde jetzt gegen die Redefreiheit in diesem Hause deklamirt. In der Justiz-Kommission des Herrenhauses, – es waren dort fünf Mitglieder des Ober-Tribunals anwesend – tauchte dann zuerst die Ansicht auf, die Absicht des Art. 84 der Verfassung sei eine andere gewesen. Die Kommission hielt aber dennoch eine Änderung der Gesetzgebung für notwendig und trug darauf an. Im Plenum des Herrenhauses ging man bereits einen Schritt weiter; man beantragte, die Regierung möge mit den bestehenden Gesetzen den Ausschreitungen der Redefreiheit entgegentreten. Wenige Tage vorher rief uns der Herr Minister-Präsident in diesem Saale zu: »Verklagen können wir Sie nicht,« im Herrenhause sagte er: »Wir werden es versuchen.«

(Hört, hört!)

Nun, es ist versucht und es ist gelungen. Die Richter des Kriminal-Senats für die ostländischen Provinzen stimmten die Mitglieder des Rheinischen Senates nieder, aber es mußte noch eine Majorität beschafft werden.

(Bewegung.)

Der Präsident Uhden sendete noch zwei zuverlässige Hilfsarbeiter in den Kriminalsenat,

(Heiterkeit! Hört, hört!)

und nun war die Majorität von einer Stimme gewonnen.

Eine Stimme genügte, um ein Grundrecht der Verfassung außer Kraft zu setzen; und das geschah im Widerspruch mit allen anderen Gerichten, die bisher mit dieser Frage befaßt worden, im Widerspruch mit den eigenen früheren Entscheidungen des Kriminalsenats.

Die Herren Minister können in der Tat triumphiren über ihre Erfolge, aber mögen Sie (zu den Ministern gewendet) Ihre Richter mit allen Orden des preußischen Staates behängen, Ihre Sterne decken die Wunden nicht, welche diese Männer ihrer Ehre vor der Mit- und Nachwelt geschlagen haben,

(Stürmisches Bravo.)

leider aber nicht bloß ihrer Ehre, sondern auch der Ehre ihres Vaterlandes. (...)

Nun die weitere Konsequenz: die Verbreitung der Reden ist straffrei, die Reden selbst sollen bestraft werden; an die Kriminal-Untersuchung würden sich sehr bald und ganz naturgemäß auch Disziplinar-Untersuchungen wider die Beamten im Hause schließen. Von der konservativen Seite wurde gestern gemeint, die Sache könne sich auch gegen sie wenden; nein meine Herren! das kann sie nicht,

(Zustimmung.)

so lange Sie die Gewalt haben, wird sich die Gewalt nicht gegen Sie wenden, und wenn wir die Gewalt hätten, dann würde es unsere erste Sorge sein müssen, diese Anwendung überhaupt für alle Zeit unmöglich zu machen.

(Sehr wahr!)

Die Sache ist also ausschließlich gegen uns gerichtet: wir werden in Zukunft, und nicht bloß in Zukunft, sondern wenn es dem Herrn Justiz-Minister beliebt, die stenographischen Berichte der letzten 5 Jahre studiren zu lassen, auch für die Vergangenheit lediglich von der Gnade des Herrn Grafen zur Lippe abhängig sein.

(Sehr richtig!)

Dann ferner, meine Herren, denken Sie sich den Eindruck, wenn hier ein Minister aufsteht und erklärt: dem Vorredner werde ich nicht antworten, das wird mein Staatsanwalt nach der Session besorgen.

(Heiterkeit.)

Der Herr Justiz-Minister hat gestern beinahe so gesprochen,

(Sehr wahr!)

er hat schon gedroht in Bezug auf den Antrag, der von uns eingebracht ist und auf die Reden, die in Folge dieses Antrages gehalten werden könnten. Der Minister des Innern könnte dem Justiz-Minister zu Hilfe kommen und eine Überwachung dieses Hauses durch Schutzmänner eintreten lassen;

(Sehr gut!)

er könnte die Abgeordneten, als auf der Tat ergriffen, auf dieser Tribüne verhaften lassen.

Die Engländer haben bereits vor 300 Jahren in solchen Fällen eine Aushilfe gefunden, als sie das rechtskräftige Erkenntniß gegen Richard Strode durch einen Akt der gesetzgebenden Gewalt für null und nichtig erklärten. Sie haben dies Mittel wiederum in Anwendung gebracht, als sie noch nach 50 Jahren es für notwendig hielten, das Erkenntniß gegen Elliot und Hollis zu kassiren; ich denke, wir werden auch einmal ein Mittel finden. Der Code pénal kennt eine Aushilfe, indem er die Absetzung gegen Richter verhängt, welche sich in die Funktionen der gesetzgebenden Gewalt einmischen. In England können Richter auf übereinstimmenden Antrag beider Häuser durch die Krone entsetzt werden, also durch gemeinsames Handeln der drei Factoren der Gesetzgebung. Unsere Verfassung kennt eine solche Aushilfe nicht. Wir könnten vielleicht einmal dahin kommen, nach Art der englischen bill of attaindor auch durch Akte der Gesetzgebung rechtswidrigem Vorgehen der Richter ein Ende zu machen.

Preuß. Abgeordnetenhaus, Sten. Ber. 1866, 1, S. 141ff.

57 Unabhängigkeit der Beamten

Im Entwurf des Landrechts war bestimmt, daß kein Staatsdiener ohne richterliches Erkenntniß seines Amtes entsetzt werden sollte. Das ward indessen reprobirt, weil die freie Wahl der Diener dadurch beschränkt würde, doch sollte aller Minister-Despotismus ausgeschlossen bleiben. Nur hinsichtlich der Richter blieb bestehen, daß sie ausschließlich von den Landescollegien zur Untersuchung gezogen, bestraft oder entsetzt werden konnten. Andere Zivilbeamte sollten nicht durch den einzelnen Departementschef gegen ihren Willen verabschiedet oder abgesetzt werden, sondern nur nach verantwortlicher Erklärung durch Stimmenmehrheit sämtlicher Minister, und wo der König die Bestallung vollzog, war ihm der auf Entlassung gerichtete Beschluß zur Prüfung und Bestätigung vorzulegen. Das galt für eine genügende Garantie. Im absoluten Staate besteht die wirkliche Verantwortlichkeit der Beamten immer nur dem Monarchen gegenüber. Es wird gelegentlich behauptet, die Sicherstellung der Verwaltungsbeamten gegen volle Willkür sei in Deutschland ein Correctiv ungenügender politischer Zustände und habe bis zu einem gewissen Grade die fehlenden repräsentativen Einrichtungen ersetzt. Das ist indessen nur in sehr beschränktem Maße richtig. Indirect hat diese Sicherstellung gewiß dazu beigetragen, den Geist des Beamtentums zu heben, aber an sich diente sie weit mehr der bequemen und gesicherten Einrichtung der Bureaukratie, als einer gesetzmäßigen und rücksichtsvollen Behandlung des Volkes und seiner Interessen. (...) In der zweiten Hälfte des achtzehnten Jahrhunderts ward die Lehre gangbar, daß den Beamten nur durch Urteil und Recht wegen Verbrechen oder Dienstvergehen ihr Amt genommen werden könne, während Andere gegen ein solches fast selbständiges Recht auf die übertragene Verwaltung wenigstens eine dimissio honesta mit Rang und Gehalt zuließen. Auch die Reichsgerichte sprachen wiederholt den Grundsatz aus, daß Beamte nur durch richterliches Urteil ohne Entschädigung entlassen werden könnten, gingen aber schließlich davon ab, da es sich nicht durchsetzen ließ, am Wenigsten in den großen Territorien. Noch Joseph II. entließ in zwei Jahren 2000 Zivilbeamte, teils mit ganz geringem, teils ohne allen Ruhegehalt. Wo noch Leben und Freiheit der Untertanen in so hohem Grade den Landesherren zur Verfügung standen, wie es in Deutschland der Fall war, konnte von einer wirklichen Sicherstellung der Beamten gegen den fürstlichen Willen nicht die Rede sein. Von willkürlichen Verhaftungen oder Entlassungen wurde außer in den unmittelbar betroffenen Kreisen in der Regel kaum gesprochen. Nur wenn so bekannte Männer, wie der ältere Moser oder Schubart, viele Jahre lang auf bloßen Cabinetsbefehl eingesperrt wurden, erregte es allgemeineres Aufsehen.

C. *Twesten*, Beamtenstaat, S. 122 ff.

58 Gleichheit und Beamtenwesen

Article Four of the Prussian constitution of 1850 stated: »All Prussians are equal before the law. Caste privileges are invalid. Subject to conditions established by law, all public offices are equally open to all who are competent.« In 1856 the Conservative leader in the Lower House had introduced a resolution for the abolition of the first two sentences of this article as »wrong« and »reprehensible.« The Conservative Minister of Interior had reassured him as follows:

> The government has found and recognized in Article Four the sense that for equal legal conditions, relations and actions equality of the law with respect to the estate shall obtain. But the government has always regarded it as compatible with this position that ... the special rights and duties of individual estates, classes and corporations which exist according to special and particular laws and are an essential part of the organism of the state – that these special organizations which have the purpose of preserving an estate or a corporation belonging to the State organism –, are not to be regarded as absolutely abolished by Article Four but are far more to be considered as continuing to exist. This interpretation is further to be recognized as correct because the constitution itself sanctions such special legal rights for individual classes and estates – something which it could not do if this recognition contradicted Article Four. Such are the special rights and legal limitations of the military estate, the special rights of judges, the privileges of deputies according to Article Eighty-four.

the minister concluded that it was not necessary to annul Article Four.

The contrast between the explicit words of the constitution and the interpretation given it characterized the Prussian state as a whole. Article Four contained an assertion of a fundamental principle of social organization formulated in the Revolution of 1848. Upon recovering control of the country the Conservatives, not daring to eliminate it, had chosen to annul it by interpretation. To infer that the stipulations of special qualifications, rights and responsibilities of professional groups like military personnel, judges and representatives in the Lower House of the Landtag meant that privileges of the nobility, guildsmen and other sharply separated social groups were also legal transformed Article Four, said the liberals, into an expression of nonsense.

The interpretation of Article Four harmonized with the social ideals to which the Conservatives adhered. They believed in inequality and wished to preserve the organization of society in estates, with each person legally as well as socially restricted to the rights and responsibilities of his caste. Their eyes were directed toward the past, the estates-state; their objective was simply to preserve as much of that social system as they could, above all to preserve the basic structure even if a few concessions in details or in a formal sense, like Article Four, had to be made. The concept of status predominated in their thinking, a concept that opposed social movement and change. It operated in accordance with the ideal of social relationship expressed in the terms lordship and subjection. The three terms summarized the bases of the Conservative social philosophy, the hard core of Conservative behavior around which was elaborated any further theoretical justification.

To the liberals the basic ideal of social philosophy was clearly expressed in Article Four. They interpreted the article as referring to individual persons, and rejected the Conservative interposition of castes and estates, of feudal orders, between the individual person and the state. They believed in freedom of the single person, not freedom of the estate to which the individual members had to be subordinated. They wished, as the liberal Carl Twesten wrote in 1861, »equality before the law and legal security against aristocratic preference and arbitrary power«; they aimed at »the independence and unobstructed development of all for the benefit of all.« »Today the world is liberal,« Twesten declared with more optimism than truth.

E. N. *Anderson,* The social and political conflict in Prussia 1858–64, Lincoln 1954, S. 18f.

Nebenklägerrecht

59 Nebenklägerrecht der Staatsbürger

Sie wissen, meine Herren, daß der Regel nach bei uns Verbrechen, auch meist Vergehen nur dann zur Untersuchung kommen, wenn der Staatsanwalt die Anklage macht. Nun kann aber dabei Jemand sehr interessirt sein, ein Bestohlner, ein

Betrogner, oder einer der durch Fehler der öffentlichen Beamten beeinträchtigt ist, daß eine Untersuchung stattfindet. Wenn nun der Staatsanwalt sich weigert die Anklage zu erheben und der Justizminister ihn unterstützte, so konnte ein Verletzter zu seinem Rechte durchaus nicht gelangen. Die Regierung hat uns nun ein Gesetz vorgelegt, was Besserung insofern herbeiführte, als es dem Appellationshofe, also der 2. Instanz die Befugniß gab den Staatsanwalt anzuweisen die Untersuchung vorzunehmen. Das aber genügte nicht, denn wenn der Staatsanwalt eine Untersuchung gegen seinen Willen vornimmt, so ist zu fürchten, daß er sie nicht vornimmt, wie es dem Interesse des Verletzten entspricht. Ich war in der Commission und habe versucht die Anklagebefugnisse des Verletzten selbst herzustellen, so, daß der Beschädigte selbst das tun sollte, was der Staatsanwalt zu tun sich weigerte. Es war dieser Entwurf in der Weise, wie ich ihn formulirt hatte, ausführbar, die Stimmen standen 6 gegen 6 und Viele dagegen Stimmende hatten gegen die Sache nichts einzuwenden, weil aber ein Ministerial-Commissarius sich dagegen erklärte, so wollten sie nicht darauf eingehen, aber der Regierungsentwurf fiel nun auch mit 9 Stimmen gegen 3. Ich wollte nur ein kleines Beispiel anführen, wie sehr geduldig man sein muß; denn man hätte meinen sollen, ich hätte die Lust verloren, in dieser Sache noch etwas zu tun. Aber wie es so weit war, da brachte ich einen zweiten Antrag und sagte, wenn der Verletzte nicht selbständig klagen soll, so soll er wenigstens der Staatsanwaltschaft beitreten können, z. B. sagen können: »Vernehmt mir den als Zeugen,« und daß diesem Antrage müßte Folge geleistet werden. Dieser Vorschlag wurde auch bekämpft, er ging aber mit großer Majorität in der Commission durch. Wenn man also das, was man nach bestem Wissen für das Beste hält, nicht erreichen kann, so sucht man nicht das Beste, sondern das, was besser als das Bestehende ist zu erreichen.

Rede des Abgeordneten Dr. Waldeck vom 13. April 1862

Zivilehe

60 Die moderne Gesellschaft fordert die Zivilehe

Es war ohne Zweifel eine offene Auflehnung gegen das Gesetz, wenn Geistliche die nach Urteil und Recht gestattete Wiedertrauung Geschiedener verweigerten, und wurde auch noch vom Minister Eichhorn als solche behandelt. Seitdem hat aber eine königliche Kabinettsordre nicht bloß den Widerstand sanktioniert, sondern sogar den Geistlichen, welche bereit waren, das Gesetz zu vollziehen, verboten, Geschiedene ohne Genehmigung der höchsten Kirchenbehörden zu trauen.

Nun finden wir es durchaus in der Ordnung, daß die protestantische Geistlichkeit, so gut wie die katholische es immer getan, ihr eigenes Kirchenrecht geltend macht und die unwürdige Stellung einer bloßen polizeilichen Vollziehungsbehörde ablehnt, welche das preußische Landrecht ihr zuweist. Ob sie weise daran tut, hier plötzlich eine allzu eifrige und daher etwas verdächtige Strenge zu proklamieren, das ist eine andere Frage, welche die Kirche entscheiden mag. Jedenfalls hat sie erreicht, was noch vor wenigen Jahren das Ziel ihrer eifrigsten Vorkämpfer schien, die Befreiung vom staatlichen Zwange. Es wäre weder wünschenswert, noch bei dem jetzigen Stande der kirchlichen Disziplinargewalt irgend möglich, zum Zwange gegen die Geistlichen zurückzukehren. Aber es ist eine völlige Anarchie, ein die Würde des Staates tief verletzender Widerspruch, wenn Gesetze bestehen und die Mittel zur Ausführung versagt werden. Hier muß eine Abhilfe geschaffen werden, und die einzige Abhilfe, welche der Staat schaffen kann, ist die Einführung der Zivilehe. Ein großer Teil der kirchlich Gesinnten ist auch vollkommen damit einverstanden; früher waren es selbst Herr Stahl und Graf Arnim. Erst seitdem die Reaktion weit genug vorgeschritten, um nicht die Freiheit der Kirche vom Staate, sondern die Herrschaft der Kirche im Staate zu wollen, verlangt die Partei, welche die Religion als Mittel politischer Herrschsucht handhabt, daß der Staat sich unbedingt den Doktrinen der Kirche und zwar den modernsten Doktrinen der durch Herrn v. Raumer zur Herrschaft in der Kirche geführten Hyperorthodoxie unterwerfe. In der Ehegesetzgebung hat man ein Feld gewählt, wo man im Namen reinerer Moralität mit einigem Erfolge den sittlichen und religiösen Sinn apostrophieren kann. Die Kirche ist heutigen Tages so wenig der Inbegriff aller geistigen und moralischen Mächte, wie die Grundaristokratie die Inhaberin alles Besitzes. Die moderne Gesellschaft weist die Ansprüche beider zurück.

C. *Twesten,* Was uns noch retten kann, S. 72f.

5 *Emanzipation der Juden*

61 Gesellschaftliche Beschränkungen der Juden

Der Geburt wie der innigen Überzeugung nach – Jude, machte ich oft die demütigende Lage der Glaubensgenossen zum Gegenstand schmerzlicher Betrachtung. Voll lebhaften Unwillens sah und fühlte ich die drückenden Fesseln, mit denen ein sinnloses Vorurteil uns belastet. Gekränkt in den Ansprüchen, die auch der Niedrigste an das Leben zu machen berechtigt ist, gehemmt in der freien Wahl des Berufs, ausgeschlossen von jeder äußeren Ehre und eben dadurch unverschuldet der Geringschätzung preisgegeben, leben auf diesem zivilisiertesten Erdteile in diesem aufgeklärtesten Jahrhunderte noch eine Million Menschen – den Parias gleich – in bürgerlicher Unfähigkeit und schmählicher Erniedrigung; und alles dies einzig und allein aus der Ursache, weil sie über einen Gegenstand, den der menschliche Geist nie völlig zu ergründen im Stande ist, einer andern Meinung zu sein wagen als die übrige Menge. Je größer die Empfindlichkeit für dieses fortdauernde Unrecht, desto erfreulicher mußten die Bestrebungen der neuesten Zeit zur Sühnung desselben erscheinen. Viele Männer von Gewicht und Einfluß ließen sich freisinnig zu Gunsten der Unterdrückten vernehmen, und ihre ernste Mahnung blieb nicht erfolglos. Denn während man in mehreren Ländern den Bekennern des Judentums volle Rechtsgleichheit gewährte, wurde in anderen Verbesserung ihrer bürgerlichen Lage wenigstens – verheißen und – freilich sehr langsam – vorbereitet.

Wie nun aber überhaupt der jugendliche Eifer der Gegenwart das Gute vielleicht mit zu stürmischer Ungeduld erstrebte, so regte sich anderseits die Gegenwirkung der Bedächtigen und machte sich bald auch in der Judensache bemerklich. Unter manchen anderen Gründen und Ausflüchten, die ich in der Folge noch zu würdigen gedenke, wurde von jenen wohlwollenden Bedächtigen auch der Zweifel erhoben, ob die Juden selbst eine Gleichstellung wünschten und die Sehnsucht nach Freiheit auch wirklich empfänden. – Wahrlich! es klingt wie bitterer Spott die Äußerung, daß jahrelange Gewohnheit das Gefühl für den Druck der Ketten wohl abgestumpft habe. (...)

Liegt ihm übrigens daran, zu erfahren, wer unser Messias ist, so wollen wir es ihm kundtun. Unser Messias ist – die Wahrheit, welche immer mächtiger an altverjährten Vorurteilen und mittelalterlichen Satzungen rüttelt und über kurz oder lang uns frei machen wird; nach Palästina zurückzukehren begehren wir nicht, wir streben nur – wie gering und gerecht ist unsere Forderung! – wieder zum ungekränkten Menschen- und Bürgerrechte zu gelangen. (...)

Herr St. sei Richter! »In vielen Städten«, sagt er, »ist eine der ersten Vorschriften von Clubs, Casinos, Ressourcen und wie die geselligen Vereine sonst heißen, daß Juden nicht aufgenommen werden dürfen; und wo die Statuten nichts hierüber enthalten, werden sie meistens in Folge stillschweigender Übereinkunft durch die Mehrzahl der schwarzen Kugeln ausgeschlossen. Man wird, wenn man sich erkundigen will, auffallende Beispiele erfahren, daß sehr reiche jüdische Einwohner vergeblich alles aufgeboten haben, um für sich eine Ausnahme von diesen Grundsätzen zu bewirken.« Und doch ist es wiederum – derselbe Herr St., der gegen die Ungeselligkeit der Juden eifert und behauptet, daß sie »sich fortwährend von der Gemeinschaft mit den Einheimischen zurückhalten«. –

J. *Jacoby*, Schriften, 1, S. 6f., S. 16, S. 23

62 Emanzipation der Juden. Bankier Benjamin Liebermann[1] an David Hansemann[2]

Euer Hochwohlgeboren beehre ich mich, in Verfolg der gestrigen Unterredung folgende Mitteilung zu machen:

Ich benutzte den Sonntag, um mit mehreren meiner Freunde, welche mit mir stets einen gleichen politischen Standpunkt einnahmen und ihren Bezirksgenossen gegenüber eine einflußreiche Stellung behaupten, über das von Euer Hochwohlgeboren aufgestellte Wahlprogramm Rücksprache zu nehmen. Zu meinem Bedauern fand ich jedoch nicht die gewünschte Zustimmung, da alle mehr oder minder die Bedingung stellten, gewisse Grundsätze klar und deutlich ausgesprochen zu sehen. Zu diesen gehören insbesondere:

1. Anbahnung einer festen Einigung Deutschlands und einer deutschen Volksvertretung,
2. Wahrung der in Art. 12 (der Verfassung, C.-D. K.) gewährleisteten Gleichberechtigung aller Religionsgesellschaften,
3. Aufhebung des ständischen Prinzips,
4. Wiederherstellung der Geschworenengerichte für politische und Preßvergehen,
5. Trennung des Staates von der Kirche und Einführung der Zivilehe.

Ich sehe wohl ein, daß ein so umgearbeitetes Programm nur eine mildere Form des Wahlprogramms der Fortschrittspartei bilden würde, es ist mir jedoch auch nunmehr klar, daß ohne ausdrückliche Erwähnung vorgenannter Grundsätze auf eine größere Beteiligung nicht zu rechnen ist. Man teilte überhaupt die Befürchtung, durch ein neues Programm, Spaltungen in der liberalen Partei herbeizuführen und gerade auf diese Weise der extremen Richtung den Sieg zu verschaffen.

Meine Freunde gehören sämtlich einer äußersten politischen Richtung nicht an und sind gern bereit, für die Wahlen solcher Männer zu wirken, welche durch ihre frühere politische Stellung bereits den Beweis geliefert, daß es ihnen Ernst ist, auf verfassungsmäßigem Wege die nützlichen Reformen anzustreben und die Freiheit des Volkes zu wahren, vorausgesetzt, daß auch ihre soziale Stellung sie hierzu vollständig berechtigt. Ich hoffe daher, daß es nicht schwer werden dürfte, die gewünschten Kandidaten durchzusetzen (...) und stelle es ergebenst anheim, ob Euer Hochwohlgeboren noch auf Anberaumung einer größeren Versammlung verharren.

B. Liebermann an D. Hansemann am 30. 9. 1861, ZStA II Merseburg, Rep. 92, NL Hansemann, Nr. 38, Bl. 3

1 Benjamin Liebermann war Mitglied des Ältestenrates der Berliner Kaufmannschaft.

2 David Hansemann (1790–1864) war Kaufmann, Altliberaler, 1845 Abgeordneter des rheinischen Provinziallandtages, 1848 Finanzminister des liberalen Märzministeriums, 1849 Direktor der preuß. Bank, 1851 Gründer der Berliner Disconto-Gesellschaft, 1862 Vorsitzender des 2. Deutschen Handelstages.

6 *Emanzipation der Frau*

63 Frauenemanzipation und Selbsthilfe

Sobald jedes Mädchen von dem Bewußtsein durchdrungen ist, daß es selbst mit einstehen muß für sein Geschick, sobald wird es auch aufmerksamer über sich selbst wachen in jeder Beziehung und nicht mehr andere für sich denken, handeln und entscheiden lassen – und nur das allein ist eines sittlichen Wesens würdig.

Konnte man vor 20 Jahren sagen, daß aller weibliche Unterricht mit der Konfirmation aufhöre, und daß in einem Alter, wo die Mädchen erst zu denken anfingen, sie der Schule entrissen wurden: so sind jetzt fast überall Fortbildungsschulen, wenigstens »für die Töchter höherer Stände«, d. h. selbstverständlich solcher, die es zahlen können, errichtet worden, und in zahlreichen Mädchenpensionaten wird nicht mehr, wie es früher der Fall war, nur jener auf äußere Politur berechnete Unterricht erteilt, der meist nur in fremden Sprachen gipfelte, sondern es sind alle möglichen Gegenstände mit in sein Gebiet gezogen worden. Nun werden zuweilen wieder – und zwar nicht nur von den Anhängern der guten alten Zeit, in der es nicht nötig oder wohl ein Wunder war, daß ein Mädchen richtig schreiben konnte, sondern auch von fortschrittsfreundlicher Seite dagegen Einwendungen erhoben und es heißt, daß die Mädchen überbildet würden, daß man Gelehrte aus ihnen machen wollte, und daß sie von dem gewonnenen Unterricht nur sehr wenig profitierten. (...)

Was wird aber verlangt? – In vielen Fällen eigentlich geradezu gar nichts! Man schickt die Mädchen eben nur in eine Pension, weil es so Mode ist, weil es andere, namentlich vornehmere Bekannte auch tun, weil sie zu Hause im Wege sind, weil man ihnen so über die Zeit des sogenannten »Backfischtums«, wo sie nicht wissen, ob sie sich zu den Kindern oder den Erwachsenen halten sollen, hinweghelfen will. (...) Nach dieser Anschauung zu handeln, ist die Selbsthilfe, mit der jedes Mädchen, jede Frau an sich selbst zu beginnen hat. Eine jede, die, ohne dafür eine nützliche Gegenleistung zu tun, sich von andern ernähren läßt, möge dies als dieselbe Schande empfinden, welche der Mann empfindet, und sie möge ihr zuteil werden wie ihm, der arbeitskräftig ist und doch in Müßiggang und Erwerbslosigkeit seine Tage verbringt. Ist dieser Grundsatz nur allgemein, so werden sich dann weitere Konsequenzen aus ihm entwickeln. (...)

Und wenn wir von der Selbsthilfe der Frauen reden, so ist es wohl am Orte, hier einen Blick auf die Gestaltung derselben wie der ganzen Frauenfrage seit den letzten Jahrzehnten zu werfen.

Als zu Anfang der 30er Jahre eine französische Frau, Aurora Dudevant, unter dem Namen George Sand, ihre in glühender Sprache geschriebenen Romane gleich Brandraketen in die Welt sandte, die halb verblüfft, halb staunend und halb mäkelnd die neue Erscheinung betrachtete – und als dann später in Deutschland einige Schriftstellerinnen sie nachzuahmen suchten, ohne nur entfernt dem Flug eines Genius folgen zu können, dessen Schwingen sie nicht besaßen – da kam mit der Redensart auch die ganze Frage von der Emanzipation des Weibes in Mißkredit und jeder über die engen Grenzen des Familienlebens hinausstrebenden Frau blieb beinahe nichts übrig, als sich zuerst feierlich zu verwahren, zu jenen Emanzipierten zu gehören. (...)

Es war im Jahre 1844, als in den von Robert Bluhm redigierten »Sächsischen Vaterlandsblättern« die Frage aufgeworfen ward: »Haben die Frauen ein Recht zur Teilnahme an den Interessen des Staates?« Damals schrieb ich meinen ersten Zeitungsartikel und beantwortete die Frage so: »Die Teilnahme der Frauen an den Interessen des Staates ist nicht allein ein Recht, sie ist eine Pflicht der Frauen.« Ich unterschrieb den Artikel: »Ein sächsisches Mädchen«, und sandte ihn zitternd ab. Als dies geschehen war – ich hatte sonst noch nichts als meinen Erstlingsroman veröffentlicht und schrieb nebenher in dem von Ernst Keil redigierten »Wandelstern« unter dem Namen Otto-Stern, auch nur den männlichen Pseudonym wählend, weil eine Schriftsteller*in* damals kaum wagen durfte, Politik und Kritik zu treiben, wie ich daselbst tat – als es geschehen war, wußte ich in der Tat nicht, ob ich ein Verbrechen oder eine Heldentat begangen, ich wußte nur, daß ich nicht anders gekonnt hatte. Der Artikel erschien – mit einer unöffentlichen Aufforderung begleitet, mehr in diesem Sinne zu schreiben – ich tat es dort wie in Bluhms Taschenbuch »Vorwärts« und nannte mich um. Was ist nun heutzutage dabei, wenn ein weiblicher Name, sei seine Trägerin nun jung oder alt, in einer politischen Zeitschrift unter den Mitarbeitern steht? (...)

Und als die politische Bewegung von 1848 eine neue Ära heraufzuführen schien, da war natürlich auch die Bewegung der für die Zeit empfänglichen Frauen eine politische. Zur Zeit der Befreiungskriege von der Fremdherrschaft vor 50 Jahren hatte unter den Frauen schon eine ähnliche Begeisterung geherrscht, ein ähnliches Heraustreten einzelner für die Sache der Allgemeinheit: damals war es geschehen auf Grund des Patriotismus – 1848 geschah es auf Grund der Politik, der Demokratie. (...)

Ich selbst hatte unter den Einflüssen der politischen Bewegung eine »Frauenzeitung« (von 1849–52) redigiert, welche das Motto trug: »Dem Reich der Freiheit werb' ich Bürgerinnen!« – Wer sie nachlesen wollte, konnte sich überzeugen, daß man von vielem, das jetzt wie etwas Neues diskutiert wird, sagen könnte: »Dies alles war schon einmal da!« Auch sie fiel natürlich der Reaktion zum Opfer. Aber schon damals, oder vielmehr noch früher, schon vor 1848 – und dann erst recht – hatte ich eingesehen, daß, wie damals der sozialistische Ausdruck lautete: auch die Frauenarbeit organisiert werden müßte. Ich hatte einiges im Dienst des Sozialismus, besonders der weiblichen Arbeiterinnen (in Keils »Leuchtturm«, außerdem einen Roman »Schloß und Fabrik«, der anfänglich konfisziert ward) geschrieben und es erschien eines Tages eine Arbeiterdeputation bei mir, um mir ihre Zustimmung zu erkennen zu geben. Das waren Setzer, und sie baten mich, in einer von ihnen eben gegründeten (1847) Zeitschrift »Typographia« mitzuschreiben. Ich tat es und tat noch weit mehr, als sie sich 1848 in die erste »Arbeiterzeitung« umwandelte. Ich vertrat unter ihnen die Interessen meines Geschlechts. Als in Dresden unter dem Ministerium Oberländer eine Arbeiterkommission zusammentrat, richtete ich an dieses und an sie, wie an alle Arbeiter eine »Adresse eines Mädchens«, in welcher ich an das Elend und die Gefahr der Schande erinnerte, in welcher das weibliche Geschlecht schwebt, wenn es ohne Gelegenheit zu lohnender Arbeit ist und schloß mit den Worten: »Glauben Sie nicht, meine Herren, daß Sie die Arbeit genügend organisieren können, wenn Sie nur die Arbeit der Männer und nicht auch die der Frauen mit organisieren«, – ich rief die Arbeiter auf, abzulassen von der Verblendung, mit der einige von ihnen die Mädchen aus den Fabriken und Gewerben und damit in die Schande jagten und fügte hinzu: »Und wenn man überall vergessen sollte, an die armen Arbeiterinnen zu denken, – ich werde sie nicht vergessen!« (...)

Da sich aber andere gleichgesinnte Frauen mit mir zusammenfanden, war ich endlich bereit, mich an der Gründung eines »Frauenbildungsvereins« zu beteiligen. Zu diesem Zweck hielt Fräulein Auguste Schmidt, eine ausgezeichnete Lehrerin und Rednerin in Leipzig, einen öfffentlichen Vortrag. (...) »Wir verlangen nur, daß die Arena der Arbeit auch für uns und unsere Schwestern geöffnet werde«.

So war der »Frauenbildungsverein« in Leipzig gegründet. Gegen einen monatlichen Beitrag erhält jedes Mitglied desselben drei Billets, die es verpflichtet ist, an ihm bekannte Arbeiterinnen oder andere Frauen und Mädchen, die nichts für ein edles Vergnügen erübrigen können, zum Besuch der »Abendunterhaltung« des Vereins auszugeben. Von denselben wurden jährlich 25 veranstaltet und haben darin nur weibliche Personen Zutritt. Unterhaltung und Belehrung wird hier zugleich gewährt, letztere durch einen Vortrag über ein für Frauen der größeren Kreise passendes Thema aus der Geschichte, Natur, Literatur und so weiter. Stets mit spezieller Berücksichtigung des Vereinszwecks: Erweiterung des weiblichen Gesichtskreises, Erhebung und Anregung für stille Arbeitsstunden, Erweckung und Stärkung zu freudiger Berufstätigkeit usw. Deklamation klassischer wie neuerer Gedichte, Piano-forte- und Gesangsvorträge, sämtlich von Frauen gehalten. Es ist dies zugleich eine Übung, nicht allein für Dilettantinnen, sondern auch für angehende Künstlerinnen – auch anerkannte lassen sich zuweilen hören; die belehrenden Vorträge werden ebenfalls von Damen gehalten. Sodann ward eine Sonntagsschule für erwachsene Mädchen gegründet. Die Sonntagsschule und die Abendunterhaltungen, geleitet von dem gleichen Prinzip der Humanität wie der notwendigen Selbsthilfe, ergänzen einander. Auch hier wird der Unterricht in den Elementarwissenschaften, Französisch und weiblichen Arbeiten von Damen – meist unentgeltlich – erteilt. Sonntagsschulen hatte man für das männliche Geschlecht schon überall als eine Notwendigkeit erkannt und längst eingeführt, aber für das weibliche fehlen sie fast noch überall und sind gerade doppelt nötig – wie auch hier der zahlreiche Besuch derselben zeigt.

L. *Otto-Peters,* Das Recht der Frauen auf Erwerb, Blicke auf das Frauenleben der Gegenwart, Mit einem Vorwort von Josef Heinrichs, Hamburg 1866, S. 68, S. 73 ff.

64 Das Recht der Frauen auf Erwerb

Die gegenwärtige Agitation für das Recht der weiblichen Arbeit hat mit den verschwommenen Emanzipations-Idealen nichts zu schaffen: indem sie sich auf das rein ökonomische Gebiet beschränkt, – indem sie von vorhandenen, greifbaren Mißständen ausgeht und diese zu verbessern und aufzuheben trachtet, stellt sie sich auf praktischen Boden und hat die Zukunft für sich. Sie wird bei uns, so sehr wir die englischen Muster lieben, nicht so rührig und entschieden betrieben wie jenseits des Kanals – wir besinnen uns noch immer und suchen mit vielem Scharfsinn nach dem passendsten Ende, an dem die Sache anzufassen: aber sie wird nichtsdestoweniger, einmal in die rechte Bahn gelenkt, mit deutscher Ausdauer und deutscher Gründlichkeit zum Ziele geführt werden. – Die Reform, die wir anstreben, ist Zweck für sich, nicht Mittel für andere Ziele, wie dies auf demselben Gebiete in Frankreich der Fall ist (Simon Pelletan). Gott sei Dank, ist der Boden des deutschen Familienlebens noch nicht so unterwühlt von der Sittenlosigkeit, daß unsere Menschenfreunde nötig hätten, die Erziehung der Frauen in die Hand zu nehmen, um die Familie und die Gesellschaft zu retten. Wir stehen noch auf festem Boden – die Tugenden der Germanen, die Tiefe des deutschen Gemüts, deutsche Treue, deutsche Sitte und Biederkeit sind noch keine Mythen geworden. – Die einzige Emanzipation, die wir für unsere Frauen anstreben, ist die Emanzipation ihrer Arbeit. (...)

Der ungenannte Verfasser einer Reihe von Aufsätzen »Zur Frauenfrage« in der Breslauer Zeitung, von denen wir hier Notiz nehmen, um daran zu zeigen, welche Einwürfe uns gemacht werden, behauptet geradezu: Diese ganze Reform-Bewegung beruhe auf einem Verkennen des Wesens der Frau – ihr Mittelpunkt seien die sogenannten Geheimratstöchter, die, nachdem sie mit ihren übermäßigen Ansprüchen ans Leben Schiffbruch gelitten, nachdem sie den Segen der Begründung eines eigenen Herdes verscherzt, sich einer unklaren Sehnsucht nach Selbständigkeit hingeben und dieselbe durch das »Recht auf Arbeit« erringen wollten. – Die Ähnlichkeit, die der Verfasser zwischen der Frauenfrage und dem Sozialismus findet, die Behauptung, es handle sich dabei um einen Kampf gegen die Gesetze der Natur und die Meinung, daß »nur die Geheimratstöchter« der Ursprung der ganzen Agitation seien – diese Voraussetzungen sind aber irrig und alle daran geknüpften Folgerungen haben keine Bedeutung. Wir stimmen ihm zu, wenn er den Kreis der Familie als den edelsten Berufskreis für die Frau in Anspruch nimmt, seine Apologie der Ehe hat ihr großes Recht – wenn er aber die Frage durch das

Zauberwort »Heiratet!« gelöst wissen will, so ist dies doch seinerseits ein Verkennen der wirklichen Verhältnisse, die mit unerbittlichem Ernst einen großen Bruchteil der Frauen auf die Notwendigkeit der Selbsterhaltung hinweisen, selbst dann noch, wenn sie so glücklich waren, sich glücklich zu verheiraten (...).

In seiner Polemik gegen den »Leipziger Frauenverein«, gegen Lette und Virchow, gegen Stuart Mill, Pelletan und Jules Simon, überredet er uns, daß es eigentlich bei uns gar keiner Reformen, wie jene sie anstreben, bedürfe, daß alles Heil in einer einfachen, praktischen Erziehung und in der Schließung der Ehe liege. Auch die Verbesserung der Bildungsmittel ist überflüssig: »Der Mann soll der Lehrer der Frau sein«. Er sucht nachzuweisen, daß mehr Frauenarbeit gesucht werde, als sich anbiete – er spottet über die gelehrten Frauen – er bezweifelt den Beruf der Frau für die meisten der vorgeschlagenen Erwerbszweige, namentlich für die Heilkunde, und sagt dann doch wiederum ganz ernsthaft: »Die Not ist allerdings da, – sie ist schlimmer noch, als sie geschildert werden kann.« – So wenig aber Broughams Zuruf an die Arbeiter: »Werdet Kapitalisten!« das Problem der sozialen Frage löst, so wenig kann die Frauenfrage aus der Welt geschafft werden durch die wohlwollende Mahnung: »Heiratet!« Man kann ebensogut einem Ertrinkenden zurufen: »Schwimme doch!«

Die Sache ist zu ernst, um für Spielereien ausgebaut zu werden. Es ist in der Ordnung, daß jeder Versuch, die Frau ihrer Bestimmung zu entfremden, gegeißelt und mit Entschiedenheit zurückgewiesen werde. Das Streben aber: »Die Arbeit der Frau innerhalb der Grenzen ihrer Natur und den Anforderungen der Zeit entsprechend zu organisieren«, – dieses Streben verdient die Anerkennung und Unterstützung aller Verständigen. (...)

Wir wollen auch keine neuen Erwerbsarten für die Frauen erfinden. Wir wollen aus der Zahl der vorhandenen nur diejenigen für das weibliche Geschlecht ausgewählt wissen, für die es sich vorzugsweise eignet, in denen es Aussicht hat, seine Fähigkeiten in angemessener Art zu verwerten. Wir wollen die durch Sitte und Vorurteil vielfach beschränkte Möglichkeit, dieses Ziel zu erreichen, der Frau näherrücken, indem wir ihre Bildung erhöhen, indem wir sie auf ihre Kraft hinweisen und indem wir ihr einen Einblick in die wirtschaftlichen Gesetze, auf denen unsere Gesellschaft beruht, gewähren. Darüberhinaus verlangen wir nur die Freiheit für die individuelle Entwicklung, die auch einer Frau unter allen Umständen gestatten soll, sich demjenigen Berufe zu widmen, für den sie Neigung und Talent besitzt. (...)

Dr. Lette in Berlin, der Gründer und Präsident des dortigen Frauen-Vereins verwahrt sich in seiner Denkschrift vor allen sogenannten »Emanzipations«-Gedanken, er will von einer Gleichberechtigung der beiden Geschlechter nichts wissen und spricht den Frauen sogar den Beruf ab, ihre eigenen Angelegenheiten ohne männliche Leitung zu besorgen. Es scheint mir ein gutes Zeichen zu sein, daß diese Prinzipienfragen gar nicht erst zur Diskussion gezogen werden. (...) Über diese Streitfrage wird eine Zukunfts-Ära entscheiden, die mit den Zuständen der Gegenwart vielleicht nur geringe Beziehungen haben wird. (...) Mit Zukunftsträumen haben wir nichts zu schaffen und wir können insoweit der Lettischen Verwahrung unserer Zustimmung geben, indem sie die Agitation auf ein neutrales, das rein wirtschaftliche Gebiet einschränkt und alles von ihr fernhält, was geeignet wäre, einen müßigen Prinzipienstreit heraufzubeschwören.

Lissa (Posen), den 1. Juli 1866, Josef Heinrichs.

L. *Otto-Peters,* Recht, S. IVff.

7 *Bürgerliche Bewegung und Arbeiterschaft*

65 Die »volkswirtschaftliche Bewegung« und die Arbeiter

Mit einigem Widerwillen komme ich zum Schluß noch auf die durch Lasalle angezettelte Arbeiterbewegung zu sprechen. Ich möchte nicht gern persönlich werden und doch fällt dies schwer gegenüber einer Agitation, die lediglich aus persönlichen Beweggründen der allerwidrigsten und allerniedrigsten Art hervorgerufen wurde. Eins nur ist gut: dieser Lassalle kam einer gewissen Sorte von Politikern sehr gelegen. (...) Die Arbeiterbewegung war in Süddeutschland im besten Gang. Von den wackeren Offenbachern angeregt, bildete sich im Laufe des verflossenen Winters ein Maingauverband, der alle vier Wochen bald hier bald dort eine Versammlung hielt und überall auf Gründung von Arbeiterbildungsvereinen und Vorschußvereinen hinwirkte. Die Arbeiter des Maingaues waren es denn auch, welche das Unterbleiben einer unvorbereiteten allgemeinen Arbeiterversammlung in Leipzig entschieden und den Grundsatz durchsetzten, daß der zu haltende Arbeitertag nicht von einzelnen Arbeitern für sich, sondern von Vertretern von Arbeitervereinen beschickt werden solle. Nun kam Lassalle mit seinen Vorschlägen und brachte auch in die süddeutschen Arbeitervereine einige Verwirrung (...). Die Nachrichten über die Stimmung der übrigen Vereine mochte aber wohl gar zu ungünstig lauten, genug, Lassalle setzte seine Rundreise nicht weiter fort, sondern ging nach Leipzig zu der von ihm ausgeschriebenen Versammlung. Dies der klägliche Verlauf des Spektakelstücks. Die Bewegung ist seitdem weitergegangen; der erste Arbeitervereinstag in Frankfurt folgte und entschied durch seinen glänzenden Ausfall, daß wir eben seit 15 Jahren doch etwas gelernt und nicht umsonst einen volkswirtschaftlichen Kongress und sechs große volkswirtschaftliche Vereine gegründet haben. Lasalle hat daher nicht etwa das Verdienst, die bereits in vollem Fluß befindliche Bewegung hervorgerufen oder gefördert zu haben, sondern er hat lediglich die Gelegenheit geboten, die Niederlage des Sozialismus an seiner eigenen Niederlage ad oculos demonstriert zu haben. Dies ist gewiß auch etwas wert, jedoch vielmehr für den Politiker als für den Volkswirt. Das eigentliche Resultat des Frankfurter Arbeitertages war die Gründung eines deutschen Arbeitervereinstages. Ich glaube, daß in den Statuten desselben die richtige Mitte zwischen Lokkerheit und Gebundenheit des Verbandes sehr glücklich getroffen ist. Man hat sich unter die Kontrolle der freiesten Öffentlichkeit gestellt und deshalb jede straffe Organisation vermieden, vielmehr sich im wesentlichen den deutschen Genossenschaftstag zum Vorbild genommen. Andererseits aber hat man darauf gesehen, daß der Verband sich nicht auf unberechenbare zufällige Arbeiterversammlungen, sondern auf die festgegliederten Arbeitervereine stützt. (...) Die Arbeiterdeputierten haben mit anerkennenswertem Mut es frei heraus erklärt, daß sie jedes Gebiet des Wissens und jedes Feld der Aufklärung, Politik und Religion nicht ausgenommen, für sich offen erhalten wollen; hoffen wir, daß es dem ständigen Ausschuß gelingen wird, die tief geschädigten Interessen der Arbeiter in dem wünschenswerten Maß zu fördern, ohne mit der Polizei in Händel zu geraten.

Vierteljahresschrift für Volkswirtschaft u. Kulturgeschichte 1 (1863), hrsg. v. J. *Faucher*, 2. Halbband, S. 231 f.

66 Der Demokrat Waldeck zur Organisation der Arbeiterschaft

Obgleich er sich für die Koalitionsfreiheit der Arbeiter und die Aufhebung der Beschlagnahme zukünftigen Lohnes erklärt, dessenungeachtet sprach er sich in der Sitzung (des Abg. Hauses) vom 11. Februar 1865 dahin aus:

»Das allgemeine Wahlrecht ist im Jahre 1848 allgemein anerkannt worden und hat in allen Verfassungen gestanden; keiner meiner Gesinnungsgenossen hat es jemals aufgegeben. Soll aber das allgemeine Wahlrecht in dem Sinne gebraucht werden, daß den Leuten vorgesprochen wird: »Ihr sollt das allgemeine Wahlrecht deshalb verlangen, damit ihr zur Staatshilfe nach sozialistischen und kommunistischen Begriffen gelangt«, so können Sie überzeugt sein, es würde nicht ein einziger preußischer Demokrat von 1848 dazu seine Zustimmung geben.«

Ebenso bekämpfte er die korporative Organisation der Arbeiter.

Die wenigen hier hervorgehobenen Punkte mögen dazu dienen, das Verhältnis Waldecks zu den damals auftretenden Parteien zu kennzeichnen.

Als er am 12. Mai 1870 (...) starb, nahmen fast alle Parteien, sicherlich alle Stände, an seinem Leichenbegräbnis teil. Es war die größte öffentliche Feierlichkeit, die Berlin je gesehen.

G. *Eberty,* Waldeck in seiner geschichtlichen und gegenwärtigen Bedeutung, Berlin 1870

67 Demokraten sehen sich als Vertreter der Arbeiterschaft

Es ist schon ein wissenschaftlicher Schnitzer, die sogenannte Arbeiterfrage als eine isolirte behandeln zu wollen, wie es ein politischer Verrat ist, eine abgesonderte Arbeiter-Partei bilden zu wollen. Was wesentlich und wichtig an der Arbeiterfrage ist, das kann nicht von Heute auf Morgen in diesem oder jenem Klub entschieden werden; und nimmermehr sind lose zusammengewürfelte Arbeitervereine, die sehr zweckmäßig über ihre unmittelbaren praktischen Interessen beraten mögen und da wahrscheinlich das Richtige treffen, das kompetente Forum für die schwierigsten Aufgaben der Nationalökonomie. Bequemer mag es allerdings sein, vor solchen Versammlungen mit zweifelhafter Gelehrsamkeit und falschen Zitaten zu prangen, um sich eine verblendete Anhängerschaft zusammenzuschmeicheln, als mit wissenschaftlichem Ernst, gründlichem Studium und nie ermattendem Fleiße an die großen Fragen heranzutreten, und »zu dem Bau der Ewigkeiten« auch nur ein bescheidenes Sandkorn beizutragen.

(...) Je mehr das parlamentarische Leben in Deutschland zur Reife gelangt, desto mehr werden diese Vertretungen, die weder eine legale Wahl, noch ein bestimmtes reales Interesse hinter sich haben, und diese verkehrten Anwendungen des sonst so heilsamen Assoziationsprinzips in den Hintergrund verschwinden. Nicht als ob ich die Entscheidung der deutschen Arbeiter im Großen und Ganzen fürchtete! Ich vertraue, wie gesagt, ihrem richtigen Instinkte; ich protestire nur gegen die falsche Fragestellung. Ich weiß auch, daß das epigone Gespenst des abgeblaßten Louis-Blanc'schen Staatssozialismus schon in einigen Wochen zu seinen Vätern versammelt sein wird. Denn es gibt etwas, das stärker ist, als selbst das allgemeine Stimmrecht, nämlich die Natur der Sache, im vorliegenden Falle also: die Gesetze des freien, menschlichen Verkehrs. (...)

Der Arbeiterstand existirt in Deutschland nicht als ein vom Bürgerstande ausgeschiedener, und auch die zeitweilige Spaltung in Frankreich war erst seit den dreißiger Jahren durch sehr bestimmte und allgemein bekannte politische Irrtümer veranlaßt. Nirgends aber sind die Grenzen innerhalb der gewerblichen Klassen scharf zu ziehen. Unternehmer und Arbeiter, Kapitalist und Unternehmer, große und kleine Industrie, Handwerk und Fabrik berühren, vermengen und vermischen sich, zumal in Deutschland, fortwährend an unendlich vielen Punkten bis zu teilweiser Verschmelzung. Sie bedürften stets einander. Das Bedürfniß der politischen und ökonomischen Freiheit ist Allen gemeinsam, sowie das patriotische Bewußtsein. Die Trennung, welche im Mittelalter möglich war, ist durch die Fortschritte der Industrie, den Zuwachs der Bevölkerung und den gemeinsamen Widerstand gegen die herrschenden Stände längst verschwunden.

Die Statistik allein antwortet schon den Systemmachern, welche ebensowohl die politischen Verhältnisse, als die ökonomischen Gesetze verkennen, zur Genüge. Dieselben sprechen immer, als bestünde die Welt aus Kapitalisten und Fabrikarbeitern; denn auf das Handwerk, auf das ländliche Proletariat, auf den kleinen

Bauer paßt ihr System, wie sie selbst zugeben müssen, auch entfernt nicht und sind da ihre Projekte gar nicht zu verwenden. Es beträgt aber, zum Beispiele, in Preußen die ganze Bevölkerung der eigentlichen Fabrikarbeiter mit Weib und Kind, gut gerechnet, kaum vier Prozent der Gesamtbevölkerung. (...)

Daß die Pfaffen der sozialistischen Beglückungstheorie, deren Parole die »Solidarität« aller Interessen ist, damit anfangen, die Parteien zu zersplittern und die Klassen zu verhetzen, – ungefähr wie die Pfaffen der alleinseligmachenden Dogmen im Namen der Religion der Liebe die blutigsten Religionskriege anfachten, – das weiß man schon aus der Apologie des »Klassenkampfs« in dem Manifeste der kommunistischen Partei von 1848.

Die gebildete Welt und die Wissenschaft begreifen die Solidarität der verschiedenen Gesellschaftsklassen als ein Resultat der gesteigerten Kultur. Der Staat kann, wie alle wirklichen Freistaaten beweisen, die persönliche Freiheit und das Privateigentum respektiren, ja sogar das »Laissez faire et laissez passer« der Freihandelsschule zur Geltung bringen, ohne darum zum bloßen »Nachtwächter-Institut« herabzusinken. Dagegen kann kein Staat, – und wenn er die Form der roten Republik annimmt und Erdarbeiter in seine höchste Behörde setzt, – Sozialismus treiben, ohne einem grenzenlosen Bureaukratismus und allgemeiner Entmündigung zu verfallen. Wo sich in einer Geschichtsepoche bei einem Volke oder einer Sekte (bis zu den Rappisten und Mormonen herab) die Beschränkung des freien Eigentumsrechts findet, da findet sich auch Priesterherrschaft oder weltliche Autokratie, oder beide zusammen. Naturgemäß ist die Logik der Institutionen stärker, als der gute Willen der Schwachköpfe, welche gegen die Natur anstreben.

Daraus, daß einige freie Produktiv-Assoziationen der Arbeiter gedeihen, schließt der Verfasser des erwähnten »Schreibens«, daß alle aufkommen würden, wenn sie nicht frei, nämlich vom Staate subventionirt wären. Die angeführten Assoziationen, besonders die der viel zitirten Pioniere von Rochdale, beruhen alle auf dem Prinzip der unabhängigen Privat-Industrie und des Aktien-Anteils. Daraus konkludirt der neue Prophet auf ein System der Staats-Unterstützung, das er verschämterweise als Staats-Garantie verkleidet, und zieht die Zinsgarantien der Regierungen beim Bau von Privat-Eisenbahnen als motivirendes Beispiel herbei. Abgesehen davon, daß die Intervention der Regierungen beim Eisenbahnwesen noch schweren Bedenken unterliegt, so handelt es sich doch dabei auf alle Fälle um gemeinnützige Unternehmungen, die nicht regelmäßig durch die freie Konkurrenz regulirt werden, und mischt sich dabei der Staat nicht im Interesse der Produzenten, sondern in dem des consumirenden Gemeinwesens ein, wie bei der Post oder den Banken auch. – Welche Unternehmungen soll nun der Staat garantiren? Doch nicht alle, zu denen sich Hinz und Kunz melden? Etwa auch die hungernder Schriftsteller, deren Manuskripte keinen Verleger finden? Und warum etwa diese weniger, als die von assoziirten Schustern, Schneidern oder Maschinenbauern? Und wie der kleinen Landwirtschaft gegenüber? – Der Staat, d. h. die Bureaukratie, müßte auswählen, prüfen, kontrolliren; er würde Staatsprüfungen veranstalten, Unfähige, Verdächtige, Oppositionelle ausschließen. Er würde sich überall einmischen, die persönliche Freiheit aus ihrem letzten Schlupfwinkel vertreiben, und das Prinzip des stehenden Heeres, nämlich den blinden Gehorsam, zum Leitfaden der Gewerbstätigkeit machen, die allein in Freiheit erblühen kann. China wäre, auch ohne Taipings, ein Freistaat gegen solche Republik, und das allgemeine Stimmrecht des Herrn Lassalle würde verderblicher wirken als das Louis Napoleon's.

Und solcher Blödsinn, dessen sich ein angehender Quartaner schämen müßte, muß noch im Jahre 1863, hundert Jahre nach Adam Smith, zehn Jahre nach Frédéric Bastiat's Tode, ernstlich widerlegt werden! – Die Berliner Arbeiter-Versammlungen haben bewiesen, daß im Mittelpunkte einer großen Industrie von solchen Trugschwätzereien keine Betörung zu befürchten ist, und daß Herr L.'s politisches Programm zwar einige malcontente Ehrgeizige, sein ökonomisches aber Niemanden verführen kann. Die Arbeiter wissen hier auch, daß die Fortschrittspartei sie als ihre Mitglieder und nicht als ein Anhängsel betrachtet.

Wir halten trotzdem das Projekt eines allgemeinen Arbeitertags nicht für zeitgemäß, weil einem solchen die bestimmte, notwendig gegebene Tagesordnung fehlt. Die Interessen, welche die Arbeiterbevölkerung als gemeinsame begreift und welche sich zu einer öffentlichen Betreibung eignen, sind politischer Natur (wie z. B. Gewerbefreiheit und Steuer-Erleichterungen), und nur auf dem Wege der großen, rein politischen Partei-Tätigkeit des ganzen Bürgertums zu verfolgen. Was die Institute der Selbsthilfe betrifft, so werden naturgemäß die Assoziationen nicht weiter reichen, als das, sie bestimmende, ökonomische Interesse; und der gesetzliche Schutz des Genossenschaftswesens fällt wieder ganz in das Gebiet der Politik. Die Arbeitertage der Schulze-Delitzsch'schen Vereine sind deshalb Alles, was zunächst auf diesem Boden und in dieser Form Früchte tragen kann und Beförderung verdient. Die Manie der Kongresse ohne bestimmten Zweck, der Parlamente ohne Macht, ist lächerlich, wenn sie nicht schädlich ist, und trägt jedenfalls viel zu der Begriffsverwirrung bei, von welcher die Lassalle'sche Coterie Vorteil zu ziehen hofft. – Wenn aber die Arbeiter sich entscheiden sollen, zwischen der unmittelbaren Hilfe, die ihnen Schulze-Delitzsch aus ihren eigenen Mitteln und Kräften, nach ihrer eigenen Ehre und ihrem Selbstgefühl anweist, und der Rettung, auf die sie L. verweist, die jenseits einer Revolution und eines Staatsbankerotts liegt, so kann die Entscheidung nicht zweifelhaft sein.

H. B. *Oppenheim,* Die Lasalle'sche Bewegung im Frühjahr 1863, in: Vermischte Schriften aus bewegter Zeit, Stuttgart 1866, S. 205 ff.

68 Bürger und Arbeiter

The transitional character of the workers' position in society was clearly evident from the proceedings of the German Workers' Convention held at Leipzig, October 23–25, 1864. The meeting showed almost no proletarian character. A personal greeting from the burgomaster inaugurated a conference mainly devoted to the discussion of cooperatives, education, freedom of movement and domicile throughout Germany, and German unification – an agenda scarcely distinguished from that of any middle-class association. The recommendations in favor of social insurance, to enable the worker to accumulate capital for his old age, and in favor of shorter working hours were acceptable in middle-class circles as well. The condemnation of socialism and the subjects for the numerous toasts hardly seemed in keeping with the presence of the future socialist leader, August Bebel, and with his selection as a member of the executive committee. The social problem considered at this meeting remained essentially the condition of the handworker: how could he be preserved as a member of the middle class even when he became a factory worker? The ideas and interests of Schulze-Delitzsch and of liberal economists like Wirth dominated the conference; the presence of Bebel was significant only for the future. The split between the middle class and the proletariat had not yet occurred. Liberalism and democracy rather than socialism expressed the objectives of the workers.

The Lassallean socialist organization proved to be so weak in the early 1860s that it scarcely did more than provide a little work for the police and considerable opportunity for literary polemics between the elegant Lassalle and his democratic or liberal opponents. In Berlin Lassalle had a following of a couple of hundred members. The case of the Berlin cigar workers may illustrate the attitude of skilled workers. The Progressive party had many supporters among the cigar workers.

E. N. *Anderson,* Conflict, S. 317f.

69 Der Nationalverein und die Arbeiter

Anfang 1863 hielt der Nationalverein seine Generalversammlung in Leipzig ab. In einer preußischen Stadt sie abzuhalten, durfte er nicht wagen, trotzdem er für die preußische Spitze arbeitete. Schulze-Delitzsch sprach am 3. Januar in einer großen Versammlung im Tivoli, im jetzigen Volkshaus der Leipziger Arbeiter, eine Umwandlung, die damals kein Mensch für möglich gehalten hätte. Hier richtete Dr. Dammer an Schulze-Delitzsch das Ersuchen, sich zu äußern über das Verhältnis des Nationalvereins zu den Arbeitern. Schulze antwortete unter anderem, daß die Arbeiter sich allerdings um Politik kümmern sollten, aber, fuhr er fort, der Arbeiter, der so schlecht gestellt ist, daß er von der Hand in den Mund lebt, hat der

Zeit und Sinn, sich um öffentliche Angelegenheiten zu bekümmern? Nein, wahrlich nicht! Die Befreiung aus dieser Armseligkeit des Daseins sei für jeden Volksfreund und für Deutschland ganz besonders eine große nationale Aufgabe. Und rechte Arbeiter, die ihre Ersparnisse dazu verwendeten, ihre Lage zu verbessern, »die begrüße ich hiermit im Namen des Ausschusses als geistige Mitglieder, als Ehrenmitglieder des Nationalvereins«.

Diese Rede machte in den Kreisen der radikalen Arbeiter böses Blut, sie zeigte, daß der Nationalverein sich die Arbeiter als Mitglieder fernhalten wollte, darum lehnte er die Zahlung von Monatsbeiträgen ab.

A. *Bebel*, Aus meinem Leben, 1, Stuttgart 1910, S. 68f.

70 Engels' Kritik am Ausscheren Lassalles aus der bürgerlichen Fortschrittsfront

Wir haben gesehen, daß Bourgeoisie und Proletariat beide Kinder einer neuen Epoche sind, daß sie beide in ihrer gesellschaftlichen Tätigkeit darauf hinarbeiten, die Reste des aus früherer Zeit überkommenen Gerümpels zu beseitigen. Sie haben zwar unter sich einen sehr ernsthaften Kampf auszumachen, aber dieser Kampf kann erst ausgefochten werden, wenn sie einander allein gegenüberstehen. (...)

Die Bourgeoisie kann ihre politische Herrschaft nicht erkämpfen, diese politische Herrschaft nicht in einer Verfassung und in Gesetzen ausdrücken, ohne gleichzeitig dem Proletariat Waffen in die Hand zu geben. Gegenüber den alten, durch Geburt unterschiedenen Ständen muß sie die Menschenrechte, gegenüber dem Zunftwesen die Handels- und Gewerbefreiheit, gegenüber der bürokratischen Bevormundung die Freiheit und die Selbstregierung auf ihre Fahne schreiben. Konsequenterweise muß sie also das allgemeine, direkte Wahlrecht, Press-, Vereins- und Versammlungsfreiheit und Aufhebung aller Ausnahmegesetze gegen einzelne Klassen der Bevölkerung verlangen. Dies ist aber auch alles, was das Proletariat von ihr zu verlangen braucht. Es kann nicht fordern, daß die Bourgeoisie aufhöre, Bourgeoisie zu sein, wohl aber, daß sie ihre eigenen Prinzipien konsequent durchführe. Damit bekommt das Proletariat aber auch alle die Waffen in die Hand, deren es zu seinem endlichen Siege bedarf. (...) Es ist also das Interesse der Arbeiter, die Bourgeoisie in ihrem Kampfe gegen alle reaktionären Elemente zu unterstützen, solange sie sich selbst treu bleibt. Jede Eroberung, die die Bourgioisie der Reaktion abzwingt, kommt unter dieser Bedingung der Arbeiterklasse schließlich zugute. (...)

Daraus folgt die Politik der Arbeiterpartei in dem preußischen Verfassungskonflikt von selbst:

die Arbeiterpartei vor allem organisiert erhalten, soweit es die jetzigen Zustände zulassen;

Die Fortschrittspartei vorantreiben zum wirklichen Fortschreiten, soweit das möglich; sie nötigen, ihr eigenes Programm radikaler zu machen und daran zu halten; jede ihrer Inkonsequenzen und Schwächen unnachsichtig züchtigen und lächerlich machen; (...).

F. *Engels*, Die preußische Militärfrage und die deutsche Arbeiterpartei, Jan./Feb. 1865, in: *MEW 16*, S. 37ff., S. 76ff

71 Schulze-Delitzsch[1] über Lassalles Bonapartismus

»Man muß die Corruption in die Massen tragen, um mit den Massen fertig zu werden«: Dies das System des französischen Imperialismus, in welches, unter der Leitung einflußreicher Führer, die Reaction bei uns wie anderswo einlenkt. Schon sehen wir mit der neuen Tactik neue Bundesgenossenschaften angebahnt – wenn auch nur ad hoc – vor denen es den Alt-Conservativen in Preußen sonst gegraut hätte. Zu dem alten Bunde der feudalen mit der Partei der religiösen Verfinsterung tritt man jetzt an die Sozialdemocratie, wenn auch noch etwas verschämt – man darf den Nerven der Parteigenossen nicht gleich zu viel bieten. Indessen sind die fruchtbaren Beziehungen bekannter Führer, die sehr hoch hinaufreichen, öffentliches Geheimniß, und so denkt man schon fertig zu werden. Volksverdummung und Vorspiegelung von Volksbeglückung in der für die Beteiligten bequemsten Weise, ohne daß diese selbst sich anzustrengen brauchen: das ist das beste Rezept, jeden Aufschwung eines Volks in der Geburt zu ersticken, dasselbe von Allem abzuziehn, was es allein in Bildung und Wohlstand, und dadurch in seiner bürgerlichen Geltung und wirtschaftlichen Lage auf die Dauer heben kann. Das wissen die Gegner, und darnach operiren sie. So beginnt die Klassenhetze von unten, um Spaltungen in die Reihen der großen liberalen Partei zu werfen. Hat man die Leute erst zur Bildung einer in sich abgeschlossenen Arbeiterpartei gebracht, welche, außerhalb der Gemeinschaft der humanen, politischen und wirtschaftlichen Strebungen der Zeit, vermeintliche Sonderinteressen auf Unkosten der übrigen Gesellschaftsklassen verfolgt – dann ist eine solche Sonderbündelei die beste Unterlage, auf welcher eine Junker- oder Pfaffen-Partei ihren Thron errichten kann. (...)

Indessen hat es damit gute Wege bei uns. Die deutschen Arbeiter in ihrer Mehrzahl lassen sich nicht so leicht von der Gemeinschaft jener großen Culturinteressen abdrängen. Sehen Sie ihre Beteiligung an jenen nationalen Festen, die unsern Geistesheroen galten, einem Schiller, einem Humboldt: fanden dieselben nicht gleich begeisterten Anklang in Palast und Hütte, in den Kreisen der Arbeiter so gut, wie in den gelehrten Körperschaften – ja, wo war die Hingebung inniger, rückhaltiger? – Weiter blicken Sie auf die Tausende von Vereinen, wo unter Mitwirkung von Männern aller Stände die Arbeiter sich immer mehr zu Bildung und Einsicht, zu Wohlstand und Verständniß der wichtigsten Zeitfragen durch eigene Tätigkeit und Kraft empor ringen.

H. *Schulze-Delitzsch*, Rede zur Waldeck-Feier am Jahrestage der Freisprechung Waldecks, 3. 12. 1869, Berlin 1869

1 Herrmann Schulze-Delitzsch (1808–1883) war Kreisrichter a. D. in Delitzsch, Gründer des deutschen Genossenschaftswesens, 1848 Mitglied der preuß. Nationalversammlung (linkes Zentrum), 1861 Abgeordneter der Fortschrittspartei.

72 Die Komsumvereine und die Arbeiter

Vorschuß- und Kreditvereine, sowie auch Assoziationen zur Produktion für gemeinsame Rechnung nach den Schulzeschen Systemen können unzweifelhaft, vorzugsweise den Handwerkerklassen auch recht nützliche Dienste leisten, werden aber in hiesiger Gegend, wo gegen Bürgschaft aus den Sparkassen leicht ein kreditfähiger Vorschuß zu haben ist, und die starke Wertzirkulation in 2 und 3 Monatswechseln auch viel leichter Hilfe schafft, als in geldärmeren ackerbauenden Bezirken, nicht sobald eine umfassendere Aufnahme finden, und die letztere Kategorie dieser Verbindungen eine lange Schule mit vielen Enttäuschungen durchmachen müssen, bevor die immerhin wünschenswerten Versuche und Experimente ein ersprießliches Resultat von größerer Bedeutung aufweisen.

Die Konsumvereine werden hingegen hier, wo der Geschäftsumschlag in Konsumtibilien bei dem geringen Bodenertrage bedeutend und mit nur wenigen Hauptnahrungsartikeln die Rentabilität des Unternehmens zu erreichen ist, unzweifelhaft gedeihen und segensreiche Früchte tragen, wenn die Organisation und Verwaltung von gutbefähigten treuen Kräften gepflegt wird. Selbst kleine Verbände von nur denjenigen Arbeitern gebildet, welche ihre unabhängige Selbstständigkeit ehrenhaft zu wahren wissen, würden hier einen Geschäfts-Umschlag von 20000 Rthlr. leicht erzielen und hiermit nach Bestreitung der Kapitalzinsen und Verwaltungskosten ihren Genossen noch einen reinen Vorteil von 10 pCt. gegen die im kleinen Detailverkauf üblichen Preisansätze gewähren können. In vielen Fällen aber, wo das verderbliche Borg-System als Regel eingehalten und der Kreditor selbstredend von Verlusten bedroht wird, müssen sich die Abnehmer oft noch erheblich höhere Preisnotirungen in das ihnen gewährte Borg- oder Kredit-Konto gefallen lassen!

Abgesehen von diesen materiellen Nachteilen wird die solide Arbeiter-Existenz durch die Gewöhnung an das verderbliche Borg- und Kreditnehmen noch unendlich mehr bedroht werden, indem der Arbeiter die ihm vor Allem notwendige klare Übersicht seiner kleinen Rechnungsverhältnisse alsbald verliert, sich dann viel leichter zu entbehrlichen Anschaffungen entschließt, mit der mehrseitigen Ausbeutung seines Personal-Kredits bei dem oft plötzlichen Eintreten von Ausfällen im Arbeitsverdienst tiefer in Schulden gerät und endlich in die trostlose Lage eines Proletariers zum Ruin der Familie zeitlebens verfällt. Dieser sehr beklagenswerte Zustand ist aber in den Verhältnissen der Industriearbeit an sich keineswegs begründet, denn unsere Gesetze garantiren die Barzahlung des Lohnes und es ist allgemein üblich, daß die Auslöhnungen pünktlich in den kürzesten Fristen erfolgen; es kann also nur im barsten Leichtsinn beruhen, sich den unheilvollen Folgen des Borgens preiszugeben, wo die Mittel zur Bestreitung der Lebensbedürfnisse in zwei- bis vierwöchentlichen Terminen bar in der Hand liegen und jeder vernünftige Mensch weiß, daß Nichts so hinderlich ist, seine Arbeitsleistung möglichst hoch und in regelmäßiger Andauer zu verwerten, als die Abhängigkeit von einem Arbeitgeber oder den Kreditoren der häuslichen Wirtschaftsbedürfnisse. Ein kräftiger Hebel für den Arbeiter zur mutig entschlossenen Selbstbesserung seiner Lage ruht nun gewiß in der Stärkung des Ehrgefühls. Und wenn von 1000 Arbeiterfamilien zuerst nur 50 zusammentreten und kleine Ersparnisse des Wochenlohnes zum Betriebe der Vereinsgeschäfte in die gemeinsame Kasse legen, die im Großen angekauften Artikel nur gegen Barzahlung (diese Bedingung macht sich von selbst geltend und ist auch überall als unerläßlich anerkannt), aber mit dem in die Augen springenden Vorteil aus dem eigenen Vereins-Magazin entnehmen und die statutarisch geregelte Organisation eine strenge und durchsichtige Geschäfts-Kontrolle der Selbstverwaltung sichert, so liegt außer Zweifel, daß hiermit zugleich

> »ein guter Einfluß auf das Ehr- und Selbstgefühl des Arbeiters, ein kräftiger Antrieb für den Sparsinn, und mit der allmählig größeren Entwickelung dieser Vereine eine wirksame Bloßstellung des borgsüchtigen in den Tag hineinlebenden Leichtsinns gewonnen sein würde.«

Bericht der Handelskammer Altena 1862/63, Preußisches Handelsarchiv 1863, 2, S. 492

73 Fortbildung für Handwerker

Die Handwerker-Fortbildungsschule in Unter-Barmen.

Schon seit Jahren haben viele Bürger Unter-Barmens das Projekt verfolgt, eine Gesellschaft zu gründen, die ähnliche Zwecke erstrebe, wie die Gesellschaft »Kunst und Gewerbe« in Wupperfeld. Es wurde eine solche Gesellschaft im November 1861 unter dem Namen »Bürgerverein« konstituirt, welche schon im Januar 1862 ein Komité mit dem Mandat der Einrichtung einer Handwerker-Fortbildungsschule ernannte.

Zur Anstellung von besoldeten Lehrern waren keine Mittel vorhanden, man mußte sich also nach freiwilligen Kräften umsehen und diese wurden auch bald gefunden.

In Folge eines öffentlichen Aufrufs von Seiten des Vorstandes der Gesellschaft zur Teilnahme am Zeichnenunterricht meldeten sich 12 Schüler. Mit dieser kleinen Schar wurde am 9. Februar 1862 begonnen. Die Zahl der Schüler nahm jeden Sonntag zu. Seit Pfingsten besuchten schon ziemlich regelmäßig 60 Schüler den Unterricht, und zwar 32 die Linearzeichnen- und 28 Schüler aus allen Gewerben die Freihandzeichnenschule. Nur wenige brachten einigermaßen genügende Vorkenntnisse mit, die meisten hatten noch gar nicht gezeichnet. Daß deshalb in den ersten Monaten kein Freihandzeichnen stattfinden konnte, ist selbstredend; erst nach und nach konnte das Bedürfniß der Einzelnen berücksichtigt werden. Im Freihandzeichnen haben die Schüler anfänglich nach Vorlegeblättern gezeichnet; nach Erlangung einiger Sicherheit wurden die Vorlagen im vergrößerten Maßstabe angefertigt, und gegenwärtig ist der Verein bereits im Stande, mehrere Schüler nach der Natur zeichnen zu lassen.

Müßten nicht viele Anmeldungen der engen Räumlichkeit wegen zurückgewiesen werden, so würde die Schule jetzt schon weit über 100 Schüler zählen. Mit dem Unterricht im Patronenzeichnen wird hoffentlich bald begonnen werden können, da eine geeignete Lehrkraft in Aussicht steht.

Bericht der Handelskammer Elberfeld und Barmen 1862, Preußisches Handelsarchiv 1863, 1, S. 95ff.

74 »Handwerksgesellen und Fabrikarbeiter«

Die wirtschaftliche Entwicklung Deutschlands hatte zwar in jener Zeit erhebliche Fortschritte gemacht, aber immerhin war Deutschland damals noch überwiegend ein kleinbürgerliches und kleinbäuerliches Land. Drei Viertel der gewerblichen Arbeiter gehörten dem Handwerk an. Mit Ausnahme der Arbeit in der eigentlichen schweren Industrie, dem Bergbau, der Eisen- und Maschinenbauindustrie, wurde die Fabrikarbeit von den handwerksmäßig arbeitenden Gesellen mit Geringschätzung angesehen. Die Produkte der Fabrik galten zwar als billig, aber auch als schlecht, ein Stigma, das noch sechzehn Jahre später der Vertreter Deutschlands auf der Weltausstellung in Philadelphia, Geheimrat Reuleaux, der deutschen Fabrikarbeit aufdrückte. Für den Handwerksgesellen galt der Fabrikarbeiter als unterwertig, und als Arbeiter bezeichnet zu werden, statt als Geselle oder Gehilfe, betrachteten viele als eine persönliche Herabsetzung. Zudem hatte die große Mehrzahl dieser Gesellen und Gehilfen noch die Überzeugung, eines Tages selbst Meister werden zu können, namentlich als auch in Sachsen und anderen Staaten anfangs der sechziger Jahre die Gewerbefreiheit zur Geltung kam. Die politische Bildung dieser Arbeiter war sehr gering. In den fünfziger Jahren, das heißt in den Jahren der schwärzesten Reaktion groß geworden, in denen alles politische Leben erstorben war, hatten sie keine Gelegenheit gehabt, sich politisch zu bilden. Arbeitervereine oder Handwerkervereine, wie man sie öfter nannte, waren nur ausnahmsweise vorhanden und dienten allem anderen, nur nicht der politischen Aufklärung. Arbeitervereine politischer Natur wurden in den meisten deutschen Staaten nicht einmal geduldet, sie waren sogar auf Grund eines Bundestagsbeschlusses aus dem Jahre 1856 verboten, denn nach Ansicht des Bundestags in

Frankfurt a. M. war der Arbeiterverein gleichbedeutend mit Verbreitung von Sozialismus und Kommunismus. Sozialismus und Kommunismus waren aber wieder uns Jüngeren zu jener Zeit vollständig fremde Begriffe, böhmische Dörfer. Wohl waren hier und da, zum Beispiel in Leipzig, vereinzelte Personen, wie Fritzsche, Vahlteich, Schneider Schilling, die vom Weitlingschen Kommunismus gehört, auch Weitlings Schriften gelesen hatten, aber das waren Ausnahmen. Daß es auch Arbeiter gab, die zum Beispiel das Kommunistische Manifest kannten und von Marx und Engels' Tätigkeit in den Revolutionsjahren im Rheinland etwas wußten, davon habe ich in jener Zeit in Leipzig nichts vernommen.

Aus alledem ergibt sich, daß die Arbeiterschaft damals auf einem Standpunkt stand, von dem aus sie weder ein Klasseninteresse besaß, noch wußte, daß es so etwas wie eine soziale Frage gebe. Daher strömten die Arbeiter in Scharen den Vereinen zu, die die liberalen Wortführer gründen halfen, die den Arbeitern als Ausbund der Volksfreundlichkeit erschienen.

Diese Arbeitervereine schossen nun zu Anfang der sechziger Jahre aus dem Boden wie die Pilze nach einem warmen Sommerregen. Namentlich in Sachsen, aber auch im übrigen Deutschland. Es entstanden in Orten Vereine, in denen es später viele Jahre währte, bis die sozialistische Bewegung dort einigen Boden fand, obgleich der frühere Arbeiterverein mittlerweile eingegangen war.

A. *Bebel*, Leben, 1, S. 49f.

75 Gründung von Arbeiter-Kolonien

Auch wir sind Freunde der Arbeiter, allein wir wissen auch, wo der Schuh drückt, und daß die enorme Entwicklung unserer vaterländischen Industrie, die viele Menschen aus früheren Beschäftigungen zu ganz anderen herüber riß, durch leichteres Verdienst auch Ausschreitungen, Leichtsinn etc. erzeugte, und daß nur allmählich durch geeigneteren Volks-Unterricht und durch größere Moralität und Gesittung bessere Zustände für die arbeitende Klasse erwachsen können.

An dem bisherigen Übel und vielseitigen Mangel an guten Arbeitskräften, der wohl nirgendwo so stark, wie in unserer Gegend hervortritt, lahmt der Fortschritt noch sehr in unserer Industrie, und würden wir z. B. heute mit unseren guten Hilfsmaschinen entschieden bessere und mehr Fabrikate liefern können, wie dies heute noch der Fall ist. –

Unsere Neubauten in den Etablissements werden mit dem Jahre 1865 ziemlich zum Schluß gelangen, und wir haben bereits größere Grundstücke in nicht großer Entfernung von unseren Werken erworben, um abermals neue Arbeiter-Kolonien zu gründen. Möge dabei unser Zweck, einesteils unsern ordentlichen Arbeitern, denen wir bessere Wohnungen bieten, den Beweis unserer Fürsorge zu zeigen, dann aber auch sie dauernder an unsere Werkstätten zu fesseln, in Erfüllung gehen; denn nur auf diesem Wege kann die deutsche Industrie fortwährend, wenn auch anfänglich nicht ohne schwere Opfer, – denn dem Auslande stehen meist weit geübtere Arbeiter und größere Geldkräfte und leichtere Verkehrs-Verbindungen zu Gebote, – den Kampf bestehen, den freiere Handels-Verträge und das Immernäherrücken der Nationen mit sich führen.

Rundschreiben der Firma Funcke & Hueck vom 27. 12. 1864, in: Funcke & Hueck 1844–1934, S. 8 f.

3.2 Ideologische Anknüpfungen

1 Englische Verfassungs- und Wirtschaftspraxis

76 Das englische Vorbild der Ministerverantwortlichkeit

Es ist kein Grund vorhanden, anzunehmen, daß die allgemeinen Grundsätze des Rechts für den Beamtenstand auf die Staatsminister keine Anwendung finden. Minister sind Beamte; erst das constitutionelle System gab ihnen eine besondere Stellung, und zwar, indem es ihre Verantwortlichkeit erhöhte. Am wenigsten wäre aus dieser besonderen Stellung irgend eine Befreiung von der allgemeinen Verantwortlichkeit herzuleiten. Unter dem sogenannten constitutionellen System verstehen wir das continentale, nach dem französischen Muster der Restauration und der Julidynastie zugeschnittene. Dieses unterscheidet sich in dem vorliegenden Punkte wesentlich von dem englischen; – beide haben zwar das gemein, daß die Verantwortlichkeit des Ministers die Unverletzlichkeit des Souveräns deckt, daß der Minister verantwortlich ist für den Akt, den er unterzeichnet oder contrasignirt hat. In England aber sind die Werkzeuge des Ministers eventuell neben ihm verantwortlich, auf dem Continente ist es höchstens nur der Minister, und nicht bloß der Monarch, sondern auch der Gendarm ist durch die Contrasignatur des Ministers gedeckt. Wo nun, wie gewöhnlich, die Verantwortlichkeit des Ministers auf Illusionen beruht oder tatsächlich illusorisch gemacht wird, da steht eben der Bürger rechtlos dem Beamten gegenüber, und das Verfassungsspiel bedeutet da wenig oder Nichts neben dem – Soldatenspiel.

In England könnten zur Not die ordentlichen Gerichte zur Wahrung des Rechtsstaates ausreichen, obgleich die politische Praxis gerade daselbst besondere Prozeduren für die Jurisdiktion über hohe Staatsdiener geschaffen hat. Auf dem Continente ist das – auch abgesehen von der geringen Selbständigkeit unserer Gerichte dem Ministerium gegenüber – schon deßhalb nicht möglich, weil der Beamtenstand überhaupt durch die sogenannte Administrativ-Justiz (lucus a non lucendo!) und die Erhebung der Kompetenz-Conflikte von der allgemeinen Gerichtsbarkeit eximirt dasteht.

Jedenfalls bedürfen wir also eines besonderen Gesetzes über Minister-Verantwortlichkeit. Wie kann nun die Verantwortlichkeit der Minister juristisch formulirt werden? (...)

Allerdings muß die Kontrolle der Kammern für die rein politische Tätigkeit der Minister genügen. Einen unfähigen Minister zu beseitigen, ist Sache der Opposition. Aber eine landesverräterische Handlung, Bestechlichkeit, Unterschleif und selbst die Überschreitung des verfassungsmäßig bewilligten Finanz-Etats sind viel eher Objekte der Justiz, als der constitutionellen Faktoren. Die Kammer, welche sich über ein Oppositionsprogramm vielleicht nicht einigen kann, wird sich doch leicht darüber verständigen, auf dringende Verdachtsgründe hin eine gerichtliche Untersuchung zuzulassen. Vielfach wird das im Interesse des angeschuldigten Ministers selbst geschehen; ein ausgebildetes Ehrgefühl, ein in weiteren Kreisen verbreiteter Rechtssinn werden die höchsten Staatsbeamten unter Umständen sogar nötigen, auf das gerichtliche Urteil zu provoziren. Es wäre nicht gut, Alles auf die politische Diskussion zu stellen und den Standpunkt des Rechts, sowie den der öffentlichen Moral bei Seite zu lassen, die Menge und den vornehmen Pöbel an die Anschauung zu gewöhnen, daß ungeheuere Verbrechen straffrei ausgehen, und nun gar den Verfassungsbruch, den Staatsstreich zu einem Hasardspiel zu machen, bei welchem der ganze Einsatz in dem Aufgeben des Minister-Portefeuilles bestünde!

Gerade in England waren die Prozesse gegen Minister und hohe Staatsbeamte am allerhäufigsten, und wenn sie in diesem Jahrhunderte gänzlich abzukommen scheinen, so ist es, weil Niemand in diesem glücklichen Lande sich beikommen läßt, die Gesetze des Landes zu verachten, da kein Fürst oder Minister für verbrecherische Pläne gehorsame Exekutoren fände.

Für die politischen und administrativen Leistungen oder Fehler, d.h. für die Fähigkeiten des Ministers gibt es allerdings keine exakte Jurisdiktion. Die Rechtspflege im eigentlichen Sinne kann sich nur auf seine zivile und criminelle Verantwortlichkeit beziehen, d. h. auf die Entschädigungspflicht aus unerlaubten und auf die Strafbarkeit bei strafbaren Handlungen.

Zwar hat man in dem Musterstaate des Parlamentarismus diesen Unterschied zwischen der politischen und der juristischen Verantwortlichkeit der Minister niemals besonders strenge festgehalten. Das englische Parlament ist bekanntlich in seinen Befugnissen minder beschränkt, als die continentalen Kammern, es ist der souveräne Richter über seine eigene Kompetenz, und ein altes Sprichwort besagt: »Das Parlament kann Alles, nur kein Weib zum Manne machen.« Die enge und engherzige »Teilung der Gewalten«, wie wir sie verstehen, war überhaupt in England niemals Grundgesetz. Das Unterhaus kann jeden Staatsbeamten vor dem Oberhause verklagen, begnügt sich aber bei den niederen Beamten, wo das ausreicht, damit, den König in einer Adresse um Verfolgung der Beschuldigten durch den Attorney-General (Staatsanwalt) zu bitten. Doch wurden z. B. unter Karl II. vier höhere Richter durch das Oberhaus wegen parteiischer Rechtspflege ihres Amtes entsetzt.

Jede Handlung eines britischen Ministers oder Staatssekretärs konnte seit jeher zum Gegenstande einer Anklage werden, auch wenn sie nicht unter ein bestimmtes Statut der Strafgesetze fiel. Das Unterhaus klagt ganz einfach beim Oberhause, legt in corpore das »Impeachment« auf den Tisch des Oberhauses und ernennt dann aus seinen Mitgliedern ein Committe of managers, welches in öffentlicher Sitzung die Rolle der Staatsanwaltschaft übernimmt. Das Unterhaus wird hier als verletzte Partei angesehen, weil es die Wahlkörperschaften des Landes vertritt; das Oberhaus ist dabei, nach Hale, Blackstone, Stephen u. A. m., nicht als ein Ausnahmsgericht zu betrachten, sondern als judicium parium, denn aus der allgemeinen Pairs-Jurisdiktion hat sich auch diese entwickelt. Und es war sogar lange zweifelhaft, ob das Oberhaus seine Jurisdiktion in diesem Falle auch über Commoners (wegen High-treason oder Felony) ausdehnen dürfe. Bis 1689 wenigstens hat das Oberhaus sich dessen geweigert.

H. B. *Oppenheim*, Über Minister-Verantwortlichkeit 1861, in: Vermischte Schriften, S. 127ff.

77 Englisches Vorbild der Handelsfreiheit

Meine Herren! Es ist uns Allen bekannt, es ist eine offenkundige Tatsache, daß jede nennenswerte handelspolitische Bewegung seit 30 Jahren, wo sie auch in der Welt vorkam, nur im Sinne der Handelsbefreiung stattfinden konnte, außer etwa in Nordamerika, wo bisweilen die volkswirtschaftliche Einsicht in dem Tumulte politischer Leidenschaften unterlag. Die Handelsbefreiung, meine Herren, ist das siegende Prinzip der Bewegung unserer Zeit, sie ist die unabweisliche Folge der Entwickelung der Produktion und der Verkehrsmittel, und wo auch eine Handelsbefreiung ins Werk gesetzt wurde, da ist immer allseitiger Nutzen erfolgt. Es hat bei jeder solchen Gelegenheit nie daran gefehlt, daß von ängstlichen Interessenten Warnungen und Mahnungen erhoben wurden. Sie sind aber immer durch die Erfolge widerlegt worden. Nie hat eine durch die fortschreitende Aufklärung, ja durch die Wissenschaft diktirte Richtung sich glänzender in der Erfahrung bewährt, als eben die Handelsbefreiung. Frankreich hat in neuester Zeit große Handels-Befreiungen vollzogen durch die Handels-Verträge mit England und Belgien. Diese Maßregel ist von zu jungem Datum, als daß die nützlichen Erfolge für den französischen Wohlstand schon hätten zu Tage kommen können. Der Nutzen konnte um so weniger schon zu Tage treten, da die Maßregel zu einer Zeit stattfand, als Frankreich zu leiden hatte unter einer Mißernte, unter dem Stocken des Absatzes nach Amerika, unter dem Ausbleiben der Baumwolle und unter dem für die Industrie stets so nachteiligen Drucke kriegerischer Rüstungen. Die Schutzzöllner in Frankreich haben es auch nicht unterlassen, zu versuchen, die mit solchen Übelständen notwendig verknüpften Leiden der Befreiung des Französischen Handels-Verkehrs zur Last zu legen. Sie sind aber durch die statistischen Nachweise leicht und vollständig widerlegt worden. In England ist man in der Handels-Befreiung am weitesten gegangen. In England hat man das Prinzip des Finanzzolls radikal durchgeführt. England ladet die Landwirte, die Fabrikanten, die Handwerker der ganzen Welt ein, es mit nützlichen Dingen zu überfluten; es befürchtet gar nicht, durch eine solche Überflutung Nachteil zu erleben, es fürchtet nicht, daß eben die Fülle der dargebotenen nützlichen Dinge es dahin bringen sollte, an nützlichen Dingen Mangel zu leiden. Man wird nun wohl sagen: »Ja, England mit seinem großen Kapital und mit seiner Herrschaft über den Welthandel, kann leicht die freieste Konkurrenz der ganzen Welt herausfordern, denn es ist doch des Übergewichts in allen Industriezweigen sicher.« Eine solche durchgängige Überlegenheit Englands, meine Herren, besteht jedoch nicht. In den meisten Handwerken und in sehr vielen Industriezweigen, bei denen eine ausgebildete Handarbeit die Hauptsache ist, wird auf dem Festlande wohlfeiler und besser fabrizirt, als in England. Indessen, trotz der verschärften Konkurrenz, welcher sich England in diesen Zweigen der Industrie dreist ausgesetzt hat, sehen wir nicht, daß dort irgend ein Industriezweig zu Grunde geht, sondern nur allseitig einen Aufschwung der Leistung. Ich entsinne mich noch sehr wohl, als der Englische Handels-Minister Huskisson, der der jetzt in der Welt siegreichen Handelsfreiheit den ersten Impuls gab, vor 35 Jahren darauf drang, die Seidenwaren zu einem ermäßigten Zolle in England einführen zu lassen, welch ein gewaltiger Sturm von Klagen sich erhob, wie es hieß, die ganze dichte Weberbevölkerung von Spitalfields müsse in kurzer Zeit verhungern. Trotz dieser versuchten Abschreckung ging die Maßregel durch und das Jahr darauf zeigte Huskisson im Unterhause Tücher vor, welche, nach indischem Muster gedruckt, wohlfeiler und besser waren, als die eingeführten; und heutzutage führt England gewisse Seidenwaren selbst in Frankreich ein und findet daselbst guten Absatz.

Das lehrreichste aller Beispiele indeß ist die Aufhebung des englischen Kornzolles. England konnte anerkanntermaßen das Getreide nicht so wohlfeil produziren, als das Festland. Da hieß es also, bei der Handelsfreiheit müsse der ganze englische Ackerbau zu Grunde gehen und wenn der Ackerbau zu Grunde gehe, so verliere die Industrie ihren besten Kunden und müsse mit ins Verderben folgen; alles Geld werde aus dem Lande verschwinden; eine nationale Verarmung sei die unausbleibliche Folge eines Verlassens des nationalen Schutz-Prinzipes. So, meine Herren, sprachen die praktischen Männer, die Sachverständigen. Aber die Theoretiker, die Anhänger der Schule drangen durch; und was ist die Folge? Seit der Aufhebung der Kornzölle ist die Pacht in England um 50 Prozent gestiegen und Sie finden heute in dem ganzen Reiche keinen einzigen Grundbesitzer, der seine Stimme abgeben würde für eine Wiedereinführung des Kornzolles.

Wenn also, meine Herren, die Handels-Befreiung sich in der Praxis nach aller Erfahrung so glänzend bewahrheitet und bewährt hat, so läßt sich prinzipiell dagegen mit irgend einem Scheine von Logik kaum ein Einwand machen. Denn was will denn die Handels-Befreiung? Weiter nichts, als den Nationen die Freiheit bieten, unter einander, insofern jede es in ihrem Interesse findet, diejenige Arbeitsteilung einzugehen und zu erweitern, welche anerkanntermaßen in jedem einzelnen Lande die Grundlage aller volkswirtschaftlichen Entwicklung ist. Ebenso wie der freieste und regste Verkehr unter den verschiedenen Teilen eines Landes den Wohlstand hebt, ebenso steigert sich der Wohlstand noch mehr, wenn die Kapitalien und Arbeitskräfte Gelegenheit haben, sich über einen weiteren Verkehrskreis zu verbreiten und eine weitere Arbeitsteilung einzugehen. Und was will das Schutzsystem? Das Schutzsystem will die Waren teurer machen, damit die Industrie sich entwickele, wogegen die Entwicklung der Industrie ja gerade einzig und allein in der Verwohlfeilerung der Waren besteht. Das Schutzzoll-System will uns künstliche Geschäfte für unser Kapital beschaffen, wogegen das Einzige, was uns fehlt, ja Kapital für unsere naturgemäßen Geschäfte ist; oder nach der berühmten Formel des Friedrich List, welche das ganze Schutzsystem mit den kürzesten Worten resumirt, und zwar angeblich in einer wissenschaftlichen Form, das Schutzsystem will Werte opfern, um Kräfte zu erziehen, d. h. das Schutzzoll-System will Kapital vergeuden, welches das einzige Mittel ist, um die erzogenen Kräfte in Bewegung zu setzen. Meine Herren, es wird freilich jetzt allgemein eingesehen, daß das Schutzsystem auf handgreiflichen Trugschlüssen beruht und eine Verkehrtheit ist, (...).

John Prince-Smith, Fortschrittspartei, am 23. 7. 1862 im preuß. Abgeordnetenhaus, Sten. Ber. 1862, S. 763 f.

78 Möglichkeiten des Verfassungskampfs in England und Preußen

Aber weiter, welches Mittel hätte die Regierung, den Widerstand des englischen Unterhauses und Volkes zu brechen? Das Heer. Aber in England muß seit der bill of Rights die Regierung jedes Jahr von neuem von dem Parlament die Erlaubnis erbitten, ein Heer zu halten. Diese Erlaubnis wird ihr jedes Jahr und immer nur auf die Dauer eines Jahres bewilligt durch die sogenannte mutiny-Akte, durch welche die Regierung zugleich für die Dauer dieses Jahres mit einer Disziplinargewalt gegenüber den Soldaten, die sonst nur unter den gewöhnlichen Landesgesetzen stehen würden, zur Bestrafung von Insubordination und Meuterei ausgerüstet wird. In derselben Akte wird zugleich die genaue Zahl der Truppen, welche der Regierung zu halten erlaubt wird, und ihre Bezahlung festgesetzt. Was würde also die Folge sein, wenn sich die englische Regierung mit dem Unterhause in einem Kampf befände? Das englische Unterhaus würde einfach beim Jahresschluß die Erneuerung der mutiny-Akte verweigern und von Stund an könnte die Regierung kein Heer halten, dasselbe nicht zahlen, keine Meuterei mehr unterdrücken, keine Disziplinar-Gewalt gegen die Soldaten anwenden, die beliebig auseinanderlaufen könnten und würden. Aber noch mehr. Ich sagte Ihnen, daß jährlich die Zahl der Truppen, welche der Regierung zu halten erlaubt wird, durch die mutiny-Akte festgestellt wird. Diese Zahl betrug im letzten Jahre (1861 bis 1862) für Großbritannien und sämtliche Kolonien, mit Ausnahme Indiens, nicht mehr als 99000 Mann. Es kämen also, da die vielen und besonders einer Truppenmacht bedürftigen Kolonien Englands mindestens die Hälfte dieser Anzahl erfordern werden, nicht mehr als 50000 Mann auf Großbritannien, das heißt auf eine Bevölkerung von 25 Millionen Einwohnern, und Sie werden begreifen, daß man bei solchem Zahlenverhältnis keinen Kampf mit der Nation wagen kann.

Und nun immer weiter von Wechselwirkung zu Wechselwirkung.

Weil es klar ist, daß fast alle sich der Steuerzahlung widersetzen werden, und weil hierdurch die Chancen, die schon von vornherein durchaus zugunsten des Volkes stehen, noch unendlich vermehrt werden, weil endlich die englische Regierung in England selbst nur ein Heer von so geringfügiger Zahl halten darf, kann die Regierung dort auch nicht einmal auf ihre eigenen Beamten, nicht einmal auf die Machtmittel, die sie wirklich hat, rechnen. Denn Sie begreifen, meine Herren, daß sich bei der Masse der Beamten ihr Verhalten in einem solchen Konflikt hauptsächlich nach der Meinung richtet, die sie darüber haben, wer von beiden, Regierung oder Volk, wohl Sieger bleiben werde.

F. *Lassalle*, Was nun? Zweiter Vortrag über Verfassungswesen in Berlin am 17. 11. 1862, Berlin 1907, S. 46ff.

2 *Auguste Comtes Positivismus*

79 Comte als Theoretiker des Pragmatismus

Diesen Erklärungsmethoden gegenüber geht die exact wissenschaftliche, oder wie Comte sie genannt hat, die positive Philosophie lediglich von den tatsächlichen Erscheinungen aus, und sucht deren Bedingungen und Verhältnisse zu ergründen. Statt absoluter Wahrheiten erstrebt sie eine relative, auf die beobachteten Phänomene bezügliche Erkenntniß. Sie lehnt jede Untersuchung über den Ursprung und Grund der Dinge, über ihr eigentliches Wesen, über den inneren Productionsmodus der Erscheinungen als völlig unzugänglich ab, fragt nicht nach dem Woher und Warum, sondern nur nach dem Wie der Dinge, nimmt die Erscheinungen, wie sie sich der sorgfältigen Beobachtung darstellen, als Tatsachen und als die einzige Basis aller Wissenschaft hin, über die wir niemals hinaus können, beschränkt sich darauf, ihr Bestehen und ihre Folgen festzustellen, und erkennt ihren Zusammenhang einzig in den unabänderlichen Gesetzen, von denen sie beherrscht werden. Diese Gesetze sind ihr die letzten Erklärungsgründe. Wo sie noch nicht constatirt sind, da ist die Wissenschaft unvollständig, und muß sich vorläufig mit Hypothesen behelfen; diese dürfen aber nicht voreilig als wirkliche Gesetze hingenommen werden, und müssen immer der Art sein, daß sie sich anschaulich nachweisen lassen, sonst fallen sie in das Gebiet der willkürlichen Phantasiegebilde. Die speziellsten, untersten Gesetze fallen fast unmittelbar mit den beobachteten Erscheinungen zusammen, von ihnen steigt die Wissenschaft durch Induction zu den höheren und allgemeineren Gesetzen auf, und wenn aus diesen durch Deduction neue Axiome gewonnen werden, so müssen sich diese immer wieder durch die Beobachtung verifiziren lassen. Denn das logische Kriterium, daß sie in sich keinen Widerspruch enthalte, beweist noch keineswegs die Wahrheit einer Theorie; Widersprüche duldet Niemand in seiner Theorie, wenn er sie bemerkt. Aber ein System kann sehr consequent in sich übereinstimmen, und dennoch ein Hirngespinst sein. Nur in der Anschauung und Erfahrung ist der Probirstein für die Wahrheit einer Theorie gegeben. Wissenschaftliche Gesetze können erst dann als vollständig und präzise constatirt gelten, wenn sich die darunter fallenden Erscheinungen mit Sicherheit nach ihnen vorher bestimmen lassen. Das ist das Ziel jeder exacten Wissenschaft. Der Astronom sucht zu bestimmen, welches die Gesetze der bestehenden Welt sind, und berechnet danach die Bewegungen der Weltkörper; er erzählt aber nicht, woher der erste Anstoß der Bewegung und des Wirkens gekommen, oder warum die höchsten erkannten Gesetze so sind und nicht anders. Denn ein Gesetz wird nur erklärt, indem es auf ein allgemeineres Gesetz zurückgeführt wird. Wer nach dem Warum eines Geschehens fragt, kann immer weiter zurückfragen, wie Kinder zu tun pflegen, wird aber bald auf den Punkt kommen, wo die Wissenschaft keine Antwort mehr gibt, sondern sich mit der Annahme der Tatsache begnügen, oder es der Einbildungskraft überlassen muß, Gemälde von Ursachen und Zwecken auszuführen, die freilich für die Wissenschaft keinen Wert haben. Ob, wo und in welcher Quantität Etwas existirt, darüber kann nicht das Gesetz entscheiden, sondern nur die Erfahrung; da haben wir nur die Erscheinungen zu constatiren, übersichtlich zu ordnen, zu classifiziren; im Gegensatz zu dieser bloßen Beschreibung erbaut sich die eigentliche Wissenschaft aus den Gesetzen, welche sich auf die vorliegenden Erscheinungen beziehen.

Diese Grundsätze generalisirend, nimmt also die positive Philosophie ihren Inhalt lediglich aus den einzelnen Wissenschaften auf, weiß, daß sie nur mit ihnen wachsen und blühen kann, beschränkt sich darauf, einen einheitlich systematischen Zusammenhang unter ihnen zu vermitteln, und verwirft jede Theorie, die es unternimmt, unabhängig von den Resultaten und Methoden der speziellen Wissenschaften aus sich selbst oder a priori Grundsätze und Tatsachen zu construiren, als eine Chimäre.

Für die Details der Wissenschaften und für die Praxis des Lebens mußte freilich die Erfahrung von je her und zu allen Zeiten maßgebend sein; Jeder muß sich darnach richten; die einfachste Verknüpfung von Ursache und Wirkung, jede auf einen Zweck gerichtete menschliche Handlung setzt voraus, daß ein gesetzmäßiger Zusammenhang zwischen den Erscheinungen stattfinde, daß nach festen Regeln unter bestimmten Bedingungen und Verhältnissen die vorhergesehenen Erfolge eintreten. Aber diese Wahrnehmung blieb unbewußt, unentwickelt, auf die unmittelbarste Erfahrung beschränkt, ohne systematische Anwendung. Denn teils wurden die gewöhnlichsten und regelmäßigsten Erscheinungen, obwohl in der Tat die wichtigsten und die Grundlagen aller anderen, als selbstverständlich hingenommen, während nur die auffälligeren, scheinbar unregelmäßigen und wunderbaren die Aufmerksamkeit erregten, teils erfordert die Constatirung der höheren Gesetze, namentlich in den complizirten Wissenschaften, so umfassende und schwierige Beobachtungen, daß ihre wirkliche Feststellung und der Gedanke, sie zum Zielpunkt aller Erkenntniß zu machen, erst den spätesten Zeiten möglich ward. Selbst wo der wissenschaftliche Forschungsgeist schon sehr erstarkt war, wie in der griechischen Welt und im Mittelalter, blieb die positive Methode fast ganz auf die Sammlung des Materials und auf die Detailsbestimmungen beschränkt, während die leitenden Grundsätze und die allgemeinen Theorien den ursprünglichen beiden Methoden überlassen werden mußten. Allgemeine Theorien aber zur Systematisierung des Wissens und des Lebens bedürfen die Menschen unter allen Umständen; die bloße Empirie, die nackten, einzelnen Tatsachen genügen ihnen nie. Bevor daher das reelle Wissen mit den ausgebildeten Hilfsmitteln der Beobachtung, der Induction und der Logik die theoretischen Arbeiten leiten konnte, mußte die Phantasie die Lücken ergänzen, und die notwendigen synthetischen Constructionen geben. Sie entsprachen den Bedürfnissen oder Wünschen des Gemüts, welches nicht bloß die Fragen stellte, sondern auch beantwortete, so lange nicht die unumstößliche Regel der Einbildungskraft Schranken setzte. Die theologischen und metaphysischen Conzeptionen, welche sich mit zuversichtlicher Autorität als höchste und gewisseste Wahrheit proclamirten, mußten dem jedesmaligen Umfange der vorhandenen Kenntnisse entsprechen, sich nach ihnen erweitern oder modifiziren, und den Naturgesetzen weichen, so weit diese entdeckt wurden.

Diesen Gang der Speculation erkannte Goethe sehr klar, wenn er sich dahin aussprach: in den Anfängen betrachte der Mensch die Gegenstände in Bezug auf sich selbst, ob sie ihm gefallen oder mißfallen, nutzen oder schaden, bestimme er die Außenwelt nach inneren subjectiven Begriffen; erst spät beginne die schwerere Arbeit der objectiven Methode, welche die Gegenstände an sich und in ihren Verhältnissen unter einander betrachtete, den Maßstab der Erkenntniß und die Data der Beurteilung nicht aus sich, sondern aus dem Kreise der beobachteten Dinge entnimmt. Zur Ergänzung kann das Urteil Kant's dienen: im Kindesalter der Philosophie fingen die Menschen an, wo wir jetzt lieber aufhören möchten, nämlich zuerst die Erkenntnis Gottes und die Hoffnung oder wohl gar die Beschaffenheit einer anderen Welt zu studiren. Das, in der Tat, bzeichnet die Hauptphasen der menschlichen Anschauungen in wenigen Worten. So weit die Erscheinungen noch nicht festen Gesetzen untergeordnet sind, erscheint Alles möglich und glaublich. Die Neigung zum Phantastischen, Mysteriösen und Wunderbaren findet unbehinderten Spielraum. Die positive Wissenschaft schiebt die Grenzen des Glaubens immer weiter zurück, und läßt unerweisbaren Speculationen keinen Raum mehr. Die zunehmende Positivität der einzelnen Wissenschaften erheischt auch die positive Methode der Philosophie. Denn das Ganze muß den Teilen entsprechen.

Die alten Methoden vermögen keine einheitliche Theorie mehr herzustellen.

Die Theologie hat diesem Anspruch gänzlich entsagt. Wir sind geneigt zu vergessen, daß sie nicht bloß in den Theokratien des Altertums die alleinige Wissenschaft war, sondern auch im christlichen Mittelalter alle Kreise des Wissens beherrschte. Aus theologischen Gründen wurde über Seele und Leib, wie über die Gestalt der Erde und den Ort der Hölle entschieden; Bischöfe stritten, ob man zwei Himmel anzunehmen habe oder sieben. Davor hatte die Wissenschaft nicht bloß Respect, – das war die Wissenschaft. Die Forschung und die Forscher gehörten dem Klerus an. In den Naturwissenschaften erhob die Kirche zum letzten Male ernstlich ihre Stimme, als sie gegen das Weltsystem des Copernicus protestirte. Seitdem begnügt sich die Theologie, hin und wieder eine Lehre zu bestreiten, welche geradezu ihre Dogmen verletzt. Nur wenn eine theologische Restauration in politischem Interesse versucht wird, wagt sie sich einmal wieder an eigene Conzeptionen. Zur Zeit Wöllner's hielt Silberschlag in der Berliner Akademie einen Vortrag über die Sonne: sie ist ein Küchenfeuer, und die Flecken sind Rauchwolken; wo Küchenfeuer ist, müssen Braten sein, – nämlich die Gottlosen, Deisten und Atheisten, und der Teufel ist der Koch, der sie am Bratspieß dreht: – mit anderen Sonnen wird es wohl ebenso sein. (...)

Im Leben, auf die Moral und auf das Gefühl übt die Religion unzweifelhaft noch eine große Macht, aber den Charakter einer wirklichen, das Ganze des menschlichen Wissens umfassenden Philosophie hat sie längst verloren.

Ähnlich ist es der Metaphysik ergangen. In den Theorien über Recht, Moral und Politik herrscht zwar kein einzelnes metaphysisches System, doch im Wesentlichen die Begriffe und Satzungen, welche die Metaphysiker von Thomas Aquinas bis auf Hegel ausgearbeitet haben. Aus der Natur dagegen sind ihre Wesenheiten und Qualitäten, ihre abstracten Kräfte, Potenzen und Gegensätze fast gänzlich verbannt. Aber auch auf den Gebieten, wo man ihren Ausführungen und Resultaten zustimmt, traut man der Methode nicht mehr, ist geneigt ihre Erfolge mehr der universellen Bildung und dem genialen Blick als den Systemen oder Philosophen zuzuschreiben. Kant, der in wahrhaft positivem Sinne die Tatsachen und Bedingungen der Erfahrung untersuchte, riet, sich auf ein vernünftiges Glauben zu beschränken, und allen Ansprüchen auf Metaphysik, in der man auf mancherlei Weise herumpfuschen könne, zu entsagen. Freilich wurde weiter gepfuscht, die Systeme überstürzten sich mehr als je. Indessen der tolle Unfug, den die sogenannte Naturphilosophie mit der Abenteuerlichkeit und Anmaßung ihrer willkürlichen Spielereien trieb, half ohne Zweifel den Umschwung beschleunigen. Wenige überwinden sich noch, die Erzeugnisse jener Schule zu lesen. Man erschrickt, wenn man sieht, was sich da für Wissenschaft ausgab. Hegel führte eine ernste, tiefdurchdachte Arbeit in die Philosophie zurück. Sein enzyklopädisches System war das letzte, welches als universelle Theorie Einfluß gewann. Was neben oder nach ihm von Bedeutung war, beschäftigte sich mit Spezialitäten oder mit der Geschichte der Philosophie. Lotze und Schopenhauer, fast die einzigen systematischen Philosophen, denen in neuester Zeit über den Kreis der Fachgenossen hinaus einige Aufmerksamkeit zu Teil geworden ist, obwohl metaphysisch sprechend, greifen doch gleichzeitig die Voraussetzungen aller metaphysischen Philosophie auf das Entschiedenste an, indem sie die Annahme einer von den gewöhnlichsten Denkformen verschiedenen speculativen Erkenntniß, das mit sich selbst beschäftigte reine Denken, die Vorurteile eines eigenen Inhalts und einer für alle philosophischen Untersuchungen gleichen Methode, jede von der Anschauung und dem Leben gelöste absolute Wahrheit als nichtige Täuschung verwerfen. Man stimmt ihnen freudig zu, daß die Metaphysik aller Orten Bilder statt Begriffe, leere Tautologien als Ursachen, abstracte Umschreibungen der Phänomene als deren Erklärung bietet.

Zu diesen Zeichen, daß die alten Theorien ihren Credit verloren haben, tritt die wachsende Hinneigung des intellectuellen Lebens zu der positiven Methode. Mit ihrem ersten universellen Vertreter Baco von Verulam wußten die Metaphysiker, als ihre Sonne hoch stand, nicht viel anzufangen, in den Geschichten der Philosophie wurde er sehr kurz behandelt. Er ließ sich nicht auf ein paar metaphysische Sätze reduzieren; auch die gewöhnlichen Kategorien von Idealismus und Realismus oder Spiritualismus und Materialismus paßten nicht auf ihn, weil diese als absolute Prinzipien nur innerhalb der metaphysischen Philosophie anwendbar sind, und Baco überhaupt nicht als Metaphysiker betrachtet werden darf. Freilich verweist er nicht selten auf die Metaphysik, wie er auf die Religion verweist, aber er schließt beide in seinen wissenschaftlichen Untersuchungen von jeder Anwendung aus; und wenn er sich in der Betrachtung menschlicher Angelegenheiten mehr auf einzelne aus seiner Richtung hervorgehende Fingerzeige beschränkt, so hat er für die Naturwissenschaften die exacte positive Methode als allein maßgebend mit voller Consequenz geltend gemacht. Erst neuerdings würdigt man seine epochemachende Stellung.

C. *Twesten,* Schriften Comtes, S. 279 ff.

80 Die Comte-Kontroverse Twesten/Haym [1]

Rudolf Haym an Carl Twesten

Halle, 3. Juni 1859.

Hochverehrter Herr!

Mit dem größten, ebenso sehr durch den Gegenstand wie durch die einfach klare Darstellung motivierten Interesse habe ich Ihren Essay über die Comtesche Philosophie gelesen. Ich muß freilich sogleich hinzufügen, daß ich nichts weniger als überzeugt worden bin. Wohl sehe ich, daß man Unrecht hat, wenn man, wie gewöhnlich geschieht, A. Comte lediglich als einen konfusen Kopf darstellt. Für die Bedeutendheit des Mannes ist mir der Umstand eine große Bürgschaft, daß ein so feiner, klarer und sinniger Denker wie Sie diese Prinzipien zu den Ihrigen machen konnten. Mit diesem Zeugnis steht aber – wie soll ich mich ausdrücken, ohne Sie zu verletzen? – die selbstgenügsame Dürftigkeit dieser Prinzipien selbst in einem Widerspruch, den ich zu lösen verzweifle. Man kann von den phantastischsten Annahmen aus zu richtigen Entdeckungen gelangen. Ich zweifle nicht, daß man ebenso umgekehrt von den nüchternsten Voraussetzungen zu tiefen Wahrheiten und großartigen Anschauungen gelangen kann. Ich bin gewiß, daß das Letztere Ihr Fall ist, und möchte daher Ihre Kulturgeschichte vollendet vor mir sehen. Wie jedoch ein Mann, der so großer Konzeptionen fähig ist, auch wenn der Hunger nach reiner, einfacher, ehrlicher Wahrheit noch so stark in ihm ist, unsere Metaphysik (sie sei so abenteuerlich als sie wolle) gegen diese – Philosophie hingeben kann, das ist mir völlig rätselhaft. Ich kann hier natürlich keine Debatte darüber führen. (...)

Twesten an Haym

Berlin, 5. Juni 1859.

Hochgeehrter Herr,

eben fragte mich eine Freundin, die meinen Aufsatz vor der Absendung gelesen, ob Sie mir schon geantwortet; ich sagte: sie wolle die Religion nicht preisgeben, Dr. Haym nicht die Metaphysik. Ach, meinte sie, so etwas Dürftiges wie die Hegelsche oder eine derartige Philosophie, da wäre die meinige doch noch anziehender.

Ich für meine Person gebe die Dürftigkeit zu, nicht bloß in dem Sinne, daß die erkannte Wahrheit noch sehr mangelhaft ist, sondern auch in dem, daß meine Anschauung gänzlich darauf verzichtet,

> daß ich erkenne, was die Welt
> im Innersten zusammenhält,

nur den Trost dafür gibt:

> Und tu nicht mehr in Worten kramen.

Ich kann nur sagen, daß für mich in der Wissenschaft eine dürftige Wahrheit mehr Wert hat als die reichste Hypothese. Die Hauptsache ist wohl, daß jede Überzeugung von ihrer Wahrheit aus in andern vorzugsweise das Negative sieht. Was Sie gegen Comte sagen, hätte – Religion statt Philosophie gesetzt – jeder Römer gegen das Christentum einwenden können:

Wie ein Mann, der großer Konzeptionen fähig ist, unsere Religion (Metaphysik), sei sie so abenteuerlich als sie wolle, gegen diese Philosophie hingeben kann, das ist mir völlig rätselhaft.

Dagegen vermag ich nicht einzusehen, warum Sie diese Prinzipien als selbstgenügsam bezeichnen; Lotze nennt die metaphysische Beschaulichkeit selbstgenügsam, weil sie wähne, unabhängig von Leben und Wissenschaft aus sich selbst inhaltsvolle Ideen konstruieren zu können. (...)

Aber ich hatte ihnen in meinem ersten Briefe ganz präzise geschrieben, daß ich Geschichte und Politik ohne jede theologische oder metaphysische Grundlage rein nach Weise exakter Wissenschaft zu behandeln dächte, und da Sie hierauf den

Vorschlag meiner Arbeit über Comte zustimmend annahmen, setzte ich voraus, daß Sie wenn auch nicht mit der Ausschließlichkeit des Prinzips einverstanden, doch eine gelegentliche unumwundene Vertretung desselben für angemessen erachteten. (...)

Gerade dem Vorurteil gegenüber, daß Comte nichts sei als ein konfuser Kopf, ist es mir nicht möglich, über ihn zu schreiben, ohne für ihn zu schreiben. Wenn ich nicht bloß Einzelheiten mitteilen, sondern das Wesentliche dieser Anschauung entwickeln wollte, konnte ich mich nicht bloß referierend-historisch verhalten, sondern mußte Eigenes geben, weil eine Darstellung nur in Comtes Weise vor einem deutschen Publikum ebensowohl unverständlich wie ungenügend sein würde.

Mit aufrichtiger Hochachtung
der Ihrige
C. Twesten.

Haym an Twesten

Halle, 19. Juni 1859.

Hochgeehrter Herr!

Am Schluß meiner Pfingstferien, aber leider noch nicht am Ende mit einer schon seit Wochen mich belagernden Grippe, muß ich den Gedanken einer ausführlichen Beantwortung Ihres letzten gefl. Schreibens wohl aufgeben und mich statt dessen kurz resolvieren und ins Enge ziehen.

Wie es bei derartigen Debatten fast unvermeidlich ist, so sind wir auf dem besten Wege, uns im Kreise um Mißverständnisse zu drehen. Als z. B. wenn Sie mich zum Metaphysiker machen, da ich doch nur die relativ größere Berechtigung der Metaphysik gegen Ihre »positive« Philosophie ausgesprochen. Nicht für die Metaphysik trete ich ein – meine schriftstellerische Tätigkeit hat sich beinahe ausschließlich in den letzten Jahren darum gedreht, den hohlen Schein z. B. der Hegelschen Philosophie zu beseitigen und sie auf ihren realen Kern zu reduzieren –: sondern für das, was geistigen Gehalt hat, mag es sich nun Religion oder Metaphysik oder positive Philosophie nennen. Sie stellen Wahrheit und Hypothese einander gegenüber: ich leugne, und zwar nicht aus Skeptizismus, sondern aus Positivismus die Richtigkeit der Entgegensetzung; die geistig gehaltvollere Hypothese ist mir lieber, sie enthält mehr Wahrheit als die von Ihnen sogenannte »Wahrheit«, die aber dürftig ist. Gewiß ist die Hegelsche Lehre von der Selbstbewegung des Absoluten und die damit zusammenhängende dialektische Methode eine bloße Hypothese, aber es steckt mehr Wahrheit in dieser Hypothese, unendlich viel mehr als z. B. in der »Wahrheit«: zweimal zwei ist vier. Vielleicht entnehmen Sie hieraus, was ich meinte, wenn ich die C.'schen Prinzipien »selbstgenügsam« nannte, nämlich ich erblicke darin den Bettelstolz der zynischen Philosophie, welche, um der Wahrheit nichts zu vergeben, vollends dabei stehen blieb, daß von jedem Dinge nur es selbst prädiziert werden könne. Ich halte es für eine leere Täuschung, für eine Überhebung, angeblich durch exakte Beobachtung gefundene Gesetze für etwas absolutes, für »wahrer« zu halten als z. B. ein tiefes, in einer Menschenbrust entstehendes religiöses Gefühl oder als eine geistreiche Phantasiekonzeption, als eine platonische Idee oder dergl. (...) Derselbe Widerspruch kommt dann subjektiv in dem zum Vorschein, was Sie von dem Zusammenwirken und doch wieder der Trennung von Verstand und Gemüt und Phantasie sagen. Der geniale (Lessingsche) Verstand ist freilich ein sehr gutes und vielleicht das beste Organ für reine Wissenschaft; inzwischen ist eine Organisation wie die Baconische, die Hegelsche doch auch nicht zu verachten, und ich halte es mit Goethe, der in einer oft zitierten Stelle sagt, es dürfe (schon im Aktus der wissenschaftlichen Tätigkeit selbst) »keine der menschlichen Kräfte ausgeschlossen werden. Die Abgründe der Ahnung, ein sicheres Anschauen« – – usw. Sie werden sich der Stelle erinnern. Er sagt zum Schluß, daß jede Erkenntnis in letzter Instanz ein Kunstwerk sei, und es ist dies ein neuer, unerschöpflicher Text, aus dem sich die Berechtigung der Metaphysik ableiten ließe. Daher auch die Griechen und die Deutschen philosophiert haben – ein Vorsprung vor Engländern und Amerikanern, den wir doch nicht leichten Muts wollen fahren lassen. Ich begreife diese ganze Hinwendung zu der s. g. positiven Philosophie als eine historisch berechtigte Reaktion gegen das Phantastische und das »in Worten kramen« unserer letzten Systeme. (...)

Twesten an Haym

Berlin, 28. Juni 59.

Hochgeehrter Herr,

es will mir scheinen, als ob wir doch nicht bloß in Gesinnungen, sondern auch in Anschauungen nicht gar so weit auseinander wären. Sie gestehen Wilh. v. Humboldt Neigung zum Philosophieren neben Abneigung gegen abstrakte Spekulationen zu; könnten Sie nicht Comte und mir dasselbe Recht widerfahren lassen? Ich will doch auch keineswegs bei der einzelnen Tatsache, bei bloßem Empirismus stehen bleiben – ich meine sogar, daß das eigentlich niemand will, und daß nur irrig diejenigen als Empiriker geschmäht zu werden pflegen, welche eine bestimmte herrschende Art von Idealismus bestreiten – ich erkenne Tatsachen des Denkens und Fühlens so gut an wie materielle Tatsachen; ich betrachte keineswegs das Streben nach einem einheitlichen systematischen Zusammenhange der Erkenntnis als etwas metaphysisches; (...).

Kants Nachweis, daß jede Erkenntnis gleichmäßig durch die Erkenntniskräfte des Subjekts und durch das Objekt bedingt wird, sollte alles Suchen nach einem Ding an sich ausschließen; wir können nicht über die Tatsachen der Erscheinungen hinaus. Soweit sich nun Theologie und Metaphysik begnügen, materielle oder geistige Tatsachen nach Bedürfnissen der Theorie oder Praxis zu kombinieren und zu analysieren, haben sie ohne Zweifel nicht bloß subjektive Bedeutung, sondern zu allen Zeiten die Erkenntnis der Natur und des Menschen gefördert, aber soweit tun sie auch nur dasselbe, was jede wissenschaftliche Untersuchung, was jede Operation des gesunden Menschenverstandes tut; und solche Kombinationen als ein Kunstwerk darzustellen, kann ebenfalls jeder Methode gelingen. Sobald sie sich aber von dem Boden nachweislicher Tatsachen lösen, sobald sie Begriffe oder Sätze, die eine relative Bedeutung haben mögen, zu absoluten Prinzipien erheben und aus ihnen die Tatsachen ableiten wollen: kann ich keine Wahrheit mehr in ihnen finden, sondern nur Illusionen. Was wahr und nützlich in ihren Systemen ist, glaube ich der richtigen Würdigung und Verbindung von Erscheinungen der Natur und des Lebens zuschreiben zu dürfen, nicht der theologischen oder metaphysischen Methode. Diese hat für mich nur eine historische Bedeutung.

Ich bin von einem ziemlich umfassenden Studium der metaphysischen Philosophie hergekommen – Comtes Schriften lernte ich erst später bei einem Aufenthalte in Paris kennen – und die Überzeugung, nirgends eine wirklich theologische oder metaphysische Wahrheit, überall nur Wahrheiten finden zu können, die außerhalb der Systeme stehen und in ihnen meist mißbraucht werden, hat mich dazu geführt, die ganze Methode zu verwerfen.

Für die Gesetze der positiven Wissenschaft, d. h. die durch Beobachtung, Rechnung oder Experiment constatierten allgemeinen Bestimmungen, welchen die einzelnen Erscheinungen unterliegen, muß ich die gleiche Wahrheit in Anspruch nehmen, wie für die erfahrungsmäßigen Tatsachen selbst. Andere Kombinationen, Abstraktionen oder Klassifikationen hängen von subjektiver Willkür ab; ich kann die Körper als bloß ausgedehnt oder als bloß schwer, die Materie als aus Atomen zusammengesetzt oder als ein continuum betrachten, wie es das Bedürfnis einer bestimmten Untersuchung erfordert; Übersichten und Zusammenstellungen können in verschiedener Weise zweckentsprechend sein; aber die Gesetze sind objektiv in der Natur der Dinge begründet, wir können nicht nach Gefallen annehmen oder verwerfen, daß $2 \times 2 = 4$ oder daß der Mann tot ist, wenn das Gehirn heraus. Eine solche Wahrheit kann ich der dialektischen Methode unmöglich beilegen. Die Anregung für Verstand und Phantasie hängt gewiß mehr von dem Gegenstand der Betrachtung als von der Sicherheit des Resultats ab. Uns sind freilich die Sätze, daß $2 \times 2 = 4$ oder die Winkel eines Dreiecks = 2 Rechten, so geläufig oder trivial, daß sie nicht eben sehr anregend wirken; wenn wir indessen bedenken, daß ohne sie keine Mathematik, keine Physik, keine Technik möglich wäre, dürfen wir sie wohl auch neben hohen Geistestaten nicht gar zu wegwerfend behandeln. Verzeihen Sie die abermalige lange und doch nicht vielsagende Deduktion; allerdings müßte ich Sie bedauern, wenn Ihnen um jeden Aufsatz in den Jahrbüchern soviel Mühe gemacht würde.

Ich bitte Sie zu glauben, daß ich gewiß nicht durch divergierende Ansichten verstimmt werde; ich weiß, daß ich unter denen, die sich mit philosophischen Dingen beschäftigen, sehr vereinzelt stehe, und im ganzen pflegen sich ja die Leute aus guten Gründen ziemlich human zu benehmen, solange sie entschieden in der Minorität sind. Mit aufrichtigster Hochachtung

der Ihrige C. Twesten.

Preußische Jahrbücher 161 (1915) S. 241ff.

1 *Rudolf Haym (1821–1901) war Altliberaler, 1848 Mitglied der Nationalversammlung* (rechtes Zentrum), 1850 Privatdozent in Halle (Lit. wiss.), 1858 Herausgeber der Preußischen Jahrbücher.

3 *Die Epoche der Reform 1806–14*

81 Die preußische Reformzeit und die bürgerliche Freiheit

Glücklicherweise befand sich unter den Wenigen, welche das Richtige sahen, ein Reichsfreiherr, der also Minister werden konnte und neben all der Mittelmäßigkeit und Erbärmlichkeit einen Platz gefunden hatte. Stein drang, als es noch Zeit war, nicht bloß auf materielle Reformen, auf Beseitigung der Verkehrsschranken, Aufhebung der Grenzen zwischen Stadt und Land, gleichmäßigere Besteuerung, er verlangte auch eine ganz andere Organisation der Behörden, er griff die bureaukratische Verwaltung, »den Mietlingsgeist, das Leben in Formen und Dienstmechanism,« überhaupt an, er wies auf die Hebung des Gemeinsinns hin. Schon 1796 hatte er geschrieben: »die despotischen Regierungen vernichten den Charakter des Volkes, da sie es von den öffentlichen Geschäften entfernen und deren Verwaltung einem eingeübten, ränkevollen Beamtenheer anvertrauen.« Seine Ratschläge wurden nicht gehört, selbst nach der Niederlage wurde er im Zorne entlassen als »ein widerspenstiger, trotziger, hartnäckiger Staatsdiener.« Aber daß er schon vorher Minister gewesen, daß er in hoher Stellung die Aufmerksamkeit auf sich gelenkt hatte, machte nicht nur seine Wiederberufung nach dem Frieden zur Notwendigkeit, sondern verlieh ihm auch die notwendige Autorität, die Hindernisse der Trägheit, der Vorurteile und der Interessen zu überwinden und den Staat auf neue Grundlagen zu stellen. Denn der Staat, welcher sich 1813 wieder erhob, hatte in der Tat nichts gemein mit der militärischen und administrativen Maschinerie, welche Friedrich der Große gelenkt hatte. Die Ideen bürgerlicher Freiheit und nationaler Beteiligung an den öffentlichen Angelegenheiten erfüllten die Regeneratoren des Staates. Stein bezeichnete es wiederholt als den leitenden Grundsatz: die Nation müsse gewöhnt werden, selbst ihre Angelegenheiten zu betreiben und sich nicht allein auf besoldete Beamte zu verlassen, die sie in ihrer Vormundschaft halten. Scharnhorst schrieb an Clausewitz: nur das Gefühl der Selbständigkeit und Selbstachtung könne die Nation heben, Wiedergeburt und freies Wachstum fördern. In diesem Sinne wurden die neuen Heereseinrichtungen geschaffen, welche sich in den Kriegen glänzend bewährten und an deren Schluß eine großartige, volkstümliche Organisation hervorriefen. Die Aufhebung der Gutsuntertänigkeit, die Freiheit des Grunderwerbs und der Güterteilung, die Gewerbefreiheit legten die Fundamente einer neuen gesellschaftlichen Ordnung, entfesselten die wirtschaftlichen Kräfte, leiteten die Epoche einer großen materiellen Entwickelung ein. Die Städteordnung von 1808 war das erste Muster bürgerlicher Selbstverwaltung; ihr sollte eine neue Verfassung der Landgemeinden mit Beseitigung der Patriomonialgerichtsbarkeit und der gutsherrlichen Polizeigewalt folgen; eine Beaufsichtigung der Gemeinden durch Kreiscorporationen war in Aussicht genommen; und eine repräsentative Verfassung sollte die Grundsätze der Selbsttätigkeit des Volkes auf die eigentlichen Staatsgeschäfte ausdehnen. In dem sogenannten Stein'schen Testament von 1808 hieß es: »Das nächste Beförderungsmittel scheint mir eine allgemeine Nationalrepräsentation. Mein Plan war, jeder active Staatsbürger, er besitze 100 Hufen oder eine, er betreibe Landwirtschaft oder Fabrikation oder Handel, er habe ein bürgerliches Gewerbe, oder er sei durch geistige Bande an den Staat geknüpft, habe ein Recht zur Repräsentation. Von der Ausführung oder Beseitigung eines solchen Planes hängt Wohl oder Wehe unseres Staates ab, denn auf diesem Wege allein kann der Nationalgeist positiv erweckt und belebt werden.« Aber diese Entwürfe kamen nicht zur Ausführung. Während die Gesetzgebungsarbeiten auf dem sozialen und wirtschaftlichen Gebiete unter Hardenberg's Leitung mit gleichem Erfolge fortgesetzt und durchgeführt wurden, blieb es in Allem, was die politische Organisation des Staates über die Städteordnung hinaus betraf, bei vagen Projekten und resultatlosen Vorberatungen, als Stein vor dem Zorne Napoleon's hatte weichen müssen. Hardenberg vermochte die Opposition der Privilegirten, die Gleichgültigkeit der Menge, das Mißtrauen des Königs in dieser Beziehung nicht zu überwinden. Die schweren Bedrängnisse, die Not um die Erhaltung des Staates, die Schwierigkeiten des Augenblicks standen hindernd im Wege, bis die Bewegung der großen Kriege hereinbrach. Nach dem Frieden nahm man in den regierenden Kreisen ziemlich allgemein eine constitutionelle Verfassung in Aussicht. Hardenberg war es durchaus Ernst damit. Wie 1810 und 1811 wurde in der Verordnung vom 22. Mai 1815 die künftige Landesrepräsentation skizzirt. Gneisenau begründete sein Verlangen einer preußischen Verfassung ausdrücklich mit »Motiven der Staatskunst;« er schrieb: »es giebt kein festeres Band, um die Einwohner der neuen Länder an unsere älteren zu knüpfen, als eine gute Constitution; überdies müssen wir dadurch die Meinung in Deutschland für uns gewinnen.« Es kam wieder eine Zeit der Commissionen und der Entwürfe. Aber in der Abspannung nach den ungeheuren Anstrengungen, in dem Ruhebedürfniß, in der geistigen und materiellen Erschöpfung des Volkes gewann bald die Politik des Stillstandes, die calmirende und reprimirende Staatskunst die Oberhand. Seit Humboldt, Boyen und Beyme aus dem Ministerium traten, war von den Reichsständen kaum mehr ernstlich die Rede. Niemand drängte mehr. In der Scheu vor jeder Bewegung, in der Furcht vor Unruhe und Änderungen betrachtete man bald jeden Gedanken an eine politische Tätigkeit des Volkes als demagogisch und revolutionär. Die höheren Regionen des Hofes und der Bureaukratie sahen mit souveräner Verachtung auf die Bestrebungen des Liberalismus herab. Bis gegen 1840 gab es in Preußen nur vereinzelte Individuen, die für den eigenen Staat ernstlich an eine constitutionelle Verfassung dachten. Man nahm Teil an den parlamentarischen Verhandlungen Englands und Frankreichs, später auch der süddeutschen Staaten, wie an einem interessanten Schauspiel. Von den Bedingungen und Wirkungen eines freien Staatswesens hatten Wenige eine Vorstellung.Auch Stein – unzufrieden mit dem Gange der Dinge, trübe und verstimmt in seiner Zurückgezogenheit – verlor Mut und Sinn für positive Gestaltungen. Länger als für die constitutionelle Verfassung sprach er noch gegen die Bureaukratie, »die gemieteten Verteidiger der fürstlichen Willkür, die sich mit guten Besoldungen, gesicherten Pensionen bequem einzurichten suchen, in geheimnißvollem Schreiberwerk, mit einer Scheinverantwortlichkeit gegen ihre 70 Meilen entfernten, überladenen Oberen.« Früher hatte er nur noch vom Mittelstande im nördlichen Deutschland etwas erwartet; »der reiche Adel will sein Eigentum genießen, der arme will Stellen und Auskommen,« schrieb er 1809 an Scheffner. In der reactionären Strömung der zwanziger Jahre kam er in den verschiedensten Wendungen auf eine politische Stellung des Adels zurück, wollte ihn als politische Macht herstellen(...).

Seit 1820 trat Stockung und Stillstand ein. Nur noch in der Finanzverwaltung, in der Zollgesetzgebung, auf dem Gebiete des Handels, der Gewerbe, der Verkehrsmittel ward, der materiellen Entwickelung der Zeit entsprechend, energisch und erfolgreich fortgearbeitet. Und glücklicherweise erreichten Wohlstand, Selbsttätigkeit und Arbeitskraft des Volkes auf der soliden Grundlage bürgerlicher Freiheit einen hinlänglichen Grad, um der retrograden Gewerbegesetzgebung von 1845 und 1849 zu widerstehen. Die hemmenden, einzwängenden Versuche dieser aus der Strömung politischer Reaction hervorgegangenen Ordnungen, welche bei wirklicher Durchführung der Industrie und dem Verkehr schwere Hindernisse in den Weg gelegt hätten, sind durch die realen Verhältnisse überwunden. In den wesentlichen Punkten läßt man gehen und gewähren. Im Übrigen aber erlahmte die Bewegung des Staatslebens. Die Verwaltung wurde mehr und mehr schwerfällig, mechanisch, am Alten hängend, als hemmend und verzögernd empfunden.

Mit welchen Nichtigkeiten, wie langsam und resultatlos sich die repressive Staatskunst beschäftigte, zeigen die endlosen, weitschweifigen Verhandlungen und Entwürfe der deutschen Regierungen über Verfassungen, Bundesgericht, Mediatisirte, Universitäten, Presse, politische Umtriebe, zeigen die Ministerconferenzen von 1819, 20, 34. Nur in der Repression kam in der gemeinsamen Scheu vor jeder öffentlichen Regung, vor jedem Wort in der Presse oder Literatur noch etwas zu Stande. In der preußischen Gesetzgebung wurde bis 1848 nichts Organisches und Ganzes mehr vollendet. Man behalf sich mit Gelegenheits-Verordnungen und Aushilfen für den Augenblick. Weder mit der Staatsverfassung, noch mit den Gemeindeordnungen, weder mit der Prozeßgesetzgebung, noch mit dem Strafrecht, weder mit den Steuern, noch mit den Schulen kam man zu einem Abschluß. Die Impulse des Lebens und der Entwickelung konnten nicht mehr von dem geschlossenen Beamtentum ausgehen, und was sonst im Staate Ansehn und Geltung besaß, das trieb nicht vorwärts, sondern zurück.

C. *Twesten,* Beamtenstaat, S. 131ff.

4 *Preußische Geschichte*

82 Demokraten berufen sich auf altpreußisches Königtum

Aber, meine Herren, was ist denn jenes Königtum, was ist jener rocher de bronce, den der Herr Minister-Präsident uns zitirt hat, was ist das preußische Königtum, das seit Anfang des 18. Jahrhunderts existirt? Nun, meine Herren, darüber ist doch wohl kein Zweifel, das preußische Königtum ist hervorgegangen aus der entschiedensten Negation des Junkertums.

(Sehr richtig! Links.)

Das ist die Basis des preußischen Königtums. Der aufgeklärte preußische Liberalismus, wie er im ganzen vorigen Jahrhundert war, der fand seine Stütze in dem gebildeten Teil der Nation und diese war nach damaligen Zuständen allein repräsentirt durch den Beamtenstand. In diesem Beamtenstande suchte und fand das preußische Königtum seine Stütze. Und weil und so lange es mit den Ideen des Liberalismus ging, da war es groß, sowie es aber, und das geschah ja schon am Ende des vorigen Jahrhunderts, sowie es solche Bahnen auch nur teilweise verließ, da wurde es ohnmächtig, da wurde es klein, da hörte Alles auf, was früher das preußische Königtum charakterisirt hatte, und nur die Rechte der alten früheren Politik retteten noch, was von Preußen zu retten war. Gerade rocher de bronce, der hier angeführt ist, wurde aufgestellt gegenüber jener Partei, die hier so spärlich vertreten ist, auf den Trümmern dieser Partei wurde er gestützt durch ein liberales Beamtentum. – Jener rocher de bronce, wahrlich es würde ein tönerner rocher sein, wenn er darauf ausginge, jetzt auf jene klägliche Partei sich zu stützen, die in Preußen durchaus keinen festen Boden hat. Sie haben von Koterien gesprochen, Sie haben davon gesprochen, daß unsere Stellung keinen Boden im Lande habe, daß wir eine Koterie wären. Was ist mehr eine Koterie, als solche, die reelle Rechte gar nicht beanspruchen können, weder nach den Gesetzen, noch nach der Verfassung, noch nach dem Stande der Gesittung und der Meinung des Landes, und die allein ihre Stütze suchen und finden in dem militairischen Absolutismus und in nichts Anderem? Was widerstrebt mehr der neueren Zeit? Denn nachdem nun jener aufgeklärte liberale Absolutismus nicht mehr möglich geworden war, im Laufe der Zeit, nachdem es notwendig geworden war, Verfassungen zu geben, da allerdings konnte vor allen Dingen in Preußen ein Königtum durchaus nicht anders gedacht werden, es konnte nicht existiren als verfassungsmäßig und konstitutionell. Und wenn von der Demokratie wieder gesprochen worden ist, und wenn, wie ich glaube, irrig der Herr Graf Schwerin gemeint hat, die Aufgabe bestehe darin, das Eindringen der Demokratie zu verhüten, meine Herren, so ist es gerade umgekehrt. Schon Hardenberg nannte Preußen eine demokratische Monarchie. Nirgend und in keinem Lande ist die Demokratie, die Gleichberechtigung, so in alle Adern der Bevölkerung durchgedrungen als bei uns.

(Bravo!)

Es ist gerade umgekehrt, nur indem man der Demokratie ihre volle Geltung verschafft, nur dann schafft man Ruhe und Friede im Lande, nur dann kann man dem konstitutionellen Königtum seine wahre Stütze geben.

Waldeck am 22. 1. 1864 im preuß. Abgeordnetenhaus, Sten. Ber. 1864, S. 854

83 Sybel erkennt eine demokratische Tradition in der preußischen Geschichte

Der Abgeordnete darf sein Handeln nur nach seinem eigenen Gewissen bestimmen; aber die Kraft und Wirksamkeit seines Handelns beruht auf der Zustimmung seiner Wähler und seines Volks, und indem Sie mir diese in so ehrenvoller Weise bestätigen, geben Sie mir den höchsten Lohn, der einem Vertreter des Volkes zu Teil werden kann.

Sie werden nicht erwarten und nicht wünschen, daß ich Ihnen über die einzelnen Vorgänge der letzten Session berichte. Die Presse hat Tag für Tag Sie mit vollständiger Kenntniß versehen. Neues würde ich Ihnen nicht erzählen können. Aber Sie erlauben mir wohl einen allgemeinen Rückblick auf den Ausgangspunkt und den Umfang des bisher durchschrittenen Weges, einen Blick auf die politischen Grundsätze, von welchen meine politischen Freunde und ich uns haben bestimmen lassen, eine Prüfung, ob unser Handeln diesen Grundsätzen entsprochen hat.

Zwei Ansichten über Staat und Staatsgewalt stehen sich heute in unserem Vaterlande gegenüber.

Nach der einen ist die Staatsgewalt eine ganz spezielle Schöpfung Gottes, ausgestattet mit göttlicher Weihe, durch göttliche Fügung mit der Fülle der politischen Gewalt versehen. Die Untertanen sind ihr ohne Einschränkung unterworfen; sie haben ihrerseits politische Rechte nur in dem Maße und nur so lange, als die Krone sie damit beschenkt, und dies Geschenk nicht zurücknimmt. Die höchste Weisheit und Tugend der Untertanen ist nach dieser Ansicht unbedingter Gehorsam.

Diese Ansicht, zu der sich in Preußen die gegenwärtig feudale oder reaktionäre Partei bekennt, ist, wie ich denke, nicht die unsrige. Sie entspricht, glaube ich, weder der geschichtlichen Erfahrung, noch der Würde der menschlichen Natur, noch auch dem Charakter des preußischen Staates; sie ist unerweislich, unrechtlich, unpreußisch. (Bravo.)

Die andere entgegenstehende Ansicht erlauben Sie mir mit den Worten eines berühmten Denkers und Staatsmannes Ihnen zu vergegenwärtigen.

> »Die Menschen haben einem aus ihrer Mitte eine hervorragende Stellung eingeräumt, wegen der Dienste, die sie von ihm erwarteten: nämlich daß er die Gesetze, die Gerechtigkeit, die Sitte so recht erhalte, und das Land gegen seine Feinde verteidige. Der Souverän hat kein anderes Interesse, als das seines Volks; im entgegengesetzen Falle wird er der Feind seines Volkes, ohne es selbst zu wissen. Für ihn und das Volk giebt es nur ein und dasselbe Gut, das Wohl des ganzen Staats. Nur wenn er und das Volk einig sind, kann der Staat gedeihen. Der Souverän soll sich oft an das arme Volk erinnern, sich in Gedanken an die Stelle eines Bürgers oder Bauern versetzen, und sich fragen: wäre ich in ihrer Lage, was würde ich vom Staate wünschen? Er ist ein Mensch, wie der geringste seiner Untertanen. Er ist nur der erste Diener des Staats. Es ist ein Irrtum, daß Gott durch eine ganz besondere Anordnung die große Masse der Menschen zu Werkzeugen der fürstlichen Größe geschaffen habe. Die Staatsgewalt ist ein Werk des Volkes und von ihm eingesetzt, nicht damit die Menschen ihre Freiheit verlieren, sondern damit die souveräne Gewalt das Bollwerk für Gesetz und Recht sei.«

Ich glaube, meine Herren, daß Niemand unter uns ist, der sich nicht zu diesen Grundsätzen echter und gesetzlicher Freiheit bekennt. Die feudale Partei nennt sie wohl revolutionär, freidenkerisch, demokratisch. Nun, meine Herren, der Mann, der jene Worte niedergeschrieben, war ein freier Denker, und, im gewissen Sinne des Wortes, ein Demokrat, da er sein Leben lang als Diener des Staats und des Volkswohles ohne Unterschied der Stände gehandelt hat. Aber es war ein gekrönter Demokrat, ein preußischer König, der größte von Allen, es war Friedrich der Einzige, der Mann, der auf diese Grundsätze seine ganze Regententätigkeit, und durch sie die Macht und Größe Preußens erbaut hat. Wenn jene Grundsätze demokratisch sind, dann, meine Herren, ist der beste Teil der preußischen Geschichte demokratisch. (Beifall.)

Nach jenen Grundsätzen, meine Herren, ist der wahre Herrscher im Staate das Gesetz. Von Gottes Gnaden angeordnet ist die Ehrfurcht vor dem Gesetze. Die Regierungsgewalt ist eingesetzt, daß sie dem Gesetze diene und dem Gesetze, als ein Schirm der bürgerlichen Freiheit, eine feste Stütze sei. So weit das Gesetz reicht, so weit reicht die Befugniß der Regierung. Außerhalb der gesetzlichen Vollmacht gibt es keine Regierung, sondern nur eine Gewalt, welche Friedrich II. Tyrannei genannt hat. (Beifall.) (...)Seit 1850 ist das höchste der politischen Rechte, die Quelle aller andern, das Recht der Gesetzgebung in Preußen, der Krone und den beiden Häusern des Landtags zu gemeinschaftlichem Besitz und gemeinschaftlicher Ausübung übertragen; es ist in gleichem Sinne das Recht zur Erhebung neuer Staatseinnahmen und das Recht zur Anordnung irgend einer Staatsausgabe an die Genehmigung jener drei Gewalten gebunden. Wenn eine dieser Gewalten ihre Zustimmung weigert, darf die Ausgabe nicht gemacht, eine Neuerung in der Staatseinnahme oder in der Gesetzgebung nicht vollzogen werden.

Zwölf Jahre lang haben diese Sätze bei uns in unbestrittener Herrschaft gestanden, gleich anerkannt von den Ministerien Manteuffel, Hohenzollern, Hohenlohe. Seit dem Herbste des vorigen Jahres hat das jetzige Ministerium sie angefochten und sich darüber hinweggesetzt. Weil das Haus der Abgeordneten gewisse Ausgaben und zwar neue, früher nie dagewesene, niemals bewilligte Ausgaben nicht genehmigen wollte, Ausgaben, welche die Regierung für nützlich und nötig hielt, für welche aber das Haus vorher eine gesetzliche Grundlage begehrte: deshalb hat die Regierung jetzt zum zweiten Male auf das Zustandebringen eines Budgets verzichtet, und macht seit acht Monaten alle Staatsausgaben ohne das dazu nötige Finanzgesetz, ohne gesetzlichen Titel.

Der Streit hierüber hat unsere ganze Session erfüllt. Die Mehrheit des Hauses hat Klage erhoben, daß die Minister die Verfassung verletzt hätten. Die Gegner derselben haben umgekehrt dem Hause vorgeworfen, daß es seine Befugnisse überschreite, daß es allein und einseitig das Budget festzustellen und die Krone darin seinem Willen zu unterwerfen suche. (...)

Bei der Revision der Verfassung 1849 kam es in beiden Kammern zu einer lebhaften Diskussion über den Artikel 109, welcher die stete Forterhebung der bestehenden Steuern und Abgaben verfügt, und wo die liberale Partei statt dessen eine jährliche Bewilligung auch der Einnahmen begehrte.

Ein Abgeordneter der ersten Kammer, das Haupt der feudalen Partei, Julius Stahl, bekämpfte diese Änderung. Jährliche Bewilligung der Steuern, sagte er, sei nicht erforderlich zum Wesen der constitutionellen Monarchie; denn, setzte er hinzu, »wo die Kammern die Zustimmung zu allen Gesetzen, zu allen Abänderungen des Staatshaushalts, die Anklage der Minister haben, da ist constitutionelle Monarchie.« (...)

In der zweiten Kammer erörterte 1849 in gleichem Sinn ein Mitglied, die Kammer bedürfe nicht des jährlichen Steuerbewilligungsrechts, denn sie habe ganz dieselbe politische Kraft schon durch ihr jährliches Ausgabenbewilligungsrecht, da es sich nach der Verfassung Art. 99 verstehe, daß keine Ausgabe ohne Zustimmung beider Kammern gemacht werden könne. Dieses Mitglied, meine Herren, war der Schöpfer der zu revidirenden Verfassung, das mächtige Haupt der damaligen bureaukratischen Partei, der Ministerpräsident v. Manteuffel. (Sensation.)

Wenn also die Mehrheit des jetzigen Hauses in ihrem Verhalten nichts, gar nichts für sich in Anspruch genommen hat, als was Manteuffel und Stahl, was die Führer der damaligen Bureaukraten und Feudalen für das unzweifelhafte Recht des Hauses, für den Kern und das Wesen der Verfassung erklärt haben, so werden wir uns wohl trotz aller Schmähungen der Kreuzzeitung sagen dürfen, daß in unserem Verfahren keine Überhebung, kein Eingriff in das hohe Recht der Krone, keine revolutionäre Gesinnung lag, daß wir vielmehr mit loyaler Mäßigung und mit patriotischer Festigkeit, gleich sehr an das Beste der Krone wie des Landes denkend, lediglich die größten Grundsätze des verfassungsmäßigen Rechtes verteidigt haben. (Bravo.)

Das Haus hat endlich mehrmals die Klage gegen die Minister über die Verletzung der Verfassung ehrfurchtsvoll an den Stufen des Thrones niedergelegt, und die Ansicht zu erkennen gegeben, daß deshalb eine Änderung des Ministeriums im Interesse des Landes liege. Unsere Gegner haben daraus die Anklage abgeleitet, das Haus greife in das Recht der Krone, die Minister nach freiem Entschluß zu ernennen und zu entlassen. Wie mir scheint, werden hierbei zwei sehr verschiedene Dinge verwechselt. Es wäre verfassungswidrig, wenn das Haus sich die Befugniß anmaßte, die Entlassung jedes Ministers zu begehren, dessen Fähigkeit ihm zweifelhaft, oder dessen Tendenz und Parteistellung ihm nicht wünschenswert erschiene. Aber wenn das Haus das größere Recht (das jetzt freilich noch nicht ausführbare Recht), einen Minister wegen Verfassungsverletzung vor das Criminalgericht zu bringen, unzweifelhaft besitzt, so kann ihm das geringere und mildere Recht nicht bestritten werden, eine solche Klage an Se. Maj. den König zu richten, und ehrfurchtsvoll zu erbitten, was, wenn seine Klage gegründet befunden würde, unvermeidlich wäre, die Entlassung des Ministers.

Rede des Abgeordneten v. Sybel vor seinen Wählern in Crefeld am 13. Juni 1863, Crefeld, o. J.

84 Twestens Kritik am System staatlicher Bevormundung in Preußen

Die Handels- und Gewerbe-Politik trieb die Konsequenzen ihrer fiskalisch-merkantilistischen Grundsätze und Maßregeln immer weiter. Seinen Gipfelpunkt erreichte das System mit der 1766 eingeführten Regie, welche die Zölle, Accise und Monopole verwaltete. (...) Sie stand anfänglich unter fünf Franzosen, seit 1772 unter de Launay, der 15000 Taler Gehalt erhielt. Von 3000 französischen Beamten, die angeblich dabei angestellt wurden, waren 1786 nur noch 157 im Dienst. Nach Mirabeau trug die Regie im letzten Jahre 6,8 Mio. Taler ein. Die gehässigen, kleinlichen und schikanösen Maßregeln der Verwaltung wurden zunächst den Franzosen zur Last gelegt, welche nebenbei in dem Rufe standen, stark zu stehlen. (...) Das System, welches die Anfänge der industriellen Entwicklung geleitet und gefördert hatte, wurde in seiner eigenen Verhärtung und der erstarkenden Gewerbetätigkeit gegenüber mehr und mehr hemmend und fortschrittsfeindlich. Es begann, dem Wohlstand des Landes tiefe Wunden zu schlagen. (...) Und das geschah zu einer Zeit, als die Welt mächtig fortschritt, als die bessere Erkenntnis überall siegreich durchbrach. Aber Könige lernen nichts mehr. Als Friedrich der Große starb, waren Lessing und Winckelmann tot, Kant und Klopstock alte Männer, Herder und Goethe auf der Höhe ihres Ruhmes, Schiller schon aufgetreten, und der große König sprach und handelte, als ob in Deutschland seit 1740 nichts sich geändert hätte. Wie mit der Literatur erging es ihm in der Nationalökonomie. Er hing an veralteten Vorurteilen, die rings um ihn her bereits fielen. (...) Nicht bloß in England erfüllten die neueren Anschauungen längst die Theoretiker und die Staatsmänner, auch in Deutschland breiteten sie sich überall aus. Kant sprach wie von einem allgemein angenommenen Axiom, daß eine gewisse Freiheit als Grundlage des Wohlstandes auch im Absolutismus nicht zu umgehen sei, um mit anderen Ländern konkurrieren zu können. Nur die preußische Staatspraxis verkannte das noch. Wie das System der staatlichen Bevormundung, des allgegenwärtigen Regierens, der Fiskalität und der Prohibition wirkte, das läßt sich am besten aus dem Eindruck erkennen, den damals Land und Leute auf fremde Beobachter machten. Während sachkundige Engländer, wie Arthur Young, der spätere fanatische Gegner des revolutionären Frankreichs, dort erstaunt waren über die kommerzielle und industrielle Blüte, den raschen Fortschritt, die Wohlhabenheit des Landes, blieb Preußen in ihren Augen weit hinter den Erwartungen zurück, die der Ruhm des großen Königs erregt hatte. Der englische Gesandte Malmesbury war betroffen über die Dürftigkeit und die engen Verhältnisse in Berlin. Sein Vorgänger Williams meinte gar, der König wolle nicht, daß seine Untertanen reich seien, weil er davon Verweichlichung und schlechte Sitten befürchte. Malmesbury wunderte sich, daß ihm nicht begreiflich zu machen sei, daß der Handel ohne wechselseitigen Gewinn nicht bestehen könne, daß Privilegien und Monopole schädlich auf Industrie und Wohlstand wirkten; er findet, der König betrachte seine Untertanen nur als Werkzeuge zur Vermehrung seiner Macht, zur Erweiterung seiner Herrschaft, sei in seiner Strenge eine Mischung von Barbarei und Humanität. Alfieri – der das preußische Land mit einer Kaserne vergleicht, wie Williams mit einem großen Gefängnis – vermißt Rührigkeit, Industrie, Handelsverkehr und allgemeines Wohlsein. Mirabeau fand das Land wenig kultiviert, arm, z. T. unfruchtbar, ohne Industrie und Resourcen, eine zu enge Basis für die großen politischen Ansprüche. Das verkannte allerdings Friedrich der Große selbst nicht; er gesteht ein, nur England, Frankreich, Spanien und Holland hätten die Kräfte, einen längeren Krieg auszuhalten.

C. *Twesten,* Beamtenstaat, S. 36f.

5 *Deutsche Vorklassiker und Klassiker*

85 Lassalle über Lessing und den Begriff der schöpferischen Persönlichkeit

Die Mitte des vorigen Jahrhunderts ist die Periode, von der wir sprechen und in zwei Männer faßte sie sich ganz und gar zusammen, die, wie sehr auch getrennt durch Stellung und Verhältnisse, wie sehr auch einander entgegengesetzt durch Bildung und Geschmack, durch Neigung und Richtung, dennoch nur einen und denselben Zeitgedanken in der so verschiedenen Sphäre ihrer Tätigkeit verwirklichen: – Friedrich der Große und Lessing.

Von beiden pflegt man zu sagen, daß sie ihrer Zeit unendlich überlegen gewesen seien. Aber seiner Zeit noch so weit überlegen sein, heißt nur: sie zum vollständigsten Ausdruck bringen! (...)

In Deutschland war es Friedrich der Große, welcher in seiner Auflehnung gegen alle historischen Machtverhältnisse, gegen Kaiser und Reich, diesen Umschwung in die Hand nahm. Das war kein Krieg im gewöhnlichen Sinne, in dem es sich nur um die gleichgültige Frage handelte, ob ein Landstrich diesem oder jenem Fürsten gehören solle, das war eine – Insurrektion, welche der Marquis von Brandenburg, wie er am Hofe der Madame von Pompadour genannt wurde, gegen die Kaiserfamilie, gegen alle Formen und Überlieferungen des Deutschen Reiches, ja gegen den einmütigen Willen des europäischen Kontinents unternahm, eine Insurrektion, die er durchkämpfte wie ein echter, auf sich selbst gestellter Revolutionär, das Gift in der Tasche! (...)

Aber alles Revolutionieren in der äußeren Wirklichkeit bleibt selbst äußerlich und verläuft im Sande, wenn es dem Geist nicht gelingt, ebensosehr mit der historisch überlieferten Welt des geistigen Innern fertig zu werden, sein neues Prinzip durch alle ihre Instanzen und Gebiete durchzuführen und sie von neuem aus ihm aufzubauen.

Und hierzu erfand die Geschichte – Lessing.

Wir sagen, sie erfand ihn. Denn gleichwie ein Instrument in seiner Einrichtung und Gestaltung im voraus die Zwecke und Funktionen an sich trägt, die es vollbringen soll, so lagen in dieser merkwürdigen und reichen Natur alle die gewaltigen und sich scheinbar widersprechenden Eigenschaften vereinigt, diese Frische und dieser vor keinem Bücherstaub zurückschreckende Wissensdurst, dieser unmittelbare Schönheitssinn und dieser Trieb des tiefsten begrifflichen Denkens, diese Allseitigkeit und diese Fähigkeit, sich in jedes einzelne so zu vertiefen, als wenn es alles wäre, diese zerschmetternde Stärke der Persönlichkeit und dieser Haß gegen alle Willkür derselben, diese wesentlich kritische Richtung und diese Fähigkeit, die Kritik zum eigenen positiven Schaffen steigern zu können – deren Vereinigung allein ihn befähigte, zu werden, was er ward: der siegreiche Revolu-

tionär im Reiche des Geistes, der Rächer und Wiederhersteller der untergegangenen Präsenz des lebendigen Selbstbewußtseins in Literatur, Kunst, Religion, Ethik, Geschichte. (...)
Es war nicht zweifelhaft, in welcher Weise sich die geschilderte Richtung zu dieser Versteinerung des Tragischen verhalten mußte. Es war nicht zweifelhaft, aber darum nicht weniger eine weltbewegende Tat. (...)

An Stelle jenes überlebten formellen Kanons setzte Lessing seine auf den inneren Begriff der tragischen Kunst zurückgehende Kritik derselben, die ihn zu dem Resultat brachte, daß der um die Regeln des Aristoteles so unbekümmerte Shakespeare dem wahren Wesen der antiken Tragödie näherstehe als die Franzosen; an Stelle der Corneille-Racine-Voltaireschen Tragödie setzte er das bürgerliche Drama, und zunächst Miß Sarah Sampson. Die gegenwärtige Welt des Geistes – das ist der weltbewegende Charakter dieser Tat –, diese lebendige Quelle seiner Leiden und Freuden, sollte vom Geist auch im Gebiete der tragischen Kunst sich erobert, die tragische Kunst zur Darstellung seines ihn bewegenden und erfüllenden gegenwärtigen Inhaltes umgestaltet werden. Man muß bei dem »bürgerlichen Drama« bei Lessing an nichts weniger denken als an die geistlose Versumpfung, in welche dieser Begriff später in der Ifflandschen Periode verfiel. Bei Lessing handelt es sich stets um die großen Gegensätze des Geistes, um seine reellen und wahren Interessen. Minna von Barnhelm ist bereits ein politisches Drama. Bis vor kurzem noch lag unsere heutige Bühne unter dem Drucke eines Verbotes, welches nicht gestattete, Fürsten des preußischen Regentenhauses auf die Bretter zu bringen. Nun, in Minna von Barnhelm ist bereits nicht die Person, aber der Geist Friedrichs des Großen, seine Regierungshandlungen und Maximen, der Siebenjährige Krieg, der Gegensatz zwischen Sachsen und Preußen, der ganze Charakter und die Lebensluft jener Periode, wie sie durch das große Ereignis des eben beendigten Krieges bestimmt war, in Szene gesetzt und auf die Bühne gebracht. (Man vergleiche die schöne Ausführung Stahrs hierüber, Band I, S. 216–222).–

Selbst die Prosa, welche Lessing in Minna von Barnhelm und der Emilia Galotti zur Sprache des Dramas machte, später übrigens im Nathan selbst wieder aufgab, war damals dem steifen Alexandriner gegenüber ein Fortschritt, war eine durch jenes inhaltliche Prinzip selbst hervorgebrachte Form. Es war die Sprache der realen Natürlichkeit, die nur für den Inhalt der Gegenwart, unmöglich für eine notwendig auf Stelzen einherschreitende Heroen- und Götterwelt gebraucht werden konnte. –

Von diesem Prinzip der geistigen Gegenwärtigkeit als der allein bewegenden Seele des Dramas ist Lessing nie wieder abgegangen. Jener bis aufs äußerste getriebene Konflikt zwischen der inneren Freiheit des Subjekts, seinem Recht auf Selbständigkeit und Ehre und einer äußeren Übermacht, welcher in Emilia Galotti spielt und zuletzt in echt römisch-republikanischer Weise mit einem Selbstmord seitens der Helden, ja mit einem Mord des eigenen Kindes, als dem höchsten Triumph der unbesiegbaren Freiheit und Selbstbestimmung der Person endet –

dieser Konflikt hätte damals ebensogut in jedem kleinen deutschen Fürstentum spielen können. Und wie schön hat Lessing in dem Prinzen diese moderne Fürstennatur, die im Unterschiede von der alten Tyrannis nichts selbst verschuldet, sondern in heuchlerischer Selbstbelügung alles dem Diener aufbürdet, zu schildern gewußt!

Vom Nathan, der drei Religionen dramatisiert, bedarf es vollends keiner Bemerkung, wie er nur den innersten Geist der Zeit zu seinem Inhalt hat, und hier, wie in jedem Lessingschen Drama, ist es immer nur der volle Wert des auf sich selbst gestellten, von Geburt, Religion, Lage, Gunst der Großen und allen objektiven Umständen unabhängigen Selbstbewußtseins, welcher gefeiert wird.

Lessing ist daher par excellence der Dichter der humanen Idee. Brechen seine Helden auch noch nicht wie Tell zur äußeren Freiheit durch – obgleich Lessing auch hierzu schon in den Fragmenten des Spartakus und des Henzi den Anlauf nahm –, so verstehen sie es dafür meisterhaft, sich in ihrer inneren zu behaupten.

F. *Lassalle,* Gotthold Ephraim Lessing, Rede vom 4. 4. 1861, in: F. Lassalles Reden und Schriften, Neue Gesammt-Ausgabe, hrsg. v. E. *Bernstein,* 1, Berlin 1892, S. 401 ff.

86 Goethe und Lessing als Antimetaphysiker

Allmählich hat sich diese Anschauungsweise von der Betrachtung der Natur auf alle Zweige der Erkenntniß ausgedehnt, und mehr und mehr die Überzeugung hervorgerufen, daß die wahrsten und dauerndsten Fortschritte in der menschlichen Entwicklung nicht auf abstracten Theorien, sondern auf allseitiger Erforschung der realen Dinge und Verhältnisse und der in ihnen wirksamen Gesetze beruhen. Zwei Heroen des deutschen Geisteslebens, Lessing und Goethe, vertraten bereits die neue Richtung mit voller Kraft in der Literatur, und wurden dadurch in Wahrheit Befreier und Führer ihrer Nation. Nicht daß sie die positive Theorie systematisch ausgeführt hätten; vielmehr wenn sie auf letzte Prinzipien zurückgingen, dachten beide an Spinoza's Metaphysik mit gelegentlicher Abweichung zu einem schwankenden Deismus; aber auf allen Gebieten verwarfen sie absolute Voraussetzungen und willkürliche Abstractionen, suchten sich der Fülle der Dinge und ihres realen Zusammenhanges zu bemächtigen, und schöpften aus der lebendigen Anschauung ihre Analysen und ihre Thesen. Dies erklärt zum guten Teil die Vorliebe Goethe's für die Naturwissenschaften. Auch der große Erfolg des Werkes von Lewes in Deutschland beruht ohne Zweifel wesentlich darauf, daß er, den vorwiegenden Tendenzen der Zeit entsprechend, diese Seite an Goethe scharf hervorgehoben, und zum ersten Male vor dem größeren Publicum die Grundlagen einer positiven Philosophie mit Frische und Klarheit ausgesprochen hat.

Der Mann aber, der alle Strahlen dieser Richtung in einem gemeinsamen Brennpunkt concentrirt hat, ist Auguste Comte.

Als er starb, waren englische und americanische Zeitschriften darüber einig, er habe als positiver Philosoph Gesinnungsgenossen und Schüler, aber keinen Nebenbuhler. In Deutschland sind seine Schriften noch fast gänzlich unbekannt; ein paar vereinzelte Journalisten, die auf seinen Theoremen fußen, reden fast eine fremde Sprache. In der französischen Literatur begegnet man hin und wieder seinem Namen, etwas häufiger seinem Einflusse. Am meisten Eingang gefunden hat seine Philosophie bis jetzt in England, wo die metaphysischen Speculationen sehr wenig verbreitet sind, während die herrschende, dort mehr als auf dem Continent festgehaltene theologische Theorie völlig außer Stande ist, die notwendige Einheit einer universellen Weltanschauung zu vermitteln. Stuart Mill mit seiner inductiven Logik, Lewes mit seiner Geschichte der Philosophie in Biographien, Buckle mit der schnell berühmt gewordenen Einleitung in die Geschichte der englischen Zivilisation, und der schriftstellerische Kreis der Westminster Review vertreten dort die positive Philosophie. Die schottischen Moralphilosophen und die Schule der Nationalökonomen hatten schon im vorigen Jahrhundert die Bahn gebrochen, die exakte Methode auf die Wissenschaften vom Menschen und von der menschlichen Gesellschaft anzuwenden.

C. *Twesten*, Schriften Comtes, S. 282ff.

87 Schiller, der Dichter und der »Mann des Volkes«

Lassen Sie uns heute – zur Feier des hundertjährigen Geburtstages unseres großen Dichterfreundes – einen Rückblick werfen auf sein reiches Leben; – suchen wir die Hauptzüge seines Wesens uns zu vergegenwärtigen, sie zu einem geistigen Bilde zusammenzufassen! Wenn Schiller's Geist uns vor die Seele tritt – klar und wahr, wie sein leibhaftes Bild hier vor unseren Augen steht, – dann wird der Wert, die hohe Bedeutung des Mannes – wird uns zugleich offenbar werden, wie wir in seinem Sinne den heutigen Ehrentag würdig zu feiern haben.–

Wohl hat Schiller nicht in der einfachen Sprache des Volks gedichtet. Selbst dem Denkgeübten macht der Reichtum und die Tiefe der Gedanken, die Größe und Kühnheit seiner Bilder, der erhabene Schwung seiner Phantasie und Sprache das Verständniß schwer. Und dennoch ist Schiller der echte Dichter des Volks, – dennoch giebt's keinen zweiten in Deutschland, dessen Dichtungen so in alle Schichten der Gesellschaft gedrungen, so in Fleisch und Blut des Volkes übergegangen. Mag man immerhin Schiller's Poesie »Gedankenpoesie«, ihn selbst einen »philosophischen Dichter« nennen, – es bleibt dennoch wahr: es hat kein Dichter mehr als er mit dem Herzen gedichtet. – Von dem eigenen Zauber seiner klangvollen Verse fühlt sich Jeder mächtig ergriffen. Selbst der Mindergebildete, der dem hohen Gedankenfluge des Dichters nicht zu folgen vermag, fühlt es den begeisterten Worten an, wie ernst es dem Dichter um die Sache ist, wie heiß er für alles Menschlich-Schöne erglüht, mit wie gleich warmer Liebe er das Volk, die ganze Menschheit umfaßt. (...)

Schiller ist der Schutzgeist unseres Volks – zürnend, mahnend und strafend, wenn wir in Geistesschlaffheit verfallen, – ermutigend und begeisternd, wo immer deutscher Sinn sich zu regen beginnt. So oft in unserem Lande das Streben nach Freiheit und Einheit erwacht, erwacht auch Schiller's Gedächtniß im Volke; mit erneuter Liebe blickt es auf seinen Dichter, blickt auf zu ihm, dem Leitstern in Nacht und Not. –

So auch in unseren Tagen! – Drohend Gewölk stieg auf an der Grenze des Vaterlands. Die ernste Zeit fand den Deutschen unbewehrt, ungeehrt – ratlos und tatlos. Da – »aus Leid erwächst uns Lehre!« – regt es sich auf's Neue im Volke, und – auf's Neue ist Schiller's Name das geistige Einheitsband, das die getrennten deutschen Stämme – das alle Parteien und Klassen umschlingt. Die hundertjährige Wiederkehr seiner Geburtsstunde naht, und – in nie erhörter Einigkeit – im Vaterland, in der Fremde, im Elend – rüstet sich der Deutsche zur Feier des segenvollen Tages. –

Rede J. Jacobys im Königsberger Handwerkerverein am 10.11.1859, in: J. *Jacoby*, Schriften, 2, S. 129ff.

88 Schiller- Kämpfer für Freiheit und Menschenwürde

Lassen Sie uns zu dem Ende Schiller in seiner vierfachen Eigenschaft betrachten:
als Dichter, –
als Kämpfer für Freiheit und Menschenwürde, –
als Prophet des deutschen Volkes, –
als Werkmeister der von ihm prophezeiten Zukunft. –

Die Dichtkunst – sagt man – versetze uns in eine schönere, vollkommnere, aber eingebildete Welt.

Es ist dies eine irrige Vorstellung. Des Dichters Sinne mögen feiner und schärfer, sie mögen reizbarer und empfänglicher sein als die unseren, – von anderer Art und Beschaffenheit sind sie sicher nicht. Die Empfindungen, denen der Dichter Ausdruck giebt, die Ereignisse, die er darstellt, können daher nicht anderer Art sein als die, welche auch wir empfinden und erfahren: er kann keine andere Natur schildern als die wirkliche, – keine andere Welt als die, in welcher wir selber leben und tätig sind. – Erscheint uns in der dichterischen Darstellung Alles anders, schöner und vollkommener, als wenn wir mit eigenen Augen es sehen, so kann der Grund der Verschiedenheit lediglich in der Form, in der Art und Weise der Darstellung liegen.

Der Dichter sondert nämlich von dem zu schildernden Gegenstand alles Fremdartige, Störende ab, er zeigt uns denselben in ungetrübter Klarheit, in seinem wahren Wesen und Werte; – zugleich aber, indem er unsern Blick vom Einzelnen auf das Allgemeine lenkt, stellt er denselben Gegenstand in seinem innigen Zusammenhang mit den übrigen Dingen dar, in seinem vollen reinen Einklang mit dem Ganzen, so daß sich die Schönheit und Vollkommenheit des Ganzen darin abspiegelt.

Der Dichter verschönert also die Dinge nicht, er lehrt nur ihre wirkliche Schönheit erkennen. Indem er sie in das richtige Licht stellt, bewirkt er, daß sie uns als das erscheinen, was sie in Wahrheit und Wirklichkeit sind, – als zugehörige Teile, als treue verjüngte Abbilder des Weltganzen. (...)

Schiller war nicht bloß ein Dichter schöner Worte, – er war zugleich ein Mann der Tat, ein Kämpfer für Freiheit und Menschenwürde! Das bezeugt jedes seiner Meisterwerke, das bezeugt vor Allem sein größtes und schönstes Meisterstück – sein Leben. –

In früher Jugend schon giebt sich in Schiller ein rastloser, bis zur Leidenschaft gesteigerter Tatendrang kund. Nicht ohne Grund nannte der Herzog ihn einen »Feuerkopf«. Ein achtzehnjähriger Jüngling – schreibt der Feuerkopf Schiller »die Räuber«. Er selbst ist es, der durch den Mund Karl Moor's seinen eigenen »Ekel« ausspricht vor diesem »tintenklecksenden Seculum«, dem jeder »Lichtfunke der Begeisterung ausgebrannt ist«. Seine eigene »tatenlechzende Seele« ist es, die aus »Fiesko« spricht, wenn er dem Maler zuruft:

»So trotzig stehst Du da, weil Du Leben auf toten Tüchern heuchelst. – – Du prahlst mit Poetenhitze, der Phantasie marklosem Marionettenspiel – – stürzest Tyrannen auf Leinwand; – bist selbst ein elender Sklave! – – Geh! Deine Arbeit ist Gaukelwerk – Der Schein weiche der Tat. Ich habe getan, was Du – nur maltest«. –

So denkt, so dichtet der Jüngling Schiller – in einer Zeit engherziger Selbstsucht, in einer Zeit des ärgsten spießbürgerlichen Stumpfsinns. Während die Gedanken seiner Zeitgenossen sich um kleinliche persönliche und häusliche Verhältnisse drehen, ist Schiller's Auge auf das große öffentliche Leben, auf die Geschicke der Völker, auf die höchsten Interessen der Menschheit gerichtet. Der Staat, die sittliche Freiheit, die Würde des Menschen – ist der Hintergrund seiner ersten dramatischen Schöpfungen, – ist unausgesetzt der Gegenstand seines Dichtens und Trachtens. –

Und immer mehr steigert, – läutert sich aber zugleich das Streben nach Freiheit, bis es endlich am reinsten und schönsten in seinem Don Carlos hervortritt.

Rede J. Jacobys, in: J. *Jacoby,* Schriften, 2, S. 130ff.

89 Schiller und die Versöhnung von Fortschritt und Ordnung

Die Schriftsteller der Romantik und der Restauration, Friedrich Schlegel an der Spitze, bezeichneten Schiller schon früher als den Dichter der Revolution. Reminiszenzen dieser Art haben nach 1859 nachgewirkt, als man in Berlin die öffentliche Feier seines hundertjährigen Geburtstages unterdrücken und die Errichtung eines Denkmals nur in Verbindung mit einem Monumente Goethe's zulassen wollte, um durch die Zusammenstellung zu offenbaren, daß der Kultus nur der Kunst und der Dichtung, nicht dem nationalen, sittlichen Charakter und Wirken des großen Mannes gelten solle. Daß es absurd wäre, Schiller als einen Anhänger der Revolution zu betrachten, wenn dabei an Gewalttaten, Umsturz und anarchische Leidenschaften gedacht wird, versteht sich von selbst. Dagegen ist es vollkommen richtig, daß er die allgemeinen Ideen, welche in der großen Umwälzung zu bewegenden Mächten geworden und es seitdem in der Welt geblieben sind, mit fester Überzeugung ergriffen und in seinen Werken vertreten hat. Er verkannte weder die Gefahren jeder, noch das Unheil und die Schrecken der damaligen Revolution. Wir brauchen uns nur des wunderbar schönen Bildes zu erinnern, welches er in der Glocke von der Eintracht und Ordnung des bürgerlichen Lebens entwirft, um zu sehen, wie sehr sein gebildetes Gefühl allen revolutionären Ausschreitungen widerstrebte. Aber darum ließ er sich nicht irre machen im Glauben an die Würde der menschlichen Natur, welche in jedem Individuum zu achten, an die Selbständigkeit des Denkens und Wollens und die Notwendigkeit Staatsformen zu finden, die diesen Grundsätzen entsprechen, sich auch nicht irren in dem Widerspruch gegen jeden Despotismus, der in Staat und Kirche die strebenden Kräfte der Menschen zu bequemer Beherrschung unter das gleiche Maß unabänderlicher Satzungen beugen will. Diesen Geist atmen seine historischen wie seine philosophischen Schriften, und er tritt uns überall in seinen Dichtungen entgegen.

> Der Mensch ist frei geschaffen, ist frei,
> Und wär' er in Ketten geboren.
> Laßt euch nicht irren des Pöbels Geschrei,
> Nicht den Mißbrauch rasender Toren.

Wir scheuen uns jetzt fast, das Wort Freiheit zu gebrauchen wegen des vieldeutigen Mißbrauchs und der hohlen Deklamationen, die damit verbunden werden. Kant definirt sie negativ als Unabhängigkeit von fremder, nötigender Willkür, positiv als die eigene Gesetzgebung der Vernunft; und Schiller bestimmt die Freiheit dahin, daß sie nicht Willkürlichkeit, sondern höchste innere Notwendigkeit, nicht Gesetzlosigkeit, sondern Harmonie von Gesetzen sei. Er sucht die Freiheit nicht mehr in dem Rousseau'schen Ideal, der geistlosen Einförmigkeit eines Urzustandes, welches mehr aus einem Bedürfniß nach physischer Ruhe, als nach moralischer Übereinstimmung hervorgeht, nicht in der Idylle einer unschuldigen, glücklichen Menschheit, die im Frieden mit sich und der Außenwelt lebt, sondern in der geistvollen Harmonie durchgeführter Bildung, in der Vollendung einer Kultur, welche die durch ihre Anfänge zersplitterten Kräfte des Geistes und Gemüts wieder versöhnt, in einem politischen Zustande, wo sich die Würde des selbsttätigen Geistes mit der Ordnung und dem Wohlstande des materiellen Lebens verbindet. Neben dem idealen Ziel faßte er stets die gegebenen Verhältnisse klar in's Auge.

Das Jahr übt eine heiligende Kraft;
Sei im Besitze, und du wohnst im Recht,
Und heilig wird's die Menge dir bewahren.

Das ist kein bloßes Anerkenntniß der Tatsache, sondern eine aus dem Entwicklungsgesetz der geschichtlichen Kontinuität hervorgehende Forderung, das Bestehende als berechtigt zu schonen, »zu dem Bau der Ewigkeiten nur Sandkorn für Sandkorn zu fügen«, den Mängeln der intellektuellen und moralischen Bildung in allen Klassen der Gesellschaft gegenüber nicht voreilig die Schranken der geltenden Rechte einzureißen,

Laß uns die alten engen Ordnungen
gering nicht achten! Köstlich unschätzbare
Gewichte sind's, die der bedrängte Mensch
An seiner Dränger raschen Willen band;
Denn immer war die Willkür fürchterlich –

mag sie nun im Namen einer geheiligten Autorität, oder einer fanatischen Doktrin, oder mag sie von der brutalen Gewalt ohne Vorwand geübt werden. In der Erkenntniß des notwendigen Zusammenhanges, der wechselseitigen Abhängigkeit und Förderung der geistigen und materiellen Interessen, der »Kultur und einer der Kultur würdigen Existenz«, wie es Wilhelm von Humboldt ausdrückte, wollte er die Ideen des Fortschritts und der Ordnung versöhnen. Kant hatte es schon ganz im Sinne der neueren Gesellschaftslehren eingesehen, daß selbst der Despotismus eine gewisse selbsttätige Freiheit fördern müsse, weil ohne sie weder Teilnahme an den allgemeinen Angelegenheiten, noch Betriebsamkeit und Reichtum, und folglich keine Machtentwicklung andern Staaten gegenüber möglich sei. So hoffe auch Schiller auf die fortschreitende Entwicklung durch das Zusammentreffen der Ideen und der Interessen. Er sah das Unheil der französischen Revolution erstehen, weil die Ausführung der abstrakten Ideen, welche von den gebildetsten Geistern konzipirt waren, ohne Vorbereitung den rohen Massen überantwortet ward; er wußte auch, daß die edelste Tugend und die gemeinste Leidenschaft in Zeiten der Auflösung dieselbe Fahne erheben können.

Freiheit ruft die Vernunft, Freiheit die wilde Begierde.

Aber wie ihn schon im klassischen Altertum nicht allein die Kunst, die Einfalt und Schönheit der Gestalten, sondern vorzüglich auch die politische Kraft, der demokratische Zug, der Geist der freien Persönlichkeit ergriff, so hat er den ethischen Gegensatz gegen die gemeine Welt, politischen Freisinn und ideales Streben durch sein ganzes Leben festgehalten. Einzelne Äußerungen des Unmuts oder der Geringschätzung öffentlicher Dinge verdienen gegen die laute Sprache seiner Werke keine Beachtung.

C. *Twesten*, Schiller in seinem Verhältnis zur Wissenschaft, Berlin 1863, S. 87ff.

90 Kant als Positivist

Und Kant war ein Mann der Wissenschaft im höchsten Sinne, doch kein Metaphysiker. Im Gegenteil liegt seine Wirksamkeit, der ungeheure, von ihm gewonnene Fortschritt gänzlich in der Bahn derjenigen Philosophie, als deren Hauptvertreter Baco von Verulam betrachtet wird, und die man jetzt in Frankreich und England als die positive zu bezeichnen pflegt. Statt mit den Metaphysikern nach dem Ding an sich, nach der Bestimmung des Absoluten, Unendlichen oder Unbedingten zu streben, unterwarf er zu demselben Zwecke und nach derselben Methode, wie Bacon die Tatsachen der Natur, so die Tatsachen der menschlichen Erkenntniß und Erfahrung einer Untersuchung, welche die Tatsachen analysirte und ihre Erklärung lediglich in dem Dartun ihrer notwendigen Bedingungen oder in den Gesetzen suchte, unter denen sie stattfinden. So zeigte er die menschlichen Erkenntnißkräfte oder Vermögen als die tatsächlichen Voraussetzungen auf, ohne welche uns keine Erfahrung und keine Erkenntniß denkbar ist. Daraus, daß die Formen der Vorstellung in uns gegeben sind, daß zu jeder Erkenntniß Denkformen und Anschauungen zusammentreffen müssen, folgt denn, daß wir nur Erscheinungen wahrnehmen können, daß das Wesen der Dinge, das Ding an sich, als nicht erscheinend oder nicht anschaubar vorgestellt, uns unzugänglich und ewig unbekannt bleiben muß, daß die Illusion, als ob die subjektive Notwendigkeit in der Verknüpfung unserer Begriffe auch eine objektive Notwendigkeit in der Bestimmung der Dinge wäre, sich nicht vermeiden, nur unschädlich machen läßt, indem wir uns nicht darüber täuschen.

C. *Twesten,* Schiller, S. 23

91 Kant in der Auffassung Twestens und Hayms

Rudolf Haym an Carl Twesten

Hochverehrter Herr!

Sie haben mir einen so voluminösen und inhaltreichen Brief ins Haus geschickt, daß ich mich halb und halb entschuldigt halte, wenn ich darauf erst heute erwidere. Aber auch heut bin ich, von andern Arbeiten in Anspruch genommen, nicht über die beiden ersten Abschnitte Ihres »Schiller« hinausgekommen, den ich in den deutschen Jahrbüchern seiner Zeit zu lesen versäumt habe. Zu lebhaft interessiert mich das Thema sowie der Standpunkt, den Sie dabei einnehmen, zu sehr verpflichtet mich das, was Sie mir von der geheimen Geschichte der Entstehung des Aufsatzes sagen, denselben zu studieren, als daß ich nicht gewissenhaft das Ganze durchmachen sollte. Einstweilen gewinne ich den Mut, Ihnen trotzdem zu antworten, weil ich soeben imstande bin, Ihnen mit meinem aufrichtigsten Dank wenigstens ein kleines αυτιδωϱου zukommen zu lassen. Als ein solches wollen Sie freundlichst meinen Varnhagen (Varnhagen von Ense, Preußische Jahrbücher 11 (1863), S. 445ff.) aufnehmen, während ich einen älteren Aufsatz über Schiller (Schiller an seinem 100jährigen Jubiläum, Preußische Jahrbücher 4 (1859), S. 516) deshalb beifüge, weil derselbe wenigstens andeutend im Verlaufe einiges berührt, was ausführlicher zwischen uns zur Sprache kommen müßte, wenn wir unsere Differenz, die mir aus Ihrem Buche von neuem entgegentritt, klar machen oder schlichten wollten. Ich bin erstaunt über die umfassenden Studien, die im Laufe Ihrer Besprechung Schillers überall in Sicht kommen: von der Richtigkeit Ihrer Grundansicht bin ich weder durch die Abschnitte, die ich gelesen, noch durch diejenigen, die ich nur durchblättert habe, überzeugt worden. Schiller der größte Propagandist Kantscher Denkweise – darin sind wir leicht miteinander einig, keineswegs aber wenn Sie nun sofort den Kantianismus Schillers in einer Weise premieren, die ich mit exakter, ins Innere und Wesentliche eingehender Betrachtung der Tatsachen unvereinbar halte. Sie suchen beispielsweise den Widerspruch Sch.'s gegen Kants moralischen Rigorismus als irrelevant abzuschwächen: ich kann mich nicht entbrechen, gerade in diesem Differenzpunkt das Wesentliche zu erblicken, einen Gegensatz, dem der ganze Gegensatz der beiden individuellen Naturen entspricht. Den Einfluß Fichtes auf Schiller scheinen Sie mir zu gering anzuschlagen usw. usw. Die Hauptsache aber ist, daß Sie nach meiner Ansicht Kant auf Kosten Kants erheben. Mir ist er der positive Philosoph nicht, der er Ihnen ist, obgleich er auch mir der größte ist, der je lebte. Ich leugne, um alles zu sagen, die Grenze, die Sie zwischen exakter und metaphysischer Philosophie ziehen. Alles wahrhaft geistvolle Denken ist bis auf einen gewissen Grad, weil dem ganzen Gemüt entsteigend, metaphysisch, alle Metaphysik, wenn ein großer Verstand darin waltet, zugleich kritisch und auf der Fährte nach positiver Wahrheit. Ohne anticipatio mentis kann nicht einmal eine Tatsache wahrgenommen, geschweige denn ein Gesetz entdeckt werden; ohne interpretatio naturae, umgekehrt, ist selbst die abenteuerlichste Metaphysik nicht zu denken. Ich erblicke sehr entschieden metaphysische Elemente in Kant, sehr entschieden kritische in Hegel. Ich gehe als guter Lessingianer (wiewohl man sich so nicht ausdrücken sollte) noch weiter. An der Wahrheit gemessen, gibt es, behaupte ich, gar keinen festen Stock von Wahrheiten, auch in den physikalischen Wissenschaften nicht. Jede künftige Entdeckung wirkt zurück auf das scheinbar schon Feststehende – haec omnia inde esse in quibusdam vera unde in quibusdam falsa sunt. – –

Wir sind, glaube ich, viel einiger auf dem Gebiete der Politik. Namentlich bekenne ich mich ganz zu Ihrer Überzeugung, daß jeder von uns, nicht bloß, wie Uhland sagte, der künftige deutsche Kaiser, gegenwärtig mit einem Tropfen demokratischen Öls gesalbt sein muß. Hätte ich zu regieren, so sollten mir Kräfte wie Schulze-Delitzsch wahrlich nicht fehlen. Aber die Sachen sind sogar so weit, daß vermutlich das demagogische Element mehr mitspielen wird – und denn in Gottes Namen mag – als z. B. Sie oder ich unserer Natur, wie sie nun einmal ist, werden abgewinnen können. Da gibt es denn aber immer noch etwas zu tun. Solcher demagogische Sturm ist sicher nur etwas Vorübergehendes. Den gebildeten Verstand und das ideale Maß ohne doktrinäre Steifheit gilt es inmitten jenes Sturms festzuhalten und darauf hinzuweisen, denn es muß doch dazu zurückgekehrt werden. Solche Aufgabe möchte ich unserer vornehmeren Publizistik vindizieren, einem Blatt, das, wie die Jahrb., mit dem einen Fuß in der Wissenschaft steht.

R. Haym an C. Twesten, Halle, den 5. 6. 1863, in: Preußische Jahrbücher 161 (1915), S. 254f.

3.3 *Mittel des Kampfes*

1 *»Den Prinzen ziehen«*

92 Sozialgeschichtliche Voraussetzungen für die liberale Bewegung

In May, 1862, a liberal newspaper wrote: »The Prussian people are no longer that mass of peasants just freed from serfdom or of servile and powerless town-dwellers that Frederick William III ruled. Just as Berlin has risen in two decades from a wretched town of the royal court with 200,000 population to the leading industrial city of Germany and the second commercial city of North Germany, in the same way, Breslau, Cologne, Magdeburg and other provincial towns have also grown to be large commercial centers. The anger of the government can no longer strike the big industrialists and merchants of these cities as long as they observe the law. Despotism is no longer possible; the Prussian people have become too intelligent and wealthy for it. The more the estate-owner has withdrawn from community affairs, the more independent the peasant has become. We use the word ›peasant,‹ which will soon be only a myth, to refer to persons whom it no longer describes. In many areas the peasant already behaves like a townsman and feels and thinks like one. He no longer stands in his village, isolated and dependent upon his own physical strength; through common interests and contacts he has become a conscious part of the nation.« Although somewhat exaggerated, particularly in its description of the peasant, the article correctly estimated the general situation.

Between 1816 and 1858, when Prince William became regent, the population of Prussia had increased from 10,320,000 to 17,673,000. By 1864 it rose to 19,200,000. The increase had been a steady one, with the largest gains registered since 1830. All parts of the country had participated in the growth, the Administrative Districts of Liegnitz, Erfurt, Münster, Minden and Aachen showing least, percentagewise, and Köslin, Oppeln and Bromberg enjoying the largest. Some predominantly agricultural Districts had grown in population as much as those with developing industries. A breakdown of the increase by decades discloses that up to 1849 for the state as a whole the rural population had grown faster than the urban; after that date the reverse was true. By the end of 1858 there were in the rural areas 1,672, and in the towns 1,817 persons for every 1,000 in 1816; in 1840 the comparable figures had been 1,461 and 1,411, and in 1849, they had been 1,575 and 1,590.

While the towns and cities with a population of about a thousand or more had scarcely increased in number (some 994 in 1860) since the close of the Napoleonic wars, they had shared in the general growth. The greatest gain had occurred in the large cities, which were well scattered over the state. The areas of coal mining and iron and steel works attracted people in particularly large numbers, nearly doubling their population between 1819 and 1861. Since the increase cannot be accounted for by natural growth, the towns and cities were manifestly drawing people from the rural districts and from the small towns that as yet lacked the opportunities being made available by industry and transportation.

Industrial production, especially since the 1830s, had begun to assume factory proportions and to show a growth in size of plant, capitalization and number of workers. The textile and clothing industry remained the largest employer in 1861. The iron, steel and machinery industry ranked a poor second but gave promise of speedily overtaking textiles. Commerce and construction occupied the third and fourth places respectively, with very little difference between them. Production had been changing to meet the needs of the increasing population. (...)

Prussia	2,313	Noble estates, of which	788	were in burgher possession, or	34%
Posen	1,440	Noble estates, of which	957	were in burgher possession, or	66%
Pomerania	1,654	Noble estates, of which	1,046	were in burgher possession, or	64%
Brandenburg	1,798	Noble estates, of which	1,116	were in burgher possession, or	62%
Silesia	3,132	Noble estates, of which	1,857	were in burgher possession, or	59%
Saxony	1,047	Noble estates, of which	563	were in burgher possession, or	54%
Westphalia	425	Noble estates, of which	378	were in burgher possesion, or	89%
Rhineland	466	Noble estates, of which	318	were in burgher possession, or	68%
Total	12,275		7,023	Average	57%

A contemporary writer of an informative work on the province of Prussia stated that in 1859 only fifty-nine estates in the entire province had remained in the possession of the same family for at least a hundred years, whereas in Brandenburg there were 395 such estates. He concluded that »a real landed aristocracy« practically no longer existed in the province of Prussia (Die Provinz Preußen, Königsberg 1863, S. 430ff. u. 434ff.). All in all, with the exception of a few areas, the writer's conclusion about the province of Prussia seems to have applied to the entire state; land had become a commodity of sale and had in the main lost its prestige as the basis for an aristocratic caste. Too many of the estate-owners, whether of noble or of burgher origin, were paying tribute to the ways of capitalism for them to pass as traditional gentry.

The evidence is augmented by a consideration of the expansion of industry into the rural areas. In the Eighteenth Century noblemen had built on their estates distilleries, saw mills, and other kinds of businesses closely associated with agriculture; but by 1860 both the variety and the number of these industries had greatly increased. It was estimated that 64,445 such enterprises were then in operation and that they employed 229,500 technicians and workers. The list included lime burners, brick kilns, several kinds of mills, factories for preparing foods, tobacco factories, sugar refineries, breweries, and so on. By 1861 there were in use for agricultural purposes 242 steam engines with 4,172 horsepower (in 1846 the figures had been 48 and 504 respectively); the saw mills in 1861 used 230 steam engines of 2,913 horsepower (in 1846 the figures had been 25 and 268 respectively); the flour mills in the same year employed 600 steam engines of 8,101 horsepower (in 1846 the figures had been 71 and 927 respectively). Although flour milling was also being done in the towns, one can perceive that the gentry knew the value of modern machinery and methods. The evidence makes conditions sound dangerously like capitalism, with all the implications of social mobility and the breakdown of the state. When one adds the story of the establishment in the villages and rural districts of many factories by bona fide businessmen of burgher origin, the impression is strengthened that the ways of the middle class, the curse of vulgar materialism, the pursuit of Mammon, had overcome the stronghold of junker moral purity, and that the difference in standards and objectives between town and country was far less noticeable in 1860 than in 1815 or even 1840. Some aristocrats, like the Prince of Pless, went into business on a large scale at the same time that they tried to remain lords of the Old Regime. This type eventually became the backbone of the Free Conservative party and accepted national unification and the economic legislation put through by Bismarck.

Too little is known about the social history of the nobility in the Nineteenth Century for us to be able to state how many aristocrats remained loyal to the Old Regime, how many took the line of the Prince of Pless, and how many turned liberal. It is clear that in the half century or more prior to the constitutional conflict the material and the social structure of the large landownership had been in a process of rapid transformation. Not merely the emancipation of the peasantry and the legalization of the sale of landed estates had brought about this change; the desire to take advantage of the developing opportunties to make money had seized upon this class and was imparting to it some of the characteristics of the bourgeoisie. Material interests were drawing the rural population, aristocratic and peasant, in the direction of liberalism. Whether the attraction proved to be superior to that of the Old Regime depended upon one's social ideals and one's knowledge and understanding of the forces of the age.

E. N. *Anderson,* conflict, S. 10f., S. 14f.

93 Sängerfeste und Politik

Wenigen erst nur, die das Maintal-Sängerfest am 4. und 5. September in Aschaffenburg besuchten, ist es unbekannt und zweifelhaft geblieben, daß dieses Volksfest (denn diesen Charakter trug es) eine politische Demonstration war, ein Verbrüderungsfest der Demokratie, um deren Organisation es sich jetzt ganz allein handelt. Neben den 1.200 Sängern, die aus Darmstadt, Friedberg, Offenbach (...)

sich eingefunden hatten, mögen am Sonntag wohl an 10.000 Fremde nach Aschaffenburg geströmt sein (darunter sehr viele Landbewohner), und die Schätzung von 20 – 25.000 Menschen, die auf dem Festplatz vereinigt waren, dürfte nicht zu hoch gegriffen sein. Das Terrain begünstigte ungemein das Bilden vereinzelter Gruppen, die innerhalb der Pausen und zwischen den verschiedenen Gesangs-Produktionen sich auf den Matten lagerten und in deren Mitte dann durch befähigte Persönlichkeiten, wie ich mich selbst mehrfach überzeugt habe, über die Gründung und Verbreitung einer allgemeinen nationalen Partei diskutiert wurde. Hier sowohl als in den vielen Bierzelten waren besonders nach Beendigung des Gesangs bei hereinbrechender Dunkelheit und passender Illumination lebhafte politische Reden in Gange, die alle um das eine Thema »Nationalpartei, Bundesreform, Einheit unter Preußens Führung« sich drehten. Schon mittags beim Festessen im Deutschen Haus, nachdem die Aschaffenburger »Melomania« das in Abschrift beiliegende Gedicht als Gruß an die Fremden vorgetragen, hatten sich verschiedene Männer, unter ihnen namentlich Fr. Holtze aus Frankfurt bemüht, die Stimmung zu erhöhen und ihr eine auf ein gewisses Ziel berechnete Richtung zu geben; Deutschlands Größe, seine Macht nach Außen und seine Einheit nach Innen bildeten überall den Stoff der Unterhaltung und die unmittelbare Begeisterung, die vielfältig sich aussprach, hat auch unter den Bewohnern Aschaffenburgs einen wichtigen Eindruck hinterlassen, und es darf wohl behauptet werden, daß Aschaffenburg jetzt zu den Städten Frankens zählt, welche im Gegensatz zu den Städten Altbayerns und deren Vertretern in der bayerischen Kammer das Eisenacher Programm zu dem ihrigen erhoben haben.
(...)

Polizeibericht über das Sängerfest in Aschaffenburg im September 1859, ZStA II Merseburg, Rep. 77, tit. 662, Nr. 30

94 Die liberale Politik, den Prinzen Wilhelm zu »ziehen«

Gustav Freytag an Charlotte Duncker

Es rächt sich jetzt, daß Friedrich Wilhelm III. nach 1815 noch 25 Jahre regiert hat und sein abenteuerlicher Sohn wieder fast 20. Alles ist eingeschrumpft und die Männer fehlen. Im Volke leben die Kräfte, aber es bedarf großer Krisen, sie heraufzubringen. In solcher Zeit ist Pflicht des Mannes, wie ich sie verstehe, in keiner wesentlichen Frage etwas anderes als seine eigene Überzeugung zu vertreten, rücksichtslos, nach allen Seiten. Unsere Freunde meinten den Prinzen zu ziehen, und sie selbst sind gezogen worden. Und sie drohen die ganze Partei herabzuziehen und das Letzte, das sittliche Bewußtsein im Volk, zu verkümmern. Es ist kein Unglück mehr, liebe Freundin, wenn ein Ministerium Arnim-Bismarck oder etwas ähnliches käme. Der Prinz soll's versuchen. Es wird einzelnes schlechter tun als das gegenwärtige, aber es wird dem preußischen Volk wieder ein kräftiges politisches Leben geben, d. h. starken Zorn, eine entschlossene, rücksichtslose Opposition. So werden neue Kräfte in der Kammer lebendig werden, welche jetzt ein langweiliges Klubhaus gutgezogener Gentlemen geworden, die über vieles schwatzen und in der ganzen Sitzung noch keine Stunde gehabt haben, welche die Deutschen warm machte.

Ich bin gegen die neuen Militärvorlagen, und ich halte es für eine Pflicht der Kammer, dieselben nicht in Bausch und Bogen anzunehmen. (...) Wie ich höre, hat er sich mit den Militärvorlagen des Prinzen befreundet, möchte ihn die Bitte eines alten Freundes bestimmen, wenigstens so wenig als möglich ostensibeln Anteil daran zu nehmen. Er wird immer tun, was er für Pflicht hält, er soll hierin nicht mehr tun. So ist's wohl gut, wenn ich jetzt nicht nach Berlin komme, ich kann allenfalls einen schlechten Artikel lesbar machen, aber ich habe nicht die Götterkraft, die bleierne Atmosphäre unfähiger Mittelmäßigkeit, welche auf der Stdt und der Regierung lastet, zu zerstreuen. Das kann nur noch die Kraft des Volkes selbst.

G. Freytag an Ch. Duncker, Leipzig, den 10. 3. 1860, in: M. *Duncker*, Politischer Briefwechsel, S. 188 f.

2 *Beamten-Ersetzung*

95 Petition örtlicher Honoratioren aus Lyck/Ostpr. v. 3. 2. 1861

Die Unterzeichneten richten an das Hohe Haus der Abgeordneten die Bitte: in Berücksichtigung der maßlosen Überschreitung der Polizeiwillkür, welche der Prozeß Stieber zu Tage gelegt, und des berechtigten Drängens seitens des preußischen Volkes, daß die Verfassung endlich zur Wahrheit werde, daß sie ausgebaut werde in ihren Lücken, ausgeweitet in ihren Konsequenzen, damit das große Wort unseres Königs, welches er bei Übernahme der Regentschaft aussprach, in Erfüllung gehe, das Vertrauen im Volke verstärke und Regierung und Volk jetzt vereint der drohenden Gefahr entgegentreten,
daß die noch in Funktion stehenden Stützen des früheren Regierungssystems aus dem Staatsdienste endlich entfernt werden, daß das Herrenhaus auf verfassungsmäßigem Wege außerstand gesetzt werde, noch immer jeden Akt der Gesetzgebung im Geiste des Fortschritts zu vereiteln, zur Wiederherstellung eines unverkümmerten Rechtszustandes die Gesetzgebung über die Kompetenz-Konflikte einer gründlichen Revision zu unterwerfen, der Artikel 106 der Verfassungsurkunde vom 21. Januar 1850 aufgehoben werde, die Unabhängigkeit des Richter-

standes durch Aufhebung des Disziplinar-Gesetzes vom 7. Mai 1851 wiederhergestellt werde und durch Erlaß eines Ministerverantwortlichkeitsgesetzes, eines Unterrichtsgesetzes, einer Provinzial-, Kreis- und Gemeindeordnung sowie eines zeitgemäßen Gewerbegesetzes die Lücke der Gesetzgebung ausgefüllt werde.

ZStA II Merseburg, Rep. 169 C, A 80, Nr. 2

96 Entlassung antiliberaler Beamter

Das gegenwärtige Ministerium ist kein parlamentarisches, weder seiner Entstehung noch seiner Zusammensetzung nach; es repräsentiert nur den Ausdruck des persönlichen Willens der Regierung. Die Mitglieder desselben sind nicht als Führer einer Partei eingetreten, sondern insofern ihre Persönlichkeit dem Prinz-Regenten Garantie für eine zweckmäßige Verwaltung bot; unter den neu eingetretenen Ministern befinden sich Mitglieder der alten Regierung, natürlich durch Kompromiß mit der neuen Regierung, durch Verleugnung ihres früheren Programms.

Inzwischen hat das neue Ministerium dem Lande doch gezeigt, daß es ihm ernster Wille sei, dessen wahre Interessen im Sinne der Verfassung zu fördern, deshalb wollen wir es gegen die Anhänger des vorigen unterstützen, weil es ein Fortschritt gegen dieses ist, obwohl wir uns nicht mit ihm identifizieren, nicht ministeriell sein können, denn wir sind für die Interessen des Bürgertums unabhängig vom Ministerium und müssen es sein, weil dieses nicht der reine Ausdruck unserer Partei ist.

Diese im Lande vorherrschende Ansicht hat das Stichwort hervorgerufen, »das Ministerium nicht zu drängen«. Dieses Stichwort, welches auch unter den Mitgliedern des Hohen Hauses Eingang gefunden, beruht aber auf einer unrichtigen Auffassung der obwaltenden Verhältnisse. Wenn es dringend notwendig ist, die bisherige Rechtsunsicherheit gründlich zu beseitigen, der Willkür der verschiedenen Büro-Chefs ein Ende zu machen und die Männer zu rehabilitieren, welche durch die Willkür jener in den letzten acht Jahren der schmachvollsten Erniedrigung Preußens unverschuldet aus ihren Ämtern verdrängt wurden, und die Folgen der bisherigen Parteiherrschaft sowie die Träger derselben zu beseitigen, damit ein Ministerium Manteuffel keinen Halt finde, wenn es, wovor Gott den Staat bewahren möge, widerstehen sollte, so werden wir das jetzige Ministerium in seinem eigenen und des Landes Interesse allerdings drängen müssen.

Der Landtag verfehlt seine Aufgabe, wenn er in dieser Session allein von seiner Initiative in der organischen Gesetzgebung Gebrauch macht und darüber das Wichtigere vergißt, auf die Mißbräuche energisch hinzuweisen, die beseitigt werden müssen, wenn die Wahrheit herrschen, die Lüge und Heuchelei verbannt, die im Dienste obwaltende Mittelmäßigkeit verschwinden und damit der Willkür ähnlicher feudaler Herrschergelüste begegnet werden soll, welche die Gemüter unter dem vorigen Ministerium mit Haß und Verachtung erfüllten. (...)

Die Spitzen der Behörden in den Provinzen und Regierungs-Bezirken sehen sich auch jetzt noch als die eigentlichen Vertreter der Staatsgewalt an, betrachten das Ministerium noch immer nur als eine vorübergehende Erscheinung, auf die man keine Rücksicht zu nehmen habe oder gegen die erst gar energische Opposition zu machen sei. Ein solcher Zustand aber darf nicht länger fortdauern, denn er führt zu einer Paralyse und kann das Gedeihen des Staates nicht fördern. Viele von den schwer kompromittierten Beamten sind jetzt sogar human und freisinnig geworden, um sich nur den Besitz ihrer Stellen zu erhalten; diese sind die schlimmsten und verächtlichsten, weil sie gesinnungslos sind und nur ihr materielles Interesse im Auge haben, nicht des Staates Wohl.

Der Landtag wird deshalb für eine einheitliche Organisation der Behörden wirken müssen, das wird sein Hauptgeschäft sein; es wird auf Enthebung der mißliebigen Beamten aus ihren Stellen und auf deren anderweitige Besetzung schleunigst um so mehr zu dringen sein, als der Staat zur Zeit einer Kriegsgefahr ausgesetzt ist. Werden liberale, der Regierung treu ergebene Männer zur Verwaltung berufen, kann keine Reaktion wieder ein freches und heilloses Spiel treiben mit der Ehre der Nation.

Allerdings kann keine allgemeine Purgation des Verwaltungspersonals auf einmal vorgenommen werden, nur die übelberüchtigsten Elemente desselben müßten vorläufig beseitigt werden, aber der Landtag hat dem Ministerium gegenüber eine unabhängige politische Überzeugung zu vertreten, dadurch gibt er ihm eine mächtigere Stütze, als wenn er ihm blind anhängt oder mit der banalen Phrase sich tröstet, »er wolle nicht drängen«. (...) In dieser Beziehung ist aber leider den Erwartungen des Volkes bisher nicht entsprochen worden; es sind eine Menge Beamte mit feudalistischen Prinzipien noch immer im Dienste, Männer die 1848 den liberalen Tendenzen freudig zujauchzten und im Herbste 1849 zu den rigorosesten Verfolgern derselben auch da sich umwandelten, wo diese auf gesetzlichem Boden sich geltend machten, die zur Ausführung schlechter Handlungen, zu empörenden Verfolgungen aller Art als bereitwillige, geschmeidige Werkzeuge sich darboten.

Petition örtlicher Honoratioren aus Marienwerder/Westpr. v. 1. 5. 1859, ZStA II Merseburg, Rep. 169 C, Abschn. 64a, Bd. 1, Bl. 2ff.

3 Bürgerlicher Widerstand

97 Widerstand gegen die Zwangsmaßregeln einer Behörde

Der Prorektor des Königlichen Gymnasiums zu Torgau, Professor Dr. Arndt, ist vor vier Jahren dem Deutschen Nationalverein als Mitglied beigetreten. Den Gegenstand seiner vorliegenden, vom 8. Dezember vorigen Jahres datirten Petition bilden die Zwangsmaßregeln, welche seine vorgesetzte Dienstbehörde angewendet hat, um ihn zum Austritte aus dem gedachten Vereine zu veranlassen.

Schon am 17. Juni 1863 forderte ihn der Ober-Präsident der Provinz Sachsen, v. Witzleben, mehr in privater Weise auf, aus dem Vereine auszuscheiden, jedoch, wie aus einem an dem gedachten Tage von dem Bürgermeister Horn aufgenommenen Protokolle hervorgeht, ohne Erfolg. Am 6. August wurde ihm und einigen andern Lehrern des Gymnasiums durch den Direktor desselben Dr. Graser, mitgeteilt, daß der Herr Kultus-Minister ihnen den Austritt aus dem Nationalvereine zur Pflicht machte. Petent hat sich jedoch laut des an diesem letzteren Tage aufgenommenen Protokolles und der am 19. August von dem Konsistorialrat Rüling und Provinzial-Schulrat Dr. Heiland gepflogenen Verhandlung nicht entschließen können, diesem Befehle nachzukommen, (...).

Hierauf ging ihm durch Vermittelung des Königlichen Kreisgerichts zu Torgau folgendes Schreiben zu:

> Durch die von Ew. Wohlgeboren bisher festgehaltene Weigerung, der Anordnung des Herrn Ministers der geistlichen, Unterrichts- und Medizinal-Angelegenheiten,
>
> > durch welche den Lehrern des dortigen Gymnasiums der Austritt aus dem Nationalverein ausdrücklich zur Pflicht gemacht worden ist,
>
> auch Ihrerseits Folge zu leisten, sehen wir uns zu unserem Bedauern genötigt, Ihnen wie hierdurch geschieht – bei Vermeidung einer Ordnungsstrafe von 10 Rthlr. aufzugeben, innerhalb acht Tagen aus dem Nationalverein auszuscheiden, und daß dies geschehen, uns glaubhaft nachzuweisen. Wir hoffen, daß Euer Wohlgeboren diesem bestimmten Befehle nunmehr Folge leisten und uns dadurch der Notwendigkeit überheben werden, die angedrohte Strafe einzuziehen und weitere Zwangsmittel zu verfügen.
>
> Magdeburg, den 29. Oktober 1863.
>
> Königliches Provinzial-Schulkollegium
> v. Witzleben.

Gegen diese Verfügung hat sich Petent unterm 9. November 1863 beschwerend an den Herrn Minister der geistlichen Angelegenheit gewendet, indem er geltend macht, daß zur Zeit, als er dem Nationalverein beigetreten, der Eintritt in denselben den preußischen Staatsbürgern nicht verboten gewesen, und er um so weniger habe Bedenken gegen den Beitritt tragen können, als der Verein es ausdrücklich in seinen Statuten ausspreche, daß eine größere Einheit Deutschland nur mit gesetzlichen Mitteln anzubahnen und den gegebenen Machtverhältnissen nach nur unter Preußens Führung möglich sei. (...)

Nicht unwürdiger Trotz gegen die Vorschriften oder Wünsche seiner vorgesetzten Behörde sei es, der ihn zu seiner Weigerung veranlasse, sondern nur das sittliche Rechtsgefühl, die Überzeugung, daß ihm Unrecht geschehe, wenn von ihm etwas verlangt werde, wozu er eine Berechtigung nach keiner Seite hin anzuerkennen vermöge. Die Art, wie er bisher nach den ihm verliehenen Kräften seine Amtspflichten zu erfüllen bemüht gewesen sei, habe bis auf die neueste Zeit die Anerkennung seiner vorgesetzten Behörden gefunden. Dennoch fühle er sich aus den angegebenen Gründen außer Stande, der ihm gewordenen Weisung Folge zu geben, und würde, wenn ihm eine andere Wahl nicht bleibe, ohne eine liebgewonnene, wenn auch allerdings durch mannigfache Anfeindungen in der neuesten Zeit getrübte Tätigkeit aufgeben und seine Existenz auf andere Weise zu begründen suchen.

Hierauf ging dem Petenten folgender Bescheid zu:

Das an mehrere Mitglieder des Lehrer-Kollegiums bei dem Gymnasium in Torgau gestellte Ansinnen, aus dem Nationalverein auszuscheiden, ist nur ein Glied in der Kette außerordentlicher Maßregeln, zu deren Anwendung die Aufsichtsbehörden sich leider genötigt gesehen haben, um der bei dieser Anstalt eingerissenen und die fernere Existenz derselben bedrohenden Zuchtlosigkeit zu steuern. (...)

Bei dieser Sachlage ist es zur Aufrechterhaltung der Autorität, so wie im Interesse der Anstalt und Ihrer eigenen Stellung an derselben unbedingt notwendig, daß der getroffenen Anordnung Folge verschafft werde, und muß es bei der Verfügung vom 29. v. Mts. lediglich bewenden.

Dem Königlichen Provinzial-Schulkollegium habe ich Abschrift dieses Bescheides mitgeteilt.

Berlin, 20. November 1863.

Der Minister der geistlichen, Unterrichts- und Medizinal-
Angelegenheiten
v. Mühler.

Von dem Provinzial-Schulkollegium wurde unter dem 1. Dezember die angedrohte Ordnungsstrafe von 10 Rthlr. festgesetzt und dem Petenten unter Androhung einer ferneren Strafe von 20 Rthlr. aufgegeben, binnen anderweiten 8 Tagen seinen Austritt aus dem Nationalverein glaubhaft nachzuweisen.

Derselbe hat sich nunmehr an das Haus der Abgeordneten gewendet, und unter Wiederholung der in den beiden Eingaben an den Kultus-Minister geltend gemachten Gründe

> um Abhilfe gegen das von seinen vorgesetzten Behörden in Betreff seines Austritts aus dem Nationalverein wider ihn eingeschlagene Verfahren

gebeten.

Sämtliche vorstehend angeführte Verfügungen der Behörden sind im Originale der Petition beigefügt. Außerdem sind der Kommission Abschriften von späteren Verfügungen des Provinzial-Schulkollegiums zugänglich gemacht, wonach dasselbe, und zwar unterm 11. Dezember v. J. auch die Ordnungsstrafe von 20 Rthlr. festsetzt und das gestellte Verlangen unter Anordnung einer Strafe von 40 Rthlr. wiederholt, mit dem Hinzufügen, daß, sofern Petent es bis zur Einziehung dieser dritten Strafe sollte kommen lassen, ohne den schuldigen Gehorsam zu leisten unter Verhängung seiner vorläufigen Suspension ab officio die Einleitung der Disziplinar-Untersuchung wegen Widersetzlichkeit gegen ihn beantragt werden würde, gleichzeitig auch den Magistrat zu Torgau ersucht, die erste Geldstrafe von 10 Rthlr. nach Maßgabe der Verordnung vom 30. Juli 1853 vom Petenten exekutivisch einzuziehen, und ferner unterm 23. Dezember v. J. auch die Strafe von 40 Rthlr. festsetzt, wiederholt die Einleitung der Disziplinar-Untersuchung wegen Widersetzlichkeit in Aussicht stellt, und den Magistrat um exekutivische Einziehung der zweiten Strafe von 20 Rthlr. ersucht.

Die Kommission, bei deren Beratung ein Kommissarius des Ministeriums der geistlichen Angelegenheiten anwesend war, ging zunächst auf eine Prüfung der formellen Berechtigung des Provinzial-Schulkollegiums ein, gegen den Petenten, wie geschehen, einzuschreiten.

In der Mitgliedschaft an sich scheint die Behörde nichts strafbares zu finden, denn nicht dieserhalb wird ihm die Einleitung der förmlichen Disziplinar-Untersuchung in Aussicht gestellt, sondern wegen Widersetzlichkeit; als disziplinarisch zu rügendes Vergehen wird also nur die Weigerung des Petenten hingestellt, eine Verbindung aufzugeben, deren Existenz an sich nicht für strafbar erachtet wird. Solches Vorgehen entbehrt der gesetzlichen Grundlage, ist ein von der Behörde selbst geschaffenes, um eine Prätension durchzusetzen, zu der die Gesetze des Landes keine Mittel haben geben wollen. Selbst die Analogie des § 19. scheint dem Provinzial-Schulkollegium nicht einmal vorgeschwebt zu haben, indem es sich ohne Bedenken über das daselbst vorgeschriebene maximum des Strafmaßes von 30 Rthlr. hinweggesetzt hat.

Der Beamte ist außerhalb seines Amtes nicht dem willkürlichen Ermessen seiner vorgesetzten Behörde unterworfen; er hat, wie jeder Staatsbürger, eine Rechtssphäre, in die ihm Niemand eingreifen darf. Einem Befehle, der diese Grenze überschreitet, ist er nicht verpflichtet, Folge zu leisten. – Nach § 104. des Allgemeinen Landrechts Th. II. Tit. 12. sind Beamte in ihren Privat-Angelegenheiten, d. h. in solchen Angelegenheiten, die nicht ihr Amt betreffen, nach eben den Gesetzen und Rechten zu beurteilen, wie andere Bürger des Staates. Nach Art. 30. der Verfassung aber haben alle Preußen das Recht, sich zu solchen Zwecken, welche den Strafgesetzen nicht zuwiderlaufen, in Gesellschaften zu vereinigen. Daß speziell die Mitgliedschaft des Petenten bei dem Nationalverein mit seiner Stellung als Beamter unvereinbar sei, ist in keiner der vorliegenden Verfügungen behauptet, geschweige denn motivirt, und wird schwerlich von einer preußischen Behörde überzeugend zu begründen sein. (...)

Da diese Verfügungen eine ausreichende tatsächliche Grundlage für die obige Rechtsausführung bieten, so empfiehlt die Kommission, sich der letzteren anschließend, einstimmig dem hohen Hause,

die Petition des Professors Dr. Arndt in Torgau der Königlichen Staats-Regierung zur Abhilfe zu überweisen.

Preuß. Abgeordnetenhaus, 8. Leg.periode, I. Session, Drucksache Nr. 112

1 Die Eingabe an das Abgeordnetenhaus ist nur von der »Kommission für Petitionen« beraten worden. Eine Beschlußfassung durch das Plenum erfolgte wegen der Schließung der Session nicht mehr.

4 *Broschüren und Presse*

98 Duell Twesten/Manteuffel[1]

E. v. Manteuffel fordert Carl Twesten auf, seine Äußerungen über ihn zurückzunehmen:

Euer Hochwohlgeboren danke ich zuvörderst für die(...) Antwort, welche Sie mir auf meine Anfrage vom heutigen Tage erteilt haben. Mir steht jetzt nicht eine anonyme Schrift, sondern der Herr Stadtgerichtsrat Twesten gegenüber, der öffentlich über mich geurteilt und meinen Namen der öffentlichen Mißachtung preisgegeben hat. Euer Hochwohlgeboren ersuche ich ergebenst, die Stellen der fraglichen Broschüre, welche auf den Seiten 81 und 82 stehen, und welche über meine Person und meine dienstliche Wirksamkeit urteilen, durch eine öffentliche Erklärung zurückzunehmen.

Euer Hochwohlgeboren
ergebenster Diener
E. von Manteuffel

Berlin, den 24. 5. 1861

Duellbedingungen

»Nähere Bestimmungen«

1. Die Distanzen sind fünf Schritte Barrieren und von dieser für jeden der beiden Herren drei Schritte Abstand.
2. Das Duell wird fortgesetzt, bis der Beleidigte erklärt, er habe Satisfaktion. (...) Waffe: Pistolen.

Die Wirkung der Broschüre und des Duells in der Öffentlichkeit:

Lucie Wilkinson an Gustav Lipke, Berlin, 3. Juni 1861:

Eben erhalte ich Ihren zweiten Brief und bin von ihm so gerührt, daß ich mich augenblicklich zur Beantwortung desselben hinsetze. Ihre Unruhe ist aber zu groß, Auguste hat Ihnen zweimal und ich gleich die paar von Carl selbst diktierten Worte geschickt, außerdem liest man beinahe zu viel in den Zeitungen darüber, die National[-Zeitung] gibt täglich ein Bulletin, also zu so großer Angst sind Sie nicht berechtigt. – Zu unserer großen Freude war die Kugel so glücklich wie möglich gegangen, es ist kein Nerv beschädigt, aber die beiden Knochen (...) sind durchgeschossen, die Kugel flog an der anderen Seite heraus (...).

Einen kleinen Denkzettel hätte ich Manteuffel von Herzen gegönnt, so hält er täglich beim König Vortrag, das ist empörend! Der König soll sehr böse über die Broschüre gewesen sein, sie haben einen beleidigten Offizier für den Verfasser gehalten. Der alte Wrangel hat den Verfasser zuerst herausbekommen.

Die Teilnahme ist hier so allgemein und der freundlichen und billigenden Äußerungen so viele, daß man ganz stolz auf Carl werden könnte.

ZStA II Merseburg, Hist.Abt. II, Rep. 92

1 C. Twesten hatte 1861 in seiner Broschüre »Was uns noch retten kann« grundlegende Kritik am feudalgeprägten preuß. Staat geübt und Grundforderungen der bürgerlichen Bewegung formuliert. Im Zuge der Kritik hatte er solche Äußerungen über den politisch maßgebenden Mann der Feudalpartei, den Chef des Militärkabinetts Edwin v. Manteuffel getan und nicht zurückgenommen, daß er von Manteuffel zum Duell gefordert wurde.

99 Das Abgeordnetenhaus kämpft gegen obrigkeitliche Pressebeschränkungen

1. Die Vorstellungen des Königs

Meine Herren! Seitens des Königlichen Staats-Ministeriums ist dem Hause folgendes Schreiben zugegangen:

»Da das Haus der Abgeordneten der Allerhöchsten Verordnung, betreffend das Verbot von Zeitungen und Zeitschriften vom 1. Juni d. J. durch den von Ew. Hochwohlgeboren mittelst geehrten Schreibens vom 19. d. M. mitgeteilten Beschluß seine Genehmigung versagt hat, so ist dieselbe durch Allerhöchste Verordnung vom heutigen Tage aufgehoben und demgemäß außer Kraft gesetzt worden. Ew. Hochwohlgeboren teilen wir anliegend beglaubigte Abschrift dieser letzteren Verordnung ergebenst mit.

Die Ansichten, welche das Haus der Abgeordneten in den sub II. Ew. Hochwohlgeboren geehrten Schreibens mitgeteilten Beschlüssen niedergelegt hat, vermögen das Königliche Staats-Ministerium in der Überzeugung nicht zu erschüttern, daß

1) die gedachte Verordnung vom 1. Juni d. J. zur Aufrechterhaltung der öffentlichen Sicherheit resp. Beseitigung eines ungewöhnlichen Notstandes dringend erforderlich gewesen,
2) daß eine Beschränkung der Preßfreiheit durch eine auf Grund des Art. 63. der Verfassungs-Urkunde vom 31. Januar 1850 mit Gesetzeskraft erlassene Allerhöchste Verordnung erfolgen kann, und
3) daß die hiernach erlassene Allerhöchste Verordnung vom 1. Juni d. J. auch ihrem Inhalte nach mit den sonstigen Bestimmungen der Verfassungs-Urkunde nicht im Widerspruch steht.

Ew. Hochwohlgeboren wird ergebenst anheimgestellt, dem Hause der Abgeordneten von vorstehender Erklärung gefälligst Kenntniß zu geben.

Berlin, den 21. November 1863.

Königliches Staats-Ministerium.

Preuß. Abgeordnetenhaus, 8. Leg. periode, 7. Sitzung, 23. 11. 1863

2. Die Vorstellungen des Abgeordnetenhauses

Bericht
der
Kommission für das Justizwesen über das Schreiben des Staats-Ministeriums vom 21. November 1863 und dessen Anlage, die Königliche Verordnung von demselben Datum.

Die unter Bezugnahme auf Art. 63. der Verfassungs-Urkunde ergangene Verordnung vom 1. Juni 1863, betreffend das Verbot von Zeitungen und Zeitschriften, wurde dem Hause der Abgeordneten zufolge Allerhöchster Ermächtigung vom 8. November Seitens der Staats-Regierung am 13. desselben Monats zur verfassungsmäßigen Beschlußnahme vorgelegt. In der Sitzung vom 19. November wurde von dem Hause der Beschluß gefaßt, der Verordnung die Genehmigung zu versagen und zugleich auf Grund des Art. 106. der Verfassungs-Urkunde zu erklären:

1) Die Verordnung vom 1. Juni 1863 war weder zur Aufrechterhaltung der öffentlichen Sicherheit, noch zur Beseitigung eines ungewöhnlichen Notstandes erforderlich.
2) Eine Beschränkung der Preßfreiheit konnte auf dem Wege der Verordnung überhaupt nicht erfolgen.

Preuß. Abgeordnetenhaus, 8. Leg.periode, Session 1863/4

5 Opposition durch Wahlen, Parlament

100 Das Ausmaß der Politisierung durch Organisation der Wahl

Throughout the state the party leaders organized election committees on a local basis, or for a county or an election district. The adherents to the party usually did so by vote in an open political meeting. At Pillau, for example, the party instructed its local election committee to co-opt persons known and respected throughout the county and become an organ for the entire county. In November, 1861, the election committees of Cologne and Düsseldorf called a conference of representatives of the local committees of the Rhineland province. Most of the local committees actually sent delegates, especially those of Coblenz, Bonn, Düsseldorf, Trier and Aachen. The meeting decided to form a provincial committee which would continue beyond the election, would work closely with local committees, and would further the political education of the population by party literature and meetings.

The extent of organization in the cities and towns varied according to the degree of enthusiasm of the local leaders. In Berlin, for the election of 1861, the Progressives established a committee in each of the four election districts and usually in the precincts. The election of 1862 was announced so short a time ahead that in the first election district of Berlin the party was unable fully to organize the campaign and had to rely upon the initiative of a leader elected for that task in each precinct to call rallies and maintain contact with the election committee for the district. It was evident that in the capital the party had established no continuing local organization. At Cologne the city election committee of 120 members of the Progressive party prepared more effticiently for the election of 1862. It divided the city into fifteen sections and arranged for each section to name its own committee with a president. At Elbing the Progressive party in October, 1861, held a meeting of about 300 members to discuss the necessary preparations for the campaign. The chairman of the meeting, Burgomaster Philipps, proposed that a committee of twenty-five persons be selected by secret ballot to draw up the list of electoral candidates. The list, he said, should then be submitted to a subsequent meeting of the party members for discussion and ultimate approval. Another liberal criticized this proposal as not encouraging public participation in political affairs and suggested instead that public meetings be held in each precinct to select candidates and that the central election committee for the district restrict its work to making certain that in these meetings the party performed its duty. The majority of the members, however, found even Philipps' proposal too complicated and asked him to select a committee to recommend candidates. He did so, and about a month later the liberals approved the list by acclamation.

For the election of 1862 the party in Elbing put into practice the more liberal suggestion. Instead of referring the task to a large committee it stirred the voters into action and held small meetings in each precinct for the selection of the electoral candidates. A contemporary observer wrote:

> This independent participation gives the voters a far greater interest in the victory of their candidates. It has the further advantage that in individual precincts associations are formed in these political meetings which plan to come together periodically for social and political conferences and especially during the time of the Landtag sessions will work beneficially for the political development of the members.

The party likewise had agents in the small rural localities around Elbing and helped them to spread information about issues and candidates among the peasants. In this way it expected to overcome the handicap of impassable roads which prevented the rural voters from attending the city rallies.

The laws caused such difficulty in establishing associations and subjected them to such close supervision that party leaders had tended in 1861 not to create election associations but to be content with the more flexible and less formal institution of the election committee. As the conflict with the government grew in intensity, liberals in certain areas, for example, Königsberg town and county and Dortmund and the surrounding area, established associations (1861 and 1862) for spreading knowledge of the constitution and of politics, so that »in the most remote and the smallest cottage one would find alongside the Bible and an almanac a copy of the constitution.«

They were a kind of society for adult education in constitutional goverment and were supported by the most prominent liberals in the region. In numerous places all over the state local leaders created informal groups of electors and even voters to keep in touch with the deputies during the Landtag sessions. Many liberal deputies wished to maintain these close contacts. They sent reports to friends for circulation or wrote articles for the local paper. Whenever possible, as in Berlin, the deputies appeared in person at meetings, spoke and discussed with those present the course of legislation in the Landtag. Voters and electors singly or in groups sent letters or resolutions to their deputies on many subjects. Indeed, the evidence points to the conclusion that in the vast majority of cases the relations between liberal deputies and their constituencies were close all the time. For the election of 1862 the issues were clearly understood by upper classes and numerous members of the handworkers and peasantry. For the election of 1863 the liberals did not even consider it necessary to campaign as vigorously as before. It required little effort to gain votes for the liberals. The fact that the elections were fought over basic principles of society and government, the meaning of which could be dramatized by concrete details, made it relatively easy for the liberals to win the lower classes to their side. A couple of speeches or a pamphlet were usually enough to show the classes, provided they were sufficiently ingependent to risk antagonizing their Conservative masters, that their advantage lay with the liberals.

In a few cities, Breslau for example, the Progressive party even extended its activity to the election of city councillors and through them to the election of the burgomaster. On the whole, however, the liberal political parties kept elections for local offices separate from those for deputies to the Lower House. They still distinguished between issues of what they called a political character, namely, of statewide significance involving principles, and problems of only local import, problems merely of detail. Few of them perceived the advantage for self-government of stimulating political activity at all levels, of associating local with state politics as a means of increasing political interest and providing concrete practical ties between the two for the benefit of each, of expanding the area of politics as far as possible for purposes of general education in individual political initiative and civic responsibility. Without the close affiliation with local organizations, vigorous in every election local or state, the organization would not be permanent, the interest would not be allinclusive and continuous, the liberal deputies in the Landtag would lack the wide institutionalized support which comes from the intimate inter-relatedness of local and state politics. The Conservative government would be able, as it actually was, to prevent wide-spread activity in politics by obstructing the development of a sense of political responsibility in local as well as state affairs. It succeeded in keeping politcs at the state level, where they seemed too exalted and offered too few opportunities for the common man, the bulwark of democracy, to participate. An occasional use of the ballot did not afford much opportunity for him to learn about politics; the election of local officials and the deciding of local issues on a party basis would have enhanced his opportunities and would have increased the vested interests in popular government. The action of the Progressive party in Breslau was sound and healthy, but it lacked sufficient imitators.

E. N. *Anderson,* Conflict, S. 347ff.

101 Revolutionsgefahr?

Der Oberst v. Seidlitz besuchte mich: Man befürchtet im Kreise der hohen Militärs alles. Man spricht vom Staatsstreich, man ahnt eine große Revolution. Man hat mich (Seidlitz) gefragt: Sie sind doch bereit, sind Sie Ihrer Leute sicher, haben Sie Ihre Rekruten schon enroliert, haben Sie sie schon schießen lassen? Der Feldmarschall rät der Königin, eiserne Fenstergitter im Parterre des Palais anzubringen, man läßt Telegraphenleitung vom Palais nach den Kasernen legen. – [Bemerkung D. s hierzu:] Was ist denn zu befürchten? Daß die Wogen hoch gehen werden, ist deshalb zweifelhaft, weil die Demokraten ein Interesse haben, sich gemäßigt und regierungsfreundlich zu zeigen. Die Verfassung gibt der Regierung eine starke Stellung(...).

Notiz Dunckers vom 2. 1. 1862, in: M. *Duncker,* Politischer Briefwechsel, S. 305

102 Der König beabsichtigt, abzudanken

In der Tat war mir jeder Gedanke an Abdikation des Königs fremd, als ich am 22. September in Babelsberg empfangen wurde, und die Situation wurde mir erst klar, als Se. Majestät sie ungefähr mit den Worten präzisierte: »Ich will nicht regieren, wenn ich es nicht so vermag, wie ich es vor Gott, meinem Gewissen und meinen Untertanen verantworten kann. Das kann ich aber nicht, wenn ich nach dem Willen der heutigen Majorität des Landtags regieren soll, und ich finde keine Minister mehr, die bereit wären, meine Regierung zu führen, ohne sich und mich der parlamentarischen Mehrheit zu unterwerfen. Ich habe mich deshalb entschlossen, die Regierung niederzulegen und meine Abdikationsurkunde, durch die angeführten Gründe motiviert, bereits entworfen.« Der König zeigte mir das auf dem Tische liegende Aktenstück in seiner Handschrift, ob bereits vollzogen oder nicht, weiß ich nicht. Se. Majestät schloß, indem er wiederholte, ohne geeignete Minister könne er nicht regieren.

Ich erwiderte, es sei Sr. Majestät schon seit dem Mai bekannt, daß ich bereit sei, in das Ministerium einzutreten, ich sei gewiß, daß Roon mit mir bei ihm bleiben werde, und ich zweifelte nicht, daß die weitere Vervollständigung des Kabinetts gelingen werde, falls andere Mitglieder sich durch meinen Eintritt zum Rücktritt bewogen finden sollten. Der König stellte nach einigem Erwägen und Hin- und Herreden die Frage, ob ich bereit sei, als Minister für die Militär-Reorganisation einzutreten, und nach meiner Bejahung die weitere Frage, ob auch gegen die Majorität des Landtages und deren Beschlüsse. Auf meine Zusage erklärte er schließlich: »Dann ist es meine Pflicht, mit Ihnen die Weiterführung des Kampfes zu versuchen, und ich abdiziere nicht.« Ob er das auf dem Tische liegende Schriftstück vernichtet oder in rei memoriam aufbewahrt hat, weiß ich nicht.

O. v. Bismarck, Babelsberg, den 22. 9. 1862, in: O. v. *Bismarck,* Gedanken und Erinnerungen, 1, Stuttgart 1898, 11. Kap., S. 267f.

103 Anklage des Staatsministeriums

Antrag

Die Kommission wolle beschließen, dem Hause folgenden Antrag zu unterbreiten:
Das Haus der Abgeordneten wolle beschließen:
In Erwägung, daß die auf Grund des Artikels 82 der Verfassung von einem der beiden Häuser des Landtages zur Untersuchung von Tatsachen eingesetzten Kommissionen nach der bezeichneten Bestimmung der Verfassung der Staatsregierung und ihren Organen gegenüber in ihren Funktionen durchaus selbständig

und die Staatsregierung und ihre Organe so wie jeder Staatsbürger im Lande verpflichtet sind, den in den Bereich der Aufgaben der Kommission fallenden Aufforderungen derselben Folge zu geben, erklärt das Haus der Abgeordneten:
1. Es ist verfassungswidrig, wenn das Staatsministerium nicht nur selbst es abgelehnt hat, den Requisitionen der von dem Haus der Abgeordneten mittelst Beschlusses vom 28. 11. v. J. auf Grund des Artikels 82 der Verfassung eingesetzten Kommission Folge zu geben, sondern auch an die ihnen untergeordneten Behörden und Beamten die Weisung erlassen hat, sich der Erledigung an sie ergehender Aufforderungen der genannten Kommission zu enthalten;
2. Solche gegen den Inhalt der Verfassung von der Staatsregierung an ihre untergebenen Behörden und Beamten ergangenen Weisungen sind für die letzteren, welche die Verfassung gewissenhaft zu beobachten eidlich angelobt haben, rechtsunverbindlich.
Schroeder.

Zusatzantrag zum Antrage Schroeder
Zu Punkt 2 hinzuzufügen:
vielmehr sind dieselben nach diesem ihrem Verfassungseide verpflichtet, dieser – wie jeder anderen – verfassungswidrigen Weisung keine Folge zu geben,
und dann fortzufahren:
und ferner wolle das Haus der Abgeordneten beschließen:
In Erwägung, daß durch die in Rede stehende Weisung zum Ungehorsam gegen die rechtmäßigen Anforderungen der vom Haus laut Artikel 82 der Verfassung eingesetzten Untersuchungskommission diese Auflehnung gegen die Verfassung und das verfassungsmäßige Recht der Landesvertretung förmlich organisiert ist, in Erwägung, daß laut amtlicher Erklärung des Vertreters des Staatsministeriums in der Kommissionssitzung vom 7. jene Weisung auf einem Beschlusse des Staatsministeriums beruht, beschließt das Haus der Abgeordneten auf Grund des Artikels 61 der Verfassung, das Staatsministerium ist wegen Verfassungsverletzung in Anklage versetzt. Die Durchführung der Anklage wird vorbehalten.
Dr. Frese.

ZStA II Merseburg, Session 1863/4, Rep. 169, Abschn. 80, Bl. 53, 55/6 (Acta enthaltend die Protokolle der zur Untersuchung der Tatsachen bezüglich der bei den 1863 stattgehabten Wahlen der Abgeordneten vorgekommenen gesetzwidrigen Beeinflußung der Wähler und Verkümmerung der verfassungsmäßigen Wahlfreiheit Preussischer Staatsbürger gewählten 12. Kommission.)

6 *Steuerverweigerung*

104 Lassalle lehnt die Steuerverweigerung ab

Wenn ich nicht irre, so ist vielleicht von manchem daran gedacht worden, die Kammer müsse in der nächsten Session zu einer Steuerverweigerung greifen, um die Regierung zum Einlenken in die gesetzliche Bahn zu zwingen. Allein dieses Mittel, so klangvoll es in die Ohren tönen möchte, würde gleichwohl ein entschieden falsches, seinen Zweck vollständig verfehlendes sein.

Zunächst muß eingestanden werden, daß angesichts des § 109 unserer Verfassung es mehr als zweifelhaft ist, ob unserer Kammer überhaupt eine Verweigerung der zurzeit einmal bestehenden Steuern zusteht.

Angenommen aber auch, daß dies umgekehrt stände, angenommen selbst, daß unsere Verfassung mit dürren Worten der Kammer das Recht der Steuerverweigerung zuspräche, so würde dennoch dieses Mittel ganz ebenso unpraktisch und machtlos sein. Die Steuerverweigerung, die an und für sich noch nicht zu verwechseln ist mit einem Aufstand, ist ein besonders von England her sehr akkreditiertes dort bestehendes legales Mittel, die Regierung zu zwingen, in irgend einem Punkte dem Willen der Nation nachzukommen. Die bloße Androhung der Steuerverweigerung durch die Aldermänner der City hat bei Gelegenheit der Reformbill von 1830 genügt, die Krone dazu zu bestimmen, nachzugeben und einen Pairsschub vorzunehmen, um den Widerstand des Oberhauses zu brechen. Da also dies Mittel in England so bewährt ist, so kann es nicht wunder nehmen, daß manche auch jetzt wieder die Augen darauf richten, wie man es ähnlich schon im Novemberkonflikt des Jahres 1848 bei uns anzuwenden gesucht hat. Allein schon die von der National-Versammlung 1848 beschlossene Steuerverweigerung – und die National-Versammlung besaß, als konstituierende Versammlung, doch das unbedingte und unbestreitbare Recht zu einem solchen Beschluß – ist ohne allen reellen Erfolg geblieben, und ganz denselben und einen noch kläglicheren Ausgang müßte gegenwärtig jede gänzliche oder teilweise Wiederholung jenes Beschlusses nehmen.

Woher kommt dieser Unterschied, meine Herren, daß dieselbe Maßregel, die so effektvoll ist in England, so effektlos bleiben muß bei uns? (...)

England ist ein Land, in welchem die wirkliche Verfassung konstitutionell ist, d. h. ein Land, in welchem sich demnach das Übergewicht der realen tatsächlichen Machtmittel, auch der organisierten Macht, auf seiten der Nation befindet.

In einem solchen Lande muß es daher leicht sein, eine Steuerverweigerung durchzuführen. In einem solchen Lande kann die Regierung es nicht einmal auf die Probe ankommen lassen; sie muß schon bei der Drohung nachgeben. In einem solchen Lande wird die Steuerverweigerung auch gar nicht bloß dazu gebraucht, um Angriffe auf die bestehende Verfassung abzuwehren, sondern im Gegenteil, wie dies 1830 bei der Reformbill der Fall war, um dem Volke günstige Angriffe auf die

Verfassung durchzusetzen. Sie ist das organisierte legale, friedliche Mittel, um die Regierung unter den Willen des Volkes zu beugen.

Ganz anders bei uns in Preußen, wo jetzt, wie im November 1848, immer nur eine geschriebene Verfassung oder Verfassungsbruchstücke bestehen und bestanden, alle tatsächlichen Machtmittel der organisierten Macht aber sich ausschließlich in den Händen der Regierung befinden.

F. *Lassalle,* Was nun?, S. 46ff.

105 Steuerverweigerung als »Pflicht des konstitutionellen Bürgers«

Man hat den Einwand gemacht, eine Verwerfung des gesamten Etats sei nur dann von praktischem Nutzen, wenn man mit Sicherheit voraussetzen kann, daß eine allgemeine Steuerverweigerung von Seiten der Bürger die unmittelbare Folge des Beschlusses sein werde. Nun, meine Herren, mag dies jeder Einzelne mit seinem politischen Gewissen abmachen. Ich, meine Herren, habe die feste Überzeugung, daß es nicht bloß das Recht, sondern auch die Pflicht des konstitutionellen Bürgers ist, einer jahrelang fortgesetzten budgetlosen, verfassungswidrigen Regierung, der jede gesetzliche Vollmacht zur Erhebung der Steuern fehlt, keine Steuern weiter zu zahlen.

Rede J. Jacobys im preuß. Abgeordnetenhaus am 12. 6. 1865, in: J. *Jacoby,* Schriften, 2, S. 275f.

106 Lassalles oppositionelle Strategie

Die Kammer, sagte ich, muß, und dies ist das unbedingte Siegesmittel, aussprechen, was ist.

Das heißt, die Kammer muß unmittelbar nach ihrem Zusammentritt einen Beschluß erlassen, den ich Ihnen, größerer Deutlichkeit halber, gleich beispielsweise formuliert vortragen will.

Die Kammer müßte also gleich nach ihrem Zusammentritt folgenden Beschluß erlassen:

> »In Erwägung, daß die Kammer die Genehmigung der Ausgaben für die neue Militärorganisation verweigert hat; in Erwägung, daß nichtsdestoweniger auch seit dem Tage dieses Beschlusses die Regierung eingestandenermaßen diese Ausgaben nach wie vor fortsetzt; in Erwägung, daß so lange dies geschieht, die preußische Verfassung, nach welcher keine von der Kammer verweigerten Ausgaben gemacht werden dürfen, eine Lüge ist; in Erwägung, daß es unter diesen Umständen und so lange dieser Zustand dauert, der Vertreter des Volks unwürdig sein und sogar eine direkte Teilnahme derselben an

dem Verfassungsbruch der Regierung in sich einschließen würde, durch weiteres Forttagen und Fortbeschließen mit der Regierung derselben behilflich zu sein, den Schein eines verfassungsmäßigen Zustandes aufrecht zu halten, – aus diesen Erwägungen beschließt die Kammer, ihre Sitzungen auf unbestimmte Zeit, und zwar auf so lange auszusetzen, bis die Regierung den Nachweis antritt, daß die verweigerten Ausgaben nicht länger fortgesetzt werden.«

Sowie die Kammer diesen Beschluß erläßt, ist die Regierung unbedingt besiegt. Die Gründe sind einfach und liegen in dem Vorigen. Dieser Beschluß der Kammer liegt durchaus in den Grenzen ihrer Rechtsbefugnisse; es ist ihm weder mit Staatsanwalt noch Gerichten beizukommen.

Die Regierung hat also nur eine einfache Alternative. Entweder sie gibt nach, oder sie gibt nicht nach. Gibt sie nicht nach, so muß sie sich also entschließen, ohne Kammer als nackte absolute Regierung zu regieren. Die Regierung hatte zwar ein drittes Auskunftsmittel, die Kammer aufzulösen. Aber dieses verdient kaum der Erwähnung, so flüchtig vorübergerauscht wäre es. Denn die neuen Abgeordneten würden sofort mit derselben Parole gewählt werden. Die neue Kammer würde sofort dieselbe Erklärung abgeben. Es bliebe also dabei, daß die Regierung sich entschließen müßte, entweder nachzugeben, oder für ewige Zeiten ohne Kammer zu regieren. Letzteres, meine Herren, kann sie schlechterdings nicht. Tausend Gründe können Ihnen dies beweisen. Werfen Sie Ihren Blick auf Europa, meine Herren. Wo sie hinsehen, überall, mit einziger Ausnahme Rußlands, das aber eben auch ganz andere gesellschaftliche Verhältnisse hat, als die andern Länder, Staaten mit konstitutionellen Formen! Selbst Napoleon hat der konstitutionellen Scheinform nicht entbehren können. Er hat sich eine Deputiertenkammer gegeben. Diese allgemeine Übereinstimmung zeigt Ihnen bereits als bloßes Faktum, daß – wovon Ihnen meine Theorie den klaren Grund in den gesellschaftlichen Bevölkerungs- und Produktionsverhältnissen aufgezeigt hat – in den heutigen Verhältnissen der europäischen Staaten eine Notwendigkeit vorliegt, vermöge deren schlechterdings nicht mehr ohne konstitutionelle Form regiert werden kann. (...)

Sagen Sie sich hiernach, wie unmöglich es wäre, daß gerade Preußen, gerade Preußen allein in dem ganzen Europa, Preußen gerade bei seinem kräftigen Bürgerstand, ohne konstitutionelle Form existierte! Bedenken Sie ferner, wie schwach die preußische Regierung nach außen, wie unmöglich und unhaltbar ihre auswärtige diplomatische Stellung wäre, wie sie sich bei jeder Verwickelung die übermütigsten und unerträglichsten Fußtritte von seiten der anderen Regierungen gefallen lassen müßte, wenn sie in diesem offen erklärten und permanenten Widerspruch mit ihrem eigenen Volke stände und also ihre Schwäche vor niemandem mehr verbergen könnte. (...)

Richten Sie ferner den Blick, meine Herren, von den auswärtigen Beziehungen auf die inneren Verhältnisse, auf die Finanzlage. Vor 20 Jahren, im Jahre 1841, im absoluten Staat betrug der öffentliche preußische Etat 55 Millionen.

Jetzt für das Jahr 63 betrug das Budget der Regierung nicht weniger als 144 Millionen. In nicht mehr als 20 Jahren hat sich das Budget, hat sich die Steuerlast verdreifacht.

Eine Regierung, die ein solches Budget aufbringen muß, eine Regierung, die so dasteht, unablässig mit der Hand in jedermanns Tasche, muß auch mindestens den Schein annehmen, jedermanns Zustimmung dabei zu haben.

Wenn für die alten einfachen, patriarchalisch beschränkten Verhältnisse, wenn für ein Budget von 55 Millionen, von welchen noch über ein Fünftel durch den Domänenertrag geliefert wurde, der patriarchalische Absolutismus genügte, so kann ein Budget von 144 Millionen in Preußen nicht mehr auf die Dauer durch einen einfachen Regierungsukas beigetrieben werden.

Vor allem aber, meine Herren, werfen Sie das Auge auf die oben aus unserer Theorie entwickelten Sätze, von welchen die soeben betrachteten Umstände nur einzelne reale Folgen sind, und wonach die Regierung sich unmöglich in den unverschleierten und offen zugestandenen Widerspruch mit dem gesellschaftlichen Zustand begeben kann. Wollte die Regierung dies dennoch tun, regierte sie in absoluter Weise ohne Kammern fort, – nun, so würde durch dies von der Kammer ausgegangene Aussprechen dessen, was ist, durch den von der Regierung offen akzeptierten Absolutismus die Illusion getötet, der Schleier fortgerissen, die Unklaren zur Erkenntnis gebracht, die für feinere Unterschiede Indifferenten erbittert, die gesamte Bourgeoisie wäre von Stund' an in den latenten, unausgesetzt wühlenden Kampf gegen die Regierung gerissen, die gesamte Gesellschaft wäre eine organisierte Verschwörung gegen sie, und die Regierung hätte von diesem Augenblicke an nichts anderes mehr zu tun, als Astrologie zu treiben, um die bestimmte Stunde ihres Unterganges am Sternenhimmel zu lesen.

Dies ist die Macht des Aussprechens dessen, was ist. (...)

Dann werden Sie, meine Herren, in der Lage sein, Ihrerseits und siegreich Ihre Bedingungen zu stellen. Dann werden Sie in der Lage sein, das parlamentarische Regiment, ohne welches nur Scheinkonstitutionalismus bestehen kann, zu fordern und durchzusetzen. Dann also kein Versöhnungsdusel, meine Herren. Sie haben jetzt hinreichende Erfahrungen gesammelt, um zu sehen, was der alte Absolutismus ist. Dann also kein neuer Kompromiß mit ihm, sondern: den Daumen aufs Auge und das Knie auf die Brust!

F. *Lassalle,* Was nun? S. 46ff.

107 Das letzte Mittel der bürgerlichen Opposition

Die Schließung der Kammer hat die demokratische Partei doch überrascht, sonst hätten die Arbeitervereine nicht noch einige Demonstrationen verfügt. Andrerseits bezeichnet es die konservative Reichspartei als einen politischen Fehler, daß die Regierung die Kammer nicht sofort nach dem gelungenen Beschluß wegen der verhafteten Polen geschlossen hat. Allerdings wäre die aufregende Narbe der letzten Tage dadurch vermieden worden und die Position der Regierung beim Schlusse wäre günstiger gewesen. Namentlich ist es der Kammer durch die wirklich erfolgte und erreichte Freilassung (der Polen, C. D. K.) gelungen, sich vor dem Land als eine gewaltige Macht zu zeigen, welche härter als das Kammergericht und der König mit seinen Ministern ist. Dies mußte in jedem Fall vermieden werden. Die Kammer ist bisher am meisten durch die Ohnmacht ihrer Phrasen und Beschlüsse langweilig und bedeutungslos geworden.

Die demokratischen Abgeordneten haben sich beim Abschied darüber verständigt, daß sie für die nächste Session hoffen, die Dinge würden reif genug sein, um als letztes Mittel die Steuer-Verweigerung auszusprechen. Auch die Berliner Demokratie neigt sich zu diesem Schritt und selbst die Bourgeois sind nicht ganz abgeneigt zu dieser anscheinend bequemen und ungefährlichen Resolution. Die Demokratie begreift, daß sie zur Steuerverweigerung namentlich zuverlässiger Kommunal-Behörden bedarf und auf Beschaffung dieser wird man ein besonderes Augenmerk richten. Die Regierung kann also nicht genug hierauf Bedacht nehmen. Der Berliner Magistrat und die Berliner Stadtverordneten sind am gefährlichsten.

Bericht des Polizei-Direktors Stieber vom 27. 1. 1864, ZStA II Merseburg, Rep. 92, NL Zitelmann, Nr. 74, Bl. 49

108 Die Fraktionen und die Steuerverweigerung

Der Abgeordnete Jacoby blieb isoliert mit der Erklärung seiner Absicht, der gegenwärtigen Regierung gegenüber das Budget ganz und gar abzulehnen, der gemäß er in der heutigen Sitzung sowohl gegen den von der Regierung aufgestellten Etat, wie gegen den der Kommission stimmte. Für den ersteren stimmten nur die Konservativen und die Altliberalen sowie zwei bis drei Katholiken; gegen den letzteren nur die Konservativen und Jacoby. Für den Abgeordneten Twesten, und also auch wohl für seine politischen Freunde, ist übrigens die gänzliche Verwerfung jedes Budgets und ebenso die Steuerverweigerung nach seinen heutigen Erklärungen nur noch eine Frage der Zeit und der Zweckmäßigkeit, der Klugheit. Der Abgeordnete Waldeck sprach wieder von entsetzlichen Zuckungen des jetzigen Regierungssystems, von Verfassungsbruch und von »mit Füßentreten der politischen Einrichtungen« – welcher Ausdruck vom Präsidenten (des Abgeordnetenhauses, C.-D. K.) nur als »zu stark« bezeichnet wurde.

Tagesbericht des Berliner Polizeipräsidiums vom 16. 1. 1864, ZSTA II Merseburg, Rep. 92, NL Zitelmann, Nr. 75^1, Bl. 7

109 Steuer- und Arbeitsstreik

Carl Twesten an Gustav Lipke

Die Steuerverweigerung hört man häufig ventilieren; einzelne werden wohl allmählich anfangen, nicht mehr freiwillig zu zahlen. Vielleicht wird die Frage auch bald in einem Flugblatt angeregt werden, aber darüber ist wohl alles einig, daß es nicht möglich, sie jetzt und plötzlich in weitem Umfange ins Leben zu rufen. Vielleicht, wenn in die Verfassung selbst hineinoktroyiert wird, namentlich durch eine Wahlverordnung. Aber das wird wohl noch nicht so bald geschehen. Für die nächste Zeit ist schwerlich etwas Erhebliches an neuen Verordnungen zu erwarten. Es ist ja die saure Gurkenzeit und das Land hat die Ernte vor sich. Bis zum Herbst können wir dreist schlafen gehen. Ehe andere und tiefer eingreifende Oktroyierungen kommen, läßt sich schwerlich etwas Erhebliches tun; ob sich dann bewirken läßt, daß die Maschinerie versagt, muß sich zeigen und jedenfalls versucht werden. Ich denke eintretendenfalls ein Beispiel richterlicher Arbeitseinstellung zu geben.

C. Twesten an G. Lipke, Berlin, den 19. 6. 1863, in: Deutscher Liberalismus im Zeitalter Bismarcks, Eine politische Briefsammlung, hrsg. v. J. *Heyderhoff* und P. *Wentzcke,* 1. Bd.: Die Sturmjahre der preußisch-deutschen Einigung 1859–70, Politische Briefe aus dem Nachlaß liberaler Parteiführer, hrsg. v. J. *Heyderhoff,* Bonn/Leipzig 1925, S. 159

7 *Offene Gewalt*

110 Gesetzlicher Widerstand als »unbezwingbarer Schutz der Volksrechte«

Das zweite Vergehn, dessen ich beschuldigt bin, ist »Aufforderung zum Ungehorsam gegen die Steuergesetze.«

Es sei mir verstattet, die bezüglichen Worte der Rede in ihrem vollen Zusammenhange vorzulesen:

»Das Volk muß bereit sein, selbst einzustehen für sein gutes Recht! – Nicht Revolution, nicht der redlichste Wille freigesinnter Fürsten kann einem Volke die Freiheit geben; ebenso wenig vermag dies die Weisheit von Staatsmännern und Parlamentsrednern.

Selbst denken, selbst handeln, selbst arbeiten muß das Volk, um die papierne Verfassungsurkunde zu einer lebendigen Verfassungs-Wahrheit zu machen. Wie auf dem wirtschaftlichen Gebiete – ganz ebenso auf dem politischen, – »Selbsthilfe« ist die Losung! – Man hat allerdings – ich erinnere an das Jahr 1848 – über den unbewaffneten, gesetzlichen Widerstand der Bürger vielfach gespottet. Ich glaube und hoffe: mit Unrecht! Auf den rechten Gebrauch des Mittels kommt Alles an, – darauf, daß man es verstehe, den Hauptton auf das Hauptwort zu legen. Einverständniß der Bürger, einmütiges Handeln macht den unbewaffneten gesetzlichen Widerstand zu einer unbezwingbaren Schutzwehr der Volksrechte.« (...)

Zum Selbstdenken, Selbsthandeln, Selbstarbeiten, – zur politischen Selbsthilfe ermahne ich. Und welcher Art ist die Selbsthilfe, die ich den Mitbürgern empfehle? »Halten wir fest« – sage ich – »an Gesetz und Verfassung!« Ist dies Aufforderung zum Ungehorsam gegen das Gesetz?! – Nur vom »gesetzlichen Widerstande« ist überall hier die Rede. Das Beiwort: »gesetzlich« – schließt es nicht von vorn herein jeden Begriff des Ungehorsams gegen das Gesetz aus? –

»Um die geschriebene Verfassungs-Urkunde zu einer lebendigen Verfassungs-Wahrheit zu machen,« muß – sage ich – »das Volk bereit sein, selbst einzustehn für sein gutes Recht,« – muß jeder einzelne Bürger »unaufgefordert seine volle Pflicht und Schuldigkeit tun – nach dem uralt deutschen Rechtsgrundsatz: Wo wir nicht mitraten, wollen wir auch nicht mittaten!« Was heißt dies Anders als: Widerstand der Bürger innerhalb der vom Gesetz gezogenen Schranke, Versagung jeder freiwilligen, durch das Gesetz nicht ausdrücklich gebotenen Beihilfe ist die beste Schutzwehr gegen Verfassungs-Verletzung!

Verteidigungsrede des Abgeordneten Dr. Johannes Jacoby vor dem Berliner Kriminalgericht am 1. Juli 1864, Gotha 1864, S. 10f.

111 Chancen »offener Gewaltsamkeit«

Heinrich v. Sybel an Herrmann Baumgarten [1]

In Berlin wird zum teilweisen Ersatz der Zeitungspresse Flugschriftenliteratur organisiert; kurz wir zweifeln nicht, die uns jetzt obliegende Aufgabe zu lösen, bis zum Ende des Jahres die öffentliche Meinung uns günstig und lebendig zu erhalten. Etwas anderes ist für heute nicht zu tun, wenn nicht auswärtige Händel eingreifen. Sie würden in ganz Preußen keinen Menschen finden, der einen Schritt von offener Gewaltsamkeit nicht für eine Torheit und ein Verbrechen hielte, da derselbe der sofortigen Überwältigung sicher wäre. Was vielfach in der Luft liegt, ist der Gedanke, keine Steuern mehr zu zahlen; indes ist es einleuchtend, daß, wenn dies wirksam sein soll, die hohe Bourgeoisie damit beginnen muß, und bei dieser muß die Sache noch etwas reifen.

H. v. Sybel an H. Baumgarten, Berlin, den 17. 6. 1863, in: Sturmjahre, hrsg. v. J. *Heyderhoff*, S. 156

1 Herrmann Baumgarten (1825–1893) war süddeutscher Liberaler, Historiker, 1861 Prof. in Karlsruhe, Mitbegründer der Süddeutschen Zeitung.

8 *Spekulation à la baisse*

112 Die preuß. Liberalen wünschen die militärische Niederlage Preußens

»Es wird gesagt: ›man vergesse den inneren Konflikt! man mag ihn fortsetzen, wenn der Kampf gegen den äußeren Feind ein Ende erreicht hat. Politisch gebildete Völker schließen sich in dem Augenblick, wo das Ausland an sie herantritt, zusammen und vergessen den inneren Hader‹.« Aber die »politische Reife«, die die oppositionellen Abgeordneten an ihren Wählern zu rühmen pflegten, verlangte freilich eine ganz andere Stellungnahme. Jener Grundsatz der Versöhnung erläuterte Schulze, möge bei Völkern recht sein, die sich bereits, wie die Engländer, gesicherter Freiheit erfreuen. »Aber das paßt nicht auf uns.« Müßten doch in Preußen erst noch die Fundamente des Verfassungslebens gelegt werden! – Das Ziel also, das Schulze aufstellt, ist das westliche; aber die westliche Staatsmoral weist er vor seiner Erreichung von sich. Und jenes Ziel will er ja auch nicht auf dem westlichen Wege erringen, durch Revolution aus eigner Kraft. Diese weist er ebenfalls und an derselben Stelle von sich. In Erinnerung an die matten Jahre nach den Freiheitskriegen sagt er sich, daß die Niederwerfung des materiellen Wohlstandes am Ende eines furchtbaren Krieges die ihm folgende Friedensepoche nicht geeignet mache, den politischen Kampf da aufzunehmen, wo man ihn vor dem Kriege gelassen hat, daß also die praktischen Aussichten einer Volksbewegung ohne die Entlastung durch die äußere Bedrohung des Staates in Preußen gering seien. Und die Schlußfolgerung? Ausnutzung dieser Bedrohung!

(Wie in Wahrheit die Stimmung in der fortschrittlichen Bürgerschaft Berlins war, ersieht man aus den erschütternden Briefen von Ziegler an Rodbertus besser als aus der Presse: »Die Politik der Fortschrittspartei ist ins Volk gedrungen; das Volk ist für dieselbe förmlich fanatisiert... Ich habe Äußerungen von Besitzenden gehört: »lieber die Croaten im Lande als dies Ministerium ...« (am 14. 5.; ähnlich am 18. 5.).) (...)

Bevor nicht die verfassungsmäßigen Garantien des Freiheitslebens unbestreitbar festgestellt sind, darf sich die Volkskraft nicht zu irgendeinem äußeren Kampfe, auch nicht der Verteidigung hergeben. Auf leere Versprechungen wie 1813, darf sich das Volk nicht einlassen. Das will in seinem Munde heißen: Kreditverweigerung, bis die Ministerverantwortlichkeit, die Ausdehnung des Budgetrechts auf die Einnahme-Bewilligung und vor allem: der Sturz des Ministers durchgesetzt sind. Aber wenn der Minister von der Krone gehalten wird? Nun, dann stürzen ihn der unglückliche Verlauf des Krieges und ausbrechende Unruhen. Ein feudales Ministerium kann keinen glücklichen Krieg führen. Von diesem Axiom ließ die landläufige Opposition auch nach dem dänischen Kriege (1864, C.-D. K.) nicht ab: der Wunsch stärkte die Überzeugung. Selbst eine Niederlage schreckte sie nicht, wie wir an Schulzes früheren Betrachtungen über Jena, Sebastopol und Solferino sahen. Natürlich wünschte sie kein neues Jena. Aber zwischen Niederlage und Sieg liegen ja viele Möglichkeiten. »Einen Kabinettskrieg durchführen kann auch die preußische Regierung nicht; er wird allemal zum Volkskriege, will sie nicht unterliegen.« So deutete Schulze in jenen Tagen die Erwartungen an, die er für seine Sache auch dann festzuhalten entschlossen war, wenn die Kreditverweigerung den Gegner nicht aus dem Sattel warf. Er rechnete auf die »Knickung« der Armee. (...)

Wenn die Niederlage der alten Gewalten, von Absolutismus, Adel, Priestertum, in der Richtung der internationalen Entwicklung, des »Geistes der Zeit« lag, dann mußte ja auch das preußisch-deutsche Volk bald zu seinem Recht kommen und in einem freien Nationalstaate seinen Platz neben andern freien Nationalstaaten finden. Dieselbe Zuversicht in die Kräfte der Gesellschaft auf dem zwischenstaatlichen wie auf dem innerstaatlichen Felde! Aber immer nebenherlaufend zugleich ein Mißtrauen! Es hält jeden Gedanken an eine Revolution rein mit den sozialen Angriffsmitteln nieder, während jene Zuversicht zur unbedenklichen Ausnutzung der staatlichen Not auffordert. Das Ergebnis beider ist die Konfliktstaktik. – Ganz hüllenlos tritt sie in den letzten Wochen vor der Wahl noch einmal auf. »Sagen Sie nicht, es sei jetzt nicht die Zeit; ja wenn die Zeit gewöhnlich ist, dann lacht man uns ins Gesicht; wenn wir es jetzt nicht verlangen, dann werden wir's nie erlangen.« So rief Loewe-Calbe in einer Wählerversammlung Mitte Mai mit derber Offenheit. Die Nationalzeitung, um dasjenige Blatt des Fortschritts anzuführen, dem der empfindlichste patriotische Takt zu eignen pflegte und das zu weitem Entgegenkommen bereit war, so lange nur irgend auf der Gegenseite Verhandlungsbereitschaft sich zeigte, fand doch im Juni wieder zurück zu derselben Auffassung von den Pflichten des Bürgers gegen den reaktionären Staat, die wir soeben aus Schulzes Munde gehört haben, und die in Wahrheit eben nur das gemeinsame Urgestein der Konfliktsgesinnung darstellte. »Nur ein Volk, das sich im Staate im gesicherten Besitz seiner politischen Rechte wohl fühlt,« – das war jetzt ihre Meinung – »schlägt sich für ihn; auf patriotische Redensarten antwortet es dem Staate stehend: wenn Du nehmen willst, so gib!«(...)

Ganz anders steht es um die innere Einstellung Twestens, mochte der äußere Umriß seines Vorgehens noch so ähnlich sein. Der Grundunterschied: er vermochte dem von Bismarck gefährdeten Staat nicht den Sieg zu wünschen. Er zitiert das Wort eines ehrsamen Bürgers: dann dürfen wir nicht auf dem Trottoir gehen. In Variation eines damals oft geäußerten Gedankens ruft er aus: »Ob Preußen unterliegt oder aber ohne unsere Mitwirkung siegt, wir werden in beiden Fällen die Leidtragenden sein.« Wie charakteristisch auch dieses »wir«! Es war vielmehr das Schicksal der Partei, als das des Staates, das ihn in jenen Wochen mit Sorge erfüllte. Was er unwillkürlich wünschte, war eben im Grunde dasselbe, was Sybel einst als »Knickung« der Armee bezeichnet hatte, was Schulze unter Übergang vom Kabinetts- zum Volkskrieg meinte: es war in Twestens Ausdruck die »Verlängerung« des Krieges, die das Ministerium schließlich doch zu ernsten Konzessionen nötigen möchte, zumal wenn die Einmischung Frankreichs seine Verlegenheiten noch vermehren sollte. Wenn er am deutschen Horizonte einen Hoffnungsschimmer erblicken konnte, so lag er in dieser Richtung.

In solchem Gedankenzusammenhange wollte er auch nicht den Krieg durch und unter Bismarck für gerecht und nützlich erklärt haben. »Es könnte doch auf alle Fälle (gemeint ist der eines Wechsels in den inneren Machtverhältnissen) unsere Stellung verbessern, wenn wir – und ich meine mit voller Wahrheit – erklären können, Bismarck habe ohne Not, lediglich um die Annexion durchzusetzen, welche er selbst den Herzogtümern verhaßt gemacht, den Krieg herbeigeführt.« Er billigt also in diesem Punkte durchaus jene öffentliche Erklärung Schulzes und seiner Genossen, die wir oben angeführt haben. Von der moralischen Schädigung seines Vaterlandes durch ein solches Kriegsschuldbekenntnis gab er sich ebensowenig Rechenschaft, wie jene. Auch er vermochte von einem »Kabinettskriege« zu reden, »dem wir unter Umständen mit gekreuzten Armen zusehen werden«. Auch er bekannte in öffentlicher Rede, daß die Liberalen immer geltend gemacht hätten, die Regierung werde einmal das Volk brauchen, bei dem guten Stande der preußischen Finanzen sei aber ein solcher Fall nur im Kriege möglich. Und gerade in den kritischen Wochen erschien in den preußischen Jahrbüchern sein Aufsatz über den preußischen Beamtenstaat, der am Schluß von den notwendigen Reformen beziehungsvoll aussagt, sie würden vielleicht nur in Zeiten äußerster Not durchzusetzen sein, jedenfalls nicht durch königliche oder bureaukratische Diktatur.

Eine Partei hingegen, die auf Kriegsverlängerung und Knickung der Armee spekulierte und guten Teils selbst vor einer Niederlage nicht zurückscheute, ging recht eigentlich mit gebrochenem Rückgrat aus dem siegreichen Kriege hervor. Wenn Bismarck Veranlassung hatte, ihr goldene Brücken zu bauen und ihren äußeren Bestand nicht in dem Maße reduzierte, wie es ihm möglich gewesen wäre, so war doch der Verfall ihrer Einheit und ihrer moralischen Autorität nicht aufzuhalten. Die erstere wäre auch durch ein rechtzeitiges Einlenken nicht zu retten gewesen; um sie war es kein Schade, denn die Rücksicht auf ihre Aufrechterhaltung hatte sich all die Jahre hindurch für die Gemäßigten als böse Fessel erwiesen. Die Autorität hingegen hätte jene unselige Einbuße nicht zu erleiden gebraucht, wie sie sich weniger in der momentanen Umstimmung der Masse als in dem langsameren, aber um so nachhaltigeren Umdenken der Gebildeten auswirkte. – Man möchte einwenden, der rasche Sieg hätte außerhalb der Berechnung gelegen. Aber dem wäre entgegenzuhalten, daß die Parlamentarier auch mit den immerhin sichtbaren Siegeschancen nicht rechnen wollten: denn ihr ganzes Auftreten seit Jahren beruhte ja auf der Überzeugung, daß diese Regierung nicht siegen könne, war eine einzige bewußte Baisse-Spekulation. Aber auch zugegeben, daß ihre Erwartung eines verlängerten Krieges und also ihre Hoffnung auf den Triumph ihrer Sache im Verlauf des Ringens wohl begründet war, so erhebt sich endlich die unheimliche Frage, mit welchen Opfern für den Staat dieser Triumph erkauft worden wäre.

L. *Dehio,* Die Taktik der Opposition während des Konflikts, in: Historische Zeitschrift 140 (1929), S. 279, S. 336ff.

3.4 *Das Scheitern der fortschrittlichen Liberalen*

1 *Wilhelms Regierungsabsichten*

113 Prinz Wilhelms »liberales« Regierungsprogramm vom 8. 11. 1858

Nachdem wir durch eine ernste Krisis gegangen sind, sehe ich Sie, die mein Vertrauen zu den ersten Räten der Krone berufen hat, zum ersten Male um mich versammelt. Augenblicke der Art gehören zu den schwersten im Leben des Monarchen, und ich als Regent habe sie nur noch tiefer empfunden, weil ein unglückliches Verhängnis mich in meine Stellung berufen hat. Die Pietät gegen meinen schwer heimgesuchten König und Herrn ließ mich lange schwanken, wie manche Erlebnisse, die ich unter seiner Regierung wahrnahm, in eine bessere Bahn wieder einzuleiten seien, ohne meinen brüderlichen Gefühlen und der Liebe, Sorgfalt und Treue, mit welcher unser allergnädigster König seine Regierung führte, zu nahe zu treten.

Wenn ich mich jetzt entschließen konnte, einen Wechsel in den Räten der Krone eintreten zu lassen, so geschah es, weil ich bei allen von mir Erwählten dieselbe Ansicht traf, welche die meinige ist: daß nämlich von einem Bruche mit der Vergangenheit nun und nimmermehr die Rede sein soll. Es soll nur die sorgliche und bessernde Hand angelegt werden, wo sich Willkürliches oder gegen die Bedürfnisse der Zeit Laufendes zeigt. Sie alle erkennen es an, daß das Wohl der Krone und des Landes unzertrennlich ist, daß die Wohlfahrt beider auf gesunden, kräftigen, konservativen Grundlagen beruht. Diese Bedürfnisse richtig zu erkennen, zu erwägen und ins Leben zu rufen, das ist das Geheimnis der Staatsweisheit, wobei von allen Extremen sich fernzuhalten ist.

Unsere Aufgabe wird in dieser Beziehung keine leichte sein, denn im öffentlichen Leben zeigt sich seit kurzem eine Bewegung, die, wenn sie teilweise erklärlich ist, doch anderseits bereits Spuren von absichtlich überspannten Ideen zeigt, denen durch unser ebenso besonnenes als gesetzliches und selbst energisches Handeln entgegengetreten werden muß. Versprochenes muß man treu halten, ohne sich der bessernden Hand dabei zu entschlagen, nicht Versprochenes muß man mutig verhindern. Vor allem warne ich vor der stereotypen Phrase, daß die Regierung sich fort und fort treiben lassen müsse, liberale Ideen zu entwickeln, weil sie sich sonst von selbst Bahn brächen. Gerade hierauf bezieht sich, was ich vorhin Staatsweisheit nannte. Wenn in allen Regierungshandlungen sich Wahrheit, Gesetzlichkeit und Konsequenz ausspricht, so ist ein Gouvernement stark, weil es ein reines Gewissen hat, und mit diesem hat man ein Recht, allem Bösen kräftig zu widerstehen.

In der Handhabung unserer inneren Verhältnisse, die zunächst vom Ministerium des Innern und der Landwirtschaft ressortieren, sind wir von einem Extrem zum andern seit 1848 geworfen worden. Von einer Kommunalordnung, die ganz unvorbereitet Selfgovernment einführen sollte, sind wir zu den alten Verhältnissen zurückgedrängt worden, ohne den Forderungen der Zeit Rechnung zu tragen, was sonst ein richtiges Mittehalten bewirkt haben würde. Hieran die bessernde Hand einst zu legen, wird erforderlich sein; aber vorerst müssen wir bestehen lassen, was eben erst wieder hergestellt ist, um nicht neue Unsicherheit und Unruhe zu erzeugen, die nur bedenklich sein würde. (...)

Handel, Gewerbe und die damit eng verbundenen Kommunikationsmittel haben einen nie geahnten Aufschwung genommen, doch muß auch hier Maß und Ziel gehalten werden, damit nicht der Schwindelgeist uns Wunden schlage. Den Kommunikationswegen müssen nach wie vor bedeutende Mittel zu Gebote gestellt werden; aber sie dürfen nur mit Rücksicht auf alle Staatsbedürfnisse bemessen und dann müssen die Etats innegehalten werden.

Die Justiz hat sich in Preußen immer Achtung zu erhalten gewußt. Aber wir werden bemüht sein müssen, bei den veränderten Prinzipien der Rechtspflege das Gefühl der Wahrheit und der Billigkeit in alle Klassen der Bevölkerung eindringen zu lassen, damit Gerechtigkeit auch durch Geschworene wirklich gehandhabt werden kann.

Eine der schwierigsten und zugleich zartesten Fragen, die ins Auge gefaßt werden muß, ist die kirchliche, da auf diesem Gebiete in der letzten Zeit viel vergriffen worden ist. Zunächst muß zwischen beiden Konfessionen eine möglichste Parität obwalten. In beiden Kirchen muß aber mit allem Ernste den Bestrebungen entgegengetreten werden, die dahin abzielen werden, die Religion zum Deckmantel politischer Bestrebungen zu machen.(...)

Die wahre Religiosität zeigt sich im ganzen Verhalten des Menschen; dies ist immer ins Auge zu fassen und von äußerem Gebahren und Schaustellungen zu unterscheiden. Nichtsdestoweniger hoffe ich, daß, je höher man im Staate steht, man auch das Beispiel des Kirchenbesuches geben wird. – Der katholischen Kirche sind ihre Rechte verfassungsmäßig festgestellt. Übergriffe über diese hinaus sind nicht zu dulden. – Das Unterrichtswesen muß in dem Bewußtsein geleitet werden, daß Preußen durch seine höheren Lehranstalten an der Spitze geistiger Intelligenz stehen soll, und durch seine Schulen die den verschiedenen Klassen der Bevölkerung nötige Bildung gewähren, ohne diese Klassen über ihre Sphären zu heben. Größere Mittel werden hierzu nötig werden.

Die Armee hat Preußens Größe geschaffen und dessen Wachstum erkämpft; ihre Vernachlässigung hat eine Katastrophe über sie und dadurch über den Staat gebracht, die glorreich verwischt worden ist durch die zeitgemäße Reorganisation des Heeres, welche die Siege des Befreiungskrieges bezeichneten. Eine vierzigjährige Erfahrung und zwei kurze Kriegsepisoden haben uns indes auch jetzt aufmerksam gemacht, daß manches, was sich nicht bewährt hat, zu Anordnungen

Veranlassung geben wird. Dazu gehören ruhige politische Zustände und – Geld, und es wäre ein schwer sich bestrafender Fehler, wollte man mit einer wohlfeilen Heeresverfassung prangen, die deshalb im Momente der Entscheidung den Erwartungen nicht entspräche. Preußens Heer muß mächtig und angesehen sein, um, wenn es gilt, ein schwerwiegendes politisches Gewicht in die Waagschale legen zu können.

Und so kommen wir zu Preußens politischer Stellung nach außen. Preußen muß mit allen Großmächten im freundschaftlichsten Vernehmen stehen, ohne sich fremden Einflüssen hinzugeben und ohne sich die Hände frühzeitig durch Traktate zu binden. Mit allen übrigen Mächten ist das freundliche Verhältnis geboten. In Deutschland muß Preußen moralische Eroberungen machen, durch eine weise Gesetzgebung bei sich, durch Hebung aller sittlichen Elemente und durch Ergreifung von Einigungselementen, wie der Zollverband es ist, der indes einer Reform wird unterworfen werden müssen. – Die Welt muß wissen, daß Preußen überall das Recht zu schützen bereit ist. Ein festes, konsequentes und, wenn es sein muß, energisches Verhalten in der Politik, gepaart mit Klugheit und Besonnenheit, muß Preußen das politische Ansehen und die Machtstellung verschaffen, die es durch seine materielle Macht allein nicht zu erreichen imstande ist.

Auf dieser Bahn mir zu folgen, um sie mit Ehren gehen zu können, dazu bedarf ich Ihres Beistandes, Ihres Rates, den Sie mir nicht versagen werden. Mögen wir uns immer verstehen zum Wohle des Vaterlandes und des Königtums von Gottes Gnaden.

Kaiser Wilhelms des Großen Briefe, Reden und Schriften, 1 (1797–1860), Berlin 1906, S. 445 ff.

114 Ablehnung der Demokraten durch den Prinzregenten

Ihre früheren Briefe habe ich richtig erhalten und freue mich, daß Ihr Wunsch, gewählt zu werden, erfüllt wurde.

Diese Wahlen haben mich übrigens teilweis sehr unangenehm berührt. Namen wie Waldeck, Kirchmann, Rodbertus u. dgl. auftauchen zu sehen, ist mir sehr empfindlich gewesen; und wenn sie auch noch nicht gewählt sind, so ist ihr Zurückweichen nur noch unangenehmer, weil sie erklärten, ihre Zeit komme noch erst. Diese Ansichten sowie viele andere, die sich Bahn brachen, sind eine totale Verkennung meines Charakters, meiner politischen Vergangenheit, Gegenwart und Zukunft, so daß ich sehr unangenehme Renkontres bevorsehe, die ich aber nicht einen Moment versäumen werde, sehr entschieden herbeizuführen. Wenn man glaubt, mich durch Drohungen, Einschüchterungen, Drängen nachgiebig auf solche Mode gewordenen Schlagworte wie die gewissen 9 Punkte[1] in ihrer Mehrheit zu machen, der kennt mich nicht und denkt nicht an mein Recht, die

Kammern aufzulösen, solange ich es für nötig halte, oder en temps et lieu das Ministerium zu wechseln. Den Schwindelgeist zu exitieren, der sich seit 4 Wochen zeigt, ist so total mir zuwider, daß ich es nicht oft genug aussprechen kann, daß er vollständig mit meinen politischen Prinzipien im Widerspruch stehet. Wonach sich zu richten.

Prinzregent Wilhelm am 8. 12. 1858 an Karl Freiherr v. Vincke, in: Kaiser Wilhems I. Briefe an Politiker und Staatsmänner, 2, Berlin 1931, S. 126f.

1 vgl. Dok. Nr. 13

115 Charakter der neuen Ära

Der Prinz dreht sich nun, wie die Minister, im Kreise stärkster innerer Widersprüche. Er hat ein neues Kabinett berufen, weil er die Entlassung des alten als keine wirkliche Änderung betrachtete. Er will etwas Neues, aber das Neue muß eine Neuauflage des Alten sein. Er verurteilt die von der vorigen Regierung dem Lande aufgezwungene Gemeindeordnung, weil sie den letzten Funken kommunaler Selbstverwaltung auslöschte; er will sie aber auch nicht geändert sehen, weil eine solche Änderung sich bei der augenblicklichen Gärung der öffentlichen Meinung gefährlich auswirken könnte. Er schlägt vor, den Einfluß Preußens nur durch friedliche Mittel zu erweitern, und beharrt infolgedessen auf der notwendigen Vergrößerung der Armee, die bereits ein Auswuchs von verheerendem Umfang ist. Er gibt zu, daß für diesen Zweck Geld benötigt wird und daß die Staatskasse, obgleich seit der Revolution eine Staatsschuld geschaffen wurde, auch für die dringendsten Forderungen nur ein taubes Ohr hat. Er kündigt die Einführung neuer Steuern an und entrüstet sich gleichzeitig über den Riesenfortschritt, den der Kredit während des vergangenen Jahrzehnts in Preußen gemacht hat. Wie seine Minister Wähler in ihrem Sinne haben möchten, während es ihnen nicht gestattet ist, Minister im Sinne ihrer Wähler zu sein, möchte er, der Regent, zwar Geld für seine Armee haben, aber von Geldleuten nichts wissen. Der einzige Absatz in seiner Rede, in dem eine entschlossene Opposition gegen das vorige Regime zu spüren ist, ist sein heftiger Ausfall gegen religiöse Heuchelei. Das war eine Spitze gegen die Königin; damit aber die Öffentlichkeit sich nicht die gleiche Freiheit nähme, ließ er, der protestantische Prinz, zur gleichen Zeit eine Versammlung freier Katholiken in Berlin von der Polizei auseinanderjagen.

Sie werden zugeben, daß eine so undefinierbare, sich selbst widersprechende, selbstmörderische Politik sich sogar unter gewöhnlichen Verhältnissen als reichlich herausfordernd und gefährlich erweisen würde; aber die Verhältnisse sind nicht gewöhnlich. (...)

Die preußische Regierung ist sich der unangenehmen Lage völlig bewußt, in die sie durch eine französische Revolution oder einen europäischen Krieg versetzt sein würde. Sie weiß auch, daß Europa in diesem Augenblick zwischen den beiden Möglichkeiten dieses Dilemmas hin und her schwankt. Andererseits weiß sie, daß die gleiche Gefahr, die man nach außen vermieden hätte, von innen heraus entstehen würde, falls man der Volksbewegung freien Lauf ließe. Scheinbar Zugeständnisse an das Volk machen, sie in Wirklichkeit aber vereiteln – dieses Spiel mit dem deutschen Volk zu treiben, wäre wahrscheinlich gefährlich; doch fehlt es der armseligen preußischen Regierung an Mut, dieses Spiel auch nur zu versuchen. Warum gönnt man es z. B. der Großbourgeoisie nicht, sich des Trostes zu erfreuen, daß ein vom Regenten ernanntes Kabinett nachträglich von ihr gewählt worden sei? Weil schon der Anschein eines Zugeständnisses an das Volk den dynastischen Stolz verletzt. Wie mit der Innenpolitik verhält es sich auch mit der Außenpolitik. Kein anderer Staat empfindet bei der Aussicht auf einen europäischen Krieg größeren Schrecken als Preußen. Doch ein kleiner Privatkrieg, sagen wir eine Rauferei mit Dänemark wegen Schleswig-Holstein oder ein mörderischer Kugelwechsel mit Österreich um die deutsche Hegemonie, könnte sich als äußerst geschicktes Ablenkungsmanöver erweisen und, indem man den Pöbel bluten läßt, recht billig Popularität einbringen. Aber auch dies ist ein Fall, in dem man nicht tun kann, was man tun möchte. Hinter der dänischen Frage lauert Rußland, während Österreich in eigener Person nichts Geringeres als die Aufrechterhaltung des status quo in Europa darstellt. Somit würden konstitutionelle Zugeständnisse der Revolution den Weg ebnen und eine kleine Rauferei würde zu einem europäischen Kriege führen. Daher kann man gewiß sein, daß das laute Kriegsgeschrei Preußens gegen Dänemark sich in einen weitschweifigen, im »Staats-Anzeiger« veröffentlichten Protest verflüchtigen wird.

K. Marx am 4. 12. 1858 für die New York Daily Tribune, in: MEW 12, S. 661f.

116 Wilhelm nimmt die neue Ära zurück

An das Staatsministerium

Vor dem Beginn der letzten allg. Landtags-Session u. bei den in Aussicht stehenden Nach-Wahlen, habe ich meine Ansicht dahin ausgesprochen, daß es bereits an der Zeit sei, die Mißverständnisse, welche absichtlich über die Tendenz meines sogenannten Programms v. 8. Nov. 1858 verbreitet wurden, durch fortgesetzte Zeitungs-Artikel u. durch Reproduzierung der Hauptstellen jenes Programms aufzuklären. Es ist mir damals erwidert worden, daß dies noch zu früh scheine.

Ich habe meine Ansicht fallen lassen.

Die Folge ist die Wahl von Schulze-Delitzsch, Waldeck et Consorten gewesen.

Ich wiederholte nach diesen Wahlen meine obige Ansicht u. Aufforderung, nunmehr zu handeln.

Man erklärte sich im Staats-Minist. wiederum dagegen, weil während der Session dies nicht rätlich sei.

Ich ließ meine Ansicht wiederum fallen, da man mich vertröstete, daß gleich nach dem Schluß der Session mit aller Energie auf Darstellung der Regierungs-Prinzipien, durch Presse und Erlasse gehandelt werden solle. Es traten die Schwierigkeiten wegen Huldigung oder Krönung ein. Als letztere feststand, erklärte ich aus Ostende in einem selbst entworfenen Schriftstück, daß ich nach der Krönung ein Manifest erlassen wolle, in welchem am Schluß eine passende Stelle für Andeutungen auf die bevorstehenden Wahlen sich vorfand. Das Staats-Minist. erklärte sich gegen ein Manifest, schlug vor, meine Gedankenfolge in die Thron-Ansprache nach dem Krönungs-Akt aufzunehmen, den Passus der Wahlen aber fortzulassen. – Ich ließ zum 3^{ten}mal meine Ansicht fallen, hielt die Thronrede, die natürlich nichts von Wahlen enthalten durfte, verlangte aber erneut die Vorlage eines zu veröffentlichenden Erlasses an das Sts.-Minist., wo ich mich bestimmt über die Richtung meines Programms v. 8. 11. 58 ausspräche, um somit auf die Wahlen zu wirken u. die Mißverständnisse aufzuklären. Ich erwartete die Vorlage eines solchen Erlasses noch in Königsberg, weil der enthusiast. Moment benutzt werden mußte. Ich erhielt aber auf meine erneuerte Aufforderung an Minist. v. Auerswald (das) Schreiben v. 22. 10. 61 des Staats-Minist.

Ich habe diese geschichtliche Darstellung vorausgeschickt, um zu zeigen, wie ich von der hohen Wichtigkeit durchdrungen, energisch auf die Wahlen vom gouvernementalen Gesichtspunkte aus zu wirken, mich seit 1$^1/_2$ Jahren zu Anforderung u. Aufforderungen veranlaßt gesehen hatte. Eine Verschiebung nach der anderen ist erfolgt u. nichts ist erfolgt, als der Erlaß des Minist. des Innern an die Regierungen bei Gelegenheit der Wahlformen. Und so empfange ich in der 11. Stunde vor den Wahlen dies Schreiben, welches mir sagt, daß das Staats-Minist. nicht wisse, was ich eigentlich beabsichtige. Ein solches Verschleppen der wichtigen Frage, während unsere Gegner eine Energie u. Tätigkeit für die Wahlen entwickeln, die uns zum Vorbilde dienen sollte!! – kann ich nicht länger ruhig hinnehmen. Es muß gehandelt werden! –

Der Erlaß an das Staats-Ministerium, über dessen Inhalt dasselbe unsicher ist, welche Intention ich bei demselben eigentlich hege, soll Folgendes aussprechen:

Die Absichten u. Zwecke, welche meiner Ansprache an das neu formirte Staats-Ministerium am 8. Novbr. 58 zu Grunde liegen, sind während der 3jährigen Session des allgemeinen Landtages absichtlich mißverstanden worden u. zu Parteizwecken der Gegner meiner Intentionen ausgebeutet worden. Da das Staats-Ministerium sich mit meinem Programm einverstanden erklärt hatte, so hat es sich auch mit der Auffassung einverstanden erklärt:

»Daß mit der Vergangenheit der preuß. Geschichte nun und nimmermehr gebrochen werden solle« u. daß ferner: »die Macht u. das Ansehen der Krone nicht geschmälert werde« u. endlich: »daß wir uns zu hüten hätten, uns selbst zu Neuerungen zu drängen oder von außen drängen zu lassen, sondern daß wir ruhigen

Schrittes zeitgemäße Änderungen in der Gesetzgebung anzubahnen hätten.« Mein Standpunkt ist u. bleibt der der conservativen Verfassungstreue. Die Tendenzen indessen welche sich im Schoße der Landes-Repräsentation nach u. nach Geltung verschafft u. die sich in den Neuwahlen, namentlich im letzten Jahre, Luft machten, beweisen klar u. unumstößlich, daß man meine Regierung durch democratischen Druck in Bahnen drängen will, die mit der Geschichte Preußens u. seiner Macht unverträglich sind u. sich mit dem modernen Super-Constitutionalismus bezeichnen lassen. Daß mein Gouvernement solche Bahnen nicht gehen will, also auch keine Wahlen auf Männer gerichtet sehen will, die dergleichen Tendenzen verfolgen, muß klar in dem Erlaß quest. ausgesprochen werden. Der von mir gebilligte Erlaß des Ministers des Innern enthält indessen so bestimmte Andeutungen noch nicht, u. da derselbe sich weitere Ausführungen vorbehalten hat, so sind dieselben durch meinen projectirten Erlaß ins Leben zu rufen. Ganz einverstanden bin ich mit der vom Minister Graf Schwerin ausgesprochenen Mahnung, daß alle ungesetzliche Beeinflußung der Wahlen durch die Regierungs-Organe zu unterbleiben habe; dagegen fehlt aber die Weisung, welche Mittel jene Organe anwenden dürfen u. müssen, um im Sinne der Regierung auf die Wahlen einzuwirken. (...)

Die in vielen Wahl-Programmen aufgenommenen Sätze, daß nur solche Kandidaten präsentirt werden dürften, die für Zurücknahme der neuen Armee-Organisation stimmen würden; die alle seit 1850 aus der Verfassung eliminirten §§ wieder herzustellen sich anheischig machten (Ministerverantwortlichkeits-Gesetz zu verlangen; Geschworenen-Gerichte für politische Verbrechen p. p. p.) – diese Sätze sind von den Regierungs-Organen zu perhorresziren und die Candidaten solcher Farbe als nicht die der Regierung zu bezeichnen. In der Militair-Frage verlange ich Männer gewählt zu sehen, die mit Vertrauen dem Kriegsherrn die Organisation anheimstellen und mit ebensolchem Vertrauen die finanziellen Berücksichtigungen der Einnahmen in die Monarchen-Hände legen wollen; unbeschadet der den Kammern zustehenden Rechte in finanziellen Fragen.

Dies sind die Hauptgesichtspunkte, welche meine Ordre an das Staatsministerium enthalten soll. Das Ganze ist mit einer Einleitung versehen, die meine volle Anerkennung über den glücklichen Verlauf der Krönungsfeier ausspricht, und des patriotischen Sinnes und der Liebe und Treue Erwähnung tut, die sich überall, wo ich erschienen bin, namentlich in Königsberg und Berlin in so schöner, echt preuß. Weise kund gegeben hat. Ich sehe der Vorlage des Entwurfs binnen 48 Stunden entgegen.

Berlin, d. 25. 10. 61

GStA Dahlem, Rep. 90, Nr. 111

2 *Oppressionsmittel der Regierung*

117 Circular des preußischen Innenministers zu den Wahlen

Die Begünstigung extremer oder exklusiver politischer Richtungen ist bei der den Regierungs-Organen obliegenden Tätigkeit für die bevorstehenden Wahlen gänzlich zu vermeiden und zu unterlassen. Ich bitte hiernach auch die Landräte und Wahlkommissarien mit bestimmter und ernster Weisung zu versehen und mir sofort anzuzeigen, was in dieser Hinsicht veranlaßt worden ist.

Berlin, den 10. November 1858.

Der Minister des Innern.
Flottwell.

Materialien zur Geschichte der Regentschaft in Preußen, Anfang Oktober bis Ende Dezember 1858, Berlin 1859, S. 62

118 Instruktion an die Polizei-Verwalter und Gendarmen zu Lyck in Ostpreußen

Indem ich Sie davon in Kenntniß setze, daß am 12. November die Wahl der Wahlmänner und am 23. November die der Abgeordneten stattfinden soll, beauftrage ich Sie, die nötigen Vorbereitungen zu treffen. Es kommt der Regierung auch bei dieser Wahl darauf an, daß nur konservative, d. h. solche Abgeordnete gewählt werden, von denen die Staats-Regierung sich einer festen Unterstützung bei ihren gesetzlichen Vorlagen und sonstigen Maßnahmen versehen darf.

Es ist deshalb nach längerer Beratung beschlossen worden, bei der bevorstehenden Wahl folgende Personen als diejenigen Kandidaten aufzustellen, welche den obigen Anforderungen entsprechen: 1) der Regierungs-Präsident v. Byern in Gumbinnen, 2) der Rittergutsbesitzer v. Betow-Gutten, 3) der Staats-Anwalt Dr. Falk.

Es ist mit allen gesetzlichen Mitteln – und diese sind, geschickt benutzt, sehr mannigfaltig – dahin zu streben, Ihren ganzen Einfluß zur Erzielung konservativer Wahlen geltend zu machen.

Es kommt daher zunächst darauf an, daß Wahlmänner nur solche Männer werden, auf deren Stimmen im obigen Sinne gerechnet werden darf, und deshalb wird darauf zu wirken sein, daß die Schulzen, Schänker, Gendarmen, Steuererheber und Exekutoren bei der Wahl als Wahlmänner hervorgehen.

Wenn die Wahlmänner Ihnen bekannt sind, so haben Sie dieselben mit den obigen Kandidaten bekannt zu machen, resp. durch die Gendarmen bekannt machen zu lassen, auch mir vor der Abgeordneten-Wahl eine Liste derjenigen Wahlmänner einzureichen, auf welche die Regierung mit Sicherheit rechnen darf.

Gerade die Wahl gibt eine geeignete Gelegenheit über den Einfluß zu urteilen, welchen Sie durch Ihre Verwaltung sich in Ihrem Bezirke erworben haben, und nach den bisherigen Resultaten zu schließen, darf ich mit Zuversicht mich der Hoffnung hingeben auf einen guten Ausgang der Wahlen.

Ich glaube es nicht hinzufügen zu dürfen, daß diese Anordnung im vertraulichen Sinne geschieht.

Lyck, den 30. Oktober 1858.

Der Königl. Landrat v. Brandt.

Materialien, S. 48 f.

119 Die Haltung des Königs gegenüber der parlamentarischen Opposition in der Märzkrise 1862

Nachdem durch die heute erfolgte Auflösung des Hauses der Abgeordneten der Rat, den Mir das Staatsministerium in seinem Berichte vom 9. d. M. erteilt hatte, erfüllt ist, sehe Ich Mich genötigt, auf den Schluß jenes Berichtes einzugehen. Derselbe sagt nämlich, daß bei den weiter zu beratenden Maßregeln sich leicht Differenzen im Schoße des Staatsministeriums zeigen könnten, die den Austritt einzelner Mitglieder desselben nach sich ziehen dürften.

Wenngleich Ich dem Berichte über die in Beratung stehenden Maßregeln entgegensehe, halte Ich es doch für unerläßlich, hiermit Meine Ansichten über die jetzige Krisis des Staatslebens in Kurzem darzulegen.

Durch Unterlassung eines gesetzlichen energischen Einflusses auf die Wahlen im vorigen Herbste, wie Ich dies vergeblich vom Staats-Ministerium verlangt hatte, sind dieselben so ausgefallen, wie Ich es vorher gesagt, und die Stellung, welche das Abgeordneten-Haus einnahm, im Hagenschen Antrag zur Culmination brachte, was dessen Auflösung nach sich zog, bewies, daß mit der Richtung und den Prinzipien desselben nicht zu regieren sei. Selbst die von Mir, teilweise mit Meinem Widerstreben eingebrachten Gesetzes-Vorlagen, vermochten nicht bei dem Hause die Anerkennung zu erzeugen, daß die Regierung den Ausbau der Verfassung wolle. Während wir diesen Ausbau in den Schranken nur wollen, dürfen und können, die der Machtstellung Preußens keinen Eintrag tun, geht die Tendenz der Abgeordneten in die entgegengesetzte Richtung, und will nach und nach die parlamentarische Gesetzgebung, die ihnen verfassungsmäßig obliegt, in eine parlamentarische Regierung verwandeln, eine Richtung, der zu widersetzen sich das Staatsministerium kategorisch, mündlich und schriftlich erklärt hat. Der ganze Kampf besteht also darin, bis wohin die Königliche Macht, welche, der Institution einer Repräsentativ-Regierung zu Folge, eingeschränkt werden soll, beschränkt werden darf.

Daß in kleinen Staaten, wie Belgien, Bayern, Nassau etc. die Macht des Regenten beschränkter sein kann als die einer Großmacht, ist einleuchtend; dies ist noch einleuchtender, wenn es sich um Preußen handelt, welches als kleinste der Großmächte, durch energische und rasch auszuführende neue Entschlüsse, zu einem unbeschränkteren Handeln fähig sein muß. Die Würde und die Macht der preußischen Krone muß also vor Übergriffen, wie das Abgeordneten-Haus sie intentionierte, geschützt und gewahrt bleiben. Durch die Auflösung dieses Hauses ist der energische Beweis geliefert, daß wir diesen Schutz und diese Wahrung der Krone wollen.

Durch die eingebrachten Gesetze ist der Beweis gegeben, daß Meine Regierung den Ausbau der Verfassung will, wie Ich dies in Meinem Programm vom 8. November 1858 aussprach; diese Gesetze sind bereits das Äußerste, was in der oben angegebenen Richtung, wie weit in Preußen das Königliche Macht-Prinzip beschränkt werden darf, – gegeben werden konnte. Nach der Auflösung einer Kammer, die aber weiter gehen wollte, ist von weitergehenden Conzessionen nun keine Rede mehr; denn könnte davon noch die Rede sein, so könnte man sie dem aufgelösten Hause machen und also dasselbe beibehalten.

GStA Dahlem, Rep. 92, II, NL Auerswald, Nr. 13

120 Wie liberal ist das liberale Reform-Ministerium?

1. Standpunkt der mit dem König kooperierenden Minister (Denkschrift vom 13. 3. 1862)

Nachdem sich in der gestrigen Sitzung des Staats-Ministeriums eine Diskussion darüber entsponnen hat, welche Vorschläge Sr. Majestät dem Könige in Folge des Allerhöchsten Erlasses vom 11. d. M. zu machen sein werden und sich dabei eine wesentliche und durchgreifende Meinungsverschiedenheit zwischen der Majorität und der Minorität des Staats-Ministeriums ergeben hat, der neu ernannte Herr Präsident des Staats-Ministeriums, Prinz zu Hohenlohe, aber die Hauptpunkte dieser Meinungsverschiedenheit von beiden Seiten klar formulirt zu sehen wünscht, um sich zunächst selbst für die eine oder andere Meinung erklären und demnächst Sr. Majestät über das Allerhöchstdenselben, von ihm vorzuschlagende Programm Vortrag halten zu können, haben die drei unterzeichneten Staats-Minister sich über die nachfolgenden Punkte geeinigt, welche sie sowohl der Allerhöchsten Ansprache vom 8. November 1858, als dem Allerhöchsten Erlasse vom 11. d. M. entsprechend erachten und welche sie Sr. Majestät als Richtschnur für die künftige Haltung der Königlichen Regierung zu empfehlen für ihre Pflicht halten.

1. Die Regierung wird alle ihr zu Geboten stehenden legalen und legitimen Mittel anwenden müssen, um den für eine konstitutionelle Regierung ganz unentbehrlichen und nach den Prinzipien aller konstitutionellen Länder vollkommen legitimen Einfluß auf die Wahlen zum Abgeordnetenhause zu üben. Sie wird hierzu alle

ihre betreffenden Beamten, namentlich die Ober-Präsidenten, Regierungs-Präsidenten und Landräte, mit strengen und positiven Instruktionen zu versehen und ihnen diejenigen Personen, soviel es ihr möglich ist, namentlich zu bezeichnen haben, welche sie als Regierungs-Kandidaten betrachtet und gewählt wissen will. Da es bis jetzt nicht gelungen ist, eine bestimmte ausgeprägte Regierungs-Partei im Lande zu bilden, so wird die Regierung da, wo sie keinen bestimmten ihr zugetanen Kandidaten bezeichnen kann, nicht nur den liberal-konservativen, sondern auch den streng-konservativen Kandidaten vor denjenigen Kandidaten unbedingt den Vorzug zu geben haben, welche sich mit der Fortschritts-Partei mehr oder weniger auf demselben Boden bewegen, weil unter den Ersteren keine Umsturz-Elemente vorhanden sind, während sich unter den Letzteren Viele befinden, welche wenigstens die entschiedene Tendenz verfolgen, die Krone zu schwächen und den Schwerpunkt der Staatsgewalt in das Abgeordnetenhaus zu legen, also das rein parlamentarische Element zur Geltung zu bringen.

Die Gefahr, etwa ein zu konservatives oder gar ein reaktionäres Haus der Abgeordneten zu bekommen, ist gegenwärtig weniger als jemals vorhanden. Die einzige wirklich drohende Gefahr ist, ein ebenso avancirt-liberales oder ein noch entschiedener zur parlamentarischen Regierung drängendes Haus zu bekommen als das etwa aufgelöste es war. Das Verhalten der Regierung hat diese Gefahr das vorige Mal nicht zu beschwören vermocht und ein gleiches Verhalten wird es – im vorliegenden Falle noch weniger können, weil die konservative Partei, wenn die Regierung nicht ausdrücklich durch Tatsachen zu erkennen giebt, daß sie sich auf dieselbe stützen will, sich entweder der Mitwirkung bei den Wahlen ganz enthalten, oder doch jedenfalls lau und passiv verhalten wird. Die Regierung hat bei ihrer bisherigen schwankenden, unbestimmten und sich oft widersprechenden Haltung keine Stütze im Lande gefunden, wie die letzten Wahlen es siegreich bewiesen haben. Sie hat daher in Zukunft nur die Wahl, sich entweder auf jene große konservative Partei zu stützen, welche sich aus den liberal-konservativen und den streng-konservativen verfassungstreuen Elementen des Landes bilden läßt, und welcher sich alsdann alle wahrhaft monarchisch-konstitutionellen Elemente anschließen werden, oder ihre Stütze in der entschieden – und avancirt-liberalen Partei zu suchen, welche sich, wie dies in der aufgelösten Kammer so klar hervorgetreten ist, immer mehr mit der eigentlichen Fortschritts-Partei verschmelzen und dem von dieser gegebenen kräftigeren Impulse folgen wird. Beide Alternativen sind möglich, aber die letztere ist höchst gefährlich und führt jedenfalls zu dem direkten Gegenteil von dem, was des Königs Majestät will. Dazwischen liegt aber nichts Mögliches, nichts Haltbares, und jeder Versuch, sich noch länger ohne positive Stütze in der Schwebe zwischen offen ausgesprochenen konservativen Grundsätzen und unterstürzendem liberalem Fortschritt zu erhalten, muß unfehlbar zu gänzlich unhaltbaren Zuständen und folglich zur Notwendigkeit von Staatsstreichen führen. Zwischen jenen beiden Alternativen muß daher die Regierung wählen, wenn sie nicht großen Katastrophen entgegengehen will. Die Wahl liegt einzig und allein in der Hand Sr. Majestät des Königs. Zu welcher Wahl die Unterzeichneten Sr. Majestät ihrerseits nach gewissenhafester Prüfung und Erwägung nur raten können, ist nicht zweifelhaft.

Eine der notwendigsten Maßregeln, um auf den Ausfall der Wahlen zu wirken, wird auch eine richtige Leitung der offiziösen Presse sein. Dieselbe wird nicht, wie dies das vorige Mal der Fall war, und jetzt auch schon wieder beginnt, gegen die extremen Parteien überhaupt, also gegen »Reaktionäre« wie gegen Fortschrittsleute zu Felde ziehen dürfen, sondern sie wird im gegenwärtigen Falle nur die letzteren und ihre Richtung zu bekämpfen haben. Es sind diese, welche die Auflösung des Abgeordnetenhauses nötig gemacht haben, und nicht etwaige Reaktionäre, welche sich nur in der äußersten Minorität in demselben befanden, und welche, selbst wenn sie in viel größerer Zahl im künftigen Abgeordnetenhause vorhanden wären, der Regierung keine Verlegenheiten bereiten, sondern sie im Gegenteil bei den wichtigsten Fragen, wie z. B. bei der Militär-Frage, unterstützen würden.

Endlich wird von Seiten des Justiz-Ministers in eindringlicher Weise auf die Justiz-Beamten, namentlich die Kreisrichter, zu wirken sein, um sie von dem Wählen in ultraliberalem Sinne zurückzuhalten, und ihnen die Würde ihres Amtes ins Bedächtniß zu rufen.

2. Was die von dem aufgelösten Hause geforderte Spezialisirung der Etats-Aufstellung betrifft, so wird dieselbe für das laufende Jahr nicht stattfinden dürfen, da die Regierung dadurch selbst kundgeben würde, daß sie die Kammer ohne Grund aufgelöst habe. Für den nächsten Etat wird sie aber nur in so weit ausgeführt werden können, als sie das Recht der Krone nicht noch mehr beschränkt und die Bewegungen der Verwaltung nicht auf unzweckmäßige Weise hemmt.

3. Der Entwurf des Ober-Rechnungs-Kammer-Gesetzes wird nur so wieder vorgelegt werden dürfen, wie er von Sr. Majestät dem Könige nach reiflicher Prüfung genehmigt worden ist.

4. Für die Zulassung der Juden zum Richterstande, welche dem Gefühle der christlichen Bevölkerung widerstrebt, können die Unterzeichneten ihren Rat und ihre Stimme, ihrer Überzeugung gemäß, nach Lage der Verhältnisse nicht erteilen.

5. In Behandlung der geistlichen und Unterrichts-Angelegenheiten können sie sich von dem evangelisch-kirchlichen Standpunkte nicht entfernen, und daher auch nur mit einem Kultus-Minister zusammenwirken, welcher diesen Standpunkt einnimmt.

6. In Betreff des von der Majorität des Staats-Ministeriums geforderten Vorbehalts einer Einwirkung auf die Zusammensetzung des Herrenhauses, vermögen die Unterzeichneten nicht einzusehen, wie das Benehmen des aufgelösten Abgeordneten-Hauses und die Notwendigkeit es aufzulösen, den Vorbehalt einer Maßregelung des Herren-Hauses, oder gar die von einigen Seiten gestellte Forderung, es schon vor den Wahlen zu maßregeln, im Geringsten zu motiviren vermögen. Das Herren-Haus hat zwei wichtige Vorlagen der Regierung, darunter eine, welche ihm grundsätzlich widerstrebte, fast unverändert angenommen. Eine dritte

wichtige Vorlage – die Kreisordnung – ist zwar in der Kommission amendirt worden, aber es ist durchaus noch nicht erwiesen, daß sich eine Einigung darüber mit der Regierung nicht bewerkstelligen läßt, wenn diese auf billige Wünsche des Herrenhauses eingeht. Jedenfalls würde ein s. g. Pairs-Schub, d. h. die Ernennung einer beträchtlichen Anzahl lebenslänglicher Mitglieder, um die Majorität des Hauses gewaltsam zu brechen, sich erst nach wiederholten unfruchtbaren Versuchen, eine Einigung über eine Vorlage von unabweislicher Notwendigkeit zwischen der Regierung und dem Herrenhause, oder zwischen beiden Häusern herbeizuführen, und daher höchstens nach mehreren in dieser Beziehung vergeblich verlaufenen Landtags-Sessionen rechtfertigen lassen, wenn die Schuld davon, der Überzeugung der Regierung nach, in einer systematischen und tendenziösen Opposition des Herrenhauses läge.

Eine Maßregel, wie die in Rede stehende, ist immer eine bedenkliche und mehr oder weniger gefährliche. Während die Regierung sie heute aus Nützlichkeitsgründen nähme, um eine ihr augenblicklich unbequeme Majorität zu brechen und eine oder mehrere ihr nützlich scheinende Gesetzes-Vorlagen durchzubringen, könnte es ihr morgen sehr gefährlich werden, den einzigen konservativen Widerstand selbst weggeräumt zu haben, welchem die ultra-liberalen Tendenzen noch begegnen, und sich so der legitimen und verfassungsmäßigen Stütze beraubt zu haben, deren sie vielleicht in naher Zukunft dringend bedürfen würde, um sich jenen Tendenzen gegenüber zu behaupten und um den Thron zu erhalten.

7. In der auswärtigen Politik wird die Regierung ruhig und unbeirrt durch die Haltung ihrer äußeren Gegner, wie durch das Drängen der Fortschritts-Partei im eigenen Lande, den eingeschlagenen Weg kräftiger, nationaler und, wo es Not tut, handelnder Politik weiter zu verfolgen haben.

8. Was endlich die von der Majorität des Staats-Ministeriums geforderte Ermäßigung des Militair-Etats, und dadurch zu ermöglichende Erlassung oder Ermäßigung des Steuer-Zuschlages von 25 % betrifft, so verhehlen die Unterzeichneten sich nicht, daß dies einer der wichtigsten Punkte ist, um die es sich diesen Augenblick handelt, und daß diese Frage der oppositionellen Richtung gewisser Klassen der Bevölkerung, welche in den letzten allgemeinen Wahlen ihren Ausdruck gefunden hat, vorzugsweise zum Vorwande hat dienen müssen. Ob aber eine Ermäßigung des Militair-Etats möglich ist, ohne die von des Königs Majestät durchgeführte Reorganisation der Armee rückgängig zu machen oder in ihrer Wirkung zu stören und daher der Wehrkraft des Landes wirklichen Abbruch zu tun, können die beiden mitunterzeichneten Minister des Handels und der auswärtigen Angelegenheiten, welchen darüber kein sachverständiges Urteil beiwohnt, nur der Weisheit Sr. Majestät anheimstellen, und vermögen in dem Wunsche nach einer solchen Möglichkeit um so weniger die Berechtigung zu einer Programm-Bedingung zu erblicken, als sämtliche Mitglieder des Staats-Ministeriums sich seinerzeit bei der Allerhöchsten Ordre vom 2. Dezember v. Js. stillschweigend beruhigt und ihr keinen Widerspruch entgegengesetzt haben. Wenn daher die Möglichkeit einer

Ermäßigung nicht vorhanden ist, so stehen und fallen die drei unterzeichneten Minister, wie sie dies schon vor Monaten Sr. Majestät versprochen haben, mit der Aufrechterhaltung des für die Reorganisation der Armee unentbehrlichen Etats. Ob die hierzu erforderlichen Mittel, wie es bisher beabsichtigt worden, durch Fortdauer des außerordentlichen Steuer-Zuschlages zu decken sein werden, oder ob sich noch andere Hilfsquellen dazu schaffen lassen, ist Sache des Finanz-Ministers.

Um schließlich ihre Ansichten im Allgemeinen zusammenzufassen, glauben die Unterzeichneten noch ausdrücklich erklären zu müssen, daß sie keinen Rückschritt und auch keinen Stillstand in der Gesetzgebung wollen, sondern, daß sie eine freisinnige Verwaltung und Gesetzgebung auf konservativer, an das Bestehende anknüpfender Grundlage, und solche Reformen wollen, welche durch wirkliches Bedürfnis geboten sind, nicht aber solche, welche bloß aus Prinzip um das Reformirens willen und, um dem nie endenden Drängen der Fortschritts-Partei zu genügen, vorgenommen werden sollen.

Berlin, den 13. März 1862

von der Heydt, von Roon, von Bernstorff.

2. Minderheitenvotum der Kabinettsmitglieder in der Märzkrise (Denkschrift vom 14. 3. 1862)

Die durch das Verhalten des Hauses der Abgeordneten notwendig gewordene Auflösung desselben ist ein Ereignis, dessen Folgen für den Thron und das Land, für Preußens und Deutschlands Zukunft von großer, kaum zu berechnender Tragweite sein können. – Nur eine in den wichtigsten Grundsätzen einige und in deren Durchführung konsequente Regierung kann stark sein und nur einer starken Regierung kann es gelingen, den drohenden Gefahren die Stirn zu bieten und siegreich aus dem bevorstehenden schweren Kampfe hervorzugehen. –

Das gegenwärtige Minsterium hat seinen Einigungspunkt in dem von des Königs Majestät in der Ansprache vom 8. November 1858 aufgestellten Programm gefunden. Sämtliche Mitglieder desselben haben sich bei der Übernahme ihrer Ämter zu diesem Programm bekannt; sie haben diese Erklärung erst kürzlich erneuert. Wir, die unterzeichneten Minister, bekennen uns auch heute noch zu demselben. –

Die Erfahrung hat aber gelehrt, daß die Grundsätze jenes Programms einerseits für die Entscheidung mancher schwebenden Fragen überhaupt keinen Anhalt bieten, andererseits einer verschiedenen Auslegung fähig sind und darum in der Anwendung auf die an die Regierung herantretenden praktischen Fragen zu einer verschiedenartigen Beantwortung derselben führen. Unser politischer Standpunkt, unsere Grundsätze mußten wie dem Lande so auch Seiner Majestät dem Könige genügend bekannt sein. Eine Verleugnung oder ein Aufgeben dieser Grundsätze war von uns nicht gefordert worden. Wir waren daher berechtigt anzunehmen, daß unsere Aufgabe darin bestehen sollte, das Allerhöchste Programm so zu deuten und auszuführen, daß wir mit jenen Grundsätzen nicht in Widerspruch gerieten. Diesen Standpunkt glauben wir auch noch jetzt festhalten zu müssen.

Wir würden es für einen großen politischen Fehler halten, dem Drängen der Parteien Maßregeln zuzugestehen, welche wir an sich nicht als gerechtfertigt und notwendig anerkennen – Nichts liegt uns ferner als ein solches Verfahren. Wir halten es aber für einen ebenso großen Fehler, Maßregeln, welche wir von dem Augenblick an, wo das Vertrauen Seiner Majestät uns in den Rat der Krone berief, an sich als notwendig und nach unserer Auffassung des Programms vom 8. Dezember zugleich als durch dasselbe geboten anerkannt haben, jetzt darum zurückzuhalten, weil sie erwartet oder gefordert werden. Wir werden der Tendenz, die parlamentarische Gesetzgebung in eine parlamentarische Regierung zu verwandeln, ferner wie bisher entgegentreten. Wir halten es für unsere heiligste Pflicht, die der Krone verfassungsmäßig zustehenden Rechte zu verteidigen und vor jeder Schmälerung zu bewahren. Wir sind aber von der Überzeugung durchdrungen, daß diese Rechte der Krone nur dann vollkommen gesichert sind, wenn gleichzeitig auch der Landesvertretung die Rechte nicht vorenthalten oder verkümmert werden, welche dieselbe nach dem Buchstaben und dem Geiste der Verfassungs-Urkunde in Anspruch zu nehmen befugt ist.

Obwohl die Grenzlinien nicht scharf zu ziehen sind, lassen sich doch augenscheinlich im Lande drei große Parteien unterscheiden:

1. die Fortschritts-Partei mit Einschluß der demokratischen Partei,
2. die alt-liberale Partei,
3. die reaktionäre oder feudale Partei.

Die liberale Partei nennt sich selbst die konstitutionelle, die reaktionäre nennt sich selbst die konservative. Beide Bezeichnungen können zu Mißverständnissen führen: Auch die feudale Partei will in vielen ihrer Mitglieder die Konstitution nicht beseitigt wissen, und die liberale Partei macht in ihren besonnenen Mitgliedern nicht mit Unrecht den Anspruch, die wahrhaft konservative zu sein.

Ein Ministerium, welches auf die bevorstehenden Wahlen einen Einfluß ausüben will, welches überhaupt einen Bestand von einiger Dauer versprechen soll, muß die Majorität des Landes für sich haben. Um dies zu erreichen, muß es sich notwendig auf eine der vorhandenen Parteien stützen und die Hoffnung hegen können, daß dieser Partei teils die ihr näher stehenden Elemente der anderen Parteien, teils und hauptsächlich die große Masse derer, welche sich äußerlich von allem Parteitreiben fern halten, folgen werden.

Daß der Fortschrittspartei überhaupt oder wenigstens insoweit als sie eine demokratische Partei ist, entgegengetreten werden muß, darüber waltet überall kein Zweifel ob.

Es bleibt daher nur die Wahl zwischen den beiden anderen Parteien.

Nach unserer, auf einer gewissenhaften und reiflichen Erwägung aller Verhältnisse beruhenden Überzeugung kann ein Ministerium nur dann ein günstiges Resultat der Wahlen in Aussicht nehmen, und sofern es an dem Programm vom 8. November festhalten will, nur dann Bestand haben, wenn die liberale Partei mit Überzeugung und darum mit Kraft und Erfolg für dasselbe in die Schranken zu treten bereit und im Stande ist.

Dies wird aber der liberalen Partei nur möglich gemacht, wenn das Ministerium die oben entwickelten Grundsätze mit Konsequenz durchführen will und darf. Wenn nach dem Allerhöchsten Erlaße vom 11. d. Mts. die in der letzten Sitzung eingebrachten Gesetze als das Äußerste betrachtet werden sollen, was in der Richtung wie weit in Preußen das königliche Macht-Prinzip beschränkt werden darf, gegeben werden konnte, so können wir damit, soweit es sich eben um das königliche Macht-Prinzip handelt, uns nur vollkommen einverstanden erklären. – Soweit es sich aber um Rechte handelt, welche die Krone zwar faktisch bisher geübt hat, welche aber nach dem Prinzip der Verfassung der Landesvertretung nicht vorenthalten werden können, wird es unserer Überzeugung nach die Krone kräftigen, wenn die Veranlassung steten Mißtrauens und immer wiederkehrender Angriffe hinweggeräumt wird.

Wenn ferner von weitergehenden Konzessionen keine Rede mehr sein soll, so können wir auch damit einverstanden sein, wir glauben aber weitergehende Maßregeln, welche uns durch innere Gründe geboten erscheinen, nicht als ausgeschlossen betrachten zu dürfen.

Wenn wir von diesem unserem Standpunkte aus prüfen, was in der bevorstehenden und in der dann folgenden ordentlichen Sitzung und was mit Bezug auf die Wahlen zu tun sein wird, so gelangen wir zu folgenden Resultaten, welche zugleich unseren Standpunkt in Betreff der außerdem etwa noch zu lösenden Fragen deutlich bezeichnen werden.

1. Dem bevorstehenden Landtage wird, sofern nicht veränderte Umstände ein anderes Verfahren motiviren, außer den Handelsverträgen nur
   der Staatshaushalts-Etat,
   die Militair-Novelle und
   das Gesetz wegen des Zuschlages zur Einkommen-Steuer
   vorzulegen sein.
2. Der Staatshaushalts-Etat wird bereits pro 1862, nach Maßgabe der namens der Staatsregierung bereits gemachten Andeutungen mehr zu spezialisiren sein.
3. Die Reorganisation des Heeres muß unbedingt aufrecht erhalten und vollständig durchgeführt werden. (...)
4. Eine mäßige Herabsetzung des Zuschlages der 25 % ist im höchsten Grade zu wünschen. Ob dieselbe zulässig sein wird, muß näher erwogen werden und wesentlich von der ad 3 zu treffenden Entscheidung abhängen.
5. Nachdem von dem gesamten Staats-Ministerium prinzipiell anerkannt worden ist, und diese Ansicht die Genehmigung Seiner Majestät des Königs gefunden hat, daß der § 2 des Gesetzes über die Verhältnisse der Juden vom 23.

Juli 1847 als durch die Verfassungs-Urkunde aufgehoben zu betrachten sei, halten wir es für unmöglich, die bisherige Ausschließung der Juden von allen richterlichen Funktionen ferner aufrecht zu erhalten. Auch auf dem Gebiete der Schule werden Lehrerstellen für Mathematik, Naturwissenschaften u.s.w., insofern mit denselben die Einwirkung auf eine christliche Erziehung nicht verbunden ist, den Juden prinzipiell nicht versagt werden können. Eine völlige Gleichstellung mit den Christen ist weder nötig noch möglich. Aber gewisse Modifikationen werden in dem bisherigen Verfahren noch vor den bevorstehenden Wahlen eintreten müssen.

6. Die viel besprochenen Schul-Regulative werden nicht aufzuheben, aber in manchen Beziehungen zu modifiziren oder wenigstens in einem den früheren Traditionen mehr entsprechenden Geiste zu handhaben sein.
7. Das Minister-Verantwortlichkeits-Gesetz wird vorläufig auf sich beruhen können. (...)
8. Im ganzen Land ist mit einer Übereinstimmung, wie sie kaum in einer anderen Frage vorhanden sein dürfte, die Ansicht vorherrschend, daß nicht alle von der Regierung selbst beabsichtigten Reformen fort und fort an dem Widerstande des Herrenhauses scheitern dürfen. Sollten daher die für jede weitere Entwicklung unserer inneren Verhältnisse unerläßlichen Entwürfe der Kreis-Ordnung und des Gesetzes über die anderweite Einrichtung der ländlichen Polizei-Verwaltung verworfen oder in einer nicht annehmbaren Weise umgestaltet werden, so wird es unerläßlich sein, noch in derselbenSitzung, wo dies geschieht, durch Ernennung einer genügenden Anzahl von lebenslänglichen Mitgliedern auf eine andere Zusammensetzung des Herrenhauses hinzuwirken. Daß dies geschehen sollte, wird noch vor den Wahlen in der Allerhöchsten Proklamation oder in ministeriellen Erlassen anzudeuten sein.
   Es versteht sich von selbst, daß die neuen Ernennungen den konservativen Charakter des Herrenhauses nicht beeinträchtigen dürfen. Einzelne Ernennungen besonders verdienter Männer, welche nicht die Erreichung eines bestimmten politischen Zweckes im Auge haben und daher Niemanden verletzen können, werden fördersamst in Aussicht zu nehmen sein.
9. Alle Mitglieder des Staats-Ministeriums sind darüber einig, daß das Wahlrecht der Personen des Militairstandes zu beseitigen sein wird. Nach unserer Ansicht ist aber diese Beseitigung nur im Wege der Gesetzgebung zulässig. Für die bevorstehenden Wahlen halten wir daher ein Verbot der Beteiligung an den Wahlen nicht für möglich. Sollte die Absicht nur dahin gehen, vermittelnd darauf hinzuwirken, daß die Personen des Militairstandes freiwillig sich der Beteiligung enthalten, so würden wir dagegen keine Bedenken haben.
10. Bei den bevorstehenden Wahlen wird unter sorgfältiger Vermeidung aller ungesetzlichen Mittel und soweit dies unter Festhaltung der bei den letzten Wahlen unter Gutheißung Seiner Majestät des Königs veröffentlichten Grundsätze möglich ist, mit Entschiedenheit von der Staatsregierung und ih-

ren Organen auf die Herbeiführung eines günstigen Resultats hinzuwirken sein. Dabei muß besonders die Militärfrage ins Auge gefaßt werden. Dies darf aber nicht dahin führen, auch solche Männer als Regierungs-Kandidaten aufzustellen, welche zwar in dieser Beziehung das Ministerium unterstützen, aber notorisch bei den wichtigsten reformatorischen Maßregeln derselben feindlich entgegentreten. (...)

Sollen diese Grundsätze nicht als die fortan maßgebenden festgestellt werden, – dann halten wir im Interesse der Krone und des Landes unser Ausscheiden aus dem Ministerium für unabweislich geboten. Der sonst fortdauernde Zustand des Zwiespaltes, der Halbheit, macht, wie die Erfahrung der letzten Monate dargetan hat, einen konsequenten und kräftigen Gang der Verwaltung unmöglich. Er hat die Folge, daß das Ministerium bei keiner Partei volle Zustimmung, volles Vertrauen findet und daß darum keine Partei ihm eine kräftige Stütze sein kann.

Die Bildung eines anderen Ministeriums mit Heranziehung neuer, entschieden der feudalen Partei angehöriger Kräfte würde uns nicht ratsam erscheinen.

Dagegen würde die Möglichkeit bleiben, an unserer Stelle Elemente in das Ministerium aufzunehmen, welche bisher gewissermaßen eine neutrale Stellung eingenommen haben und daher möglicherweise auf ein gewisses Entgegenkommen bei der liberalen, wie bei der feudalen Partei rechnen können.

Unser Verbleiben im Ministerium ohne Durchführung der von uns entwickelten Grundsätze würde uns immer mehr mit unserer ganzen politischen Vergangenheit in Widerspruch setzen, von allen Seiten heftige und gereizte Angriffe gegen uns hervorrufen und uns ein erfolgreiches Wirken im Interesse der Krone und des Landes unmöglich machen. Es würde zugleich zu einer völligen Machtlosigkeit, wahrscheinlich sogar zu einer völligen Auflösung der liberalen Partei führen. In diesem Untergange der liberalen Partei würde aber nicht allein eine große Gefahr für die nächste Zukunft liegen, es würde dadurch auch die wesentliche Grundbedingung eines Fortbestehens der traditionellen preußischen Politik und der auf dieser Grundlage allein möglichen weiteren Entwicklung der inneren Zustände und der äußeren Machtstellung Preußens verloren gehen.

Berlin, den 14. März 1862
v. Auerswald, v. Patow, Gf. v. Pückler, Gf. v. Schwerin, v. Bernuth.

GStA Dahlem, Rep. 92 II, NL Auerswald, Nr. 13

121 Strafrechtliche Konsequenzen bei der Gründung des Nationalvereins

Das Polizei-Präsidium ist zwar überhaupt von der Existenz dieses Vereins seitens desselben bisher amtlich nicht in Kenntnis gesetzt, hat aber aus vielfachen Mitteilungen in öffentlichen Blättern und sonstigen Nachrichten Kunde davon erhalten, daß ein solcher Verein in Coburg besteht, dessen Mitglieder sich über Deutschland verbreiten und in den verschiedenen einzelnen Staaten – allerdings nicht förmlich als Zweig-Vereine konstituiert für die Zwecke des Vereinswirkens und zum Beitritt öffentlich auffordern. (...) Das Polizei-Präsidium will jedoch hier nicht erörtern, inwieweit in dem von den Beteiligten eingeschlagenen Verhalten, nach welchem über Preussen ein politischer Verein ausgebreitet ist, ohne irgendwie den Vorschriften des Vereinsgesetzes gemäß angezeigt zu sein, eine Umgehung dieses Gesetzes (liegt). Es sind nun jetzt aber wie eingangs bemerkt die Mitglieder des Zentral-Ausschusses mit den hiesigen Mitgliedern in Berlin zu gemeinsamen Beratungen zusammengetreten und haben die Versammlungen derselben dem Vernehmen nach zum Teil in der Wohnung des Vorsitzenden des Zentral-Ausschusses von Bennigsen aus Hannover im Hotel du Nord, teils in der Wohnung des Dr. Veit am Leipziger Platz No. 15, des für die weitere Ausbreitung des Vereins vorzugsweise tätigen Mitgliedes, stattgefunden(...) die, wenn man auch von der Existenz des Vereins ganz absähe, doch wenigstens als Versammlungen unter die Bestimmungen des § 1 des Vereinsgesetzes vom 11. März 1850 fallen würden, wonach die gesetzliche Anzeige bei der Polizei gemacht werden (muß) und hätten beide sonach die im § 12 l. c. vorgesehenen Strafen erwirkt[1].

Im Hinblick auf die politische Bedeutung des Vereins und auf die Interessen, welche sich an denselben knüpfen, hat das Polizei-Präsidium ohne Kommunikation mit Ew.Exzellenz (dem preuß. Innenminister v. Schwerin, C.-D. K.) mit weiteren Recherchen und mit den Strafen des § 12 cit. nicht vorgehen wollen. Da hier jedoch strafrechtliche Bestimmungen offenbar absichtlich verletzt und verbotene Handlungen öffentlich angekündigt worden, welche der Kognition der Polizei-Anwaltschaft resp. des Richters nicht gut entzogen werden können, ohne das Polizei-Präsidium einer Verantwortung auszusetzen und zu Exemplifikationen zu führen, so habe ich es für meine Pflicht gehalten, Ew. Exzellenz hiervon mit der ganz gehorsamsten Bitte Anzeige zu machen, mich hochgeneigtest mit Vorbescheidung versehen zu wollen, da höhere politische Rücksichten vorwalten, die bestimmend sind, auch dieses offenbare Zuwiderhandeln gegen ausdrückliche Strafbestimmungen zu ignorieren.

Das Polizeipräsidium in Berlin an den preuß. Minister d. Inneren, am 15. 3. 1860, ZStA II Merseburg, Rep. 77, tit 662, Nr. 30, Bl. 117

1 § 12 der »Verordnung über die Einschränkung des Versammlungs- und Vereinsrechts« lautet:

Wenn eine Versammlung ohne die in § 1 vorgeschriebene Anzeige stattgefunden hat, so trifft den Unternehmer eine Geldbuße von fünf bis fünfzig Talern oder Gefängnisstrafe von acht Tagen bis zu sechs Wochen. Derjenige, der den Platz dazu eingeräumt hat, und jeder, welcher in der Versammlung als Vorsteher, Ordner, Leiter oder Redner aufgetreten ist, hat eine Geldbuße von fünf bis fünfzig Talern verwirkt. (...)

122 Wahlaufruf des Innenministers an die preußischen Beamten vom 22. 3. 1862

An
sämtliche Königliche Regierungen und das
hiesige Polizei-Präsidium und sämtliche
Landratsämter und die Magistrate der zu
keinem ländlichen Kreise gehörigen Städte.

Die große Wichtigkeit der bevorstehenden Wahlen zum Hause der Abgeordneten legt mir die Pflicht auf, Euer Exzellenz den Standpunkt näher anzudeuten, welchen die Königliche Staats-Regierung den Wahlen gegenüber einzunehmen für geboten erachtet. (...)

Es versteht sich von selbst, daß es der Königlichen Staats-Regierung fern liegt, die gesetzliche Wahlfreiheit irgendwie beschränken zu wollen; vielmehr ist überall streng darauf zu halten, daß die hierauf bezüglichen Vorschriften der Gesetze gewissenhaft beobachtet werden. – Die Königliche Staats-Regierung vertraut dem Patriotismus und der richtigen Einsicht des Landes; sie hofft, in freien, von keiner Seite in ungehöriger Art beeinflußten Wahlen diejenige Unterstützung zu finden, deren sie zur glücklichen Lösung der ihr gestellten wichtigen Aufgaben bedarf. Eben deshalb aber kann sie nicht darauf verzichten, durch ihre Organe entschieden darauf hinzuwirken, daß den Wählern die leitenden Grundsätze und die Absichten der Regierung nach Maßgabe des Allerhöchsten Erlasses vom 19. d. M. überall zum klaren Verständniß gebracht werden, und namentlich allen Mißdeutungen und Entstellungen entgegengetreten werde, welche das unbefangene Urteil irrezuleiten geeignet sind.

Geschieht dies, so bürgt der loyale und konservative Sinn der großen Mehrheit der Bevölkerung dafür, daß die Majorität der Wähler treu zur Regierung Seiner Majestät des Königs halten werde; denn den Wählern ist dann bekannt, daß die Regierung auf dem Boden der Verfassung steht, daß sie den Rechten der Landesvertretung ihre volle Geltung wiederfahren läßt und bei der weiteren Ausführung der Verfassung in Gesetzgebung und Verwaltung von freisinnigen Grundsätzen auszugehen entschlossen ist. Hierdurch wird den berechtigten Wünschen des Landes Genüge geschehen und die Regierung darf deshalb mit Grund auf die aufrichtige Unterstützung aller konservativen Elemente rechnen. Ebenso wird es allgemeine Anerkennung finden, daß die Königliche Staats-Regierung es für ihre unerläßliche Pflicht erachtet, die Rechte der Krone mit Entschiedenheit zu wahren und nicht zuzugeben, daß der Kraft des Königlichen Regiments, auf welchem Preußens Größe und Wohlfahrt beruhen, zu Gunsten einer sogenannten parlamentarischen Regierung Abbruch geschehe, während die verfassungsmäßige Mitwirkung bei der Gesetzgebung gewährleistet ist.

Gerade hierdurch hat sich die Königliche Staats-Regierung in den schärfsten Gegensatz zu der Demokratie gesetzt, deren Bestrebungen zur Zeit unverkennbar darauf gerichtet sind, den Schwerpunkt der staatlichen Gewalt, welcher nach Geschichte und Verfassung Preußens bei der Krone beruht, von dieser in die Volksvertretung zu verlegen. Es ist deshalb die Aufgabe der Königlichen Staats-Regierung und ihrer Organe, der demokratischen Partei, mag sie nun offen diesen Namen führen oder als sogenannte Fortschritts-Partei oder unter irgend einer andern irreleitenden Benennung auftreten, bei den bevorstehenden Wahlen überall entgegen zu wirken, teils durch geeignete Belehrung der Wähler über die eigentlichen Tendenzen jener Partei, teils dadurch, daß auf die möglichste Vereinigung aller verfassungsgetreuen konservativen Parteien hingewirkt wird. Die Lage der Sache ist ernst genug, um an alle konservativ Gesinnten die dringende Mahnung zu richten, ihrer mehr oder minder unwesentlichen Parteiunterschiede uneingedenk, sich unter einer Fahne zu sammeln und als eine große verfassungstreue konservative Partei ihren gemeinschaftlichen Gegner, die Demokratie, bei den Wahlen zu bekämpfen. Gelingt dies überall, so ist ein Sieg der Demokratie nicht zu befürchten.

Über die Mittel und Wege, welche in Gemäßheit der vorstehenden Andeutungen behufs Erzielung eines günstigen Wahlresultats einzuschlagen sind, und wobei selbstverständlich alle unlauteren Mittel ausgeschlossen bleiben, können der Natur der Sache nach allgemeine Anweisungen nicht gegeben werden. Ich muß es daher lediglich Euer Exzellenz ergebenst überlassen, diejenigen Anordnungen zu treffen, welche Sie den Umständen und den mannichfachen Verhältnissen nach hierzu für geeignet erachten.

Vornehmlich sind die Königlichen Regierungen und die Königlichen Landratsämter berufen, eine ersprießliche Tätigkeit in dem vorgedachten Sinne zu entwikkeln. Von ihrem Pflichtgefühl erwarte ich, daß sie eifrig bemüht sein werden, im obigen Sinne mit allen Kräften auf die Erreichung des vorbezeichneten Zieles hinzuwirken; ich hege aber auch zu der Umsicht und dem Takte dieser Behörden das Vertrauen, daß sie wissen werden, sich der ihnen gestellten Aufgabe im vollsten Umfange zu entledigen, ohne dabei diejenige Grenze zu überschreiten, über welche hinaus eine unzulässige Beschränkung der gesetzlichen Wahlfreiheit gefunden werden müßte.

Was die Königlichen Beamten anbetrifft, so ist die Staats-Regierung zu der Erwartung berechtigt, daß dieselben ihr bei den Wahlen ihre eifrige Unterstützung gewähren werden. Jedenfalls würde es mit der Stellung eines Königlichen Beamten unvereinbar sein, wenn er soweit ginge, sich – uneingedenk des Sr. Majestät dem Könige geleisteten Eides der Treue, – in einem der Regierung feindlichen Sinne bei Wahlagitationen zu beteiligen.

GStA Dahlem, Rep. 90, Nr. 111

123 Wahlbehinderung und »politische Reife des Volkes«

Was man mit uns nach der schulmeisterlichen Entlassungsrede im Sinne hat, weiß ich nicht u. ebensowenig, woher man das viele Geld für die polnische und schleswigsche Affaire hernimmt. Ich denke, man löst uns wieder auf, schüchtert die Beamten noch mehr ein u. octroyirt das Schwerinsche Wahlbezirksgesetz dahin um, daß das platte Land von den Städten ausgesondert wird, die neuen Wahlkreise innerhalb der Kreisgrenze in sich wählen und zwar Abgeordnete nur aus ihren Einsassen. Daneben wird dann wohl die Presse noch mehr geduckt u. das Vereins- und Versammlungsrecht noch mehr beschnitten werden. Auf diese Weise wird man bei mir u. auch in vielen ähnlichen Gegenden reactionäre Wahlen erzwingen; ob man aber die Majorität erlangen wird, glaube ich bei der vorgeschrittenen politischen Reife des Volkes nicht.

Der Präsident des preuß. Abgeordnetenhauses Grabow an R. v. Gneist, Prenzlau, den 18. 4. 1864, ZStA II Merseburg, Rep. 92, NL Rud. v. Gneist, Nr. 67, Bl. 78 ff.

124 Presseverfolgungen

Berlin. Die heitere Welt.
(Zweite Verwarnung.)

Die Nr. 51 der in Ihrem Verlage erscheinenden Zeitung »Die heitere Welt« beobachtet dieselbe Haltung, um deretwillen Ihnen die in dieser Nummer abgedruckte Verwarnung vom 6. Juni d. J. erteilt worden ist. Insbesondere legen die Verse, überschrieben »Tout même chose« und »Wechsel-Couplet« das Bestreben an den Tag, die Einrichtungen des Staats und die öffentlichen Behörden durch Schmähungen und Verhöhnungen dem Hasse auszusetzen. Nachdem die Ihnen erteilte Warnung somit fruchtlos geblieben, erteile ich Ihnen hiermit auf Grund der §§ 1,3 und 8 der Verordnung vom 1. Juni d. J., betreffend das Verbot von Zeitungen und Zeitschriften, eine nochmalige Verwarnung.

Berlin, den 13. Juni 1863.

Der Polizei-Präsident
v. Bernuth.

Berlin. Berliner Börsen-Zeitung.

Die in Ihrem Verlage erscheinende »Berliner Börsen-Zeitung« hat ihre seit langem fortgesetzt beobachtete, die öffentliche Wohlfahrt gefährdende Haltung auch seit dem Erlaß der Verordnung vom 1. Juni d. J., betreffend das Verbot von Zeitungen und Zeitschriften, nicht aufgegeben.

Hierfür liefern beispielsweise die Morgennummern vom 3., 4., 12., 13. Juni d. J., Nr. 251, 253, 267, 269 den Beleg. Die Artikel jener Blätter, beginnend mit den Worten:

»Gleichzeitig mit der telegraphischen Nachricht«,
»So wenig wir unsere Zeitung«,
»Das Rezept des Ministers des Innern«,
»Das Tilsiter Wochenblatt enthält ein Protokoll«,

lassen sämtlich das Bestreben erkennen, die Einrichtungen des Staats, die öffentlichen Behörden und deren Anordnungen, namentlich die Verordnung vom 1. Juni d. J., betreffend das Verbot von Zeitungen und Zeitschriften, und das Reskript des Herrn Ministers des Innern vom 6. Juni d. J. an die Kommunal-Aufsichtsbehörden durch Behauptung teils entstellter, teils gehässig dargestellter Tatsachen dem Hasse auszusetzen.

Auf Grund der §§ 1, 3 und 8 der gedachten Verordnung vom 1. Juni d. J. erteile ich Ihnen daher hiermit eine Verwarnung.

Berlin, den 13. Juni 1863

Der Polizei-Präsident
v. Bernuth.

Aktenstücke zur neuesten Geschichte Preußens, I, Verwarnungen, 1, 1. Heft (Juni/Juli 1863), Berlin 1863 (Verlag Julius Springer), ZStA II Merseburg, Rep. 169 C

125 Orden- und Titelverleihung zur politischen Disziplinierung

1. *Der Ober-Präsident der Rheinprovinz Pommer-Esche am 31. 12. 1863 an den preußischen Handelsminister*

Wenn ich auf den Vorschlag (...), die Verleihung des Titels Geheimer Commerzienrat an den Commerzienrat Simon Oppenheim zu Cöln betreffend, nicht zurückgekommen bin, so hat dies seinen Anlaß darin, daß der Oppenheim nach Anzeige des Herrn Regierungs-Präsidenten zu Cöln im vorigen Jahre die bekannte Adresse der sogenannten Rheinischen Petenten unterschrieben hat und seitdem nichts vorgekommen ist, was diesen Umstand übersehen ließe. Einer seiner Söhne soll sich seiner Zeit mit unter die Stifter der Fortschrittspartei eingereiht haben. Mit Rücksicht hierauf nehme ich Anstand, den Vorschlag für den Oppenheim, welcher großen Wert auf jenen Titel legt, dessen sein jüngerer Bruder Abraham sich seit längerer Zeit erfreut, jetzt zu verweigern.

ZStA II Merseburg, Rep. 120, A IV 13, Bd. 5, Bl. 159 ff.

2. *Der Ober-Präsident der Rheinprovinz am 11. 7. 1866 an den preußischen Handelminister*

In Folge der nach Erstattung meines Berichts vom 7. d. M. mir zugegangenen Andeutungen in Betreff des Verhaltens des Geheimen Commerzienrats Haniel bei den letzten Abgeordneten-Wahlen habe ich hierüber bei dem Landrat Kessler Erkundigungen eingezogen. Der eben eingegangene Bericht des Letzteren, den ich gehorsamst beifüge, bestätigt es leider, daß der Haniel mit der Fortschrittspartei gestimmt hat. In seinem früheren Berichte hatte der Kessler dieses unerwarteten Verhaltens ebenso wenig Erwähnung getan, als das Regierungs-Präsidium in Düsseldorf in dem Euer Exzellenz eingereichten Berichte; (...) ich sehe mich daher zu meinem Bedauern genötigt, von meinem diesfallsigen Vorschlage Abstand zu nehmen.

ZStA II Merseburg, Rep. 120, A IV 13, Geheim, Bl. 49

3 *Staatsstreicherwägungen*

126 Kriegsminister v. Roon ist zu allem entschlossen

Albrecht v. Roon an Clemens Theodor Perthes [1]

Wenn nun aber in dem einen wie dem andern Falle die tendenziöse Opposition eines Unterhauses mit demokratischer Majorität dem gegenwärtigen Ministerium das Regieren unmöglich zu machen droht, – und dieser Fall wird von vielen für der wahrscheinlichere gehalten –, so bin ich meinerseits zu allen Konsequenzen entschlossen, die sich daran knüpfen, und ich glaube in diesem Entschlusse Gefährten zu finden. Erst dann aber beginnt die eigentliche, entscheidende Krisis; erst dann wird es sich fragen, ob die Krone sich selber treu bleiben will –, sonst – hätte ich freilich bisher umsonst gearbeitet und gerungen; denn eine Umkehr zu den Tendenzen des abgelebten Ministeriums wäre das Aufgeben des historischen Königtums in Preußen und die Inthronisation der Parlamentsherrschaft, die dann ohne Schwierigkeit mit klingendem Spiel als Siegerin einherziehen würde. Ob das zu verhindern überhaupt und im Hinblick auf die maßgebenden Persönlichkeiten und ihre Umgebungen möglich sein wird, Gott weiß es. Aber versuchen muß ich den Kampf, dazu drängt mich meine Pflicht und mein Gewissen (...). Und so helfe Gott in Gnaden weiter! Der kleine David hatte nur Kieselsteine und ein tapferes Herz – – Gott ist es, der den Sieg giebt, nicht Stärke oder Witz.

Von der Flauheit und Selbstsucht der s. g. Conservativen erwarte ich nicht viel (...). Ich bin jetzt ein gefeierter Mann bei ihnen, obgleich ich wahrlich nicht ihretwegen mich bemühte; wenn man nun aber von ihnen etwas Anstrengung verlangt, so machen sie Ausflüchte (...).

A. v. Roon an C. Th. Perthes am 22. 3. 1862, in: A. *v. Roon,* Denkwürdigkeiten aus dem Leben des General-Feldmarschalls Kriegsministers Grafen von Roon, Sammlung von Briefen, Schriftstücken und Erinnerungen, 2, Breslau 1897, S. 72

1 C. Th. Perthes (1809–1867), ein Abkömmling der berühmten Buchhändlerfamilie, war Prof. der Rechte und der Staatswissenschaften in Bonn.

127 Staatsstreich? Ministerkrise (März 1862)

Max Duncker an Ernst v. Stockmar [1]

Unsere Lage hat sich nicht eben gebessert. Der Zusammenhang im Ministerium ist seit Herrn v. Auerswalds Krankheit noch weiter gelockert als früher. Man treibt auf eine Auflösung der Kammer zu. Schon vor 14 Tagen hat der Feldmarschall auf seine Hand scharfe Munition an die Truppen austeilen lassen; die auswärtigen Gesandten, Lord Augustus an der Spitze, halten demnach die Auflösung für eine beschlossene Maßregel, die erforderlichenfalls mit allen Mitteln durchgetrieben werden soll.

Daß neue Wahlen nur eine Verstärkung der Demokratie bringen ohne Anwendung der Mittel, welche auch ausreichen würden, die Auflösung zu vermeiden, ist unzweifelhaft.

M. Duncker an E. v. Stockmar, Berlin, den 5. 3. 1862, in: M. *Duncker,* Politischer Briefwechsel, S. 318 f.

1 Ernst v. Stockmar (1823–1886) war süddeutscher Liberaler.

4 *Militärische Erfolge nach außen*

128 Die Opposition kann durch schnelle militärische Erfolge gelähmt werden

Die demokratische Partei, welche in Berlin in den letzten Wochen sehr niedergeschlagen war, fängt seit einigen Tagen an, ihr Haupt wieder zu heben. Vom Kriegs-Schauplatz fehlen seit Wochen alle Nachrichten, der erste Siegesrausch ist vorüber, und man fängt nun an, die dortige Kriegssituation zu bemäkeln und zu bemängeln. Demokratische Agenten laufen in den öffentlichen Lokalen umher und schimpfen auf den General Wrangel und den Prinzen Friedrich Carl, welche bei der Verfolgung der Dänen die größten Fehler gemacht haben sollen. Man fängt bereits an, die jetzige Langsamkeit des Erfolges als eine Niederlage zu verstehen.

Es kommt hinzu, daß jeder Mensch völlig im Unklaren ist, was unsere Regierung eigentlich mit Schleswig-Holstein beabsichtigt. Es fehlt allaugenblicklich jedes politische Programm und somit ist allen Verdächtigungen und Einflüsterungen der Demokratie Tür und Tor geöffnet. Sicherlich benutzt diese Partei eifrig diesen Umstand, wenn auch noch mit Vorsicht. Überdies hofft die Demokratie, daß durch die in Italien anhaltend revolutionäre Bewegung auch in Deutschland sich die Aktion der Demokratie wieder einigermaßen heben werde, zumal die Regierung, wenn ein allgemeiner Krieg ausbricht, die Kräfte des Volkes stärker als bisher beanspruchen und deshalb Konzessionen machen muß. Die Linken der Demokratie, welche in letzter Zeit sehr niedergeschlagen waren, erscheinen alle seit einigen Tagen wieder heiter und sicher. Es wäre dringend zu wünschen, daß recht bald wichtige Ereignisse am Kriegs-Schauplatz wieder das Interesse vorweg nehmen und daß recht bald ein bestimmtes Programm der Regierung sich hinstellen ließe, unter welchem sich eine feste Regierungs-Partei bilden könnte. Jetzt tappt alles im Unklaren.

Die Fortschritts-Partei ist ziemlich gespalten, namentlich ihr Widerstand gegen die Armee-Reorganisation hat sie ziemlich unmöglich gemacht, aber welche Partei soll als die leitende an ihre Stelle treten? Dies ist die große Frage. Fast scheint sich eine Annexionspartei bilden zu wollen, welche um jeden Preis, auch mit Hintenansetzung von politischer Freiheit, Preußen nach Außen hin verstärken will. Augenblicklich kann man aber kaum etwas Bestimmtes über die Stimmung in der Stadt berichten. Alles nimmt eine abwartende Stellung ein.

Bericht des Polizei-Direktors Stieber vom März 1864, ZStA II Merseburg, Rep. 92, NL Zitelmann, Nr. 74, Bl. 125

5 *Bürgerliche Konstitutionsbedingungen*

129 Bildung als Voraussetzung für sozialen Aufstieg

Jede Teilung der Arbeit erzeugt eine factische Gliederung der Gesellschaft, und diese factische Gliederung wird stets in gewissem Maße zu einer rechtlichen. Auf diesem Rechtsboden erst entsteht das freie Spiel der wirtschaftlichen Kräfte, das somit nie ein absolut freies, d. h. ein im Sinn rein individueller Kräfte willkürliches ist. Man denke an die Sklaverei, an das Kastenwesen, an die mittelalterliche Corporations- und Feudalverfassung und heute: – ist die wirtschaftliche Gliederung nicht auch eine rechtliche? Ist es nicht der Besitz, der regiert und Gesetze giebt – vielleicht bis jetzt mit Recht, weil er auch in geistiger Bildung am weitesten ist. Aber ist nicht wenigstens die Gefahr vorhanden, daß er als das herrschende Prinzip zugleich die Rechtsordnung für sich ausbeutet, während die Recht und Pflicht negirende oder nicht achtende Nationalökonomie nicht merkt, wie in dem Kampfe der Concurrenz die Kräfte immer ungleicher werden. Das ist einer der Punkte, wo der Sozialismus unserer Bourgeoisie in's Herz getroffen und auf einen Zusammenhang aufmerksam gemacht hat, der jetzt nicht mehr übersehen werden kann. Die Gesetze über die Formen der Unternehmung, über Patente und Gewerbeconzessionen, über Schutzzoll und Steuersysteme, über Kornzölle und Agrarpolitik, über Kinderarbeit und Trucksystem, über Armenwesen und Niederlassung, die Staatsunterstützungen mit Anleihnen, wie sie unsere Großindustrie so häufig empfing, die Zinsengarantien, das ganze Privat- und öffentliche Recht, greifen in diesen Concurrenzkampf zwischen Arbeit und Capital ein.

Die wirtschaftliche Kraft jedes Individuums, das eintritt in den Concurrenzkampf, ist bedingt durch die gesellschaftlichen Zusammenhänge, durch das bestehende Recht und noch mehr durch die bestehende Sitte, durch die Ideen und Anschauungen, die es aus seiner Familie und Gemeinde als Mitgabe empfangen, durch die Erziehung, die es genossen, durch die öffentliche Meinung, die in den Kreisen herrscht, denen es angehört.

Diese ethische Vertiefung aller ökonomischen Fragen, dieser Nachweis des Zusammenhangs alles äußeren Lebens mit den psychologischen Ursachen giebt uns auch die richtige Auffassung für die allgemeinen abstracten Begriffe »Selbsthilfe und Staatshilfe«. Das ökonomische Leben hängt zuerst allerdings stets von natürlichen äußern Bedingungen und Tatsachen ab; aber bei gleicher Entwickelung dieser, welche sich jedenfalls mehr auf die Production als die Verteilung der Güter beziehen, ist die verschiedenste sittliche Gestaltung denkbar, und doch nur wenn diese ethische Entwickelung die richtige Bahn einschlägt, ist auch für das rein äußere Güterleben der immer weiter gehende Fortschritt möglich. So werden die innern Ursachen so wichtig als die äußeren auch in der Nationalökonomie, ja sie werden mit der fortschreitenden Geschichte zur Hauptsache, je mehr der Mensch die Natur und nicht mehr die Natur den Menschen beherrscht. Es ist der Geist, der sich den Körper baut. Darum kann jede Besserung nur dann fruchten, wenn sie nicht bloß äußerlich den unteren Classen und hier speziell den Arbeitern etwas bietet, äußerlich die Quantitäten von Nachfrage und Angebot zu ihren Gunsten gestaltet, wie es jede Garantie eines Lohnminimum, jedes Recht auf Arbeit und ähnliche Vorschläge nur tun würden. Wenn die Reform nicht innerlich umgestaltet, so ist Alles umsonst. Das übersehen die sämtlichen Sozialreformer von St. Simon bis zu Lassalle herab; die gewaltsamste Änderung unseres äußeren sozialen und wirtschaftlichen Mechanismus allein ohne Änderung der innern Motive und Ideen der Menschen verläuft stets zu einem kläglichen Ende, und am wenigsten hat der Staat als solcher die Macht und Fähigkeit mit einem Zauberstabe die innern Grundlagen zu ändern, wie er das äußere Recht umzugestalten vermag, so wenig wir ihn sonst mit der sogenannten Manchesterschule bloß auf den »Nachtwächterdienst der Sicherheit für die Besitzenden« reduziren wollen, wie Lassalle sich ausdrückt.

Darum ist Selbsthilfe und Selbstverantwortlichkeit das einzige Heilmittel für unsere Zeit, wenn hiermit das Prinzip ausgesprochen werden soll, daß nur solche Änderungen dauernd etwas frommen, die das innere Selbst, das Denken und Wollen der arbeitenden Classen umwandeln. Wie in der Religion das neue Evangelium der Humanität dahin lautet, daß nur eine Versöhnung in der eigenen Brust das Heil dem Menschen bringt, nicht mehr eine von außen gebotene, so auch auf anderen Lebensgebieten. Die Forderung der Selbsthilfe und Selbstverantwortlichkeit der arbeitenden Classen ist richtig verstanden nichts anderes als die Anerkennung des großen Satzes, daß alles menschliche Handeln und Betreiben aus den inneren sittlichen Grundlagen des Menschen entspringt, daß die Welt mehr von Innen nach Außen, als von Außen nach Innen umgestaltet werden muß, daß wenigstens jede nur äußere Umgestaltung erfolglos bleibt. Damit soll natürlich die Wechselwirkung, in der jeder Mensch mit seinen Nebenmenschen und der äußeren Welt steht, nicht verkannt werden, und daher wird auch nicht jede Wirkung von außen her auf das Innere zu verwerfen sein, sondern nur eine solche, die bloß äußerlich bleibt und den inneren Menschen nicht umgestaltet – wie z. B. meist die bisherige Art der Armenpflege oder wie es eine allgemeine communistische Versetzung der arbeitenden Classen in plötzlichen Reichtum tun müßte. Jeder helfe sich zunächst selbst – verdanke sich und seiner Kraft und Arbeit seine Besserung; das ist der sicherste Weg, um mit dem ökonomischen Fortschritt stets den innern geistigen und sittlichen zu vereinigen. Aber daneben darf die Pflicht des Staats, durch richtige Gesetze, durch Sorge für allgemeine Bildung, durch rechtliche und polizeiliche Schranken gegen absolute Unsittlichkeit für die niederen Classen zu sorgen und ebenso wenig darf die große Culturwirkung der höheren auf die niederen Classen, diese wichtige Form der Erziehung des Menschengeschlechts außer Acht gelassen werden – gerade in der Arbeiterfrage.

Der gesellschaftliche Egoismus, der unversöhnte Widerstreit der verschiedenen Gesellschaftsclassen, die Ausbeutung der untern durch die obern, das war die

Klippe, an der die früheren Culturepochen scheiterten und an der auch unsere Zeit zu Grunde geht, wenn sie nicht ethische Kraft mehr hat, sie mit sittlichem Geist zu überwinden.

Der Anfang der Cultur setzt immer nur einen kleinen Teil der Gesellschaft in Stand, ein höheres menschliches Dasein zu führen. Das Kastenwesen war nötig, um die indische Cultur, die Sklaverei um die griechische zu erzeugen. Was aber im Anfang notwendige Voraussetzung war, um die Cultur überhaupt möglich zu machen, wird später zum Unrecht, da jetzt Reichtum und Bildung im Allgemeinen so gestiegen sind, daß auch die unteren Classen daran teilnehmen könnten. Schließt sich statt dessen der Egoismus der herrschenden Classen hermetisch ab, erkennen diese ihre Pflicht nicht, die unteren Classen geistig und sittlich zu heben oder wenigstens diese Hebung nicht zu hindern, so folgen entweder jene Revolutionen, die einer noch unreifen Menge die Gewalt in die Hände geben und so die Zukunft untergraben, oder es folgt mit der steigenden Unterdrückung der Besitzlosen die allmähliche Vergiftung und der Ruin aller Lebensverhältnisse von innen heraus. Das war das Grab der antiken Welt.

Die gleiche Bewegung erfolgte in der neuen Zeit. Wieder waren es zuerst nur Wenige, die Teil an Besitz, Bildung und politischen Rechten hatten; steigender Reichtum, steigende Cultur geben die Möglichkeit der Teilnahme immer Mehrerer; die gesunde Entwickelung beruht darauf, diese Bewegung, die unaufhaltsam immer mehr Glieder zur Teilnahme an allen Gütern der Humanität beruft, nicht durch beschränkten Egoismus zu hemmen, nicht an die Stelle schöner Wechselwirkung einen unversöhnlichen, vergiftenden Classenhaß zu setzen und hauptsächlich durch Erziehung und sittliche Hebung der unteren Classen diese stets von innen heraus zu heben, ehe ihnen die äußeren Güter, wie politische Rechte, Teilnahme am Besitze zuletzt doch im Sturm und Kampf der Revolution zufallen. In dieser Bewegung liegt unsere soziale und politische Zukunft; und da die wirtschaftlichen und sozialen Zustände die Voraussetzung und Grundlage der politischen sind, so müssen vor Allem diese richtig gestaltet, mit gesundem, sittlichem Geiste durchdrungen werden.

Aller Culturfortschritt geht von geistig höher stehenden Personen oder Classen der Mit- oder Vorwelt aus; die Berührung mit ihnen zieht die weniger Hochstehenden empor. Es ist dies die sittliche Solidarität aller Zeiten und Geschlechter. Höher stehende Völker sind geistig die Erzieher der niederer stehenden, höher stehende Gesellschaftsclassen das hebende Ferment für die niederen. Diese geistige Wechselwirkung leugnet auch Schultze-Delitzsch entfernt nicht, wie Lassalle glaubt. Um diese zu leugnen, müßte man blind sein. Alle Verbesserungen der arbeitenden Classen haben trotz dem Egoismus und der beschränkten Kurzsichtigkeit eines großen Teils der Besitzenden ihre Keime in den höheren Classen. Die Zukunft unserer Cultur gegenüber der antiken besteht in dem sittlichen Zusammenhang, in dem heute noch die höheren und niederen wirtschaftlichen Classen stehen, in der sittlichen Auffassung dieser Dinge, die den Classenhaß und den beschränkten Egoismus nicht zu weit treibt, die Gewalt der Regierung und des Rechts nicht so mißbraucht, um die untern Classen immer tiefer zu drücken, egoistischer auszubeuten, rechtlich schlechter zu stellen. (...)

Was die Erhöhung des standard gewöhnlich hemmt, sind die sittlichen Zustände der Arbeiter. Leicht verzweifelnd an jeder Zukunft, lebt der Arbeiter in den Tag hinein, von Stunde zu Stunde; spart nicht, geht leichtsinnig Ehen ein, ehe er seine Zukunft gesichert weiß, hofft wohl gar eine Besserung seiner Lage durch das Mitarbeiten von Frau und Kindern, die er häufig dadurch geistig und körperlich vergiftet, hat keinen Sinn für die höheren und sittlich veredelnden Genüsse einer behaglichen Wohnung, eines eigenen Herdes und Hauses, einer größeren Reinlichkeit, einer passenden Lectüre, rechnet äußersten Falles auf eine falsch eingerichtete Armentaxe, die ihm vollends die Lust an der Arbeit raubt und den letzten Keim des Ehrgefühls und das Bewußtsein eigener Verantwortlichkeit in ihm erstickt.

Gerade in diesen sittlichen Beziehungen aber hat der heutige Arbeiterstand große Fortschritte gemacht, nicht zum wenigsten durch die Bemühungen der Regierungen und höheren Stände, denen das Gespenst des hungernden Proletariats und des nivellirenden Communismus endlich die Augen öffnete.

Die Tugend der Sparsamkeit ist die erste Stufe auf der Leiter der sittlich-ökonomischen Erhebung. Mit der Errichtung von Sparkassen aller Orten beginnt auch die Tätigkeit für die arbeitenden Classen und ein günstiger Einfluß wird sich ihnen nicht absprechen lassen. Der Gedanke eines eigenen, wenn auch noch so kleinen Vermögens macht aus dem Proletarier einen andern Menschen, der an die Zukunft denkt und nicht mehr wie das Tier gedankenlos in den Tag hineinlebt. Das Bewußtsein des eigenen Besitzes spornt den Fleiß und die Tätigkeit, führt zu Mäßigkeit und Ordnung. So ziemlich auf gleicher Linie stehen die sämtlichen Krankenkassen, Alters- und andere Unterstützungskassen, die in Deutschland meist auf Veranlassung der Fabrikanten oft gegen den Willen der Arbeiter eingeführt wurden. (...)

Bildung und Kenntnisse, das sind die wahren Mächte, um die Arbeiter zu heben; der Arbeitslohn ist um so höher, je größer die erforderliche Bildung; je mehr die Maschine alle rein mechanische Arbeit übernimmt, desto mehr braucht man geistig und technisch gebildete Arbeiter. Die Bildung ist die Grundlage aller sittlichen Besserung, aller Freude an höheren Genüssen; Bildung und Kenntnisse, persönliche Geschicklichkeit und Tüchtigkeit sind die Leiter, an der fortwährend Einzelne aus der beschränktesten Arbeiterstellung sich emporarbeiten zu den höchsten Spitzen der Gesellschaft, wie ja bekannt, daß die größten Fabrikanten Englands und des Continents diesen Weg gemacht haben. Georg Stephenson und der alte Peel, Borsig und Kramer sind diesen Weg gegangen und die Worte des Führers der deutschen Industrie auf dem letzten Handelstag, des Herrn v. Beckerath sind geschichtlich geworden: »Meine Wiege hat am Webstuhl meines Vaters gestanden.«

G. *Schmoller,* Arbeiterfrage, S. 420 ff., S. 525 ff.

130 Organologische Staatsauffassung

Die Einsicht ist überall durchgedrungen, daß der Staat nur eine Seite des unendlich complizirten Ganzen der menschlichen Gesellschaft umfaßt, daß seine Verfassung und seine Politik zwar vorübergehend mit dieser oder jener Richtung des Gesellschaftslebens in Widerspruch treten kann, auf die Dauer aber stets und notwendig in Wechselwirkung mit den sich bedingenden geistigen und materiellen Zuständen der Gesellschaft steht, von ihren wesentlichen Verhältnissen und Bedürfnissen beherrscht wird, und fördernd oder hemmend auf sie zurückwirkt. Diese Naturnotwendigkeit hat von jeher die Staatsbildungen beherrscht, aber die Wissenschaft davon ist sehr neu. Sie beruht auf der naturgeschichtlichen Analyse der Gesellschaft, wie sie sich in den ökonomischen Verhältnissen, der Lebensweise, den Beziehungen und Culturzuständen der einzelnen Volksclassen, in Kunst, Literatur und Wissenschaft, in Sitte, Recht und Staat darstellt. Sie spricht sich in allen bedeutenden Erscheinungen der Gegenwart mehr oder minder bewußt aus, hat ein ganz neues Verständniß der Geschichte eröffnet, durchweht in Culturstudien und Dichtungen die Literatur und erweckt überall das Interesse einer fruchtbaren Wirklichkeit. Wo diese Erkenntniß lebendig geworden, da verstummen die inhaltsleeren Declamationen, die willkürlichen Constructionen aus abstracten Begriffen, welche den Staatsdoctrinen immer von Neuem den Einwurf zugezogen haben, daß sie sich gut in der Theorie ausnehmen, aber nicht in der Praxis taugen. Eine Theorie ist nur gut, wenn sie aus der Wirklichkeit geschöpft ist und sich in der Wirklichkeit bewährt.

C. *Twesten,* Woran uns gelegen ist, S. 20f.

131 Die Wirtschaft fordert »Sicherheit des Bestehenden«

Bekanntlich liegt die sicherste Bürgschaft für eine stabil fortschreitende Entwikkelung der Handels- und Gewerbeverhältnisse im Vertrauen zu der Gerechtigkeit der Landesverwaltung, der öffentlichen Sicherheit und in der Harmonie der auf Einsicht und Hingebung beruhenden Staatsgewalten. Da sich alle öffentlichen Wertpapiere nun, soweit sie nicht auf Mißrechnungen der Privat-Spekulation beruhen, trotz der zu unserm großen Bedauern durch politische Parteiung hervorgerufenen Konflikte in fortdauernd steigender Richtung behaupten, und auch die Geschäfts-Bilanzen im großen Ganzen eine entschiedene Besserung gewonnen haben, so kann hierin wohl ein Beweis dafür gefunden werden, daß es mit dem öffentlichen Vertrauen nicht so schlecht steht, als von verschiedenen Seiten geschildert wird. Und wenn auch aus politisch patriotischen Gründen sowohl, als im Interesse des jetzt so notwendigen Zusammenwirkens aller Kräfte von Jedermann eine baldige friedliche Ausgleichung des Streites lebhaft gewünscht und ersehnt wird, so wäre doch auch Unrecht, zu verkennen, daß wir in den ersten 13 Jugendjahren der verfassungsmäßigen Teilnahme an der Gesetzgebung einen wesentlichen Fortschritt gemacht haben. Es ist von den Wahlkörpern noch kaum zu verlangen, daß bei dem allgemein drückenden Gefühl des Unbehagens über unsre nationalstaatliche Zerrissenheit man nicht lieber dahin sein Vertrauen wendet, wo man die deutschen Fortschritts-Interessen mit schnelleren Erfolgen gewinnen zu können versichert und daß man dieserhalb leicht geneigt ist, sich so weit fortreißen zu lassen, um selbst Motiv und Zweck des Wahlgesetzes zu verkennen. Offenbar entspricht es der indirekten Wahlordnung nicht, daß von allen politischen Parteien die Urwähler schon die Wahlmänner hinsichtlich der späteren Wahl der Abgeordneten mit Ehrenversprechungen binden und für diese unnatürliche Fesselung der Freiheit und des Gewissens sogar von einem fernstehenden Zentral-Wahl-Komitee, wie es vielfach geschehen ist, Anweisungen entgegennehmen, die rein in der politischen Partei-Agitation gründen, und die entschiedene Hauptsache aller Wahlrechte und Pflichten: »die streng gewissenhafte Prüfung der Persönlichkeiten und ihrer bisherigen praktischen Leistungen in der kleineren Berufswirksamkeit und Gemeinwohlfahrt!« fast in Geringschätzung drängen. Und wenn auf solche Mißdeutung der Verfassungs-Grundlage eine Repräsentativ-Versammlung, wie es kaum anders möglich ist, die Ungeduld und das Mißtrauen der Parteibefangenheit schon mit in die Beratung bringt, so ist ein gedeihliches glückliches Resultat kaum denkbar! (...)

Es ist nicht unser Beruf, auf die Spezialfragen der politischen Konflikte einzugehen, aber es kann der Handelskammer nach dem Gesetz, rücksichtlich der ihr obliegenden Überwachung der Handels- und Gewerbe-Interessen eine kurze bescheidene Anmerkung über diejenigen Punkte, welche die wirtschaftliche Wohlfahrt in ihren Grundfesten berühren, nicht wohl verdacht werden. Die volkswirtschaftlichen Grundsätze setzen vor Allem die Sicherheit des Bestehenden voraus, und diese ruht selbstverständlich vorzugsweise in der Wehrkraft, den Besitz gegen jeden Angriff zu schützen. In Anbetracht unserer geographischen Lage und nationalen Mission bei der geschichtlichen Vergangenheit deutscher Entwickelung mit bereits verlorener Entfremdung der wertvollsten Grenzlande, ist eine gesunde Erhaltung der Heeresmacht auch offenbar die dringendste Notwendigkeit. Jetzt nach 50 Friedensjahren, nach dem Leistungsmaße der Befreiungskriege noch die Wehrkraft der Landwehr als selbständiger Körper mit einjährig ausgebildetem Offizier-Korps bemessen, dürfte kaum genügend erscheinen, weshalb auch in der Tat, die eine größere Verschmelzung von Linie und Landwehr bewirkende Reorganisation vielfache Zustimmung findet. Und wenn man dagegen zur Minderung der Kosten und zur wirtschaftlich besseren Verwendung der Arbeitskraft das 3te Infanterie-Dienstjahr erlassen zu sehen wünscht, so beruht dies bei einem großen Teile des Volks nicht sowohl darin, daß man sich unter Nichtachtung der gesetzlich noch längeren Dienstzeit der anderen Großstaaten ein Urteil über die technische Seite der Frage anmaßen will, als vielmehr in der Meinung, daß mit dem Militär-Budget bei kürzerer Dienstzeit eine größere Wehrkraft zu gewinnen sei, vom industriellen Standpunkt indeß wesentlich auf dem dringenden Wunsche, die kräftigste Jugendmannschaft mit ihrer durch die preußische Dienstschule bedeutend erhöhten Organisations- und Leistungskraft so bald als irgend möglich in die bürgerlichen Erwerbskreise wieder eintreten zu sehen. (...)

Da sich in der 1848er Bewegung hier wie an vielen Orten auch überzeugend gezeigt hat, daß die Einberufung der Landwehr nach dem alten System mit den bedenklichsten Doppel-Einbußen im Produktiv-Leben verbunden war, so kann man sich kaum erklären, wie die Verhandlungen über die Militärfrage das alte innige Band der Treue und des Vertrauens zwischen Fürst und Volk so gewaltig erschüttern konnte, als es leider in vielen Kreisen erfolgt ist.

Mit einiger Besorgnis erinnert man sich des großen Preußenkönigs in seinen Worten:

> »daß die deutschen Gelehrten sehr gelehrt, aber nicht immer vernünftig sind.«

Aber wenn auch in der politischen Bewegung prinzipiell vorwiegend an dem sogenannten Ausbau der Verfassung gearbeitet wurde, während man bei gewissenhafter Prüfung verschiedener Gesetze des letzteren Zeitraums wohl noch die Notwendigkeit bescheidener Vorsicht zu erkennen glaubt, so ist doch gewiß, daß das Bestreben Einzelner um die parlamentarische Regierung im preußischen Volke und am allerwenigsten hier in der Grafschaft Mark keinen irgend bedenklichen Stützpunkt findet. Man weiß recht gut, in welchen durchaus anderen Verhältnissen sich die englische Parlaments-Regierung mit 3–400 Familien, welche faktisch fast ausschließlich unter sehr beschränktem Wahlrecht die Macht in Händen haben, entwickelt hat und man bestreitet auch nicht, wieviel leichter es in einem Lande ist, durch freie Wahl die geeigneten Männer für den staatsmännischen Beruf mit all seinen großen Anforderungen der Befähigung und vollen Hingebung zu finden, wo ein 15–20fach größeres Kapitalvermögen, 10–12,000 alle Meere der Erde befahrende Schiffe und eine Jahrhunderte ältere Handels- und Industrie-Tätigkeit mit einem reichen Schatze praktischer Kenntniß und Erfahrung vorhanden sind. Während bei uns die gelehrten Berufsklassen und die Männer der akademischen Wissenschaft, wie es in allen deutschen Staaten hervortritt, entschieden tonangebend im Übergewicht stehen, wird in England bei den Wahlen vor Allem nach Beweisen praktischer Tüchtigkeit, Lebens-Erfahrung und Menschenkenntniß gefragt, womit sich denn der unerschütterlich ruhige und konservative Entwicklungsgang des dortigen Staatslebens ganz von selbst erklärt. Unsägliches Unheil würde aber sicher über Preußen hereinbrechen, wenn die jetzigen Majoritäten über das System der Regierung materiell zwingend zu entscheiden hätten, und daß man diesen Vorwurf extremer Richtungen von allen Seiten mit Entrüstung abweist, ist unzweifelhaft ein ermutigendes Zeugniß für den politischen Fortschritt.

Bericht der Handelskammer Altena 1862/63, Preußisches Handelsarchiv 1863, 2, S. 482f.

132 »Sie treiben die Politik wie die Wissenschaft«

Hermann Baumgarten an Heinrich v. Sybel

Die hiesige Atmosphäre ist mir doch noch immer rätselhaft. Dieser Reichtum intelligenter, tätiger Menschen, die in der Politik arbeiten, und diese höchst nichtigen Resultate. Aber sie treiben die Politik wie die Wissenschaft. Sie meinen, eine Sache wäre mit gründlicher Diskussion erledigt. Und wird hier diskutiert! Warum ist hier alles so überladen? Weil Unzählige über alles reden und schreiben und alle müde sind, wenns an die Ausführung geht. Hier ist in der Geschäftsbehandlung nichts von monarchischem Wesen, alles wird republikanisch zersetzt(...). Die Masse gleichmäßiger Intelligenz macht hier jede rasche, durchgreifende Aktion unmöglich. Hier müßte ein großes Genie oder ein gewaltiger Tyrann aufstehen, in Berlin wird aber ein solches Wesen sicher nicht groß.

H. Baumgarten an H. v. Sybel am 21. 3. 1861, in: Sturmjahre, hrsg. v. J. *Heyderhoff*, S. 61

133 Resignation über den parlamentarischen Weg

Ich habe Ihnen das Ziel genannt; wie aber, und diese Frage muß uns hier vor Allem beschäftigen, wie ist der vereinte Widerstand der Krone und des Herrenhauses zu überwinden?

Erwägen wir zunächst, welche Mittel und Wege stehen Ihren Abgeordneten zu Gebote? Parlamentarische Erörterungen, Rechtsausführungen, erneute Proteste und Resolutionen, – von Allen dem kann nicht füglich die Rede sein, es wäre – wie Staub in der Waagschale! Soll das Abgeordnetenhaus eine Adresse an die Krone richten, auf's Neue die verhängnißvolle Lage des Landes schildern, die Wahl andrer Ratgeber dem Könige an's Herz legen? – Ich glaube nicht, daß nach den bisherigen Erfahrungen das Haus der Abgeordneten sich zu einem solchen Schritte verstehen wird. Sollte es dennoch geschehen, so werden Sie mir zugeben, daß bei dem bekannten festen Sinn des Königs Alles, nur kein günstiger Bescheid zu erwarten steht.

Rede J. Jacobys am 13. 11. 1863, in: J. *Jacoby*, Schriften, 2, S. 211f.

134 »Katzenjammer« der Liberalen

Rudolf v. Gneist [1] *an Robert v. Mohl* [2]

Die Kopflosigkeit ist unser chronisches Leiden geworden und das, was als Kammerauflösung, Ministerwechsel usw. evident wird, ist nur der Ausdruck der

Dinge, wie sie seit 1858 waren. Der kleine Landadel, abwechselnd in Kammerherrn-, abwechselnd in Adjutanten-Uniform, ist die Staatsräson in Preußen wie in Strelitz geblieben; alle Deklinationen waren nur leichte Verbrämungen aus Reden und Redensarten der Freimaurerloge. Ich bin mit tiefem Widerstreben in die Kammer von neuem eingetreten, wir dreschen Stroh – allein man muß doch aushalten, wenn man aufgerufen ist. Was zunächst geschehen soll nach Verweigerung des Militärbudgets, weiß hier buchstäblich niemand; ich glaube aber an keinen Staatsstreich (...).

Ob es hier stuartisch enden wird, ist mir freilich zweifelhafte Frage. Nach langer Kenntnis der Persönlichkeiten möchte ich zunächst eher an Nachgeben glauben. Dann folgt ein fluktuierender Zustand des Katzenjammers, viel obligater Fortschrittismus, neue Ära großer Prinzipien, einzelne Exzesse, unter denen sich vielleicht eine bourgeoisiemäßig gefärbte Reaktion vorbereitet. Unfruchtbar für unser inneres Staatsleben werden die nächsten Phasen ganz sicherlich bleiben. Wir bleiben in historischer »Kontinuität«, klein in großen Dingen, groß in den kleinen.

R. v. Gneist an R. v. Mohl, Berlin, den 22. 6. 1862, in: Sturmjahre, hrsg. v. J. *Heyderhoff*, S. 102f.

1 Rudolf v. Gneist (1816–1895) war Jurist und Politiker; er übte in Preußen großen Einfluß auf die neuere Verwaltungsgesetzgebung aus.
2 Robert v. Mohl (1799–1875) war süddeutscher Liberaler, Prof. der Rechte in Heidelberg, 1857 Vertreter der Universität in der badischen Kammer, 1861 badischer Abgeordneter beim Frankfurter Bundestag.

135 »Zerrüttung der liberalen Majorität«

August Lammers [1] *an Victor Böhmert* [2]

Die Zerrüttung im Schoße der liberalen Majorität ist ganz unglaublich. Statt einer einzigen geschlossenen Partei haben wir da 10 oder 20 Fraktiönchen, die sich zum Teil nur auf die gemeinschaftliche Kneipe gründen, 8 Kneip-Couleurs – wir haben ein entschiedenes Übergewicht parlamentarischer Bureaukraten über die wahren modernen Politiker, d. h. eines ängstlichen, pedantischen Geschlechtes voller Scheu vor der Öffentlichkeit und ohne Blick oder Sinn für die Gesamtheit der in Betracht kommenden Verhältnisse – wir haben statt einer harmonischen Ergänzung der verschiedenen Richtungen eine gegenseitige Paralysierung z. B. der Volkswirte und Rechtsstandpunktler – wir haben statt eines staatsmännischen Führers wie Bennigsen oder Miquel oder Brater vielmehr den Urdemokraten Waldeck, den Kronjuristen Gneist, den allzu einfachen Volksmann Schulze, den intriganten Unruh und von größeren Gaben oder einer gesünderen Mischung der Elemente fast nur Virchow, der aber die Medizin nicht an den Nagel hängen mag,

Löwe, dem es doch an Feinheit fehlt, und Twesten, der umgekehrt nicht frisch, markig und massiv genug ist. Wir haben an der Spitze des Abgeordnetenhauses »den kleinen Schuster Grabow«, wie sich die boshafte Regierung ausdrückt, und an der Spitze des Ministeriums jenen flotten Jagdjunker, vor dem einem beinahe zu grauen beginnt, wenn man sieht und hört, wie leicht das Gros der Opposition ihn noch immer beurteilt, stürzen und ersetzen zu können sich einbildet. Wäre nicht auch die Kreuzzeitungspartei der Auflösung nahe, der König ein schwerer Hemmschuh für den Tatendrang seines Ministers, so müßte der Triumph der Regierung für unausbleiblich gelten. Gewiß ist, daß für dieses Chaos Ausharren im Widerstande und Kompromiß gleich gefahrvoll erscheint. Führerlos, unberechenbar wie es ist, muß es fast mit Sicherheit bei jeder starken Bewegung zerfallen, vorrückend wie weichend.

Auch ob ein Kompromiß die Wahrscheinlichkeit für sich hat oder nicht, wage ich hiernach nicht zu entscheiden. Es wird noch sehr teils von inneren Zufälligkeiten, teils von der einwirkenden Stimmung der Masse abhängen. Die Opposition in der Militärfrage löst sich jedenfalls auf, wenn sie es nicht bereits ist. Es steht dahin, ob es den verständigeren oder willenskräftigeren Führern noch gelingt, unter scharfer Abschneidung der einfältigen Landwehrkultur eine mächtige Partei um die Fahne der zweijährigen Dienstzeit zu sammeln. Über den Stand der Dinge im Regierungslager habe ich mich nicht näher unterrichten können, als daß die Minister eine Verständigung ohne wesentliche Opfer allerdings wünschen, die Generaladjutanten – Alvensleben vor anderen – dagegen wühlen und sogar ein Kontingentgesetz für herabwürdigend ausgeben, daß in der Schleswig-Holsteinischen Frage der Kronprinz die Wiener Forderungen für ein Maximum hält, also nach wie vor gegen Annexion ist, während der König schon annexionistische Anwandlungen haben soll.

A. Lammers an V. Böhmert, Berlin, den 16. 3. 1865, in: Sturmjahre, hrsg. v. J. *Heyderhoff,* S. 244f.

1 August Lammers (1831–1892) war volkswirtschaftlicher Schriftsteller und Redakteur verschiedener Zeitschriften. Daneben hat er durch Vereine, Vorträge und zahlreiche Broschüren (über Freihandel, Sonntagsarbeit, Armenwesen) das Volkswohl im liberalen Sinn zu heben versucht. 1877–79 war er nationalliberaler preuß. Abgeordneter.

2 Victor Böhmert (1829–1918) war Nationalökonom, Zeitungsredakteur, 1860 Verwaltungschef der Bremer Handelskammer.

136 Kriegsminister v. Roons Einschätzung der »liberalen Menge«

Albrecht v. Roon an Clemens Theodor Perthes

Die Armee-Reorganisation muß ihrem innersten Wesen und Leben nach erhalten werden. Darüber sind wir einig hie und dort. Die Erklärung, was dazu gehört, geht von mir aus, so lange man allseitig vernünftig ist, aber ist dazu Aussicht? Wichtiger und damit verwandt ist aber der andere, bedeutungsvolle Ausspruch: »das Armee-Gefühl darf nicht verletzt werden,« denn mit dem Ruin der Armee-Gesinnung wird Preußen rot, und die Krone rollt in den Kot. Wird aber die Gesinnung nicht leiden, wenn man auch nur in der Geldfrage nachgiebt? Ich glaube, derartiges vorher verkündet, erregt homerisches Gelächter und ausgelassene Freude bei den Feinden, ohne daß dadurch eine Stimme gewonnen wird, und der König demütigt sich damit und mit Ihm die Armee in dem stolzen Selbstgefühl, das aus der Abhängigkeit allein vom Könige und nicht vom Parlament stammt.

Das schließt nicht aus, daß in der Form der Geldforderung dem Vorurteil der Masse Rechnung getragen werden dürfte.

Und zum Schluß noch eins! Glauben Sie, daß die liberale Menge, das vulgäre Philisterium hohes Spiel liebt? Ich glaub's nicht. Die Regierung zwingen wollen, entweder nachzugeben oder das Schoßkind der verblendeten Affenmutter »Constitutionalismus« zu ersäufen, vielleicht in Blut: Dies hohe Spiel wagt selbst Vincke nicht. Werden die Wahlen, wie sie waren, so geht's unter allen Umständen um Kopf und Kragen, warum also nachgeben und sich blamiren? Werden sie, wie ich glaube, etwas besser, so wird freilich die Majorität wieder bei den blassen Mittelparteilern sein. Diesen aber kann man durch Entschiedenheit imponiren. Aber Entschiedenheit und Klugheit! Daher immer inniger das sonntägliche Kirchengebet für den König und zwar alltäglich!

A. v. Roon an C. Th. Perthes am 1. 4. 1862, in: A. v. *Roon,* Denkwürdigkeiten, 2, S. 78 f.

137 Krupp unterstützt die Regierung, nicht die bürgerliche Opposition

Kriegsminister Albrecht v. Roon an Alfred Krupp

An Ew. Hochwohlgeborenen richte ich die ergebene Frage, ob Sie, in patriotischer Würdigung der gegenwärtigen politischen Verhältnisse, sich anheischig machen wollen, ohne Zustimmung der Königlichen Regierung keine Geschütze an Österreich zu liefern. Ew. Hochwohlgeboren private Zusage würde mir genügen. Wenn indes Ew. Hochwohlgeboren durch Rücksichten irgend einer Art verhindert sind, die Übernahme einer solchen Verpflichtung auszusprechen, so wollen Sie die Güte haben, Sich recht bald darüber gefälligst zu äußern.

Alfred Krupp an Kriegsminister Albrecht v. Roon

Ew. Exzellenz

gebe ich mir die Ehre, – nach gestriger Abwesenheit – heute sofort die hochgefällige Zuschrift vom 9. ds. ganz gehorsamst zu beantworten.

Zuvörderst führe ich an, daß für die österreichische Bestellung an 8 zölligen Rohren, das erste Proberohr Anfang Juni zu liefern ist, und sechs Wochen später erst die Ausführung des Auftrages zu beginnen hat. Hoffentlich bietet dieser Umstand eine wesentliche Beruhigung, jedenfalls genügt derselbe zur Versicherung, daß, ohne die Notwendigkeit einer Äußerung meinerseits, welche einem Contractbruch gleich kommen würde, ohne und gegen den Willen der vaterländischen Regierung nach Österreich kein einziges Geschütz gelangen kann. Mit Bezug auf eine betreffende Unterredung werden Ew. Exzellenz Ihren Zweck erreichen ohne einen Conflikt zwischen meinem Patriotismus und meinem Ruf nach Außen.

Von den politischen Verhältnissen weiß ich sehr wenig; ich arbeite ruhig fort, und kann ich das nicht ohne Störung der Harmonie zwischen Vaterlandsliebe und Ehrenhaftigkeit so gebe ich die Arbeit ganz auf, so verkaufe ich meine Fabrik und bin ein reicher unabhängiger Mann. – Ew. Exzellenz wollen bedenken, daß ich unter den friedlichsten Beziehungen beider Staaten s. Z. den Auftrag von Österreich angenommen habe, und zwar um so mehr mit Dank zu der Zeit nämlich, als die vaterländische Marine meinen Gußstahl als Geschütz-Material mißachtete und die Bestrebungen des obersten Fachmannes dahin zielten, statt des Gußstahls die Bronze einzuführen. Von dem s. Z. eingegangenen Auftrage Österreichs habe ich sofort Ew. Exzellenz und selbst Seine Majestät den König in Kenntniß gesetzt.

A. v. Roon an A. Krupp, Berlin, den 9. 4. 1866; A. Krupp an A. v. Roon, Essen, den 13. 4. 1866, in: W. *Berdrow*, Alfred Krupps Briefe 1826–1887, Berlin 1928, S. 219

138 Wahltaktik der Konstitutionellen

Adolf Lette [1] *an Carl Twesten*

Wenn zu irgendeiner Zeit, so ist es jetzt für die Zukunft des Landes notwendig, daß Ihre Fortschrittspartei und deren Zentralwahlkomitee nicht gegen die altbewährten, langjährigen Männer der konstitutionellen Partei und deren Wahl agitiert und lieber jeden jungen Kandidaten vorzieht, der ohne andere Bewährung nur das Programm unterschrieben und sich verpflichtet hat, der Fraktion beizutreten (...).

Wozu könnte der Konflikt zwischen der feudalen und Fortschrittspartei im Hause führen? Man würde die letztere als die altdemokratische, unverbesserliche Partei stigmatisieren und ich besorge, daß bei der abermaligen voraussichtlichen Auflösung dann die Reaktion auf der abschüssigen Bahn sehr schnell voranginge. Wie doch in der Tat bisher geschehen, sind wir, die Grabow-Fraktion und die anderen liberalen Fraktionen, in allen wichtigen Fragen Hand in Hand gegangen und die Lage der Dinge wird das Zusammengehen im nächsten Hause – wenn persönliche Gereiztheiten und Verletzungen vor dem patriotischen, opferwilligen Streben, Verfassung und Volkswahl zu schützen, bei allen echten Freunden des Königs und des Vaterlandes zurücktreten – dringend gebieten. Wird man auch die Handlungen der neuen Minister abwarten, so glaube ich doch schwerlich, daß sie nicht auch uns auf dem Oppositionsboden wie 1851–58 finden werden. Erinnere ich mich gerade Ihrer Wahlrede, über die ich Ihnen sofort meine freudige Zustimmung aussprach, und vergleiche damit unser anliegendes Programm nebst Bericht und heute (zunächst in der Berliner Allgemeinen Zeitung) erschienener Ansprache, so weiß ich gerade bezüglich auch der Militärfrage keinen wirklichen Unterschied zu erkennen. Verdängen Sie durch die Weisungen Ihres Zentralwahlkomitees die alten Kämpfer der konstitutionellen Partei nicht aus dem Hause, so wird die Krone die Überzeugung gewinnen müssen, daß es nicht bloß eine einzelne vorgeschobene Partei, sondern daß es die ganze große Mehrheit des Landes ist, welche ihr gegenübersteht. Ich kann nicht anders als das für die bei einer wahrscheinlichen neuen Auflösung möglichen Schritte Notwendige und einzige Heilsame erachten.

A. Lette an C. Twesten am 20. 3. 1862, in: Sturmjahre, hrsg. v. J. *Heyderhoff,* S. 83

1 Adolf Lette (1799–1868) war Jurist, 1820 Burschenschafter, 1848 Mitglied der Nationalversammlung, seit 1852 Mitglied des preuß. Abgeordnetenhauses als Konstitutioneller.

139 Konstitutionelle Kritik an den Demokraten

Max Duncker an Franz v. Roggenbach [1]

Die Demokratie hat, mit Ausnahme einzelner, wenig verlernt und wenig vergessen. Extreme Parteien sind auch nicht wohl in der Lage, dies zu können, wenn sie eben die sogenannte Entschiedenheit der Prinzipien, d. h. die Abstraktionen, wahren wollen. Die Demokraten sehen ein, daß ihre Enthaltung von 1849–1855 ein großer Fehler gewesen; es war ihnen unbequem, sich den Konstitutionellen 1858 unterordnen zu müssen. Nun gab ihnen der unentschiedene Gang des Ministeriums, die mangelnden Erfolge, die Mißstimmung der Liberalen über die Schritte ihres Ministeriums nach langer Zeit die ersten Aussichten. Man brachte Schulze-Delitzsch und Waldeck auf die Wahl. Die ersten Versuche mißlangen, Beeler schlug Waldeck im Dezember v. J.; die demokratische Presse rächte sich dafür an Beeler durch maßlose Ausfälle. Endlich gelang es in Bielefeld. Man trat in der Adreßdebatte sehr bescheiden auf, brachte dann aber bald und zwar zweimal hintereinander die »Untertanen« zur Sprache. Vincke erwiderte, wie es sich auf diese absichtliche Provokation ziemte. Nun fiel die demokratische Presse über Vincke her. Der Wechsel der demokratischen Taktik war dadurch bedingt, daß es Waldeck und Schulze inzwischen gelungen war, etwa 20 junge Leute der Vinckeschen Fraktion (das sogenannte Junglitauen) zu entziehen und mit diesen die erste demokratische Kammerfraktion seit 1848 in Preußen zu bilden. Das Wahlmanifest ist von dieser Fraktion ausgegangen und soll die Auflösung der konstitutionellen Partei weiter fortsetzen. Man rechnet dabei auf die Unpopularität der erhöhten Militärlast und die Unzufriedenheit der Konstitutionellen mit ihren Ministern. Zu diesem Zwecke sind auch alle prinzipiellen Fragen in dem Programm der sogenannten neuen Partei in den Hintergrund gestellt. Die entschiedenen Demokraten Streckfuß und Konsorten sind damit natürlich sehr unzufrieden; sie wollen von diesen taktischen Künsten nichts wissen.

Meinerseits habe ich nicht das mindeste einzuwenden, wenn eine Partei, die im Lande vorhanden ist, wie die Demokratie, in der Kammer vertreten ist – im Gegenteil. Die Konstitutionellen gehen weit sicherer, wenn sie von den Demokraten und Feudalen gehörig flankiert sind. Nur wünsche ich nicht, den Demokraten zur Sprengung der Konstitutionellen geholfen zu sehen, besonders da die Demokratie die Unterstützung der Feudalen überall zu erwarten hat, wo diese nicht selbst imstande sind durchzudringen; mindestens deren passive Assistenz, Enthaltung usw. steht der Demokratie in Aussicht.

M. Duncker an F. v. Roggenbach am 4. 7. 1861, in: M. *Duncker,* Politischer Briefwechsel, S. 285

1 Franz v. Roggenbach (1798–1854) war Jurist, 1861 Außenminister des Herzogtums Baden.

140 Der Unterschied zwischen Demokraten und Konstitutionellen

Rudolf Haym an Heinrich v. Treitschke [1]

Was aber den Demokratismus selbst anlangt, so glaube ich davon – nach idealem Wortverstande – soviel in meinem Blute zu haben, als nur zu verlangen ist, und bedauere, daß ich mich nicht danach nennen kann, dieweil unsere speziell sogenannten Demokraten seit dem Jahr 1848 bis jetzt sich noch allemal dadurch ausgezeichnet haben, daß sie durch unpolitische Tendenz- und Prinzipienpolitik die reale Förderung unserer nationalen und unserer Freiheitsinteressen erschwerten. Auch mir ist, wie Ihnen, die nationale Frage gegenwärtig bei weitem die erste, um ihretwillen (wenn auch nicht um ihretwillen allein) wünsche ich einen möglichst weit getriebenen Liberalismus in Preußen. Soweit bin ich ganz mit der Partei des »entschiedenen Fortschritts« oder den – preußischen Demokraten einverstanden; ich unterscheide mich aber von ihnen dadurch, daß ich ganz klar zu sehen und zu wissen glaube, daß ihre Art, die »Wahrheit der Verfassung« zu fordern, viel eher dazu angetan ist, uns rückwärts als vorwärts, uns wenigstens zu einem halbfeudalen Ministerium zurückzubringen. Ich unterscheide mich von ihnen ferner darin, daß mir auswärtige Politik wichtiger ist als die innere und daß ich aus diesem Gesichtspunkt die Heeresorganisationen beurteile und selbige für eine wirkliche Verbesserung und für eine Stärkung Preußens halte: diese Heeresorganisation ist mir für Preußens deutsche Politik, was uns Liberalen allen die Verfassung für unsere innere Entwicklung ist; ich akzeptiere sie, obgleich sie teuer und ungemütlich ist, verlange aber, daß sie eine Wahrheit werde, d. h. daß sie benutzt werde, den deutschen Staat zu gründen; und ich glaube, daß dies ernstlich und ehrlich die Absicht ist, daß – es die Absicht werden muß –, wenn sie es nicht ist, da immer dergleichen Rüstungen mit innerer Notwendigkeit zur Tat treiben und gleichsam durch ihr eigenes Gewicht ziehen.

R. Haym an H. v. Treitschke am 28. 9. 1861, in: Ausgewählter Briefwechsel Rudolf Hayms, hrsg. v. H. *Rosenberg*, Berlin/Leipzig 1930, S. 202f.

1 Heinrich v. Treitschke (1834–1876) war Historiker, 1858 Privatdozent in Leipzig, 1863 Prof. in Freiburg; 1866 Anschluß an den Nationalliberalismus.

6 *Der Umfall der Bürger*

141 »Hand in Hand« mit der Reaktion

Man will wissen, daß die Abgeordneten Twesten, Gneist und Virchow zu einer Audienz beim König befohlen gewesen seien und daß infolge dieser von ihnen eine Proklamation an die Wähler von ihnen vorbereitet und erlassen wird, daß unter den gegenwärtigen Umständen die Abgeordneten mit der Regierung Hand in Hand gehen müßten und daß sie und ihre Partei dies zu tun sich für verpflichtet halten; auch spricht man von einer zu erlassenden allgemeinen Amnestie, namentlich für Press- und politische Vergehen, die auf speziellen Befehl des Königs bereits in der Bearbeitung ist und deren Publikationen man hiernach täglich erwarten kann.

Tagesbericht des Berliner Polizeipräsidiums vom 20. 6. 1866, ZStA II Merseburg, Rep. 92, NL Zitelmann, Nr. 75[2], Bl. 27 f.

142 Kriegserfolge und Überzeugungswandel

Heinrich v. Sybel an Hermann Baumgarten

Es ist arg, daß ich Ihnen nicht längst auf Ihren freundlichen und interessanten Brief wieder Nachricht gegeben. Indes die Empfangsbescheinigung werden Sie in der Kölnischen Zeitung gelesen haben und im übrigen sind die Ereignisse so überraschend und überwältigend abgerollt, daß einem die Feder Tag für Tag aus der

Hand fiel. Ich meine, daß seit den Feldzügen von 1805, 1806, 1815 nichts Ähnliches geleistet worden ist wie diese preußische Kampagne in Böhmen. Vom 22. Juni bis zum 3. Juli mit jungen, zu vier Fünftel nie im Feuer gewesenen Truppen 9 Gefechte, 1 Schlacht, die Eroberung eines Königreichs, die Zertrümmerung eines feindlichen Heeres von 250000 Mann, die Überwältigung Österreichs. Oberleitung, Schnelligkeit, Rastlosigkeit, Tapferkeit der Truppe, Verwaltung des Heereswesens: alles gleich vortrefflich. – – Überall, auch in den rheinischen Städten, melden sich die Freiwilligen in Menge. Klerikale und Radikale rümpfen die Nase und seufzen im Namen der Humanität über das viele Blutvergießen, aber sie sind völlig niedergeschlagen. Dazu die Wahlen, die den Altliberalen die Entscheidung über die Majorität in der Kammer in die Hand geben, und nach allen Anzeichen der jetzt endlich zu hoffende Entschluß der Regierung, versöhnlich im Innern aufzutreten. Und dazu endlich die österreichische Infamie, auf den Knien vor Napoleon die französische Intervention zu erbetteln, nachdem sie jahrelang von dem geheimen Handel zwischen Preußen und Frankreich geredet und vor allem damit eine Menge braver Süddeutscher hirntoll gemacht!

H. v. Sybel an H. Baumgarten, Bonn, den 10. 7. 1866, in: Sturmjahre, hrsg. v. J. *Heyderhoff*, S. 331

143 »Freiheit ohne Parlamentarismus?«

Carl Twesten an Gustav Lipke

Es scheinen Anweisungen zu milderer Praxis gegen Presse, Versammlungen, bei Bestätigung städtischer Wahlen ergangen zu sein. Ich weiß nicht, ob man wegen meiner neulichen Rede disziplinarisch gegen mich einschreiten wird; da es offenbar nach der Definition des Obertribunals eine Demonstation und Agitation gegen die Regierung war, wäre es ein Zeichen der Zeit, wenn nichts veranlaßt würde. Auch die Untersuchungen der Rede im Abgeordnetenhause läßt man noch immer schlafen.

Wie Bucher befindet sich jetzt auch Rodbertus offen im Bismarckschen Lager; was sich die Leute bei ihrer politischen Freiheit ohne Parlamentarismus denken, weiß ich nicht. Bismarck denkt ohne Zweifel an Napoleonisches Regiment mit allgemeinem Stimmrecht und ähnlichen Kunststücken.

C. Twesten an G. Lipke, Berlin, den 23. 4. 1866, in: Sturmjahre, hrsg. v. J. *Heyderhoff*, S. 277

144 Geldbewilligung für die Regierung

Der Berliner Maschinen-Fabrikant Louis Schwartzkopff am 25. Juli 1866 auf einer Versammlung der Fortschrittspartei im dritten Berliner Wahlbezirk

Die Kardinalfrage, die in der gegenwärtigen Situation an die Abgeordneten gestellt werden muß, und die ich auch gleichzeitig an Herrn von Unruh richte, ist die: werden sie jetzt, wo der Krieg losgebrochen ist, und so lange als der Krieg dauert, der Regierung Geld bewilligen oder nicht? Wenn nur ein Kandidat diese Frage nicht mit Ja beantwortet, so werde ich ihm meine Stimme nicht geben, und ich glaube, daß viele Wahlmänner dieses Wahlkörpers mit mir hierin übereinstimmen. (...) Ich muß gestehen, daß die Programme, die neuerdings von verschiedenen früheren Abgeordneten aufgestellt sind, mich vorsichtig gemacht haben. Ich bin bereits dreimal als Wahlmann dieses Bezirks gewählt worden und habe stets für Schulze-Delitzsch gestimmt. Aber in solchen Zeiten, wie den gegenwärtigen, will ich bestimmt von ihm hören, ob er seine Wendung »diesem Ministerium unter allen Umständen keinen Groschen« auch jetzt noch aufrecht erhält. Es ist unsere unabstreitbare Pflicht, als Wahlmänner unter den jetzigen Verhältnissen uns genau vor der Wahl und vor der Abgabe unserer Stimmen zu informieren, wie es unseren Abgeordneten heute ums Herz ist.

B. *Beer*, Louis Schwartzkopff, Lebensbild eines patriotischen Bürgers und werktätigen Industriellen, Leipzig 1943, S. 87

145 Der Sieg über die Volksvertretung

Die Thronrede hat in jeder Richtung hin befriedigt und die darin ausgesprochenen Verheißungen die gehegten Erwartungen der Bevölkerung bei Weitem übertroffen. In Abgeordneten-Kreisen ist man vollständig zufrieden gestellt und es unterliegt keinem Zweifel, daß die Regierungspartei im Abgeordnetenhause die Majorität hat und deshalb ist die Geldbewilligungsfrage gesichert. (...) Allgemein hat die Aussicht auf ein Indemnitätsgesetz überrascht und man ist fest überzeugt, daß dadurch der Konflikt zwischen Regierung und Volksvertretung vollständig ausgeglichen wird.

Tagesbericht des Berliner Polizeipräsidiums vom 6. 8. 1866, ZStA II Merseburg, Rep. 92, NL Zitelmann, Nr. 75[2], Bl. 36f.

146 Der »Boden der gegebenen Tatsachen«

Nach den Waffenerfolgen des preußischen Heeres kann über den Beruf Preußens zur Führerschaft in dem zu errichtenden nationalen Gemeinwesen kein Streit mehr sein. Damit ist ein großer Schritt getan zur Erreichung des Zieles, welches die nationale Partei seit Jahren erstrebt hat. Aber die preußische Regierung allein hat es nicht vermocht, den berechtigten Anspruch der ganzen deutschen Nation auf Einigung zu verwirklichen. Sie hat ihre Aufgabe darauf beschränkt, den norddeutschen Bund herzustellen und für diesen ein Parlament zu schaffen. Am Volke wird es nun sein, durch das Parlament den norddeutschen Bund derart zu gestalten, daß derselbe baldigst zum Gesamtstaat deutscher Nation erweitert werden könne. Hierzu gehört auf der einen Seite die Übertragung einer wirklichen Regierungsgewalt an die Krone Preußen in bezug auf die militärischen, diplomatischen, Zoll-, Handels- und Verkehrsangelegenheiten, auf der anderen Seite sind dem Parlamente in bezug auf Budget und Gesetzgebung des neuen Bundes entscheidende Befugnisse, dem Volke ein gemeinsames deutsches Bürgerrecht und die Selbstverwaltung in allen nicht gemeinsamen Angelegenheiten sicherzustellen.

Die Einheit, die Freiheit und die Größe unseres deutschen Vaterlandes ist also unser Ziel. Mit Männern, die dieses Ziel auf dem Boden der einmal gegebenen Tatsachen mit uns erstreben wollen, sind wir bereit, in rüstiger Arbeit vorzugehen, unbekümmert um solche Meinungsverschiedenheiten, welche in der Erreichung des großen gemeinsamen Zieles ihre Ausgleichung finden werden.

Kundgebung der Fortschrittspartei vom 12. 11. 1866, in: F. *Salomon,* Parteiprogramme, S. 110f.

147 Selbstausschaltung des Bürgertums aus der Politik

In allen modernen Staaten hat sich das Bürgertum zu einer hohen wirtschaftlichen Bedeutung, zu einer stolzen Macht der wissenschaftlichen und industriellen Intelligenz erhoben; alle modernen Staaten ruhen wesentlich auf der bürgerlichen Arbeit, alle werden daher auch im politischen Leben den bürgerlichen Kräften einen bedeutenden Einfluß einräumen müssen. Aber zur eigentlichen politischen Action ist nichts destoweniger der Mittelstand wenig geschaffen. Er wird überall ein Hauptfactor im Staatsleben sein, seine Einsicht, seine Tätigkeit, sein Vermögen wird vom Staat in erster Linie in Anspruch genommen, seine Interessen und Tendenzen werden von jedem verständigen Staatsmann in erster Linie berücksichtigt werden müssen. Aber die Natur seiner gesellschaftlichen Stellung, die Wirkung seiner Berufstätigkeit auf Lebensgewohnheiten und Charakterformen und Gedankenrichtungen wird den bürgerlichen Mann nur in seltenen Fällen befähigen, in großen politischen Geschäften mit Erfolg zu arbeiten. Er wird den Kammern die einsichtigsten und kenntnißreichsten Mitglieder, aber nur selten Führer geben, welche die gesamte Situation mit staatsmännischem Blick zu beherrschen und im entscheidenden Augenblick die entscheidende Tat zu tun verstehen. Er wird den Ministerien die vortrefflichsten Räte liefern, aber nur selten gute Minister, welche im Stande sind, ebenso geschickt mit den regierenden Herren zu verkehren wie mit den Abgeordneten. Der Bürger ist geschaffen zur Arbeit, aber nicht zur Herrschaft und des Staatsmanns wesentliche Aufgabe ist zu herrschen. (...)

Aber alle diese Mißstände verschwinden vor dem einen, daß der Bürgerliche erst spät, von einem ganz anderen Berufe aus zur Politik kommt, daß er nicht zum Staatsmann erzogen und gebildet ist, daß ihm deshalb wesentliche Kenntnisse, Übungen, Geschicklichkeiten fehlen, deren der Staatsmann in keiner Weise entbehren kann. Es ist einer der verderblichsten Irrtümer, in welche uns unsere ganz unpolitische Art und der Mangel aller großen politischen Erfahrungen verstrickt hat, zu meinen, jeder tüchtige Gelehrte, Advocat, Kaufmann, Beamte, der Interesse habe an öffentlichen Dingen und fleißig die Zeitung lese, sei befähigt, activ in die Politik einzugreifen, es bedürfe dafür durchaus keiner besonderen Vorbereitung, keines speziellen Studiums und die Politik lasse sich vortrefflich neben den sonstigen Berufspflichten treiben. Allerdings wenn diese Politik sich nicht höher versteigt, als in irgend einer kleinen Kammer an den Regierungsvorlagen ein wenig herum zu pflücken, hier einen Schreiber und da einen Gendarmen zu streichen, dem Wahlbezirk eine Chaussee zu verschaffen oder eine Eisenbahnstation, dann sind ja gewiß verständige Bürgermeister, Beamte und Richter unter der Leitung eines etwas weiter sehenden Professors oder Juristen ein ganz gutes Collegium. Aber es wird doch Niemand behaupten, daß mit dieser Art von Kammertätigkeit irgend etwas Erhebliches geleistet werde, und wenn nun, wie es doch auch der kleinsten deutschen Kammer begegnet, größere Entscheidungen gegeben werden sollen, die mehr verlangen als die leidliche Kenntniß eines Wahlbezirks und die Einsicht eines kleinstädtischen Biedermanns und die Charakterstärke eines abhängigen Beamten, wie sieht es dann aus? Ich kenne keinen seltsameren Anblick, als den unsere deutschen Kammern gewähren, wenn sie wirkliche politische Fragen zu lösen haben. Dieses ernste, gewissenhafte, gründliche deutsche Volk zeigt sich da in denjenigen, denen es die Entscheidung über seine größten Geschicke anvertraut hat, von einer Seite, die zu seiner sonstigen Art den unerfreulichsten Contrast bildet. Die Männer, die da in solchen wichtigen Momenten auf den grünen oder roten Bänken sitzen, sind in ihrem Beruf gewiß von anerkennenswerter Tüchtigkeit, wie hätten sie sonst das Vertrauen der Wähler gewonnen? aber nun sollen sie über Dinge entscheiden, die ihrem Gesichtskreise fern liegen, über die sie keinerlei selbständiges Urteil, keinerlei gründliche Kenntniß haben. Da werden sie dann entweder die Beute der ministeriellen Überlegenheit, die ihnen oft mit den plumpsten Künsten Beschlüsse entreißt, deren Consequenz sich ihrer Einsicht verbirgt, oder sie ermannen sich zu einem tapferen oppositionellen Votum, das aber schon deshalb keine praktischen Folgen hat, weil die Opposition nur in den seltensten Fällen über die Kräfte verfügt, welche im Stande wären, die Regierung zu übernehmen. Diese Kräfte aber fehlen, weil die Versammlung mit verschwindenden Ausnahmen von Personen gebildet wird, welche sich nur nebenher mit der Politik beschäftigen. Eine Kammer, deren Parteien nicht von wirklichen Staatsmännern geführt werden, ist eine Mißgeburt; Staatsmänner aber werden so wenig im späteren Alter improvisirt als tüchtige Mediziner, Juristen und Philologen. Staatsmänner gehen nicht aus einer dilettantischen Beschäftigung mit dem Staat hervor, sondern aus einer ernsten, dem Staat gewidmeten Lebensarbeit. (...)

Wenn nun aber bedeutende politische Leistungen nur erwartet werden können von Männern, welche die Politik zu ihrem Lebensberufe gemacht haben, und wenn dem bürgerlichen Stande die eigentlich politische Carrière fern liegt, so ergiebt sich daraus von selber, wie unerläßlich jedem Volke die Beihilfe des Adels ist, wenn es große politische Aufgaben lösen will. Haben doch selbst wir, unter denen bürgerliches Wesen und bürgerliche Anschauungen und Bestrebungen ein ganz ungebührliches Übergewicht erlangt haben, sogar in unserem kleinstaatlichen Leben die Erfahrung gemacht, daß die wenigen wirklich hervorragenden politischen Köpfe in der Regel dem Adel angehören! Aber es war unser Verhängniß, daß der auch bei uns zur politischen Führung berufene Adel mit seltenen Ausnahmen dem notwendigen Streben der Nation in kleinlicher und bornirter Feindseligkeit gegenüber stand.

H. *Baumgarten,* Der deutsche Liberalismus, in: Preußische Jahrbücher 18 (1966), S. 471ff.

148 Heinrich v. Sybel über Frauenemanzipation

Mit einem Worte also, weder ein Gewinn für den Staat noch für die Frauen würde es mich dünken, wenn das weibliche Geschlecht zur Ausübung politischer Rechte oder zur Bekleidung öffentlicher Ämter berufen würde. Dagegen wäre es völlig verkehrt, ihm auf dem Gebiete der privaten Arbeit, der ökonomischen und industriellen, der literarischen und künstlerischen Tätigkeit, irgendeine gesetzliche Schranke zu ziehen, außer der einen, in der Natur der Ehe begründeten, daß die Ehefrau nicht ohne Zustimmung des Mannes ein selbständiges Gewerbe betreibe. (...) Desto wichtiger ist das Prinzip der vollen Gewerbefreiheit für die Unverheirateten, und hierauf mit lebhaftem Nachdruck hingewiesen zu haben, scheint mir das einzige, aber auch äußerst dankenswerte Verdienst der modernen Agitation. Je unverhohlener ich dies anerkenne, um so mehr wünsche ich, daß es durch genaue Klarheit über Zweck und Mittel erfolgreich bleiben, daß es nicht durch Verquickung mit den windigen Parteien der Emanzipationslehre, durch Ignorieren der natürlichen Verschiedenheit beider Geschlechter, durch Mißachtung der Ehe als des regelmäßigen weiblichen Berufes, geschädigt und verkümmert werde.

H. v. Sybel, Über die Emanzipation der Frauen, in: H. *v. Sybel,* Vorträge und Aufsätze, Berlin ²1875, S. 74

149 Die Opposition in der Minderheit

Auch ich, meine Herren, anerkenne in vollem Maße die heldenmütige Tapferkeit des Heeres, wie die Großartigkeit der kriegerischen Erfolge. Allein in den freudigen Siegesruf, in das io triumphe! der Regierungspartei vermag ich nicht einzustimmen. Die Volkspartei hat – nach meiner Ansicht – weder ein Recht dazu, noch auch einen triftigen Grund –
(lebhafter Widerspruch)
kein Recht, denn der Krieg ist ohne, ja gegen den Willen des Volks unternommen, keinen triftigen Grund, denn nicht der Volkspartei, nicht der Freiheit kommt der errungene Sieg zu Gute, sondern dem unumschränkten Herrschertume, der Machtvollkommenheit des obersten Kriegsherrn.
(Große Unruhe und Murren)

Meine Herren! Seit einem Vierteljahrhundert kämpfe ich für den Rechts- und Verfassungsstaat, für bürgerliche und staatliche Freiheit, Sie werden es mir schon zu Gute halten, wenn ich auch heute mich nicht dazu verstehen kann, an die Ereignisse der Gegenwart einen anderen Maßstab anzulegen, als den altgewohnten der Freiheit. Tue ich dies aber, so muß ich meine innige, aufrichtige Überzeugung dahin aussprechen, daß der eben beendete Krieg, gegen Deutsche geführt, im Bunde mit einer fremdländischen Macht, – trotz aller Siege des tapferen Heeres – dem preußischen Volke weder zur Ehre,
(Lebhaftes, anhaltendes Murren)
noch dem gesamten deutschen Vaterlande zum Heile gereicht. (...) Meine Herren! Täuschen wir uns doch nicht über die politische Bedeutsamkeit kriegerischer Erfolge. Mögen immerhin andere Völker Europas auf dem Wege der Gewalt durch eine Art Blut- und Eisenpolitik, zu ihrer staatlichen Einheit gelangt sein, das deutsche Volk, – eine tausendjährige Geschichte bezeugt es, – hat von jeher allen solchen Einigungsversuchen erfolgreich Widerstand geleistet. Zwangseinheit, Einheit ohne Freiheit ist eine Sklaveneinheit, die weder Wert hat noch Bestand; am allerwenigsten darf man sie, wie es in der Adresse geschieht, als eine Vorstufe zur Freiheit betrachten.

Rede J. Jacobys im preuß. Abgeordnetenhaus am 23. 8. 1866, in: J. *Jacoby*, Schriften, 2, S. 306f.